Val dood

Van dezelfde auteur

Snel geld
Bloedlink

Bezoek onze internetsite www.awbruna.nl
voor informatie over al onze boeken en dvd's.

Jens Lapidus

Val dood

A.W. Bruna Uitgevers B.V., Utrecht

Oorspronkelijke titel
Livet deluxe

Published by agreement with Salomonsson Agency
Vertaling
Jasper Popma, via het Scandinavisch Vertaal- en Informatiebureau Nederland
Omslagbeeld
Trevillion Images/©Yolande de Kort
Omslagontwerp
Studio Jan de Boer

ISBN 978 90 229 9456 6
NUR 332

Tweede druk, december 2011

Dit boek is gedrukt op papier dat het keurmerk van de Forest Stewardship Council (FSC) mag dragen. Bij dit papier is het zeker dat de productie niet tot bosvernietiging heeft geleid. Een flink deel van de grondstof is afkomstig uit bossen en plantages die worden beheerd volgens de regels van FSC. Van het andere deel van de grondstof is vastgesteld dat hiervoor geen houtkap in de laatste resten waardevol bos heeft plaatsgevonden. Daarom mag dit papier het FSC Mixed Sources label dragen. Voor dit boek is het FSC-gecertificeerde Munkenprint gebruikt. Dit papier is 100% chloor- en zwavelvrij gebleekt en wordt geleverd door Arctic Paper Munkedals AB, Zweden.

Voor Jack en Flora

'You West Side. You musta heard of Charlie Sollers, right?'
'No.'
'Goes all the way back to Franklin and Fermont. I mean all the way back to the 60's and shit.'
'Sollers?'
'Sold heroin like it was water. I mean, the motherfucker made himself some money.'
'I don't know who the fuck you are talking about.'
'I know you don't. And the police don't. And the stick up boys wouldn't have a fucking clue either. Cause Charlie Sollers just sold dope. No profile. No street rep. Just buy for a dollar, sell for two.'

– Proposition Joe praat met Stringer Bell,
The Wire, tweede seizoen

Proloog

Het was de tweede keer in mijn leven dat ik voor een klus naar Stockholm ging.

De eerste keer was ik hier voor een bruiloft, als lijfwacht van een gast. Dat was zeventien jaar geleden en ik was nog jong. Ik weet nog hoe ik me erop verheugde de dag erna te feesten in Stockholm en blondines te scoren. De bruiloft zelf was een grote happening vergeleken met bruiloften in mijn vaderland. Ze zeiden dat hij ook naar Zweedse maatstaven groot was, er waren zo'n driehonderd gasten. En inderdaad, het was prima gedaan. Het pasgetrouwde paar kwam in bontjas uit de kerk. Ze hadden een jong kind, een schattig meisje, ook in een bontjas. Het bruidspaar reed bij de kerk weg in een slee die werd getrokken door vier witte paarden. Hun dochtertje stond met haar au pair op de kerktrappen te zwaaien. De lucht was schoon, de sneeuw fonkelde en de hemel was helder. Ik weet nog wat ik dacht: dat Zweden het schoonste land ter wereld moet zijn. Daarna zag ik de gezichten van de gasten. Sommige straalden van vreugde, andere van bewondering. Maar één ding zag ik bij iedereen: respect.

De man die toen trouwde was degene voor wie ik nu moest zorgen: Radovan Kranjic. Dat was de ironie van het lot: gezien te hebben hoe zijn nieuwe leven begon, en dat nu te gaan beëindigen.

Ik voel normaal gesproken niets. Integendeel, ik dood mezelf voor elke opdracht. Ik ben besteld, betaald, onafhankelijk – in wat ik doe zit niets persoonlijks. Maar deze keer naar Stockholm te komen voelde op een of andere manier volmaakt.

De cirkel zou gesloten worden. Een balans hersteld.

Toen gebeurde er iets.

Ik had de hele dag in de Volvo gezeten. Toen ik op mijn kamer kwam, besloot ik mijn vuurwapens schoon te maken. Ik had ze aangeschaft in Denemarken, waar ik contacten heb – sinds de zogenaamde oorlog tegen terrorisme van de Amerikanen ga ik de EU niet meer met wapens binnen.

Ik had een Accuracy International L96A1 – een scherpschuttersgeweer uit de topklasse – en een Makarov. Ik haalde ze uit elkaar en legde ze op een doek op mijn bed, schoongemaakt en glanzend. Het laatste wapen, een revolver, hield ik in mijn hand.

Toen ging de deur open.

Ik sprong haast op toen ik besefte dat ik vergeten was de deur op slot te draaien, wat ik normaal gesproken altijd doe.

Het was een kamermeisje. Ik vroeg me af wat dit eigenlijk voor pesthotel was, dat het personeel niet eerst aanklopte.

Ze staarde een paar seconden naar mijn wapens. Daarna verontschuldigde ze zich en liep achteruit naar de gang.

Maar het was te laat, ze had al te veel gezien. Ik stond op, hield de revolver omhoog en verzocht haar de kamer in te komen.

Ze zag er doodsbang uit. Daar had ik begrip voor, dat was de bedoeling. Ik zei haar ook haar schoonmaakwagentje de kamer in te trekken en daarna deed ik de deur achter haar dicht. Ik hield mijn wapen voortdurend op haar gericht. Daarna liet ik haar mijn kamer schoonmaken.

Het kostte haar hoogstens tien minuten, je merkte dat ze geroutineerd was. Ze stofzuigde het kleine vloeroppervlak, nam alle oppervlakken af en poetste de wasbak en het toilet. Het was belangrijk voor me dat het grondig werd gedaan.

Ondertussen pakte ik mijn koffer.

Toen ze klaar was vroeg ik haar de gang in te kijken om te zien of daar iemand was. De gang was leeg. Ik dreef haar voor me uit en zei haar een andere kamer open te maken. Ze nam een kamer twee deuren verderop.

We gingen naar binnen. Het was een rommelige kamer. Degene die daar verbleef genoot er blijkbaar van om kamermeisjes te treiteren.

Ik deed de deur dicht.

Ze keek me aan.

Ik hield een kussen omhoog.

Ik hief de revolver en schoot door het kussen heen, in haar oog.

Deel 1

1

De stripclub aan de Roslagsgatan afgehuurd. Jorge scande de ruimte: rode spotlights aan het plafond, fluwelen fauteuils op de vloer en neonreclame voor Heineken aan de muren. Ronde tafels met kaarsvetvlekken, biervlekken – hij wou niet nadenken over wat voor andere vlekken. Een bar langs een van de lange wanden, een dj in een hoek, een klein podium tegen de andere lange wand. De strippaal nog chickloos. Maar achter de bar: vier smatjes met meer huid dan kleren schonken bubbels in. Zo meteen zouden ze zich rond de paal slingeren. De kerels alles laten zien.

Niet echt een megaluxe feeling. Maar dat deed er geen reet toe – de mensen maakten de sfeer. Jorge kende er veel hier. Was met z'n neef Sergio en z'n gabber Javier gekomen. Verderop bij de fauteuils zag hij Mahmud – de *hermano* nipte aan een glas champie. Was met zijn eigen matties aan het bonden: Tom Lehtimäki, Robban, Denko, Birra.

Jorge knikte naar Mahmud, knipoogde. Liet weten: ik zie je, ouwe, check je later. Ze moesten het over morgen hebben. J-boy: kon haast niet wachten. Zou misschien iets groots gaan doen. De stap terug naar het g-leven. Weg uit het m-leven. M dus, de m van muffins.

Jorge had kut geslapen vannacht. Het hele punt: als Agent Smith tegen Neo. Het duistere tegen het lichte. Een braaf Zwedo-leven: dat teert je uit. *The dark side.* Tegelijkertijd: waar ze morgen heen gingen – iets geweldigs. De goeie kant zou de kans krijgen – als ze morgen maar naar die afspraak konden gaan, kwam alles goed.

Misschien.

'Houdini!'

Jorge keek opzij.

Babak liep op hem af. Open armen, valse smile. De Iraniër omhelsde hem. Bonkte hem op zijn rug. Stak hem met verbale messen. 'Hoe loopt die koffietent, ouwe? Zeker weten dat kebab geen betere marges heeft?'

Jorge trok zijn kop terug. Nam de gast van drie decimeter afstand op. Hield het cadeau omhoog: een Dom Pérignon 2002 – blijkbaar rete-chic.

Babak: Mahmuds oudste homie. Babak: Iraanse dealerprofeet, kutjesmagneet, retegetto-heet – dacht hijzelf in elk geval. Babak: had het traject afgelegd dat Jorge ooit voor zichzelf had gepland. Had de weg gekaapt die voor hém was gereserveerd. Was begonnen op straat. Had de game geleerd. De markt bestormd – hoe gewone buitenwijkkills net zoveel waren gaan gebruiken als de ergste Stureplan-yuppen keer doezoe. De toekomst doorzien. Coke vandaag de dag: bij twintigjarigen thuis normaler dan wiet bij vijftienjarigen.

Het had Jorges spel kunnen zijn. Zijn game. Maar het liep anders.

En vandaag: de Iraniër trakteerde alle jongens hier. Feestte met strippers, champagne en gratis bier aan de bar. De uitnodiging was door een hulpje van Babak direct aan Jorge gegeven. Gedrukt in gotische letters: *Feesten als een echte bandiet! Ik word 25 en trakteer op bubbels, buffet en babes. Red Light-klubben aan de Roslagsgatan. Kom zoals je bent.*

Irritant als een muggenbeet op je reet: Babaks houding. De twinkeling in de ogen van de Iraniër. Zijn volume: fluimen op je smoel. Dat rottige stuk stront wist dat Jorge en Mahmud elke dag zwoegden als Roemeense hoeren op een zaterdagavond. Wist dat ze in een maand niet half zoveel doekoe binnensleepten als hijzelf in een week. Wist dat de Joego's cash opslorpten voor hun protectie. Zeker: wist dat de belastinggieren op ze aasden. Absoluut: die klootzak van een Babak snapte dat het koffieleven het niet was voor J-boy.

Wat Jorge niet begreep was dat Mahmud die gast geen ram voor zijn bek gaf en het contact verbrak. Het was een marteling.

Maar de grootste marteling was het woord dat Babak zojuist had gebruikt: Houdini. Die naam... echt, Jorge trok het niet. Houdini – wat een bullshit. Babak trapte iemand die op de grond lag. Draaide het mes nog een keertje extra om, strooide chili in de wond.

Het was al bijna vijf jaar geleden dat Jorge uit Österåker was ontsnapt. Tuurlijk, veel swa's in de buitenwijken hadden zijn tori duizend keer gehoord. Een idool iets onder mensen in de flatgebouwen. Een sprookje waarover je droomde als het beton van de celmuren je verstikte. Maar ook, net als met alle sprookjes: de gozers daar wisten hoe het afliep. De latino, de legende, J-boy, de Houdini – gedwongen om er weer in te kruipen. Als een loser. Vrijheid *adios*. Het was een rottige tori.

En Babak liet geen kans voorbijgaan hem eraan te herinneren.

Aan de bar hingen wat BMC-gasten: leren vesten als zwarte uniformen. Eenprocentslabeltjes, MC Sweden-badges en The Fat Mexican op hun borst en rug. Tatoeages in de nek, op onderarmen, rond ogen. Jorge kende een paar van deze figuren. Niet bepaald koffiebareigenaars, maar geschikte gasten. Al wist hij wat negen-tot-vijf'ers dachten als ze deze jongens zagen. Alsof het met knipperende letters op hun vesten geschreven stond – een gevoel: angst.

Hij liep weg bij Babak.

Verder achterin, naast het podium, zag hij neven en familieleden. Trosjes kleine, donzige Babak-kopieën. Voor hen stond op hetzelfde feest zijn als de halve Bandidos MC Stockholm gelijk aan een gala vol sterren.

Er kwam een gast in Jorges richting lopen. Z'n silhouet: dat van een aap. Megabrede schouders, armen die ver langs de bovenbenen hingen. Die vent: anabool postuur, maar z'n benen was ie vergeten, die staken als twee snuifbuisjes onder zijn tors uit.

Het was Peppe. Een bajesmattie uit Österåker.

Sinds die tijd had Jorge hem niet meer gezien.

Peppe droeg een vest. Op zijn linkerborst: prospect. Hij was blijkbaar bezig een zware jongen te worden.

'Yo, bradda!' Ze omhelsden elkaar. Jorge zorgde dat hij het vest niet met zijn handen aanraakte. Onnodig om met de regels van MC-kills te fucken.

Peppe zei: 'Fawaka, bradda? Heb je wat te batsen?'

Deze swa: vast een racist in merg en been, toch: zijn getto-Zweeds authentiek. Jorge schaterde. De gast had dezelfde humor als toen.

Jorge antwoordde: ''t Komt bradda, 't komt.' Hij sprak het woord bradda net zo uit als Peppe. Daarna zei hij: 'En jij hebt een vest opgeduikeld, zie ik.'

'Je weet niet hoeveel ik hiermee mag batsen, man. Echt ziek.'

'Hou je het vest aan dan?'

Peppe met een uitgestreken smoel.

Jorge moest iets zeggen. Zweeg. Nam Peppe op. De gast staarde *pissed.*

Ten slotte: 'Geen geintjes daarover.'

Jorge had schijt. Sommige gozers namen hun bendekleuren te serieus.

Maar na tien seconden grijnsde Peppe weer. 'Leer in bed is mijn ding niet. Maar heb je weleens handboeien geprobeerd? Echt dope shit, man.'

Ze schaterden samen.

Z'n Bandidos-mattie wisselde van onderwerp, lulde door. Slimme constructies in de bouwbranche. Btw-bedrog, factuurbluf, zwart loon. Jorge knikte mee. Het was interessant. Het was belangrijk. Hij overwoog zelfs Peppe om hulp met de Joego's te vragen. Tegelijkertijd kende hij de regel: iedereen zorgt voor z'n eigen shit.

En ondertussen: hij kon niet ophouden aan morgen te denken.

Morgen.

Jorge sloeg zijn glas bubbels achterover.

De dag erna. Walfeeling onder z'n ogen. Katerpijn in z'n kop. Adem als een in spiritus gedrenkte drol. Toch: een soort ontspanning. Met zijn beste vriend, Mahmud. Op weg naar Södertälje. Op weg naar misschien de belangrijkste afspraak van J-boys leven.

Het was halfdrie. Hij en de Arabier in hun auto. Of eigenlijk: de auto was van hun koffietent. Een van de weinige voordelen: zoveel spullen als je op naam van je bedrijf kon kopen. Mobieltjes, computers, dvd's, 3D WiFi full led-tv's. Alles eigenlijk – vonden zij in elk geval. Maar dat bleek de belastingdienst niet te vinden.

Ze waren op weg naar: iets groots. Dé grote actie in de toplaag der bandieten. De betonjungle gonsde van de successprookjes: de Hallundacoup, de Arlandakraak, de helikopterberoving. En iedereen wist dat maar weinigen kijk hadden op de planning, dat er maar een paar mensen recepten in handen hadden. Maar Jorge had een ingang versierd.

En zo iemand gingen ze nu zien. Iemand die wist hoe het moest. Een brein.

Het was gaan regenen, de winter verloor terrein.

Mahmud zette zijn stoelverwarming uit. 'M'n zak wordt te heet, daar kun je onvruchtbaar van worden.'

'Hoezo, was je van plan vader te worden of zo? Wie ga je met kind schoppen? Beatrice?'

Mahmud draaide zich naar hem toe. 'Beatrice is goed in het verkopen van koffie verkeerd, maar ze is vast een waardeloze ma.'

'Zo goed is ze niet in het verkopen van koffie. We zouden verdomme iemand anders moeten aannemen.'

'Ja, maar niet te knap, dat trek ik niet.'

Ze reden links langs IKEA. Jorge dacht aan zijn zus. Paola was dol op IKEA. Ze probeerde haar huis in te richten. Boekenkasten op te bouwen waarbij het honderd jaar duurde voor je doorhad hoe ze in elkaar geschroefd moesten worden, ingelijste posters ophangen aan stucmuren waar de pluggen na een paar uur al uit losschoten. Een leven opbouwen. Opgaan in de omgeving. Maar waar zou dat haar brengen, wat dacht ze? Dat ze probeerde een Zwedo te worden betekende nog niet dat ze Zweeds werd.

Ze was naïef. Toch: Jorge hield meer van haar en Jorgelito dan gezond was.

Mahmud zat over Babaks feest van gisteravond te lullen. Welke stripster het geilst was geweest. Wie van Robert en Tom had gescoord. Wie van Babak en Peppe de meeste cash verdiende. Jorge kon het niet aanhoren – altijd maar die verering van die Iraniër.

Aan de andere kant van het raampje: station Tumba. Er hing een bord boven de weg: ALBY. Mahmud draaide zich weer naar hem toe. 'Daar ligt mijn hood. Dat weet je.'

'Doe normaal, man. Alby en de rode metrolijn erheen staan over je halve lichaam getatoeëerd. Tuurlijk weet ik dat.'

'En nu gaan we naar Södertälje, dat is bijna mijn hood.'

'Ja en? Daar ben je wel eerder geweest.'

'Stel nou dat ik die gast met wie we hebben afgesproken ken.'

'Dat lijkt me niet. Denny noemt hem de Fin. Behalve Tompi Lehtimäki ken je toch geen Finnen?'

'Neuh, maar misschien is het geen Fin. Misschien komt ie uit Zuid. Een paar jaar geleden was daar dikke rotzooi, je weet toch. De oorlog tegen Eddie Ljublic en zijn vrienden. Dus als de Fin hiervandaan komt, was hij daar misschien bij. En dan heb je vijftig procent risico dat ie aan de verkeerde kant stond. Dat hij met die smeerlappen meedeed.'

'Hoezo vijftig procent? Dat risico is veel kleiner.'

'Jawel, maar ook niet. Of hij deed mee met die smeerlappen, of niet, dat zijn twee alternatieven. Het ene of het andere, dat is fiftyfifty. Dus ik vind dat je kan zeggen dat het vijftig procent is.'

Jorge grijnsde. 'Je bent echt geniaal, gozer.'

Tegelijkertijd: de vragen verdrongen zich in zijn kop. Wie zouden ze eigenlijk gaan zien? Hoe wisten ze dat het geen smerisinfiltrant was? Zouden ze een deal met hem kunnen sluiten? En zo niet, wat zouden ze met de belastingdienst en de Joego's doen? De Zweedse staat en de onderwereldstaat waren bezig hun café te verneuken.

De autoverwarming spuwde geluid. De ruitenwissers piepten.

Misschien: op weg naar zijn grootste actie ooit.

Misschien: op weg naar een herstart.

Twintig minuten later. Södertälje. De voorstad waar ze 's ochtends om de beurt heen gingen. De plaats waar linkse extremisten supermarkten affikten, kids uit Ronna het politiebureau beschoten met automatische wapens, het X-team oorlog voerde tegen de Syrische Broederschap en de industriële bakkers de sappigste ciabatta's ten noorden van Italië bakten. De stad van waaruit Suryoyo TV en Suryoyo Sat televisie over de hele wereld uitzonden, de plaats die ook wel Klein Bagdad werd genoemd.

Södertälje: de stad waar volgens de geruchten de helft van alle overvallen op waardetransporten in Zweden werd gepland.

Ze zetten de auto neer in een parkeergarage achter de winkelstraat in het centrum.

Mahmud haalde een stuurslot tevoorschijn.

Jorge zei: 'Wat doe je?'

'Dit is Södertälje, weet je, de ene helft van de kinderen hier is profvoetballer, de andere helft autodief.'

'Maar we komen hier toch elke dag?'

'Maar niet helemaal hierheen. Niet in het centrum.'

Jorge grijnsde weer. 'Volgens mij ben je een beetje paranoia. We staan toch in een parkeergarage.'

Ze stapten uit. Liepen naar de Storgatan. Nog steeds somber weer. Om hen heen: vooral bejaarden, kids en snorremansen die thee zaten te drinken in cafés.

Mahmud wees naar de besnorde mannetjes: 'Mijn vader ziet er net zo uit, ja toch?'

Jorge knikte. Wist: als Mahmud eenmaal begon kon hij uren doorlullen over hoe Zwedo-Zweden zijn vader in de steek had gelaten. Hoe Beshar eerst geen werk had gekregen, van een uitkering had geleefd, daarna werk had gekregen, waardoor zijn rug was verknald zodat hij voor de rest van zijn leven afgekeurd was. En zijn vriend had gelijk, maar Jorge kon het niet meer horen.

Ze namen een dwarsstraat van de Storgatan.

Jorges telefoon ging.

Paola: 'Met mij. Wat doe je?'

Jorge dacht: zal ik zeggen hoe het is?

Hij zei: 'Ik ben in Södertälje.'

'Bij een bakkerij?'

Paola: Jorge was gek op 'r. Toch trok hij het niet.

Hij zei: 'Ja, ja, natuurlijk ben ik bij een bakkerij. Maar we kunnen beter later bellen, ik sta hier met mijn handen vol muffins.'

Ze hingen op.

Mahmud wierp een zijdelingse blik op hem.

Verderop het adres waar ze moesten zijn: Gabbes Pizzeria.

Er rinkelde een belletje toen ze de deur opendeden. Ranspizzeria eerste klasse. Een wand van kale baksteen, op de andere wand hing een verbleekte poster: NIEUW, MEXICAANSE TACOPIZZA'S. Jorge dacht: supernieuw, die reclame moet er al sinds de jaren negentig hangen.

Op de tafels lagen ouwe damesbladen en katernen van *Aftonbladet*. Het was vier uur. Er was helemaal niemand in de pizzeria.

Er kwam een gast uit de keuken. Schort vol meel, T-shirt met rode letters: GABBES DOET HET BETER. Om zijn nek hingen twee dikke gouden schakelkettingen.

Jorge knipoogde naar de pizzabakker: 'Vadúr heeft me gestuurd.'

De vent staarde hem aan. Mahmud bewoog zich zenuwachtig achter Jorge. De pizzabakker liep de ruimte achter de toonbank weer in. Praatte zachtjes met iemand, misschien aan de telefoon. Kwam terug. Knikte.

Ze namen de achteruitgang naar buiten. Een zwarte Opel. Jorge bekeek de auto snel: de passagiersstoel en achterbank vol pizzadozen. De pizzavent ging aan het stuur zitten, Jorge en Mahmud moesten maar een plaatsje zoeken tussen de dozen achterin. Ze reden het centrum uit. Langs het overdekte winkelcentrum, de rechtbank, de parkeerplaatsen. Buiten de stad: de flatgebouwen van het miljoenenproject uit de jaren zeventig als slingerende bergketens – echt net zijn oorspronkelijke territorium.

Tot nu toe had de pizzabakker geen woord tegen ze gezegd.

Mahmud boog zich naar Jorge toe, fluisterde in zijn oor. 'Die gozer loopt het risico te verdrinken, zoveel als ie moet wegen.'

Jorge fluisterde terug: 'Hoezo?'

'Nou, dat goud dat hij om z'n nek heeft weegt meer dan een bowlingbal. Als die gast de volgende keer dat ie tomatensaus maakt niet oppast, pleurt ie er misschien in en komt ie nooit meer boven.'

Jorge schoot bijna in de lach. Lekker dat Mahmud de spanning een beetje weggeinde. Eigenlijk was er vandaag niks om bang voor te zijn. Werkte het, dan werkte het.

Ze stapten uit bij een flatgebouw.

De pizzabakker liet de lift komen. Ze wachtten. De metalen deuren knarsten. Ingekerfde tags, telefoonnummers van zogenaamde hoeren, Arabische scheldwoorden.

Ze gingen naar boven. Jorge kreeg haast die kriebel in zijn buik, zoals bij snelle liften. Zesde verdieping. Ze stapten uit. De vent pakte sleutels. Maakte een deur open. Jorge zag nog net de naam op de brievenbus: EDEN. Het voelde als een teken.

De flat zag er leeg uit. Geen kleren, geen hangertjes, geen schoenen of schoenenkast. Geen kleden, spiegels, ladekasten. Alleen een kale gloeilamp aan het plafond in de hal. De pizzabakker gebaarde: ik moet jullie fouilleren.

Jorge keek naar Mahmud. De gozer zag er nu niet meer zo lollig uit. *Go with the flow* dan maar.

Snelle, lichte bewegingen: een prof.

De pizzavent gebaarde weer: jullie kunnen naar binnen gaan.

Jorge ging eerst. Korte, stille stappen. Een gang. Grijze muren. Slecht verlicht. Ze kwamen bij een vrij grote kamer. Drie stoelen neergezet.

De man liet ze alleen. Er kwam een andere vent de kamer in.

Hij droeg een zwarte spijkerbroek, donkere capuchontrui en een bivakmuts over zijn gezicht.

De man zei: 'Welkom, ga zitten.'

De stoelen kraakten. Jorge ademde diep in.

De man sprak perfect Zweeds.

'Jullie kunnen me de Fin noemen. En jij, Jorge Salinas Barrio, hebt gezeten met mijn vriend Denny Vadúr. Dus ik heb redenen om je te vertrouwen. Vadúr ken ik al heel lang.'

Jorge zei: 'Denny is een supergozer.'

De vent zweeg even. Daarna zei hij: 'Ja, hij is sympathiek. Maar hij is niet super, dat zijn jouw woorden. Hij praat te veel. En hij heeft onlangs geblunderd. Je weet waar je hem hebt ontmoet. Hij probeerde een eigen dingetje. Dan krijg je dat. Maar met mij is het anders.'

Het klonk alsof de Fin iets aan het eten was – aan het eind van elke zin smakte hij met zijn lippen.

Jorge wachtte af.

De Fin zei: 'Jullie komen langs omdat jullie een recept willen hebben.'

'Ja.'

'Dat is niet iets wat je zomaar weggeeft. Dat begrijpen jullie?'

'Natuurlijk, dat kost iets.'

'Dat kost inderdaad iets. Maar dat niet alleen. Het gaat ook om het juiste gevoel. Ik moet alle betrokkenen voor honderd procent vertrouwen. Laat ik het zo zeggen: ik ben een handelaar in planning. Ik verkoop een werkwijze. Een recept. Maar hoe goed hij ook is, geen enkele procedure werkt als er niet de juiste mensen bij betrokken zijn. Het is een geheel. Begrijpen jullie dat?'

Jorge knikte, zonder iets te zeggen. Onzeker of hij alles snapte.

'Jullie zouden de juisten kunnen zijn. Jullie zouden de delen kunnen zijn die het geheel vormen.'

Jorge en Mahmud durfden hem niet in de rede te vallen.

De vent bleef met zijn lippen smakken. 'Ik wil dat jullie zes jongens verzamelen die jullie vertrouwen. En geen mongolen. Daarna wil ik een lijstje met hun namen en persoonsnummers. Handgeschreven.'

Jorge wachtte of er iets meer zou komen. De Fin zweeg.

Ten slotte zei Jorge: 'Geen probleem, dat regelen we.'

'En dat is niet genoeg. Weten jullie wat er nog meer nodig is?'

Weer stilte. Jorge wist niet wat hij moest antwoorden. Deze hele shit: vaag. Niet zoals hij had verwacht. Hij had een swa als hijzelf verwacht, een paar jaar ouder misschien: zeg maar een geslaagde betonkill. Eentje die zichzelf tot een hoge gast had gemaakt. Achteroverleunde, anderen het vuile werk liet opknappen. Maar dit met die bivakmuts en zo'n codenaam – oké dat mensen misschien anoniem wilden blijven, maar dit leek meer op een Martin Beck-film dan op de werkelijkheid.

Tegelijkertijd, Jorge wist: dit was echt. Had 's gehoord in de lik, in Sollentuna, van vrienden en vrienden van vrienden: de jongens die de recepten hadden waren serieus. Nauwkeurig. Overvoorzichtig.

Mahmud keek naar Jorge. Hij moest nu iets zeggen.

Hij antwoordde: 'Er is veel voor nodig. Goeie planning. Goeie organisatie.'

De Fin speelde de opmerking meteen terug. 'Dat klopt. Maar luister en leer. Dit is mijn eerste tip. Er is nog nooit een grootse actie gelukt zonder iemand binnen. Je hebt een insider nodig, dat is het fundament van elke roofoverval. Iemand die inzicht heeft in – en bij voorkeur ook access heeft tot – het waardetransport in kwestie. En dat soort mensen heb ik er jaren geleden al geplant.'

Jorge wist maar één ding uit te brengen: 'Wauw, jezus.'

'Dat kun je wel zeggen. Degene met wie ik het langst contact heb, werkt al meer dan zeven jaar in de bewaking. Alle soorten opdrachten worden hem toevertrouwd. Dus als we iets doen, doen we het groots.'

Inwendig: Jorge kon niet ophouden met smilen. Dit was zo groot. Dit was het begin van zijn einde als café-uitbater. Het begin van het einde als afgeperste sloeber. *El grand* muffinsdood.

Hij zag beelden in zijn hoofd. Bivakmutsen. Donkere geldkoffers. Bundels vijfhonderdjes.

Hij zag snel geld.

2

Inspecteur Martin Hägerström reed door de Sturegatan richting Stureplan. Het pakkenvolk was op weg naar hun banken en advocatenkantoren. Ze waren keurig gekleed, netjes gekamd, aardig gestrest. Sommigen licht voorovergebogen, alsof ze op iets in het leven jaagden en zich moesten uitrekken om het te bereiken. Tegelijkertijd wist Hägerström dat hij generaliseerde – hij kende te veel pakmansen persoonlijk om te geloven dat hun leven alleen om het najagen van geld draaide. Zijn drie jaar jongere broer, Carl, werkte honderd meter verderop. Zijn aanstaande zwager werkte hier. Veel van zijn oude vrienden hielden zich in deze buurt op.

Maar de vroege ochtend was niet geschikt om diep na te denken, dus Hägerström gaf zichzelf toestemming het bestaan te vereenvoudigen.

Het was niet moeilijk om op dit moment van de dag tot slechte gedachten te vervallen. En het was evenmin moeilijk te voorspellen welke twee sporen zijn slechte gedachten zouden nemen.

De begrafenis van zijn vader Göran was nog maar vier maanden geleden, dat hij ziek werd zeven maanden.

En het was een jaar, drie maanden en veertien dagen geleden dat Pravat van hem afgepakt was. Hij telde elk uur als een atoomklok. De beelden in zijn hoofd waren zo helder alsof het vanmorgen gebeurd was. Hoe Anna de deur dichtsloeg en met Pravat aan de hand wegliep. Hoe Hägerström razend was geweest, maar niet had gewild dat Pravat zou zien hoe hij de controle verloor. Hoe zij volstrekt kalm was geweest.

Achteraf bezien had ze haast griezelig doordacht gehandeld. Hij had twee uur in zijn appartement gewacht tot hij tot bedaren was gekomen. Daarna begon hij te bellen. Maar ze nam niet op en ze kwam niet terug. Hij had de crèche gebeld, en haar zus. Hij had haar vriendin in Saltsjöbaden gebeld. Maar hij kwam er niet achter waar ze heen was. Waar ze Pravat mee naartoe had genomen. Later, bijna een week later, had hij informatie weten te krijgen. Pravat bevond zich in een appartement in Lidingö. Anna had het twee maanden geleden al in het geheim gehuurd. Pravat zou zijn tussendoortjes in Lidingö eten, in zijn bedje in Lidingö slapen, had blijkbaar een plaats in een crèche in dat godvergeten tering-Lidingö gekregen.

Een jaar, drie maanden, veertien dagen.

Mensen zeiden dat hij het aan zichzelf te danken had. In het begin had hij gesoebat en gesmeekt. 'Kom terug, kom alsjeblieft naar huis.' Ze negeerde hem ijskoud. Hing op als hij belde, reageerde niet op sms'jes, mail of Facebook-berichten. Pas na nog een week besloot ze te antwoorden. Toen was ze al begonnen Pravat te laten wennen op de nieuwe crèche.

De papieren oorlog nam zijn aanvang. Advocaten, bemiddelingsbijeenkomsten, rechtbankdocumenten. Zinloze inspanningen om te proberen het haar te doen begrijpen. Je kunt een kind niet zonder reden van zijn vader scheiden. Een kind heeft behoefte aan beide ouders. Daar had ze geen enkele boodschap aan. Er wáren redenen, schreef haar advocaat. Sommige mensen waren niet geschikt als ouder. Sommige mensen hadden nooit een kind mogen adopteren. Hägerström had zich uitermate onverantwoordelijk gedragen, aldus de advocaat, toen hij met Pravat op de achterbank aan een politieactie had meegedaan. Hägerström wist dat dat volslagen idioot was geweest. Maar hij was nog steeds een goede vader. En zijn zoon moest hem nog steeds vaker dan eens per maand mogen zien.

Hij reed het terrein van het politiebureau in Kungsholmen op. Rond de hoofdingang stond het vol motorfietsen. Mannen met motoren waren duidelijk oververtegenwoordigd bij de politie van Stockholm.

Kronoberg: het hoofdkwartier van de politie van Stockholm. Een groot gebouw – er waren meer gangen, verhoorruimtes en koffiekamers dan hij kende. Hij knikte naar de portier bij de hoofdingang terwijl hij zijn pasje door de lezer haalde en door de automatische draaideuren naar binnen liep. Zijn kamer lag op de vijfde verdieping.

Het was acht uur. In de lift naar boven bekeek hij zichzelf in de spiegel. Zijn scheiding was een beetje in de war en zijn gezicht zag bleek. Hij had de indruk dat de rimpels in zijn wangen sinds gisteren waren gegroeid.

Kamer 547: zijn wereld. Rommelig als altijd, maar voor Hägerström heerste er een interne orde die onzichtbaar was voor anderen. Zijn vroegere collega Thomas Andrén zei altijd dat je er een motor kon verstoppen zonder dat de technisch rechercheurs van het forensisch lab hem zouden kunnen vinden. Daar zat misschien iets in. Geen motor, maar wellicht een mountainbike. Hägerström grijnsde – het vreemde was dat er bij hem thuis een orde van Duits anaal karakter heerste.

Tegen een wand stond een boekenkast met boeken, tijdschriften en, vooral, ordners. Naast de boekenkast lagen stapels stampvolle dossiermappen. De rest van de vloer werd bedekt door vooronderzoeken, incidentenrapporten, inbeslagnameformulieren, informatiemateriaal, onderzoeksverslagen, met en zonder plastic mapjes. Het bureau was volgestouwd met vergelijkbare spullen. Bovendien was het bezaaid met koffiekopjes, halfvolle flesjes mineraalwater en post-it-briefjes. Op een hoop midden voor het computerscherm lagen een stuk of dertig pennen. Midden in de chaos stond een ingelijste foto van Pravat en daarnaast had Hägerström onlangs een nieuwe foto neergezet. Die was van zijn vader, tien jaar geleden in Avesjö in een zomers overhemd, linnen broek en instappers zonder sokken.

De pennen en de foto's: de pilaren waarop zijn werk rustte. Hij had zijn pennen nodig – grondig doornemen en nog eens grondig doornemen was zijn methode. Sporen achterlaten in het materiaal, onderstrepen, pijlen en aantekeningen in de marge zetten. Puzzelstukje na puzzelstukje leggen.

En de foto's: aan Pravat dacht hij continu. De foto gaf hem kracht. Aan zijn vader dacht hij onrustbarend weinig. De foto zou hem misschien vaker aan hem doen denken.

In de koffiekamer werd koffiegedronken. Hägerström hoorde de stemmen van zijn collega's in de verte. Micke vertelde zoals altijd homomoppen. Isak lachte zoals altijd te hard. Hij dacht aan wat zijn vader vaak over die pauzes zei: 'Koffiepauzes, daar zijn ambtenaren toch in gespecialiseerd? Jullie drinken zeker vaker koffie dan dat jullie werken?'

Zijn vader was een verstokte vijand geweest van de *roverheid*, zoals hij het noemde. Maar zelfs zijn vader had de politie niet willen privatiseren. Hägerström was er bovendien van overtuigd dat er net zoveel koffie gedronken zou worden als een durfkapitalist de hele zooi zou opkopen. Koffiedrinken zat dienders in de genen.

Maar misschien was hij sterker door zijn vaders houding beïnvloed dan hij wilde, want hij sloeg de koffiepauzes altijd over. Hij had toch al nauwelijks tijd genoeg.

Er werd op zijn deur geklopt.

Cecilia Lennartsdotter stak haar hoofd naar binnen.

'Martin, kom je niet eens even tevoorschijn om een kop koffie te drinken?'

Hägerström keek naar haar op. Ze droeg haar holster en dienstwapen hoewel ze hier was. Bovendien had ze een extra magazijn aan haar riem bevestigd. Hij vroeg zich voor de honderdste keer af of Cecilia dacht dat er een kritieke situatie zou ontstaan op de vijfde verdieping – misschien dat een secretaresse het in haar hoofd zou halen de koelkast te overvallen?

Er waren altijd collega's die overdreven. Aan de andere kant: misschien overdreven ze hier allemaal wel. Hij had niks tegen Lennartsdotter. Hij mocht haar eigenlijk wel.

Hij zei: 'Nee, helaas, dat red ik vandaag niet.'

'Zoals altijd, dus? Terwijl anderen plezier maken, maak jij je sappel.'

'Ja, zoals altijd.'

Ze knipoogde.

Hägerström draaide weer terug naar zijn bureau. Deed alsof hij niet begreep dat ze een grapje maakte.

De uren verstreken. Hägerström was bezig met een vooronderzoek naar zware drugsdelicten. Amfetamine die in minibusjes met een vloer met dubbele bodem uit Estland was gesmokkeld. Zeven verdachten zaten al vijf maanden vast. Waren bij elkaar vierhonderd uur verhoord. Duizenden bladzijden om door te lezen. Enkelen waren koerier, enkelen dealer en er stak één brein achter de smokkel. Ze hoefden alleen nog te bepalen wie wie was.

De telefoon ging. Een intern nummer dat Hägerström niet herkende.

'Goedemiddag, je spreekt met commissaris Lennart Torsfjäll.'

Hägerström reageerde meteen op die naam. Commissaris Torsfjäll van de recherche was een hoge pief. Een supersmeris. Een legende in het korps – bekend van heel wat enorme operaties. Volgens de geruchten waren Torsfjälls methodes echter niet altijd helemaal koosjer. Hij was naar verluidt overgeplaatst vanwege onenigheid met de korpschef over bepaalde acties. De commissaris beval niet alleen waar en hoe zijn mannen zouden toeslaan, hij had ook bevolen hoeveel geweld er gebruikt moest worden. In het overgrote deel van de gevallen was de order heel duidelijk geweest: pak verdachten zo hardhandig mogelijk op.

Tegenwoordig deed hij andere dingen. Hägerström wist niet precies wat.

Een uur later stond Hägerström voor de deur van zijn kantoor. De commissaris had hem verzocht zich daar onmiddellijk heen te begeven.

Torsfjäll zat niet aan de Polhemsgatan, waar alle andere hoge pieten zaten. Hij zat evenmin op een ander gewoon bureau van de regio. Torsfjälls kantoor bevond zich in een veel onbetekenender omgeving: hij huisde in de lokalen van de sectie Betekening aan de Norrtullsgatan. Betekening: op beslagleggingen na misschien wel het sneuste, minst sexy onderdeel waar een politieman kon werken. Hägerström vermoedde dat hij in feite betrokken was bij veel ingewikkelder activiteiten.

Hij had geen idee wat Torsfjäll van hem wilde. De uitnodiging om bij hem langs te komen was echter geen vraag geweest. Het was een regelrechte order.

Hij klopte aan en ging naar binnen.

De kamer van commissaris Torsfjäll zag eruit als een museum, of misschien eerder als een kitscherige galerie. De commissaris had elk diploma, certificaat en getuigschrift van cursussen die hij ooit had gevolgd ingelijst en opgehangen. Hij zag het einddiploma van de politieacademie anno 1980, aktes van schietexamens, een wapenschild van de ME van Norrmalm uit 1988, een getuigschrift van twintig studiepunten criminologie aan de Universiteit van Stockholm, cursussen DNA zoeken en afluistertechnologie, leiderschap, politiecursussen van het OM, deel een tot en met vijf, getuigschriften van samenwerkingscursussen met Interpol, het State Police Department in Texas en diverse politie-eenheden in de EU.

Er schoot Hägerström maar één term te binnen om de kamer te beschrijven: *onpolitioneel.* Hij vroeg zich af hoe Torsfjäll de afgelopen vijfentwintig jaar tijd had kunnen hebben om te werken. Bovendien had de commissaris zoveel foto's van zijn kinderen en kleinkinderen opgehangen dat je de indruk kreeg dat hij mormoon was.

Torsfjäll brak zijn staren af. 'Welkom. Neem alsjeblieft plaats. Zijn ze niet lief?'

'Absoluut. Hoeveel heb je er?' Hägerström stelde de vraag hoewel hij het antwoord al berekend had.

'Zeven. En ik heb bij allemaal opgepast.'

'Leuk.'

Hägerström ging zitten. De armleuningen kraakten toen hij achteroverleunde.

Op een dossier voor hem na was Torsfjälls bureau leeg. Zonnestralen schenen door het raam naar binnen. Hägerström merkte op dat er geen enkel stofje in het licht schitterde.

Torsfjäll sloeg het dossier open. 'Ik weet niet in hoeverre je op de hoogte bent van de huidige ontwikkelingen in de georganiseerde misdaad in Stockholm, dus ik zal enige achtergronden doornemen.'

Hägerström keek hem in de ogen. Begreep nog steeds niet waar dit heen ging. Maar hij vroeg niets. Liet Torsfjäll eerst vertellen wat hij te vertellen had.

De commissaris begon de werkelijkheid in de stad te beschrijven. Hij spuide cijfers, statistieken, abstracte waarheden. Alleen deze winter al hadden ze dertig keer toegeslagen tegen de nieuwe designerdrug mephedrone. In de buitenwijken vormden de nieuwe bendes zich sneller dan je het woord integratiepolitiek kon uitspreken. Internetfraude was sinds Nieuwjaar al met driehonderd procent toegenomen.

Plotseling zweeg hij. Hägerström wachtte op het vervolg.

Torsfjäll glimlachte. Daarna leunde hij naar voren en beroerde Hägerströms arm. 'Laat me je nog wat meer achtergrondinformatie geven.'

Hägerström voelde hoe er een schokje door zijn arm ging, maar hij schakelde dat gevoel uit zodat het niet zichtbaar zou zijn.

'Vijf jaar geleden hebben we een van de grootste acties tegen cocaïne ooit in Zweden gedaan. Operatie Sneeuwval. Meer dan honderd kilo. Weet je hoe ze het spul het land in hadden gesmokkeld?'

'Ja, dat weet ik nog wel, ze hadden het in groente laten groeien.'

'Heel goed, heel goed, je kent de zaak. Zoals je weet hebben we een paar van de betrokkenen gepakt. Een daarvan heet Mrado Slovovic, onderhoofd in de zogeheten Joegomaffia die wordt geleid door Radovan Kranjic, en bekende geweldpleger in opdracht. Een ander is Nenad Korhan, ook hij was werkzaam in Kranjic' netwerk en actief binnen de narcoticapoot van de organisatie. De derde heette Abdulkarim Haij, een Arabier die voor de Joegoslaven verkocht. En er zat ook een vreemde eend bij.'

Hägerström onderbrak hem. 'Johan Westlund, JW, die jongen uit Noord-Zweden die een dubbelleven leidde. Hij wist aan de beschuldiging van moord te ontkomen, is veroordeeld voor een ernstig drugsmisdrijf.'

Torsfjäll glimlachte nog breder dan eerst. Hägerström dacht dat het voor een mens onmogelijk moest zijn om nog breder te glimlachen.

'Je bént goed, Hägerström. Hoe komt het dat jij zulke details kent?'

'De case interesseerde me.'

'Voorbeeldig. Op je geheugen valt blijkbaar ook niets aan te merken. Hoe dan ook, Johan Westlund was echt een ander type. Misschien kreeg hij daarom ook maar acht jaar. Gezien de enorme hoeveelheid cocaïne had hij als je het mij vraagt veertien jaar moeten krijgen. Maar de rechtbanken in dit land zitten vol mietjes, allemaal. In de praktijk is dat immers niet meer dan dik vijf jaar. Binnenkort komt hij voorwaardelijk vrij. Op het moment dient JW zijn laatste maanden uit in de Salberga-gevangenis.'

Hägerström probeerde te analyseren waar Torsfjäll het over had, maar hij zag nog steeds geen verband met zichzelf.

Torsfjäll zag misschien aan hem wat hij dacht. Hij zei: 'Zo meteen kom jij in beeld, maak je geen zorgen.' Hij keek naar het dossier op tafel.

'Hägerström, jij bent geknipt voor een operatie die ik heb bedacht. Ik heb je achtergrond en carrière bestudeerd. Laat me het uitleggen. Je bent opgegroeid in een chic appartement van vierhonderd vierkante meter in Östermalm. Je vader was directeur van Svenska Skogs AB, een succesvolle onderneming in de grondstoffenbranche. Je moeder was fysiotherapeut maar komt uit een welgestelde familie. Oud geld, zoals dat heet, grondbezittersgeld, noem ik dat altijd. Je broer is advocaat en je zus makelaar in onroerend goed, maar jij hebt, weliswaar op de klassieke middelbare school van Östermalm Östra Real, gekozen voor het profiel zorg. Oftewel een solide gezin, met verwachte beroepskeuzes. Behalve de jouwe.'

Hägerström legde zijn ene hand op de andere. 'Ik heb je niet horen zeggen dat dit een Stasi-onderzoek zou zijn.'

Torsfjäll schoot in de lach. Deze lach was spontaner. 'Ik begrijp dat het vreemd over kan komen. Maar er is een clou, dat verzeker ik je. Laat me verdergaan. Tijdens het laatste jaar van je middelbare school heb je je aangemeld bij het leger. Je was toen al goed getraind, na jarenlang getennist te hebben bij de koninklijke tennishal. Zelfs met die achtergrond waren je resultaten buitengewoon. Het was kinderspel voor je om aangenomen te worden bij het elitekorps van de kustjagers, je zou overal aangenomen zijn.'

Hägerström vond dit gesprek steeds merkwaardiger worden. Tot nu toe klopte alles en niets ervan was op zich geheim. Hoewel Hägerström zich gevleid voelde, wilde hij weten waar dit naartoe ging.

Torsfjäll vervolgde: 'Na twee jaar in het leger zwaaide je af met topcijfers. In je testimonium staat onder meer het volgende.'

De commissaris bladerde in het dossier: 'Martin Hägerström behoort tot de kleine groep kustjagers aan wie elke denkbare taak toevertrouwd kan worden, ongeacht moeilijkheidsgraad en omstandigheden.'

Hij grijnsde. 'Zo'n getuigschrift zou ik aan de muur hangen als ik jou was.'

Hägerström onthield zich van commentaar.

Torsfjäll ging verder: 'Vervolgens begon je daarentegen aan iets wat in de kringen van jouw familie niet direct comme il faut was. Je solliciteerde bij de politieacademie. Of liever gezegd, je werd geheadhunt door de politie. Voor ons was dat goed. En nu zegt iedereen dat je op elk moment commissaris kunt worden. Niet slecht.'

Het stond als een paal boven water dat Torsfjäll hem ergens voor wilde werven, zo duidelijk als hij hem met complimenten overlaadde. De commissaris leek alles immers al te weten, zelfs de opvattingen van zijn familie over het beroep van agent.

'En in dit verband is er nog iets wat ik over jou wil noemen. Je bent, helaas, moet ik zeggen, gescheiden. En je bent de voogdij over je zoon kwijtgeraakt. Dat betreur ik oprecht. Sommige vrouwen zijn kutwijven.'

Hägerström wist niet wat hij moest zeggen. Dit hele gesprek was vreemd: een resumé van zijn leven dat nog het meest op een huldiging leek. En nu deze opmerking over Anna. Ze had inderdaad zijn zoon van hem afgepakt, en dat was onvergeeflijk. Maar niemand noemde haar een kutwijf.

Torsfjäll keek Hägerström aan. 'Misschien heb ik een ongepast woord gebruikt. Mijn excuses daarvoor. Maar nu kom ik eindelijk tot des poedels kern, om het zo maar te noemen. Jij bent al met al perfect voor een klus die ik heb uitgedokterd. Een speciaal soort actie, met toestemming van de rijksrecherche.'

'Ik vermoedde al dat je zoiets zou zeggen.'

Torsfjäll zat nu volkomen roerloos. Alleen een flauw glimlachje. Zijn blik straalde geen leven uit. Alleen zijn stem klonk menselijk.

'Ik vraag me af of je UC-agent zou willen worden.'

Stilte.

Hägerström wachtte. Hij had weliswaar een cursus voor undercoverwerkzaamheden gedaan, maar niet meer dan een. Hij had geen idee wie Torsfjäll voor hem op het oog had. Daarna overdacht hij Torsfjälls lange college. De wegen van cocaïne en amfetamine naar Zweden. Het netwerk van de Joego's, Radovan Kranjic, godfather der godfathers. Hägerström sprak geen Servisch en was niet thuis in hun cultuur. Er doken andere namen in zijn hoofd op. Operatie Sneeuwval: een van de grootste acties in de Zweedse politiegeschiedenis. Mrado Slovovic. Nenad Korhan. Abdulkarim Haij. De vreemde eend: Johan, JW, Westlund.

Het kwartje viel.

Hij zei: 'Jullie willen dat ik JW benader.'

'Precies. Ik wil dat je informatie inwint bij Johan Westlund en zijn kringen.'

'Ik begrijp het, jullie vinden dat ik geschikt ben omdat JW de Stockholmer uithing hoewel hij eigenlijk uit Norrland komt. Jullie vinden dat ik geschikt ben omdat mijn achtergrond past bij JW's ambitie op te klimmen in de kringen van de feestbeesten rondom Stureplan. Jullie denken dat hij tegen me op zal kijken en dat ik dicht op zijn huid kan komen. Eén vraagje maar: waarom hebben jullie eigenlijk een infiltrant nodig?'

Torsfjäll antwoordde: 'Dit is niet zomaar een infiltratieopdracht. We willen dat je op JW's afdeling aan het werk gaat als cipier. De rijksrecherche verdenkt hem ervan een bewaarder, Christer Stare, op de een of andere manier als muilezel te gebruiken.'

'Jullie hebben geprobeerd na te denken, hoor ik.'

'Ik denk meestal na,' antwoordde de commissaris. De ironie in Hägerströms opmerking ontging hem volledig.

Daarna zei hij: 'Er is nog een punt dat je perfect maakt.'

'Wat dan?'

'Je hebt geen kinderen, je bent alleenstaand.'

'Dat klopt niet, ik heb Pravat.'

'Dat weet ik, natuurlijk heb je Pravat, je geadopteerde zoon. Maar niet op papier. Je hebt geen voogdij meer. Voor de buitenwereld lijk je alleenstaand, zonder kinderen.'

Torsfjäll zweeg. Hägerström vroeg zich af of hij nu al een antwoord verwachtte. De commissaris sloeg zijn ene been over het andere. 'Er woedt daarginds een oorlog.'

'Nee, het is geen oorlog.'

Voor het eerst tijdens hun gesprek glimlachte Torsfjäll niet. Hij vroeg: 'Waarom niet?'

Hägerström constateerde: 'Omdat een oorlog een einde heeft.'

Torsfjäll zei langzaam: 'Je hebt volkomen gelijk. En dat is precies waarom je perfect bent. Niemand zal proberen je zoon aan te vallen als er, tegen alle verwachtingen in, iets misgaat. Niemand die ziet dat je een zoon hebt. Een betere dan jij kunnen we niet vinden. Beteren dan jij zijn er niet.'

3

Natalie wachtte met gemengde gevoelens. Vanavond zou Viktor haar vader en moeder voor het eerst ontmoeten. Dat was op zich al iets groots, maar haast nog groter was het dat hij bij hen thuis zou komen. Op hun leren banken zou zitten, het pseudostucwerk op het balkon zou zien en de bustes die papa van zichzelf en mama had laten maken. Hij zou met kleine teugjes van hun thee drinken en zeker op *rakija* getrakteerd worden. Hij zou naar mama's kamerplanten koekeloeren en grinniken om haar ingelijste foto van de koning op het gastentoilet, waar de geurmuur van luchtverfrissers zo compact was dat je er nauwelijks doorheen kwam.

Maar vooral: het grootst was dat Viktor papa zou ontmoeten.

PAPA, zeg maar.

Natalie was inmiddels een paar weken terug uit Parijs. Ze was daar een halfjaar geweest. Twee dagen per week Frans studeren en de rest van de tijd in een kroeg van een vriend van papa werken, dat was nog beter voor haar Frans dan de schoolbanken ook. In restaurants voelde ze zich beter thuis dan op veel andere plaatsen. Papa nam haar al sinds ze klein was mee naar zijn restaurants. En toen ze vijftien werd begon ze zelf bij te verdienen in verschillende horecagelegenheden in Stockholm – niet omdat ze geld nodig had, maar omdat papa vond dat ook zij haar steentje moest bijdragen. In het begin bediende ze vooral, maar later stond ze achter de bar en deed ze de kassa bij entrees van clubs. De laatste jaren was ze de baas geweest van het weekendpersoneel van Clara's. Ze kende die branche door en door. Maar ze was niet van plan er voor eeuwig te blijven.

Viktor had ze een paar maanden voor ze naar Parijs vertrok leren kennen. Het was een goeie vent die de halve stad kende en de juiste levenshouding had. En hij was aantrekkelijk. Hij was op zich misschien niet de liefde van haar leven, maar dit was de eerste keer dat een vriendje op audiëntie mocht komen. Het was belangrijk dat papa en mama leerden dat zij verkering kon hebben.

Natalie liep naar beneden en ving Viktor bij het hek op. Hij leek haast wel een dwerg op de bestuurdersstoel van zijn X6. Terwijl hij de oprit naar de garage opreed, verscheen er achter hem met een slakkengangetje een groene Volvo. Heel even dacht ze dat Viktor zo stom was geweest een vriend mee te nemen. Maar toen verdween de auto in de duisternis op straat.

In de garage stonden de twee auto's van papa, mama's Clio en Natalies eigen Golf, die ze voor haar achttiende verjaardag had gekregen. Viktor moest zijn auto buiten neerzetten. Het grind knarste onder de banden. Hij haalde een hand van het stuur en zwaaide naar haar.

Mama wachtte ze op in de hal. Ze was gekleed in een haast doorschijnende blouse van Dries van Noten en een zwarte broek. De ceintuur was van Gucci en had een gesp in de vorm van een G.

Ze stapte op Viktor af. Haar vrolijkste gezicht. Breedste glimlach.

'Hallo, Viktor, wat loioik je te ontmoeten. We hebben zoveel over je gehoord.'

Ze boog zich voorover. Haar gezicht tegen Viktors gezicht. Haar mond tegen Viktors wang. Hij aarzelde een seconde te lang, niet gewend aan deze on-Zweedse begroetingsceremonie. Maar uiteindelijk begreep hij het. Kuste mama haast goed op de wangen – het hadden er twee op de rechter moeten zijn, maar het moest maar zo.

Ze gingen papa's bibliotheek in.

Radovan zat zoals altijd in zijn lederen fauteuil. Donkerblauw colbert. Lichte ribbroek. Gouden manchetknopen met het symbool van de familie erop – dat had papa zelf ontworpen – een krullerige K met drie koningskronen erboven. Hun familiewapen.

De bibliotheek had donker behang. Tegen de muren stonden lage boekenkasten. Aan de muren, boven de kasten: ingelijste kaarten, schilderijen en iconen. Europa en de Balkan. O schone blauwe Donau. De slag bij Kosovo Polje. Bondsrepubliek Joegoslavië. Historische helden. Portretten van Karađorđe. De heilige Sava. Vooral: kaarten van Servië-Montenegro.

Mama dreef Natalie haast naar binnen, een hand tegen haar onderrug. Papa stond op toen hij Viktor zag.

'Zo, dus jij bent het vriendje van mijn dochter?'

Papa drukte Viktor de hand.

Viktor zei: 'Wat een geweldige bibliotheek.'

Radovan ging weer in de fauteuil zitten. Reageerde niet. Pakte alleen een fles van een bijzettafeltje en schonk twee glazen in. Rakija, zoals verwacht.

'Ga zitten. Het duurt nog wel even voor het avondeten klaar is.'

Dat was papa's manier om te zeggen dat mama naar de keuken kon vertrekken om verder te gaan met de voorbereidingen.

Viktor ging in de andere fauteuil zitten. Rechte rug, haast een beetje voorover-leunend. Hij zag er oplettend uit, bijna gretig.

Natalie draaide zich om. Sloot even haar ogen.

Vertrok.

Papa hield van lekker eten. Ze dacht terug aan de keer dat mama en hij een lang weekend op bezoek waren geweest in Parijs. Op zaterdag huurden ze een auto om naar de Champagne te gaan. 's Middags checkten ze in bij een hotel in een dorpje met een authentieke feeling. Een houten balie, een oude receptionist met een brede snor in wit overhemd en zwart vest. De kamers waren klein, met rode vaste vloerbedekking en bedden die kraakten. Kilometers ver uitzicht over de wijngaarden.

Papa had op de deur geklopt en zijn hoofd om de hoek gestoken. Hij zei in het Servisch: 'Kikkertje. We gaan eten. Ik heb acht weken geleden al een tafel gereserveerd. Ze hebben hier vrij goed eten, vind ik.'

'Acht weken geleden? Dat klinkt echt ziek, weet je.'

'Wacht maar met dat soort praat tot je je eten ophebt.' Papa glimlachte en knipoogde naar haar.

Weer thuis had Natalie het restaurant opgezocht. Ze vond het in een Guide Michelin – het had drie sterren en werd beschouwd als de beste eetgelegenheid van de hele Champagne. Louise, met wie ze een appartement in Parijs deelde, begon te gillen toen ze het hoorde. 'Echt megacool, weet je! De volgende keer moet ik gewoon mee.'

Mama was klaar met het eten. De mezzeachtige gerechtjes lagen op vierkante serveerschalen. *Burek*, *pečena*, worst, de gerookte, luchtgedroogde ossenhaas. De *kajmak* in een glazen schaal. Het rook naar *ajvar* en *vegeta*-kruiden, maar zo rook het eten van haar moeder altijd. Natalie had haar kookkunst gemist. In Parijs had ze bikkelhard aan LCHF gedaan – *Low Carb High Fat*, wat in Frankrijk voornamelijk neerkwam op *chèvre chaud* en lamskoteletten. Mama kookte overigens niet altijd volgens traditionele recepten. Vaak maakte ze iets uit *The Naked Chef* of een biologisch kookboek. Maar als papa meeat wilde hij iets waarvan hij zeker wist dat hij het lekker zou vinden.

Mama stuurde Natalie met servetten naar de eetzaal. Witte, gemangelde servetten met het familiewapen erop geborduurd. Ze moesten tot hoorntjes worden gevouwen en zo in de kristallen wijnglazen – ook met het familiewapen erin gegraveerd – worden gezet. Ze zou het geblinddoekt kunnen.

Ze liep terug naar de keuken.

Mama zei: 'Ik ben zo blij dat je weer thuis bent.'

'Weet ik. Dat zeg je elke dag.'

'Ja, maar vandaag voelt het nog meer zo, nu we zulk eten koken en de tafel in de eetzaal dekken en dergelijke.'

Natalie ging op een krukje zitten. Dat had een scharnier in het midden zodat het uitgeklapt kon worden tot een trapje.

Mama zei: 'Is hij goed?'

'Viktor?'

'Ja, natuurlijk.'

'Hij is oké, maar ik heb niet gezegd dat we gaan trouwen, en bovendien kunnen we het niet over hem hebben nu hij hier is.'

'Hij verstaat toch geen Servisch? En je weet dat we alleen het beste voor je willen.'

De deur ging open. Papa en Viktor kwamen de keuken binnen.

Natalie probeerde van Viktors gezicht af te lezen hoe het was gegaan.

Een halfuur later. De mezzeborden afgeruimd. Natalie hielp mama in de keuken. De eerste helft was goed gegaan. Viktor had in het algemeen over zichzelf mogen vertellen: over zijn handel in auto's en boten. Zijn plannen voor de toekomst. Het voelde oké: papa verhoorde hem niet Guantánamo-style maar deed het kalm aan. Mama vroeg vooral naar zijn ouders, broers en zussen.

Viktor kon goed praten. Natalie raakte vaak onder de indruk van hem. Dat was een van de dingen die ze in Viktor waardeerde: hij kon met iedereen converseren. Het hielp hem in zijn zaken. En het hielp hem als hij in de problemen kwam. En het kon geen kwaad dat hij er goed uitzag – hij was een soort gespierdere versie van Bradley Cooper, een favo acteur. Ze pasten bij elkaar, ze hadden dezelfde kijk op veel dingen. De behoefte aan aardige financiële armslag, juiste houding tegenover onbekende mensen en de staat, goeie contacten. Viktor leek haar een jongen op weg omhoog, dat hoopte ze in elk geval.

Hij praatte verder. Zei verstandige dingen over zijn business. Met een beetje mazzel maakte dat indruk op papa. Hij probeerde tegenvragen te stellen, belangstelling te tonen voor de verbouwde keuken, het zomerhuis in Servië, het chique zilveren bestek met het familiewapen erin gegraveerd – misschien had hij zich voorbereid.

Het hoofdgerecht lag op de borden. Speklap met zwoerd, ui, *sremska*, gebakken aardappels.

Radovan hief zijn wijnglas. 'Viktor, mijn vriend. Weet je wat het verschil is tussen Zweedse en Servische speklappen?'

Viktor schudde zijn hoofd, probeerde er oprecht belangstellend uit te zien.

'Wij doen geen bier in ons eten.'

'Aha. Maar het ziet er toch lekker uit.'

'Ik kan je verzekeren dat het dat ook is. Want zo is het met ons Serviërs. We hebben er niks op tegen een borrel te nemen of alcohol van kwaliteit te drinken. Maar we hebben het niet nodig. Het is niet iets wat we in elke maaltijd hoeven te gooien om die lekker te laten smaken. Begrijp je?'

Viktor hield het glas nog steeds in zijn hand. 'Dat klinkt interessant.'

Papa zei niets, maar hij hield zijn wijnglas nog steeds in zijn hand.

Natalie wachtte. Microseconden die minuten duurden. Ze keek naar de speklap op haar bord.

Papa's stem verbrak de impasse. 'Maar goed, proost, en nogmaals welkom bij ons thuis.'

Anderhalf uur later. De maaltijd was voorbij. Het toetje: baklava, *schlag* en de taart waren op. De koffie ook. De cognac, Hennessy XO: de glazen leeg.

Het was prima zo. Viktor had vast pijn in zijn smilespieren.

Natalie wilde vanavond uit. Daarna misschien bij Viktor blijven slapen. Of eigenlijk: als papa tevreden over hem was zou ze met hem mee mogen.

Ze stonden op van tafel. Natalie hield papa voortdurend in de gaten. Zijn dinosaurusbewegingen. Langzaam en doelgericht, terwijl zijn hoofd een eigen leven leidde: het slingerde heen en weer – rechts links, links rechts – hoewel de rest van het lichaam stil was. Ze probeerde oogcontact te krijgen. Een goedkeurende blik. Een knipoogje. Een knikje.

Niets. Waarom moest hij dit spelletje spelen?

Natalie was niet van plan te buigen. Als papa niet wilde dat ze mee zou gaan, moest hij dat verdomme maar direct zeggen. Viktors jack ritselde, een zwarte North Face, zo dik en donzig dat het zeker min vijftig kon hebben. Natalie trok haar UGG's aan. Daarna deed ze haar konijnenvest aan, dat was warm, maar zeker niet half zo warm als Viktors michelinmannetjesjack.

Mama kletste maar door: over welke weg ze het beste konden nemen, wanneer ze elkaar morgen zouden zien, hoe gezellig het was geweest Viktor te ontmoeten.

Papa zweeg. Nam ze alleen op. Wachtte.

Viktor deed de deur open. Koude lucht waaide naar binnen.

Er reed een auto langs op straat, misschien die groene Volvo die ze eerder had gezien.

Ze deden een stap naar buiten. Ze stond met haar zij naar de hal. Haar halve lichaam in het hallicht, de andere helft buiten. Zag papa vanuit haar ooghoeken. Draaide zich om. Keek hem frontaal aan.

Mama zei: 'Tot morgen.'

Natalie antwoordde: 'Ik bel je, doei, kusje.'

Radovan deed een stap naar voren. Leunde door de deur naar buiten. Zijn bovenlichaam in de kou. Een dunne stoomwolk uit zijn mond.

'Viktor.'

Viktor draaide zich naar hem om.

Papa zei: 'Rij voorzichtig.'

Natalie: een inwendige smile. Ze liepen naar Viktors auto.

Het was stil op straat.

4

Jorge ging in een fauteuil zitten. Checkte de ruimte – zijn eigen place. Zijn café – van hém.

Hij: een gast die een kroeg runde.

Hij: een gast die iets bezát.

Toch: nog steeds vaag.

Dig de shit. J-boy: Chillentuna's gettolatino number one, ex-coke-king met reputatie, had de gemiddeldste doorsneezaak die je maar kon verzinnen. Deed het gemiddeldste doorsneewerk. Betaalde protectiegeld als de gemiddeldste doorsneekroegeigenaar.

Hij zag zijn gezicht weerspiegeld in de ramen aan de straatkant. Zijn kortgeknipte krullerige haar was achterovergekamd. De baardschaduw op zijn smoel zag er goed uit. Donkere, geprononceerde, goed verzorgde wenkbrauwen, maar daarboven: rimpels. Die moesten er in de bak zijn gekomen. Of de zon in Thailand had sporen in zijn gezicht getrokken.

Hij dacht terug aan hoe hij er in het jaar na zijn ontsnapping uit had gezien. Hij moest nog steeds grijnzen om de herinnering. De Ontsnapping met een hoofdletter O: een magische aanval op het Zweedse gevangeniswezen, een allochtone vertoning met klasse, een duidelijk signaal aan alle jongens binnen: *yes, we can*. Jorge Royale: de buitenwijkboy die de cipiers keihard salsastyle in hun reet had genomen. De brother die met behulp van een paar lakens en een werphaak van een basket uit Österåker was ontsnapt. De kill was spoorloos verdwenen. Slam dunk – bedankte de staat voor het eten en zei doei.

In die tijd: de man, de mythe. De legende.

In de tegenwoordige tijd: lang geleden die tijd. Hij had in Zweden als vluchteling geleefd. Een nationaal opsporingsbevel aan zijn broek als bij de ergste moordenaar. Had een make-over gedaan. Een nieuwe look, *el zambo macanudo*. Neger-Jorge in vrijheid. Hield z'n ouwe matties voor de gek, hield de skotoe voor de gek, hield heel wat familieleden voor de gek. Maar de Joego's had hij niet voor de gek gehouden. Mrado Slovovic, die vuile *slugger* van Mister R., vond hem, beukte hem. Maar ze wonnen niet. Jorge herrees uit de as, veroverde Stockholm stormenderhand.

En daarna: hij peerde 'm naar Thailand om alles achter zich te laten. Uiteindelijk kwam hij toch terug naar huis – hij wist niet goed waarom, misschien omdat het te saai was geworden.

De staat had hem opgepakt. Wat had hij dan verwacht? De rest van zijn leven op de vlucht te zijn? Dat deden alleen financiële criminelen en oude nazi's die van naam waren veranderd en een villa in Buenos Aires hadden gekocht.

Hij checkte in bij Kumla. Zwaarbewaakte inrichting voor vluchtgevaarlijke gasten. Verlof: *forget it*. Voorwaardelijke vrijlating: *nope*. Bezoek zonder toezicht: geintje. Toch: hij klopte zichzelf op de schouder – het was het waard geweest. Meer dan anderhalf jaar op de vlucht. Hij had vette dingen gedaan, inclusief Thaise parasoldrankjes.

En nu: het nieuwe project kookte.

Het café dicht voor de rest van de dag. Hij wachtte op Tom Lehtimäki. Zou vragen of hij mee wou doen aan de WTO-gig. Eerste poging tot rekrutering. Buiten Mahmud. Een belangrijke stap. Tegelijkertijd: een gevaarlijk stap. Stel dat die swa niet wou. Stel dat hij in het rond begon te kletsen over Jorges plannen.

Tom: oorspronkelijk een vriend van vroeger van Mahmud. Jorge kende hem sinds het café – Tom had ze geholpen met de financiën. Lehtimäki: een financiele gast, zelfde type als die kerels in de bouwwereld waar Peppe het over had. Lehtimäki: een *street smart motherfucker* die je kon vertrouwen. Boekhouding, factuurdingen, papierwerk, allemaal tegelijk. Die swa: net een miniadvocaat slash accountant tegelijk. Tructe trucs, fikste fikswerk, regelde regeldingen die geregeld moesten worden.

Absoluut duidelijk: Tompa zou nuttig zijn.

Jorge had hem ge-sms't. Had het kort gehouden, zei niet waar het om ging. Alleen: 'Zin om na sluitingstijd naar het café te komen. tis belangrijk.'

Jorge leunde met zijn hoofd achterover. Wachtte op Tom. Dacht terug. Hoe hij de eerste keer met Mahmud had gepraat. Moeilijker gesprek dan zo meteen: Mahmud, zijn rechterhand, zijn homie, zijn *hombre*.

Jorge was onzeker geweest. Misschien zou de Arabier het begrijpen. Misschien zou hij flippen. Dat maakte niet uit. J-boy moest ingrijpen in de situatie.

Nadat Jorge uit de bak was ontslagen had hij zich samen met Mahmud ingekocht in de koffiezaak. De Arabier bedankte Jorge dat hij zijn partner wou zijn. Mahmud had besloten zijn pa happy te maken: het g-leven achter zich te laten. Fatsoenlijk te worden. Een Zwedo-wannabe haast. Jorge was van plan die stijl te kopiëren: proberen niet weer in de lik te belanden, proberen gepast geld te verdienen, proberen niet op te vallen.

Ze zetten contacten in om de tent op poten te krijgen. Kochten een koffieuitrusting van wat Syriërs die Mahmud via Babak kende. Versierden fauteuils en toffe tafels met mozaïek in het houten blad via een heler in Alby. Kochten koppen, borden, lepels en al dat soort shit op internet. Tom hielp ze met groothandels voor broodjes, taarten en negerzoenen. De koffiedistributeur en de broodjesgrossier waren gasten die Mahmud had leren kennen toen ze liefde hadden gekocht van de hoeren die hij vroeger bewaakte.

Ze hadden zelfs mensen in dienst genomen. Drie vriendinnen van Mahmuds jongste zus werkten tegen uurloon. Ze waren jong, maar het idee was simpel: door leuke meisjes krijgen mensen meer zin, vooral in koffie.

Summa summarum: tiptopgevoel. Feeling honderd procent right. Na een paar weken: de zaak liep als een Engelse volbloed op renbaan Solvalla.

Ze legden hun ziel erin. Werkten twentyfourseven. Jorge kapte bijna met roken om het aan te kunnen. De Arabier trainde maar twee keer per week om het te redden. Jorge zag het als een investering. Koffieveiligheid, geen gejaag meer op snelle poet. Plus: hij moest iets te doen hebben. Hij investeerde zijn laatste spaargeld: c-verkoop en andere dingen van zijn tijd in vrijheid. Werd Mahmuds partner in het kalme, makkelijke, eerlijke leven.

De maanden verstreken. Duidelijke trend: iedereen leek gek op koffiebars.

De floes stroomde binnen. De dagen vlogen voorbij in Matrix-karatevaart. Ze werkten als bezetenen. Stonden elke ochtend om vijf uur op en namen melk in ontvangst of reden naar megabakkerijen buiten de stad. Maakten de rest van de ochtend ontbijten. Zetten tegen de middag lunchsalades in elkaar, sleten diezelfde salades als idioten tijdens de lunchspits. Brouwden de rest van de dag cappuccino, caffè latte, caffè macchiato, caffè wat-dan-ook, tot negen uur 's avonds.

Z'n moeder was steeds trotser. Zijn zus, Paola, bekeek hem met nieuwe ogen. Ze kon serieus tegen haar zoon zeggen: Jorge is *un mye buen tío*.

Het zou kapot wreed moeten voelen.

't Zou megavet moeten voelen.

Toch: het voelde vaag.

Echt: het voelde zegma kankervaag.

Hij, met zijn staatsopvoeding, instellingsbehandeling, bajesimpregnatie. Was als een kogel door het leven geketst. Had met bevooroordeelde leraren, vermoeide sociaal werkers, feministisch mekkerende maatschappelijke tuttebollen gedeald. Had pseudobegrijpende reclasseringsambtenaren, brute cipiers, nog brutere juten getackeld. Had zijn arm uitgestrekt, geschreeuwd en zijn middelvinger opgestoken naar de half racistische lulkoek van de maatschappij. De loser-Zwedo-regels waren er niet voor hem.

Plus: nog niet alles liep zo vet. De belastingdienst was niet blij met hun aangifte. Er begonnen protectieklootzakken langs te komen. Leveranciers zeikten over voorschotten.

Toch: hij was min of meer eerzaam bezig. In elk geval zo eerzaam als een gettokill als hij kon worden.

Maar het punt: in plaats van dat het vet voelde, voelde het triest.

In plaats van dat het relaxed was, was het gevaarlijk.

De ideeën tolden rond in zijn hoofd. Voortdurende jeuk aan zijn bandietengen. Elke dag dezelfde gedachten. Het was te vroeg om op de reservebank te gaan zitten. De handdoek in de ring te gooien, de wedstrijd af te blazen. 't Was nog geen tijd om het op te geven. Geen tijd om te gaan liggen om te sterven.

Jorge had Mahmuds stappen op de trap gehoord. Toen de Arabier eenmaal bij J-boy aanbelde, zat hij ziek in de zenuwen. Z'n mattie: gekleed als een chiller. Gigadik winterjack, grijze joggingbroek en Sparco's. Niet zo gespierd als vroeger, maar nog steeds twee keer zo breed als J-boy. In de ogen van de meesten: de Arabier had overwicht – de rustige tred, handen in de bovenste zakken van zijn jack, schommelde bij elke stap heen en weer. Zond signalen uit. Doe rustig. Geen dwarsliggerij. Maar Jorge wist: in Mahmud al-Askori klopte een groter hart dan in Melinda Gates en zijn eigen ma samen.

Mahmud keek Jorge in de ogen, sloeg zijn blik neer – haast alsof ie verlegen was. Het klopte echt – zijn homie was een soort van soft.

Ze schudden elkaar de hand, niet zoals gewone Zwedo's doen: een milde handdruk en een snelle blik in de ogen. Nee, ze zwaaiden hun armen omhoog voor hun handpalmen tegen elkaar kletsten en hun duimen elkaar vonden in een krachtige greep. Als beton. Als de miljoenenbouw. Als echte vrienden.

Ze aten en ouwehoerden. Namen de laatste roddels uit de stad door. Over wie er eigenlijk achter de megabelastingwirwar zat van vijftig miljoen met zwart verkochte drank en niet-aangegeven sigaretten. Over hoe het met Babak en de rest van Mahmuds matties ging, gasten die nog steeds als gangsters leefden. Beukten patsertjes die de mangaheld uithingen, verkochten c, nakten elektronicashit uit de megamagazijnen van de ketens en heelden dezelfde spullen veertien keer op het wereldwijde web.

De hele middag: Jorge had geprobeerd een manier te verzinnen om het te brengen. Hoe hij zou beginnen. Hoe hij uit zou leggen wat hij wou zeggen. Hoe hij het de Arabier kon laten begrijpen.

Oké, ze hadden problemen met de rentabiliteit. Ze hadden problemen met de Joego's. Maar toch: Mahmud kon flink flippen. Zou misschien zelfs verdrietig worden.

Jorge stopte zijn hand in zijn zak. Haalde er een sealtje uit. Hield het zakje in zijn handpalm.

'Moet je kijken wat ik heb.'

Mahmud schudde zijn hoofd. 'Niet voor mij. Niet vanavond, morgenochtend om vijf uur moet ík naar Södertälje.'

Jorge sloeg het zakje tegen zijn andere handpalm. 'Ophouden met piepen, jongen. Luister, we hebben lekker gegeten, je hebt kunnen trainen, we voelen ons goed. Je krijgt geen kater van roken.'

Jorge schudde de wiet op tafel en vermengde die met tabak. OCB-vloei: super om te draaien en extra dun. De jonko zou langzamer opbranden.

Ze namen lange halen.

Mahmud leunde achterover. 'Goed spul dit, weet je.'
Jorge zei: 'Mahmud, ik wil het over serieuze shit hebben.'
Mahmud keek niet eens op, zat daar alleen met zijn scheve grijns die hij altijd had als ie stoned was. 'Best man. Is het business?'
Jorge zei: 'Ik draai nu een halfjaar met je mee in de zaak. Het café is echt oké, het is behoorlijk fatsoenlijk, we dokken een boel belasting, we hebben verzekeringen en zo, we sparen zelfs als echte Zwedo's voor ons pensioen. Ik dig je, Mahmud, we hebben dope business samen.'
Hij legde de joint neer. 'Het is alleen zo dat het zeg maar niet werkt voor me.'
Mahmud keek hem nu aan. Leek alsof die gast niet eens met zijn ogen knipperde.
'Het is dus niet zo dat het met jou niet werkt, weet je. Jij bent m'n beste gap. Maar dit leven, zegma...'
Mahmuds ogen versmalden zich. Jorge wachtte. Zou de Arabier het nu dan op z'n heupen krijgen? Gaan tieren. Pissed worden en schelden.
Jorge stond op. Begon heen en weer te lopen. Probeerde de woorden die hij in z'n kop had uit z'n bek te krijgen.
'Die laatste ronde in de bak, man, waarbij ik naar Kumla moest, hing ik met een echte klassieker, je hebt misschien wel van 'm gehoord. Denny heet ie. Denny Vadúr, uit Södertälje.'
Mahmud zei niks. Wachtte af waar Jorge heen wilde.
'M'n eerste lange zit heb ik veel over sneeuw geleerd. Zoog informatie op zoals Jenna Jameson ballen zoog. Maar er zijn andere dingen die beter zijn. Waarvoor echt veel brein nodig is.'
Jorge pauzeerde. Gaf Mahmud de mogelijkheid te raden.
De Arabier staarde hem aan. 'Wat?'
'Je hebt er duizenden keren over in de krant gelezen. We hebben het er weet ik hoe vaak over gehad. Pas nog die helikopteractie op het dak van G4S. Ik heb het dus over een WTO. En je snapt niet hoeveel floes daar echt in omgaat. Als de kranten schrijven dat er vijf miljoen is verdwenen, is de werkelijke buit vier keer zo groot. Maar de banken en waardetransportbedrijven willen niet toegeven hoeveel ze in feite losen, want dan zouden er nog meer overvallen zijn. En zouden gewone mensen nog kwaaier zijn. Die overval in Spånga, herinner je je die?'
'Yes.'
'Die gasten komen uit Södertälje. Ze zijn met een fokking stoomwals op de transportwagen ingereden. In de kranten stond dat ze vier miljoen hadden gescoord. Eigenlijk hebben ze tweeëntwintig miljoen gescoord. Moet je je voorstellen. Tweeëntwintig miljoen. Die Denny Vadúr moet misschien een paar jaar zitten, maar als hij vrijkomt lacht hij de hele weg naar de kuil in het bos waar ze de cash hebben verstopt.'
'Het zijn kings.'
'Precies, brother. Het zijn kings. Eén kraak en je zit financieel voor de rest van

je leven gebakken. Hoeft niet weg te rotten in een café. En weet je wat de grap is, gozer? Weet je wat het grootse is?'

'Nee.'

'Dat ik Denny's leven daar gered heb. Een paar mafkezen met een brandblusser en Denny zonder bewaarders in een pingpongzaaltje. Ze probeerden zijn harses te splijten met die blusser, maar J-boy kwam ertussen. Begrijp je? Vadúr stond dieper bij me in het krijt dan je in cash kunt betalen. Dus heeft ie me in contact gebracht met de man in Södertälje die het recept van waardetransportovervallen heeft. Hij zal me daar binnen krijgen. Ik heb de kans iets kankervets te doen.'

Jorge nam een laatste trek van de spliff. De gloeiende punt verschroeide z'n vingers haast.

Terug in het nu. Tompa slenterde binnen, een uur te laat. Tijd voor het volgende gesprek.

Jorge maakte een caffè latte voor hem. Ze gingen het kantoortje in.

Het was een kleine ruimte in de keuken. Geen ramen. Twee klapstoelen. Een tafel die zo mini was dat er met moeite twee schoteltjes op pasten. Een poster aan de muur: een brug in de mist over een of andere rivier in New York.

Jorge klapte zijn stoel uit, ging zitten. Tom ging zitten. Dronk van zijn caffè latte. Kreeg wit schuim op zijn bovenlip.

'Tom, cool dat je zo snel kon komen.'

'No problem.'

'We zijn begonnen onze baristamelk aan te lengen met speed, wist je dat?' Jorge zag er doodernstig uit.

Tom een smoel als een smiley: 'Yeah, right.'

'Probeer je het daarom niet op te drinken maar op je bovenlip te bewaren?' Jorge grijnsde.

Tompa schaterde. Likte zijn lippen omstandig af.

Jorge draaide er niet omheen. Tegen Tom Lehtimäki kon je eerlijk zijn. Een fatsoenlijk man.

'Zeg, ik wil het met je over business hebben.'

'Doe je dat niet elke dag?'

'Jawel, maar dit heeft niks met het café te maken. Het gaat om duizend keer grotere zaken.'

Tom goot de laatste slok koffie naar binnen. Wachtte tot Jorge verder zou gaan.

'Mahmud en ik hebben een ingang voor een WTO.'

'Verdomme, man. Hopen dat het net zo super gaat als die helikopteroverval, maar dan zonder aanhangend smerisspul.'

Jorge begon te vertellen. De basisideeën, het weinige dat hij tot nu toe van de Fin had gehoord. In de trant van: met z'n hoevelen ze moesten zijn, om welke bedragen het kon gaan, waar ze zouden moeten toeslaan. Hij zei niks over de

Fin, maar Tom was niet stom – hij begreep best dat J-boy dit niet allemaal zelf verzonnen had.

Jorge zei: ''t Is dus geen klein bier. Dit zal geschiedenis worden. De helioverrvallers waren slim, maar niet slim genoeg. Wij zullen alle records verbreken. We hebben gehoord dat het om minstens veertig miljoen gaat. Snap je? 't Is geen kinderspelletje, weet je.'

Jorge vestigde zijn blik op zijn mattie tegenover zich.

Tom knipperde met zijn ogen.

J-boy gooide de vraag eruit. 'Tom, ik vraag me af of je mee wilt doen.'

5

Hägerström was op de hoogte van de procedures in verband met undercoverwerk. Maar in feite had de UC-cursus die hij daarover had gevolgd niet zoveel waarde gehad. Hier gold hetzelfde als bij alle activiteiten binnen de politie: het werk leerde je in de praktijk, in het veld.

Torsfjäll doopte de operatie Operatie Ariel Ultra. Hij zou gericht zijn op wassen, zei hij, het witwassen van geld op hoog niveau. Wat Hägerström betreft zou de operatie zich onderscheiden van gebruikelijke UC-klussen. Ten eerste ging het om een beperkte periode. Het was niet de bedoeling dat hij jarenlang als crimineel zou leven of dat hij ook maar een paar weken op een straathoek zou staan te doen alsof hij een junkie was, om een paar weken later van straathoek te wisselen. Hij zou de rol van gevangenbewaarder op zich nemen en contact leggen met iemand uit de onderwereld – JW – die hen op zijn beurt naar ze hoopten verder zou leiden naar degenen die van zijn diensten gebruikmaakten. Torsfjäll zei dat het uniek was dat een agent de rol van cipier op zich nam.

Het was in feite de eerste operatie in zijn soort in Zweden, meende de commissaris. Het was belangrijk dat collega's hem niet tegenkwamen in de rol van cipier en zich afvroegen of hij bijkluste of gewoon gestoord was. Naar buiten toe zou Hägerström daarom ontslagen worden als politieman, bij voorkeur met enige publiciteit als gevolg. In een speciaal team binnen het gevangeniswezen was er maar één persoon op de hoogte van het project, alles om het risico op lekken te voorkomen. Torsfjäll zei echter dat de enige die daadwerkelijk wist dat Martin Hägerström deel uitmaakte van de operatie zijn directe chef bij de regiopolitie was, hoofdcommissaris Leif Hammarskiöld, en natuurlijk hijzelf.

Het voordeel van deze aanpak was dat het risico op verdenkingen afnam doordat Hägerström als gevangenbewaarder aan het werk ging. Het was anders geweest als hij had moeten doen alsof hij crimineel was. Weinig criminelen zouden een ex-diender die plotseling probeerde net als zij te zijn vertrouwen, maar met een cipier was het anders. Torsfjäll wilde hem ook geen nieuwe identiteit geven, die zou te makkelijk door te prikken zijn. Daarvoor hoefde er maar een collega naar de gevangenis te komen die Hägerström herkende.

Sommige mensen zouden het misschien vreemd vinden dat een ontslagen agent ervoor koos bewaarder te worden, maar in feite waren er weinig andere potentiële banen voor een ex-diender.

Het zou waterdicht moeten zijn.

Torsfjäll en Hägerström hadden elkaar na het overleg van de week ervoor nog een keer gezien. Hägerström had meer willen weten om zijn besluit te kunnen nemen.

Torsfjäll lichtte de operatie toe. JW was waarschijnlijk een van de hoofdverantwoordelijken voor een enorm witwassysteem. Misschien waren er wel honderden Zweden bij betrokken. Veel meer wist de politie helaas niet. Blijkbaar deed JW zijn zaken netjes.

Torsfjäll vertelde hoe Hägerström op de opdracht voorbereid zou worden: wat hij moest lezen, welk personeel er nog meer in de inrichting werkte, hoe hij het spelletje moest spelen, hoe het ontslag zou verlopen. Het ontslag: het moest zo bekend worden dat Hägerström stopte als diender, dat het nieuwtje JW zou bereiken.

Hägerström overwoog of hij dit überhaupt wilde doen. Het was spannend. Het was absoluut een uitdaging. Anderzijds was het ongetwijfeld erg riskant. Torsfjäll was bij hun vorige afspraak duidelijk geweest: het was goed dat in de registers niet zichtbaar was dat Hägerström kinderen had. Toch: het trok hem ontzettend om een tijdje bij de politie weg te kunnen. Bovendien wist hij zeker dat hij geschikt was als dubbelspeler.

Torsfjäll rondde zijn verhaal af. 'Dat je het weet: je bent geen agent meer, je bent een cipier met een opdracht. Je moet zelfstandig optreden, zonder immuniteit. Kun je dat accepteren?'

Hägerström dacht even na. Hij zou immers nog steeds agent zijn, maar in het geheim, en Torsfjäll had beloofd dat hij er financieel niet op achteruit zou gaan. Hij overwoog wat voor klussen aan de orde konden komen. Waarschijnlijk zou hij een paar mobieltjes naar binnen moeten smokkelen en informatie naar buiten. Misschien een ons hasj of een paar gram amfetamine mee moeten nemen. Hij hoopte dat hij geen wapens de gevangenis in hoefde te brengen.

'Dat is neem ik aan onderdeel van de standaardprocedure?'

Torsfjäll glimlachte. Zijn tanden waren onwerkelijk wit. 'De standaardprocedure? Die bestaat in dit geval niet, vrees ik. Maar ik wil dat je morgen begint. Je moet alles over deze JW leren.'

Opnieuw de grote vraag: zou hij dit echt doen? Hägerström dacht na. Zijn hele leven had hij bij de politie gewild. Had op de middelbare school zelfs gekozen voor een zorgprofiel omdat dat het geschiktste was om later agent mee te worden. Zijn moeder Lottie en zijn vader waren natuurlijk geschokt geweest, hoewel zijn moeder dat nooit echt had laten merken. Over het aanmonsteren en zijn militaire werk waren ze echter onverdeeld positief geweest. Vooral zijn moeder vond dat 'je dan vast net als Gucke reserveofficier kunt worden, dat zou toch mooi zijn, en bovendien is het prachtig als je een uniform kunt dragen terwijl alle anderen in rok zijn'. Gucke heette eigenlijk Gustaf en was Hägerströms neef aan moederskant, waar mannen al generaties lang naar de officiersopleiding gingen. Maar Hägerström begon op de politieacademie. De ontsteltenis van zijn moeder was zo groot, dat ze zelfs nooit meer repte over de mogelijkheid om reserveofficier te worden.

'Martin, verkwist je je talent zo niet?' vroeg zijn vader.

'Martin, zijn er geen interessantere banen voor jou?' vroeg Carl.

'Martin, is het niet gevaarlijk?' vroeg Tin-Tin, zijn zus.

Gevaarlijk.

Hij had de eerste jaren op straat gewerkt. Dat was fysiek – niet ongebruikelijk dat je hard moest optreden, misschien een klap of twee moest incasseren. Je kreeg te maken met alcoholisten die in je gezicht spuugden, verontwaardigde burgers die vonden dat de politie zijn werk niet goed deed en jonge jochies die zo nodig Tarzan moesten spelen en MMA-trucjes uithaalden terwijl het er toch altijd mee eindigde dat ze asfalt moesten vreten. Maar gevaarlijk? Hij had zich eigenlijk nooit bedreigd gevoeld. Had altijd goeie steun van collega's gehad.

Maar Operatie Ariel Ultra was wél gevaarlijk.

En hij kon zich de opmerkingen van zijn moeder als ze te horen kreeg dat hij op straat was gezet als agent al voorstellen.

Misschien moest hij het aanbod toch afslaan. Doorgaan met waar hij goed in was: misdrijven onderzoeken, verdachten oppakken, onderzoeken opzetten. Dit was zijn laatste kans om de operatie af te breken.

*

Ik had een nieuw pistool nodig. Het wapen dat ik voor het kamermeisje had gebruikt, gooide ik in een plastic zak in het water van Stockholms ström. Het volgende hotel waar ik verbleef lag daar in de buurt.

Gelukkig kreeg ik de benodigde contacten via mijn opdrachtgever, die naar ik vermoedde uit Zweden kwam. Een kroeg in een wijk in het centrum van Stockholm: de Black & White Inn.

Ik ging erheen. Het café was dicht, stond er, maar de buitendeur was open. Ik ging naar binnen en keek om me heen. De vrouw stond achter de bar bierglazen af te drogen. Ik hield een papiertje met een naam omhoog. Ze keek naar beneden, daarna keek ze op. Misschien herkende ze me, maar ze liet niets merken.

Ze gebaarde me mee te gaan. We liepen naar een ruimte achter de keuken. Het rook er vagelijk naar schoonmaakmiddel. In de gang bladderde de verf van de muren en er hing een tl-buis scheef tegen het plafond. Dit zou overal in Europa geweest kunnen zijn. De sfeer was bekend, de sjofelheid hetzelfde. De vrouw zweeg, maar zodra ze had begrepen waar ik voor kwam werd haar houding rechter. Ze was knap, en haar donkerblonde haar was opgestoken. Ze deed me denken aan mijn eerste – en enige – echtgenote.

Ze deed een deur open en zei me in mijn eigen taal stil te staan. Ik strekte mijn armen uit en ze voelde langs mijn rug, mijn armen, mijn zij. Ze zocht in mijn schoenen en in mijn zakken. Ten slotte verplaatste ze haar handen langs mijn benen omhoog langs mijn kruis. Ik voelde een kriebeling. Een microseconde maar. Daarna schakelde ik mezelf uit. Ze knikte. Ik was schoon. Dat moest ze al geweten hebben.

De vrouw opende een metalen kast en haalde er twee stalen koffers uit. Ze zette ze op een tafel, draaide aan het cijferslot en maakte ze open. Ik zag donker schuimrubber met uitsparingen, waarin in lappen gewikkelde voorwerpen lagen, vier in de ene koffer en vijf in de andere. Ze wikkelde de lappen eraf. Legde de wapens op tafel.

Ik woog ze, inspecteerde ze, voelde of ze het juiste gevoel gaven. Ten slotte schafte ik een Glock 17 aan, tweede generatie. Dat is een betrouwbaar ding dat verschillende typen munitie kan hebben. Verder had ze een Stechkin APS *met een Makarov-magazijn. Niet iedereen zou voor dat wapen kiezen, maar ik ken het beter dan mijn eigen pik. Feit is dat ik enigszins nostalgisch werd, op een manier die bij de opdracht paste.*

Als de gelegenheid zich voordeed zou ik de klus afmaken. Ik wist dat dat weken kon duren, maar nu was ik materieel gezien weer voorbereid. En ik was niet van plan meer risico's zoals met dat kamermeisje te nemen.

In mijn branche denken we niet op dezelfde manier als buitenstaanders. We handelen volgens eigen regels. Ik geloof dat we zo zijn gemaakt. We zijn net zelfstandige instanties. We kunnen onszelf niet veranderen. Dat is onze kracht. Zoals Alexander Solonik – moge hij rusten in vrede – altijd zei: 'Eto vasja subda' – *het is je lot.*

Ik was nu klaar.

Ik zou Radovan Kranjic afmaken.

6

Natalie zat op de passagiersstoel naast Stefanovic. Geur van nieuwe auto, luxe beige lederen bekleding, ingebouwd mediasysteem in de middenconsole en een crucifix bungelend aan de achteruitkijkspiegel.

Papa reed zelf in een andere auto. Dat wilde hij zo. Papa's zaken volgden de regels van de Zweedse staat immers niet bepaald naar de letter. En soms was hij genoodzaakt hard te zijn tegen mensen die probeerden hem te bedonderen – er waren dus mensen die hem totaal niet mochten. Maar het leek haar toch overdreven om zo in verschillende auto's te rijden.

Stefanovic reed ontspannen, een hand op zijn schoot, de andere rustte losjes op het stuur. Natalie en Stefanovic hadden vaak andersom gezeten, zij aan het stuur en hij ernaast. Stefanovic was anderhalf jaar geleden een van haar bijzitters geweest toen ze als een waanzinnige had gezwoegd om haar rijbewijs te halen. In totaal: meer dan zeventig lessen bij de rijschool en zeker meer dan honderd oefensessies met Stefanovic. Elke keer dat ze het erover hadden, pieste Lollo bijna in haar broek van het lachen. Maar daarna slaagde Natalie wel voor haar eerste rijexamen – Louise moest vier keer afrijden voor ze het haalde.

Ze waren onderweg naar een MMA-gala in de Globen Arena: Extreme Affliction Heroes. Natalie was een paar keer mee geweest naar boksen en K1, maar nooit naar MMA.

Stefanovic zei: 'Eerder had iedereen het altijd maar over K1, maar nu is de UFC-hysterie overgewaaid naar Zweden. We zitten voor vijfentwintig procent in dit gala en voor vijfentwintig procent in een van de sportscholen. Het zijn vandaag allemaal fighters met UFC-contracten. Maar onze jongens kicken ass.'

Het was komisch als Stefanovic woorden probeerde te gebruiken die hij jeugdig vond klinken. 'Kicken ass' dus – het klonk net zo grappig als wanneer mama zei dat haar nieuwe Chloé-schoenen 'echt *to die for*' waren.

Hij ging verder: 'Dit is de eerste keer dat de Extreme Affliction Heroes in zo'n grote arena als die van Globen komen. Het is de op een na grootste sport van het land.'

Ze reden over de brug van Södermalm naar Gullmarsplan. Natalie keek naar buiten. Het water zag eruit als grijs blik, het regende. Weer. Een lente bijna helemaal zonder zon.

Natalies vest van konijnenbont lag op de achterbank. Ze droeg een ruchesblouse van Marc Jacobs die ze van Louise had geleend en een ketting van Swarovski. Daaronder een spijkerbroek die ze bij Artilleri2 had gekocht, een Victoria Beckham Wide Leg van donker indigo. Ze was informeel genoeg gekleed om op haar plaats te zijn op het gala. Haar donkere haar had ze opgestoken. Ze keek in de achteruitkijkspiegel, zag haar eigen bruine ogen en lange wimpers.

De Globen Arena straalde in de verte – paarse en blauwe schijnwerpers moesten hem mooier maken dan hij eigenlijk was. Natalie dacht aan de verlichting in Parijs. De Fransen wisten hoe je een stad 's nachts verlichtte – zetten schijnwerperlicht op imposante façades.

Ze kwamen dichterbij, zochten naar bordjes voor parkeerplaatsen. Reden onder de Globen. Een immense parkeergarage. Er reed een groene Volvo achter ze naar binnen. Een normale kleur tegenwoordig?

Viktor had mee gewild naar het gala. Maar papa had het geen geschikte gelegenheid gevonden. Wat Natalie betreft was dat oké.

Het wemelde van de gozers op het gala. De stemming in de lucht: spanning vermengd met verwachting vermengd met ziek hoge testosteronniveaus.

Ze liepen naar binnen door ingang A. De arena opende zich onder hen. Een donkere zee van mensen en in het midden een tien meter hoge stelling met schijnwerpers in verschillende kleuren. De toeschouwers, de televisiecamera's, de schijnwerpers gefocust op één ding: de ring. Aan de wand aan de ene kant, waar bij concerten het podium stond, hingen megagrote vlaggen van de strijdende landen. Zweden, de Verenigde Staten, Nederland, Rusland, Japan, Roemenië, Duitsland, Marokko, Servië. Aan de andere kant hing een gigantisch spandoek, de officiële vlag: Extreme Affliction Heroes.

Stefanovic stak af en toe zijn hand op. Groette bekenden die op hem af stormden, zijn hand schudden, een zwijgend knikje kregen.

Helemaal beneden: de met netten omspannen ring, op maar tien meter voor haar. Natalie richtte haar blik op iets in de verte en vermeed alle ogen. Keek niet om zich heen. Zette een volstrekt ongeïnteresseerd gezicht op.

Ze ving een glimp op van een groep siliconenmeiden met geblondeerd haar, ordinaire decolletés en te korte rokjes. Zij zouden de wedstrijdbordjes en dergelijke in de pauzes laten zien. Ze zag geschoren sportschooljongens met bloemkooloren. Ze zag mannen in pak die rustig, eigenlijk nors, op hun stoel zaten en alleen maar voor zich uit leken te staren. Daar ergens zat papa waarschijnlijk. Ze zagen eruit als zijn mensen.

Ze liep langs de gekooide ring.

Naast haar stond iemand op.

Het was papa.

'*Dragi*, wat heerlijk dat je bent gekomen!'

Naast hem was een plaats vrij. Natalie ging zitten. Aan de andere kant zat Goran.

De schijnwerpers vingen iedere fighter die binnenkwam. De luidsprekers schalden hun naam, club en nationaliteit. Elektrische gitaren jankten tussen de wedstrijden door op het hoogste volume. De silichicks trokken strakke reclameshirtjes aan en hielden borden met het volgende rondenummer omhoog. Natalie dacht: dus zo verdienen ze de kost als ze de tijdschriftencovers niet halen.

Lollo had haar borsten vorig jaar trouwens ook laten doen, maar zij had niet zo overdreven.

Tussen de rondes door kletste papa met Natalie. Had het over de wedstrijden en dat ze zo snel mogelijk op de universiteit moest beginnen. Rechten of economie, vond hij.

Natalie dacht aan die ochtend. Viktor was bij haar thuis langsgekomen toen ze nog in bed lag, al was het al halftwaalf.

Ze had hem een paar woorden met mama horen wisselen. Daarna kwam hij binnen met een dienblad met ontbijt erop. Tropicana-sinaasappelsap California style, espresso, een gekookt eitje en brood van klassieke warme bakker Kringlan aan de Linnégatan. Hoewel ze vanwege haar dieet geen brood at: toch een sympa gast.

Viktor ging op de rand van haar bed zitten en zette het blad voorzichtig op haar dekbed. Ze dronk kleine teugjes van haar koffie. Tikte het eitje kapot.

Na het ontbijt hadden ze een film met Adam Sandler in de hoofdrol gedownload – als ze samen gingen kijken, kwam het meestal neer op romantische comedy's.

Viktor zei: 'Ik wil met je praten.'

'Oké.'

'Je weet in wat voor spullen ik handel, hè?'

'Ja, ja, natuurlijk. Auto's en boten en zo.'

'Het punt is dat het op dit moment waardeloos loopt. Eerst kwam die afschuwelijke laagconjunctuur waardoor mensen minder auto's en jetski's kochten dan daarvoor. Dus nam ik een lening om de zware maanden met m'n bedrijf te doorstaan. En nu heb ik problemen.'

Hij vertelde verder, hoe concurrenten bagger verkochten voor lagere prijzen. Dat zijn huisbaas de huur had verhoogd. Natalie luisterde maar met een half oor; ze was op zich wel geïnteresseerd in zaken, maar Viktors zaakjes hadden zoiets banaals.

Bovendien vermoedde ze inmiddels waar hij heen wilde.

'De lening moet ik afbetalen, het is dus geen gewone bank die ik geld schuldig ben. Verder heb ik her en der wat andere schulden, belastingschulden ook. Het is naadje, zeg maar. Eerst wilde ik de hele boel in de fik steken, weet je, en de verzekering pakken.'

'Daar geloof ik niks van.'

'Nee, ik eigenlijk ook niet. De verzekering oplichten is alleen maar kortetermijnwinst, verzekeringsmaatschappijen zijn haviken. Dus ik weet niet wat ik moet doen. De boel opdoeken? Als ik de huur niet ophoest, kan het bedrijf failliet gaan en dergelijke. Weet je wat dat inhoudt? Als ik de belasting niet ophoest kan het persoonlijk faillissement betekenen. En als ik de schulden niet ophoest kan me iets echt akeligs overkomen. Het is niet leuk, bedoel ik maar.'

Ze keek hem aan. Natuurlijk wist ze wat een faillissement betekende. Minstens vijf bedrijven van papa waren bankroet gegaan. En je schulden aan de verkeerde personen niet betalen – ze was niet achterlijk, tuurlijk snapte ze dat.

Viktor kon er zo verdrietig uitzien. Toen ze begreep waar hij heen wilde met dit gesprek had ze er spijt van dat ze tien minuten geleden al niet duidelijker was geweest. Ze wilde geen werelden mengen – ze wilde Viktor buiten papa's sfeer houden. En vooral: omgekeerd.

Ze stond op. Zorgde dat ze het gesprek afkapte voor het nog verder zou gaan.

'Ik moet mijn inschrijving bij de universiteit nu regelen.'

En dat was waar.

Drie uur met online-inschrijfformulieren voor rechten. Eigenlijk had je geen eindexamen of toelatingsexamen nodig – wie erin slaagde die formulieren op de juiste manier in te vullen was zonder meer intelligent genoeg.

Ze dacht weer aan Lollo: die zat al in haar tweede jaar aan de universiteit. Het leek best relaxed: Lollo werkte haar Facebookstatus zo'n twintig keer per ochtend bij. Vooral over de koffiepauzes die ze steeds nam.

Nog even tot de heavyweightmatch begon. Papa zei dat iedereen daarvoor gekomen was. En er zou een Serviër de ring in gaan: Lazar Tomic uit Belgrado, een echte UFC-fighter. Hij zou tegen eentje uit Zweden: Reza Yunis.

Als Servië meestreed was het ernst.

De spreekstalmeester kondigde de fighters aan.

Toen de naam van de Zweed werd geroepen barstte het echt los. Zeker tienduizend kill-stemmen brulden. Support. Steun. Sterkte.

De gong ging, de eerste ronde begon. Papa leverde in Natalies oor commentaar op wat er gebeurde. Yunis zweepte zichzelf op en ging in een hoog tempo los op Tomic. Na een paar seconden lag hij al op de mat doordat de Zweed hem had neergemaaid. Yunis sprong boven op hem. Bleef op het gezicht van de Serviër slaan. Tomic probeerde zich te verdedigen, zo goed mogelijk te blokken. De seconden verstreken. Hij wist zijn benen om de Zweed heen te slaan. Ze rolden rond. Kwamen weer overeind. Dansten om elkaar heen en trapten ter hoogte van hun middel.

De ronde was voorbij.

Extreme Affliction Heroes: MMA in zijn beste vorm. Alles toegestaan behalve kopstoten, bijten, in de ogen prikken of op het achterhoofd en in het kruis slaan.

Papa vroeg of ze iets wilde drinken. In de pauze stuurde hij Goran op pad. Hij kwam terug met een mineraalwater voor haar, vlak voor de tweede ronde zou beginnen.

Papa kletste verder. 'Tomic heeft veel in Amerika gevochten, hij is goed in schijnbewegingen en onregelmatige tempowisselingen. Hij drentelt graag wat rond voordat hij op een of andere manier toeslaat. Dat zullen we nog merken.'

Natalie begon er genoeg van te krijgen. In de ring vochten ze als bezetenen. Trappen tegen schenen, slagen op het lichaam, houdgrepen als ze op de mat lagen. Knieën in ribben, directen tegen het hoofd, stomp na stomp na stomp in het gezicht. De mensen om haar heen loeiden. De fighters in de ring kreunden, worstelden, cirkelden rond, cirkelden als gasten in een kroeg die een flirtaanval op een chick inzetten.

Ze pielde met haar iPhone. Speelde Bubble Ball. Checkte de sportschooltijden. Surfte naar Facebook – Lollo's status: 'Weer thuis na een tof meidenochtendje bij de Foam.'

Dan was Extreme Affliction Heroes toch een stuk interessanter.

Er spatte iets. Zweetdruppels van Tomic belandden op Natalies voorhoofd.

Goran keek naar Natalie.

Natalie zei: 'Lekker fris.'

De derde ronde. Ze gingen verder met hun oorlog. Tomic, papa's held, domineerde steeds meer. Natalie keek met een half oog. Soms wierp ze een blik op de nieuwssite Aftonbladet.se op haar telefoon.

Stefanovic, Goran en nog een van papa's mannen, Milorad, waren gaan staan. Gingen zo in de wedstrijd op dat het haast leek alsof ze zelf op hun lazer kregen als Tomic klappen incasseerde.

Natalie probeerde zich de laatste seconden te concentreren.

Tomic gaf goeie knietjes, maar dat deed Yunis ook. Tomic deelde directen uit en probeerde Yunis onderuit te trappen. Yunis kwam dichtbij en sloeg tegen de nieren. Tomic rukte zich los. Viel aan met harde punches op het hoofd van de Zweed. Maar, onverwacht, Tomics stoten werkten niet, Yunis imiteerde hem waardoor Tomic op de mat belandde. De Zweed stortte zich op hem. Drukte met zijn knieën zijn armen naar beneden. Liet het slagen regenen op zijn gezicht. Tomic probeerde zich los te wringen, maar hij zat vast. Natalie zag Yunis' vuisten Tomics neus indrukken, hard op zijn kin, wangen landen. Tomic leek het haast op te geven.

Maar toen ging er een schok door hem heen. Ze rolden om en belandden naast elkaar. Opeens was de Serviër snel. Hij greep Yunis' hoofd met zijn bovenbenen. Drukte aan. Kneep. Yunis' gezicht werd roder en roder. Tomic bleef zijn dijen tegen elkaar klemmen. De Zweed was bezig te stikken. De scheidsrechter tikte Tomic aan. De Serviër negeerde het, bleef de Zweed wurgen.

De scheidsrechter tikte hem weer aan. Yunis' gezicht liep blauw aan.
De scheidsrechter duwde Tomic opzij – toen stond hij op.
Iedereen wachtte.
Yunis bewoog niet.
Vreugde vloog door Natalie heen. Ze stond op. Ze hief haar vuist. 'Yes!'
De Zweed bleef liggen. De scheidsrechter telde.
'Een.'
'Twee.'
'Drie.'
Verplegend personeel kwam de kooi in rennen. Natalie ging zitten.
Haar vader stond nog. Schreeuwde. '*Ostani*. Daar blijven. Blijf liggen. Sta niet op, *pičko*, slappeling.'
'Vier.'
'Vijf.'
'Zes.'
De arena was in rep en roer. Leefde de Zweed nog wel? De vent van de EHBO ging door zijn knieën, riep in Yunis' oor.
'Zeven.'
'Acht.'
Yunis bewoog op de mat. Hapte naar adem.
De scheidsrechter had negen vingers in de lucht.
'Negen.'
Dat was het einde.

Op weg naar buiten liep Goran voorop. Spleet de mensenmassa's zoals Stefanovic op weg hierheen had gedaan. Zo'n beetje als een president met lijfwachten – al die fans en fotografen: wegwezen! Maar nu was het minder makkelijk dan toen ze aankwamen. De mensenmassa drong naar voren. Stefanovic liep schuin achter haar en papa en zorgde ervoor dat de ruimte breder werd. Achter haar liep Milorad.

Het voelde top. Goed humeur. Lazar Tomic – een held. Extreme Affliction Heroes een succes. Ze praatten over de wedstrijd, lachten, vertelden het keer op keer: Tomics bovenbeenspieren, Yunis' paarsblauwe kop.

Het was een goeie dag. Ze zouden met zijn allen gaan eten bij Clara's. Toch voelde Natalie zich raar. Een soort van onbehagen in haar buik. Niet vanwege ongesteldheid – het was iets anders. Iets onaangenamers.

Ze kwamen in de parkeergarage. Mensen stroomden de liften uit. Auto's stonden in de file, onderweg naar de Stockholmse nacht.

Stefanovic zou Natalie meenemen. Papa zou met Goran en Milorad gaan. Ze zag zijn Lexus verderop staan. Hij draaide zich om om haar te omhelzen en te zeggen 'We zien elkaar zo weer'. Een zoen op haar voorhoofd, zoals hij altijd deed.

Toen hoorde ze iets.
Scherpe geluiden. Knallen.
Net vuurwerk.
Natalie zag papa voor zich. Zijn bewegingen haperden. Alsof ze beeld voor beeld waarnam wat er gebeurde in zo'n programma om filmpjes te redigeren. Alsof ze de afzonderlijke plaatjes van een tekenfilm bekeek. Kleine veranderingen als schokkerige sprongetjes in de stroom. Ze registreerde alles: minieme verschillen in gebaren, gezichten, ademhaling.
Er weerklonk nog een knal in de parkeergarage.
En nog een.
De bewegingen om haar heen stokten.
Papa schreeuwde: 'Ik ben geraakt.'
Daarna ging het snel. Stefanovic wierp zich boven op hem. Drukte papa tegen de grond. Het moment daarop lag ze zelf onder Goran. Ze zag Milorad met een pistool zwaaien. Hoorde hem tegen mensen brullen uit de buurt te blijven.
Iedereen gilde.
Ze voelde Goran aan zich trekken. De parkeergarage zag er zo klein uit.
Ze zag papa onder Stefanovic.
Ze zag een bloedplas groeien.
Ze zag zijn hand stil op de betonnen vloer liggen.
Nee.
NEE.

7

De eerste echte rekrutering – Tom Lehtimäki zei natuurlijk ja. Slimme gozer. Twee, drie miljoen handje contantje, of hoe groot zijn deel ook maar zou zijn: recht in zijn zak. Zoveel kon zelfs hij in zo'n korte tijd niet versieren, hoeveel financiële trucjes hij ook uithaalde.

De dagen erna lulde Jorge om beurten met Sergio, Robert Progat en Javier. Allemaal dezelfde instelling: Jorge Bernadotte, *the king*: jij bent Jezus. Tuurlijk doen we mee.

TUURLIJK.

Het syndicaat vormde zich. De groep groeide. Het team werd een team.

Heat, *Reservoir Dogs*, *Ocean's Eleven* – nu werd het serieus.

Tegelijkertijd: Stockholm was net getroffen door de gebeurtenis van het decennium.

Het nieuws van het decennium. Het fokking hoogtepunt van het decennium: iemand had geprobeerd Radovan koud te maken. De Joegoboss voor Jorge: haat zo diep dat het een kuil in hem groef. Hij had het imperium van Mister R. eerder aangevallen: de overval op Smådalarö, de schoten in het bordeel in Hallonbergen. En in zijn dromen: keer op keer. Op een mooie dag zou J-boy de Joegokoning voorgoed uitschakelen. Dus: de aanslag op Radovan had impact. Niet alleen op Jorge. Op de hele onderwereld. Iedereen lulde erover, kletste, speculeerde. Had meningen. Er was een machtswisseling gaande, er kwamen nieuwe bazen op. Een opening voor meer spelers om het territorium over te nemen.

Maar toch, hij kon daar nu niet op focussen. Nu ging het om de slimste WTO uit de geschiedenis. Jorge dacht aan de krantenkoppen die hij na afloop wou lezen: GEEN CONTANTEN VOOR DE PINAUTOMATEN IN STOCKHOLM – OVERVALLERS MAKEN RECORDBUIT. DE ROOF OVERTREFT EERDERE OVERVALLEN. GROOTSTE WAARDETRANSPORTOVERVAL OOIT.

Laatste rekrutering: twee Zwedo's.

Dat was de eerste order van de Fin. 'Jullie hebben ook een paar Zwedo's nodig. Om gereedschap, voertuigen en dergelijke te regelen. Mensen die beter in de bouwwereld thuis zijn dan jullie.'

Jorge maakte geen bezwaar. Tom Lehtimäki kwam met namen. Discussie over en weer. Wie te vertrouwen was. Wie honderd procent oké.

Twee van de gasten die hij voorstelde ontmoette Jorge persoonlijk.

De ene heette Jimmy. Dakdekker die nul inkomsten opgaf bij de belasting maar doekoe binnenhaalde via zwart werk en bouwmachines heelde via internet. De gozer: megapositief, supergretig, snapte het idee maximaal.

De andere gozer: rustiger. Ouwehoerde alsof hij alles nu al wist. Toch een goed gevoel – die gast leek niet achterlijk. Had een eigen bedrijf. Handelde in auto's en boten. Reed zelf in een BMW X6. Hij heette Viktor.

Tom zei dat dat Viktorretje despo-hard cash nodig had. Het bedrijf van die gast liep blijkbaar klote, hoewel hijzelf het tegendeel beweerde. En hij zat bovendien tot over zijn geëpileerde wenkbrauwen in de persoonlijke schulden. Jorge zag mogelijkheden: een gast die bereid zou moeten zijn om de kutklusjes op te knappen.

Jorge bedankte Tompa voor de tips – deze jongens zouden goed gereedschap zijn.

Jorge en Mahmud hadden de Fin nog een keer gesproken.

Nu: een heel ander terrein. Die gast: gruwelijk sluw – als ze snitchers waren geweest hadden ze de skotoe niet op hun ontmoetingsplek kunnen voorbereiden.

Jorge en Mahmud verzonnen verschillende namen voor hem. De Receptbewaker, de Planner, het Brein.

Ze reden over de stadssnelweg Södra Länken, door de tunnel, naar Nacka.

Hun gewone auto, de pick-up. Maar Mahmud had een groen ding met een moslimse tekst aan de achteruitkijkspiegel gehangen. Hij wees: 'Dat betekent geluk.'

Jorge grijnsde: 'Jullie geloven echt een heleboel vage shit, weet je.'

'Wat is daar nou vaag aan?'

Jorge tikte tegen het stukje plastic met de tekst. Het zwiepte heen en weer. 'Wat kan dit dingetje nou voor geluk brengen? Kun je het eigenlijk wel lezen?'

'Hou toch op. Jij weet er niks van. Het is de geloofsbelijdenis. Het belangrijkste dat we in ons geloof hebben. Echt man, dat is het belangrijkste in de wereld, voor iedereen. Wullah.'

'O, nou, eh dan...' Jorge zette zijn ironische stemmetje op. Mahmud lulde uit zijn nek: die gozer was niet geloviger dan een doorsnee Zweed.

Mahmud hield zijn ogen op de weg gericht.

'Zeg dan, kun je het lezen?'

Buiten: hevige regen. De ruitenwissers zwiepten regelmatig heen en weer. De Arabier zei niks.

'Nou, kun je dat?'

Nog steeds stilte.

Ten slotte zei Mahmud: 'Dat gaat je geen hol aan.'

De parkeerplaats bij het badstrand helemaal leeg. Verderop: een gesloten kiosk. Een verlaten klimrek. Achter de kiosk: een geparkeerde Ford Focus. Was die van de Fin? Wat een sneue wagen.

Mahmud parkeerde vlak naast de Ford, hoewel er wist hij hoeveel vrije plaatsen in de buurt waren.

Hij zette de motor uit. Ze zeiden niks. Eén microseconde: het gevoel van een klein, klein beetje stress. Een klein, klein beetje buikpijn. Een soort beweging binnenin.

Jorge deed zijn portier open. Knipoogde naar Mahmud. 'Kom, we gaan zwemmen, gap.'

Ze wandelden richting meer. De lente was ijskoud. Jorge was te dun gekleed. Trainingsbroek en hoodie. Eroverheen een dun rood jack met Formule 1-logo's op de rug en armen. Hij trok de capuchon over zijn hoofd en trok hem dicht. Daarna sloeg hij de kraag van zijn jack helemaal op, zodat die als een buis om zijn nek zat. Alleen zijn ogen en neus waren zichtbaar.

Het zand was hard, maar ook nat. Zompig.

Mahmud had een sjaal tot hoog om zijn nek gewikkeld. Zag eruit als een rasechte stenengooier. Hij wees naar het meer: 'En dan zijn er Suedi's die in deze tijd van het jaar gaan zwemmen.'

Jorge schudde zijn hoofd. 'Onthou één ding, compagnon, *los suecos* kun je nooit begrijpen. Ze zijn niet van deze planeet.'

Honderd meter voor zich zagen ze iemand.

Jorge begreep: deze ontmoetingsplaats was perfect. Helemaal afgeschermd van inkijk. Vanwege de bomen kon niemand ze vanaf het meer zien. En de duinen aan de andere kant waren zo hoog dat ook niemand ze vanaf de weg kon zien.

De Fin kwam dichterbij.

Vandaag had hij, ondanks het weer, een zonnebril op, plus een muts en een sjaal.

Hij zei: 'Waar staat jullie auto?'

Jorge antwoordde: 'Naast een Ford Focus. Is die soms van jou?'

De Fin gaf geen antwoord, zei alleen: 'Reed er iemand anders op de parkeerplaats?'

'Nee. Op de Ford na was ie leeg.'

'Mooi. Jullie moeten begrijpen dat het allemaal net een kaartenhuis is. De truc is om het goed op te bouwen, om de overval vanaf de grond op te bouwen, vanaf het begin. Elk onderdeel moet perfect zijn. Er hoeft maar één kaart in de onderste rij scheef te staan of de hele zooi stort in. Begrijpen jullie wat ik bedoel? Jullie hoeven maar één seconde niet op te letten.'

Jorge en Mahmud hm'den. Bleven cool.

De Fin ging verder: 'Alle kraken zijn de afgelopen jaren gecompliceerder geworden. Dat weten jullie. Tien jaar geleden was het net zoiets als het schoolplein op stappen en de kleuters van hun emmertjes en schepjes beroven. Je hoefde de vaste routines van de waardetransporteurs maar een weekje te volgen en daarna nog een week. Daarna wist je precies hoe ze reden, waar ze reden en wat de veiligheidsmaatregelen voor het transport waren. Zo werkt het niet meer. De helikopterberoving was fantastisch gepland. Toch liep het finaal mis. De juten hebben bijgeleerd.'

Ze praatten even. Namen Jorges rekruten door. Wat er boven aan het todolijstje stond. De Fin gaf hun het hele recept niet in één keer, maar beetje bij beetje. Ze zouden informatie oppikken op plekken die hij bepaalde. Wat een rukker.

Hij preekte maar door: 'De truc is de juiste dingen op de juiste manier te doen. Jullie moeten de juiste dingen doen en ze moeten op de juiste manier worden gedaan.'

De gozer lulde over routines. Nooit telefonisch over de kraak praten. Nooit je telefoon aan hebben staan als je het erover had. Zo vaak mogelijk van simkaart wisselen. Het er niet met buitenstaanders over hebben, ook niet met meiden, vrienden, hoeren.

Jorge vroeg: 'Krijgen we de insider te spreken?'

De Fin antwoordde: 'Nee, natuurlijk niet. Zo werkt dat niet in deze branche.'

Jorge dacht: de Fin is een arrogante klootzak. Oké, die gast had een insider. Hij had ideeën. Maar wie zou alle risico's nemen? Wie zou het vuile werk opknappen?

In J-boys kop: een prachtplan. Het begin van een eigen gedachte. Een eigen plan. Hij zou ervoor zorgen dat hij extra betaald zou worden voor deze klus. Deze WTO moest hem meer opleveren dan de Fin.

Hij was van plan meer in te pikken voor zichzelf. De Fin te naaien.

Op de een of andere manier.

8

Torsfjäll had Hägerström bij een ex-lid van de Servische maffia langs gestuurd om inside-information te verkrijgen. Ze hadden het al eerder over hem gehad, Mrado Slovovic. Veroordeeld tot veertien jaar gevangenisstraf vanwege zo'n beetje de grootste cocaïnesmokkel van de eeuw.

Mrado wilde zijn DNA-registraties en vingerafdrukken uit de registers hebben als hij werd vrijgelaten. Hij wilde vijftigduizend cash in Zweedse kronen, tienduizend euro op een rekening bij de Beogradska Banka in Servië en net zoveel bij de Universal Savings Bank op Cyprus. Hij wilde een huis buiten Čačak met een eigen tuin. En in de tuin moesten pruimenbomen staan. De dochter van de maffioso bleek van fruit te houden.

Torsfjäll beweerde dat hij hem de helft van het geld en het huis had beloofd als hij maar met Hägerström zou praten. Hij had hem geen pruimenboom beloofd.

Mrado was waardevol. Hägerström sprak hem twee keer in de bezoekersruimte van de Hall-gevangenis. Hij gaf algemene informatie over de hiërarchie en structuren binnen zijn vroegere organisatie. Dropte namen van restaurants, kroegen, bedrijven. En dropte vooral namen van mannen. Alles draaide om de koning, *il padre*: Radovan Kranjic.

De Joego's waren anders dan de motorbendes en buitenwijkliga's. Geen kleuren en vesten. Geen idiote namen of tatoeages.

Mrado zei: 'Iedereen schrijft over de motorclubs alsof ze een soort maffia zijn. Maar kijk wat er gebeurt als ze op weerstand stuiten. Bandidos, Hells Angels, 't is geen verschil. Velen buigen niet voor ze en dan krabbelen ze terug.'

De eendracht onder de Joego's was gestoeld op intiemere banden. Ze deelden een gevoel voor Servië, voor eergevoel en voor eer. Ze spraken allemaal dezelfde taal, hielden van dezelfde slivovitsj en schlag. Ze stonden dicht bij elkaar, waren soms familie, aangetrouwd, hadden zomerhuizen aan dezelfde kust of in de buurt van Čačak. Allemaal respecteerden ze Mr. R. Ieders *Kum*, zoals Mrado het noemde. Ieders godfather.

De man die Mrado blijkbaar haatte. Maar ook: de man die Mrado had gemaakt tot wie hij was geweest. En nu: de man die zopas was beschoten in een garage onder de Globen.

Hägerström en Torsfjäll probeerden patronen te zien. Verbanden tussen bedrijven en werkelijke eigenaars: degenen die de financiën achter de geregistreerde namen van katvangers in handen hadden. Videotheken, zonnebanken en cafés: wasinstellingen. MB Accountant Advies BV regelde het papierwerk. Ze kregen lijsten van restaurants en cafés die zogenaamde straatverzekeringen betaalden aan de jongens van Radovan. Het eigen risico van de echte verzekeringsmaatschappijen als er iets gebeurde was toch hoger dan wat de Joego's voor hun bescherming vroegen, dus de meesten kozen voor de straatvariant. Nu waren er overigens een paar nieuwe liga's aan het concurreren geslagen, maar die zouden snel op hun lazer krijgen. De activiteiten van de Joego's waren breed. Tabakszaken die gesmokkelde sigaretten uit Rusland kochten, kroegbazen die illegaal gestookte drank verkochten in flessen van Absolut Vodka, de garderobes van dezelfde kroegen die hun inkomsten niet op wilden geven. Potentaten die bescherming nodig hadden als ze naar Zweden kwamen voor min of meer lichtschuwe zaken, bedrijfsleiders en vakbondsbobo's die vrouwen wilden hebben op hun zakenfeesten. En meer: kolonies ondernemers in de grijze zone die er op de een of andere manier bij betrokken waren. Hadden hulp nodig met incasso's waar Intrum Justitia had gefaald. Toen de financiële crisis toesloeg. Hadden bescherming nodig als ze een irritante klant hadden getild.

Veel van wat Mrado vertelde was verouderd – hij zat toch al vijf jaar vast. En wat hij over JW wist was nog schameler. Mrado had hem al die tijd niet ontmoet. Maar hij had de blaag gevolgd, zei hij.

Volgens Mrado was de jongen een financieel genie die iets hoogs had kunnen worden in de legale wereld. Maar het was misgelopen.

Het was tien over elf. Martin Hägerström draaide zijn voordeur van het slot. Hij keek door de traliedeur naar de deurmat. Die was speciaal ontworpen door Liz Alpert Fay en er bestond maar één exemplaar van – dit exemplaar.

Op de Alpert Fay-deurmat lagen drie enveloppen en een in plastic verpakt tijdschrift.

Hij draaide het traliewerk van het slot, het knarste.

Hij was erg tevreden met zijn appartement aan de Banérgatan.

Hij trok zijn schoenen uit.

Hij legde zijn jack op het krukje dat tegen de muur stond en trok zijn fluwelen pantoffels aan – op kousenvoeten liep hij nooit. Toen hij bijna twintig jaar geleden zijn eerste woning had betrokken, was zijn vader langsgekomen en had gezegd: 'Elke hal behoeft een krukje.'

Vervolgens zette hij een houten krukje neer van Svenskt Tenn met een zitkussentje van Josef Frank. Het was tijdloos, en stond nog steeds in Hägerströms hal.

Het idee was dat gasten – en de bewoner zelf overigens ook – de mogelijkheid zouden hebben om te gaan zitten bij het aan- en uittrekken van hun straatschoenen. Niemand zou zich op onflatteuze wijze voorover hoeven te buigen omdat hij binnenschoenen wilde dragen. Een krukje vereenvoudigde de belangrijkste functie van de hal, aldus zijn vader. Maar Hägerström zat er nooit op, in plaats daarvan gooide hij zijn truien, handschoenen, tassen en jassen er neer. Dus een beetje gelijk had zijn vader wel gehad – het vereenvoudigde het halleven, maar niet volgens zijn plan.

Aan de muur hing een concertfoto van een vierkante meter groot van David Bowie, vorig jaar verworven op Sotheby's. Milwaukee Arena, 1974. Bowie hield de microfoon vast, haast krampachtig. Zijn andere hand balde hij tot vuist, hard. Hij zag er cool uit.

Op de vloer in de hal lag een kelim. Aan de muren hingen geërfde kristallen lampjes. Hij hield van zijn eigen mengeling van oud en nieuw. Hägerström had al jaren belangstelling voor woninginrichting. Dat was niet iets waar hij aan mee was gaan doen sinds woonprogramma's de huizen van het Zweedse plebs hadden veroverd. Doe-het-zelf-timmerlui, pseudobinnenhuisarchitecten en designwijsneuzen hadden alle zenders overspoeld zonder het volk in te lichten over wat goede smaak eigenlijk was. Iedereen dacht dat het ging om een en hetzelfde afgezaagde Scandinavische design: mierstoelen, superellipsen en AJ-hanglampen. Het volk was nerveus, het was te merken dat iedereen dacht dat alles er op dezelfde manier uit moest zien.

Hij ging met de post in de keuken zitten. Op de wandtafel stond een vaas met bloemen. Dat was een extra taak van zijn huishoudster – ervoor zorgen dat er altijd verse snijbloemen in huis waren. Boven de tafel hing een schilderij van graaf Gustaf Cronhielm af Hakunge. Het schilderij was meer dan honderd jaar oud en in het schijnsel van de schilderijverlichting boven aan de lijst zag je kleine barstjes in de verf.

Hij tornde de envelop open met zijn vinger. Een elektriciteitsrekening. Een factuur van de advocaat. Als hij niets geërfd had, had hij het honorarium van de advocaat zelfs met zijn volledige politiesalaris niet kunnen betalen.

De deur naar Pravats kamer stond open, dat liet hij altijd zo – hij wilde het speelgoed en het bed van de jongen kunnen zien.

De laatste brief was reclame voor een loterij. Nonsens.

Hij pakte het tijdschrift. *Vanity Fair*. Bladerde lusteloos.

De klok op de magnetron gaf halftwaalf aan. Een lange dag op zijn werk. Misschien werkte hij vijftien uur per dag om te vergeten. De angst om niet vaker bij Pravat te mogen zijn af te zwakken. Doorgaan zonder te veel geraakt te hoeven worden.

Hij had gegeten bij de Worstspecialist Östermalm aan de Nybrogatan. Bruno heette de Duitse kerel die op een oppervlak van zo'n zes vierkante meter meer dan dertig soorten worst verkocht. Hongaarse *kabanossi*, Duitse *Zwiebelwurst*, Tunesische *merguez*, Argentijnse chorizo, zeg wat je wilt en Bruno regelt het. En het lekkerste van allemaal: zigeunerwurst. Hägerström had er twee met brood besteld. Was in het grauwe weer naar huis gelopen. Kauwde elke hap met smaak.

Zijn moeder Lottie probeerde grapjes te maken over de scheiding. Ze zei: 'Anna kwam toch uit Norrland, en in Norrland heeft iedereen een naam die op "ström" eindigt, dus daarom dachten jullie natuurlijk dat jullie bij elkaar hoorden.'

Maar dan zou zijn moeder daar inmiddels ook thuis moeten horen. Ze heette per slot van rekening al langer Hägerström dan hij. Eigenlijk had ze er zelf nog steeds niet helemaal vrede mee dat ze een gewone boerennaam had gekregen. Voor haar huwelijk heette ze Cronhielm af Hakunge – graaf Gustaf die bij hem aan de muur hing was haar grootvader. Zijn moeder kwam uit een grafelijk geslacht, maar volgens de regels van de Zweedse adel degradeerden haar kinderen. Ze moest ermee leren leven dat ze voor altijd bij de lagere standen zouden horen. Behalve Tin-Tin, natuurlijk: zij zou immers met iemand van het juiste niveau trouwen.

De vader van zijn moeder kwam van het landgoed Idingstad Säteri bij Linköping, maar was in de jaren dertig naar Stockholm verhuisd. Lottie was zelf aan de Narvavägen geboren. In haar hele leven had ze op drie adressen gewoond: haar ouderlijk huis, het eerste appartement met zijn vader aan de Kommendörsgatan en vervolgens haar huidige appartement aan de Ulrikagatan. Een reis door het leven van hooguit vijfhonderd meter. Dichter bij Norrland dan in de Kommendörsgatan was ze misschien nooit geweest.

Hägerström dacht na over wat Mrado had verteld.

Voor een man als Mrado was het zuur, afschuwelijk, om tot veertien jaar gevangenisstraf veroordeeld te worden – maar het was niet iets waarvoor hij zich hoefde te schamen. Het was niet iets waarmee hij geen rekening had gehouden. Iedereen hield in zijn wereld rekening met een tijdje in de bak, hoewel misschien niet zo lang als hij. Maar voor JW was zijn hele leven ingestort. Of eigenlijk: zijn beide levens.

Enerzijds de gewone, normale Zweedse wereld waar hij in feite vandaan kwam. Zijn moeder kon het niet begrijpen. Zijn oude middelbareschoolvrienden in Robertsfors in Norrland waren geschokt. Zijn vader kon het hem niet vergeven.

Anderzijds zijn nieuwe wereld, de bovenklasse. Geen van zijn vrienden had hem in al die jaren opgezocht, beweerde justitie. Geen van de mensen op wie hij uit alle macht had geprobeerd te lijken had hem ook maar een brief gestuurd. Niemand. Zoveel is ware vriendschap dus waard. Anderzijds kon justitie geen antwoord geven op de vraag wie hem de afgelopen jaren had gebeld. Dat hielden ze niet bij.

Hägerström vond het onprettig als Mrado het woord bovenklasse gebruikte. Hij wist wat voor woord het was – mensen die Zweden wilden indelen en bijvoorbeeld zijn familie wilden aanwijzen als iets andersoortigs, gebruikten het.

En bovendien greep Anna ernaar als ze hem nergens anders om kon bekritiseren.

Hij maakte zich er ook weer niet echt druk om. Zijn familie wás immers anders. In elk geval een beetje.

Mrado had verteld dat JW de eerste maanden na het vonnis nogal apathisch was geweest. Daarna was hij echter langzaam opgekrabbeld. En duidelijk met een plan. Hij accepteerde zijn lot. Begon nieuwe vrienden te maken. Nieuwe contacten aan te knopen. JW was er blijkbaar in geslaagd geld opzij te leggen waar hij vanuit de bak bij kon. Hij begon relatief kleine bedragen aan mensen te lenen. Van de gevangenisdirectie kreeg hij toestemming om zich in te schrijven aan een universiteit, maar meer dan zich inschrijven deed hij daar niet. Volgens Mrado besteedde hij zijn tijd in feite aan het beheer van zijn geld en het uitdenken van slimme methodes om anderen met dezelfde behoefte te helpen.

Mrado kende mensen die hulp van de jongen hadden gekregen. Geroofd geld, drugsgeld, hoerengeld, afpersingsgeld: als je maar zorgvuldig en geduldig genoeg was, was alles te wassen.

Maar Mrado weigerde namen te noemen. Dat was een tegenvaller.

Torsfjäll zei dat hij zelf min of meer had kunnen uitrekenen wat Mrado had verteld. Het was duidelijk dat JW mensen buiten hielp met witwassen. De vraag was op welke schaal dat gebeurde. Hoe kreeg hij de informatie naar binnen en naar buiten? En bovendien: wie waren zijn klanten?

Torsfjäll was ook op de hoogte van een ander punt. JW droeg een geheime geschiedenis met zich mee. Een tragisch raadsel van een paar jaar voor hij veroordeeld werd. Camilla Westlund, zijn zus, had in Stockholm gewoond. Ging daar om met de verkeerde mensen. Had rondgehangen op de verkeerde plekken. En er was iets fout gegaan. JW's zus was verdwenen en niemand leek te weten wat er met haar was gebeurd, maar iedereen wist dat het iets ernstigs was. JW had haar gezocht, onderzoek gedaan, naspeuringen verricht.

Torsfjäll wist niet wat hij had ontdekt. Maar wel dat hij iets had ontdekt.

Hägerström keek naar de *Vanity Fair*. Hij probeerde de informatie samen te vatten. Hij moest greep krijgen op JW. Hij moest die man uit de verte leren kennen. Hem begrijpen. Zich ingraven, als een psycholoog.

Hij klapte zijn laptop open. Het melodietje van Apple als hij opstartte. Eigenlijk zou hij naar bed moeten gaan, hij had genoeg gedacht voor vanavond. Maar eerst moest hij nog iets doen.

Even later: een stuk of twintig foto's die hij op verschillende internetpagina's had gevonden gingen open op zijn scherm. Verschillende camerahoeken: van boven, van opzij, van onder. Ongemakkelijke posities. Koud licht. Indiscrete foto's die frustratie uitstraalden.

Hij klikte heen en weer tussen de plaatjes. Hij zoomde in. Hij zoomde uit.

Soms had hij het gevoel dat graaf Gustaf vanaf de muur naar hem staarde.

Een kwartier later lag hij in bed. Zijn pik afgedroogd. Zijn tanden gepoetst. Aardedonker in de kamer. Hij dacht nergens aan. Sloot zijn ogen.

Hij moest ophouden zo te leven.

Papa was nu dood.

Anna en Pravat woonden hier niet meer.

Zijn leven had een boost nodig.

*

Agent ontslagen na mishandeling

Een politieman uit Stockholm is door het tuchtcollege van de rijkspolitie ontslagen nadat hij is beschuldigd van mishandeling. Het is de vijfde agent die de politie dit jaar heeft ontslagen.

Het besluit van het tuchtcollege om de agent te ontslaan is niet unaniem genomen. Drie collegeleden wilden de zaak seponeren.

De man, die als inspecteur bij de recherche werkte, bezocht na diensttijd een worstenstalletje aan de Nybrogatan in Stockholm. Hij vertelt dat hij daar twee andere klanten een jonge vrouw zag lastigvallen. Nadat hij de klant meerdere malen op zijn gedrag had aangesproken, sloeg de politieman deze met zijn vuist in het gezicht, zodat de man op de grond viel.

De klant en zijn vriend geven echter een ander beeld.

'Deze man heeft me zonder enige aanleiding geslagen en ik heb geen idee waarom. Het is natuurlijk verschrikkelijk dat agenten in hun vrije tijd dit soort dingen lopen te doen. En hij was nog dronken ook.'

De getuigen waarmee TT heeft gesproken bevestigen het verhaal van de klant.

Persbureau TT

9

Vochtige kussens, verkreukelde lakens. Kou in de kamer, hoewel mama de thermostaat op drieëntwintig had gezet. Voortdurend: statische gedachten, verdriet in kringetjes, onrustige herinneringen.

Natalie ging het huis niet uit. Ze mocht niet weg. Zat vooral met haar moeder in de keuken, belde af en toe met Viktor en checkte filmpjes op YouTube om haar gedachten te verzetten. Meestal lag ze in haar bed de structuur van het plafond te bestuderen.

’s Ochtends dronk ze een kop thee en bij de lunch probeerde ze een gebakken ei te eten. Dat was alles. Mama liep te zeuren dat ze meer moest eten – maakte salade en liet de natuurvoedingswinkel eten thuisbezorgen. Maar Natalie kon er niet tegen, als ze naar de tomaten keek had ze al het gevoel dat haar lunchei omhoogkwam.

’s Nachts zag ze dezelfde scène steeds opnieuw voor zich. De parkeergarage: de bloedplas die onder papa groeide. De bewegingen om hem heen. Mensen die zich op de vloer wierpen, naar de uitgangen renden, achter grote auto’s in elkaar doken. Ze hoorde kreten en gegil. Stefanovic die orders schreeuwde in het Servisch. Goran die bulderde. Na een paar seconden kwam alles om haar heen tot bedaren. Ze wist hoe dat werd genoemd: het oog van de storm.

Goran duwde haar in een auto. Drukte haar op de vloer voor de achterbank.

Natalie wilde eruit. Goran bleef haar naar beneden drukken.

‘Nee, Natalie. Er kan meer geschoten worden. Je moet hier blijven, voor je vader.’

Ze krijste. Gilde.

‘Leeft hij? Goran? Geef antwoord.’

Maar Goran kon geen antwoord geven. Hij hield haar alleen maar vast. Een stevige greep om haar bovenlichaam en armen. Ze probeerde naar hem op te kijken. Zag zijn ogen. Ze waren opengesperd. Starend. Gespannen. En achteraf wist ze wat ze nog meer had gevoeld: Gorans armen en handen hadden getrild. Gebeefd.

Ze wachtten. Een minuut. Misschien twee minuten. Natalie had zich opgericht. Ze kon uit het autoraampje kijken.

Stefanovic zat op zijn knieën naast papa. Het leek alsof hij iets onderzocht. Hij boog zich voorover. De verwondingen. Zijn handen bebloed. Papa lag stil als een pop.

Twee minuten.

Tijd was het enige wat ze hadden. Waarom stond die nu stil? Waarom kwam er niemand helpen?

Ze wierp zich weer tegen het portier. Gorans armen waren nu stabieler. Ze stribbelde tegen. Hij trok haar terug.

Ze moest naar hem toe.

Uiteindelijk kwam er een ambulance aangereden.

Twee ambulancebroeders sprongen uit de wagen en gingen aan het werk. Ze legden papa op een brancard.

Gorans greep verslapte. Natalie rukte het portier open en stormde naar buiten. Papa lag op de brancard. Een oranje deken over zijn lichaam. Zijn gezicht onbeschadigd. Het zag er schoon uit. Stil.

Ze tilde de deken op. Overal bloed. Zocht zijn hand. Goran vlak achter haar, zijn hand op haar schouder.

Ze boog zich naar voren. Papa's stoppels tegen haar wang. Ze luisterde. Hoorde zijn ademhaling. Zwak. Reutelend. Onregelmatig.

Hij leefde.

Papa leefde.

Inmiddels wist ze dat hij ergens in een ziekenhuis in Stockholm lag. Mama en zij mochten niet bij hem op bezoek. Stefanovic zei dat degene of degenen die het op Radovan gemunt hadden, ook hun in de gaten konden houden, dus het was beter dat ze niet eens wisten waar hij lag. Stefanovic gebruikte steeds dezelfde woorden: kritieke toestand, een nieuw tijdperk in de organisatie, agressieve concurrenten. Maar geen details, hij lichtte nooit toe wat hij bedoelde. Mama knikte alleen maar, leek alles te accepteren. En Natalie bracht het niet op na te denken over de voor de hand liggende vraag: wat is er eigenlijk gaande?

Volgens Stefanovic was de kogel blijven steken in papa's kogelvrije vest. Dat had hij godzijdank aangehad. De andere kogel was dwars door zijn bovenbeen gegaan. De derde had zijn knie geraakt, had hem niet helemaal verkloot, maar genoeg om hem een paar weken mank te laten lopen. De vierde kogel was het ergst – die had hem in zijn schouder geraakt, precies in de naad tussen dat deel van de borst dat werd beschermd door het vest en het onbeschermde buitenste gedeelte. Gewrichtsbanden, spieren en zenuwen waren beschadigd. De arts wist niet hoe lang zijn arm onbruikbaar zou zijn. Maar Stefanovic zei dat de dokter had beloofd dat hij erbovenop zou komen.

Ze zat met haar iPhone op bed. Checkte wat nieuwsapps.

Had haar rug gestut met kussentjes die normaal gesproken in de fauteuil lagen. Ze had haar roze velours joggingpak van Juicy Couture aan. Ze negeerde Facebook vandaag. Wou niet verzeild raken in een chat met vrienden die ze nooit had willen hebben. Wou al die statusupdates niet zien – kleine, leugenachtige pochblogs met maar één doel: te pronken met een gelukkig, gezellig, walgelijk leventje. Ze wou niet nog meer geüploade partyfoto's van het laatste avondje uit of de vorige meidenmiddag van Lollo en Tove hoeven zien. Ze wou alle slappe prikborddialogen vermijden.

Aan de andere kant: haar bezorgdheid begon nu over te gaan in iets anders, gedachten die brandden in haar hoofd. Wie er ook op papa had geschoten, ze moesten hem vinden. Wie het ook was, hij moest gestraft worden. Als ze over de schoten nadacht kwam er maar één woord in Natalie op. Wraak.

Mama leek in trance te leven. Ze was gestrest, zei dat er zoveel geregeld moest worden. Natalie vroeg zich af of mama niet hetzelfde gevoel had als zij.

Stefanovic was hier geweest. Overdag commandeerde hij de klusjesmannen die nieuwe alarminstallaties aanlegden, de gewone glazen ruiten vervingen door sterker materiaal, nieuwe traliehekken achter de buitendeuren zetten en meer en nieuwere camera's monteerden bij de oprijlaan, de garage, aan elke lange zijde onder het dak, boven de voordeur en de keukendeur. Ze hadden zelfs camera's op paaltjes in het grasveld gezet. Daarna had Stefanovic rondgelopen om het werk van de afgelopen dagen te inspecteren. Hij plaatste zelf draagbare alarmkastjes in elke kamer, als afstandsbedieningen voor veiligheid. Hij controleerde de bewegingsdetectoren aan het plafond, die ook aangezet konden worden als Natalie en mama thuis waren. Hij inspecteerde de magneetcontacten op de ramen, sirenes binnenshuis en buitenshuis met directe verbinding met diverse beveiligingsbedrijven. En met hemzelf. Op de politie kon je in dit land vol neofascistische Zweden-democraten niet vertrouwen.

Kortom: Stefanovic was overal, voortdurend. Altijd met een belangrijke taak.

Hij sliep zelfs op het kantoor, dat wil zeggen, in papa's werkkamer. Een uitgeklapte stretcher en een tasje met kleren en spullen waren het enige wat hij bij zich had. Voor alle eventualiteiten, zoals hij het noemde.

Het idee was dat ze zich veiliger moesten voelen. Maar na een paar dagen waren er nieuwe werklieden gekomen, die een kamer begonnen te bouwen. Van de ruimte in de kelder die ze als ontspanningsruimte hadden gebruikt, werd een stuk afgescheiden door een muur, waarin ze een metalen raam zetten – ze plaatsten grote balken tegen het plafond en langs de muren. Ze trokken nieuwe waterleidingen, regelden de elektriciteitsvoorziening en namen veiligheidsmaatregelen, bevestigden metalen panelen aan de muren en de vloer.

Stefanovic legde Natalie en mama uit: 'Het is een schuilkamer, een *panic room*. Zoals jullie weten hebben we de ramen en buitendeuren van het hele huis versterkt, zodat er hulp kan komen. Maar als iemand ons echt kwaad wil doen, als de ramen het niet houden, dan moeten jullie deze nieuwe kamer in. Die kan veel hebben, hij is beter dan een pantserwagen.'

Het was op zich al ziek dat ze een panic room in hun huis bouwden. Maar er was nog iets: hij had 'ons' gezegd, alsof hij een deel van de familie was. Alsof hij was aangetreden als een nieuwe papa.

Een paar dagen later vertrok Stefanovic en trok er een jongen bij ze in die Patrik heette. Natalie had hem een paar keer eerder gezien. Patrik was geen Serviër – hij was een ultra-Zweed, zag eruit als een uit zijn krachten gegroeide voetbalhooli: verschoten tatoeages met Vikingmotieven en runen die over zijn nek en hals omhoogkropen. Patrik had truien waarop Hackett en Fred Perry stonden, Adidas-sneakers, een chino en een scheiding.

Normaal gesproken: Natalie zou zo'n racistisch zwijn geen seconde vertrouwd hebben. Maar Patrik werkte al lang voor papa's organisatie en had voor hem in de gevangenis gezeten. Ze was zelfs met papa op de ontslagparty van die gozer geweest.

Stefanovic zei dat Patrik langer bij ze zou wonen dan hijzelf had gedaan. Hij betrok de logeerkamer in plaats van het kantoor. Ze zetten een flinke kleerkast neer, waarin Patrik zijn poloshirts ophing, en een afgesloten wapenkast. Hij hing een voetbalvlaggetje in het raam: het logo van AIK aan de ene kant en een plaatje van een rat aan de andere kant, met een AIK-shirt aan.

Stefanovic constateerde: 'Patrik zal goed voor jullie zijn, tot het allemaal weer rustig is. Het is best een leuke jongen, ik denk dat je hem wel zult mogen.'

Een paar dagen later. Er renden geen monteurs, installateurs en veiligheidsconsulenten meer in hun huis rond. Nu waren ze omringd door elektronica en gewapend glas. Zolang Natalie zich kon herinneren hadden ze al alarminstallaties gehad, dus dat was niets nieuws – maar alle nieuwe codes, spraakherkenners en camera's irriteerden haar. Het was net alsof Stefanovic ze had ingebouwd in een bunker.

Maar ze was terug op internet, op Facebook. Kon het niet eeuwig blijven ontlopen.

Op een bepaalde manier voelde het goed om terug te komen: alles was hetzelfde gebleven. Lollo met net zoveel foto's van zichzelf met een champagneglas in haar hand als anders. Tove met net zoveel idiote statusupdates als altijd.

Lollo schreef op de chat: 'Natalie! Heb je hier al 1000 jaar niet gezien!'

Natalie antwoordde evenwichtiger: 'Je weet hoe het ervoor staat.'

'Ja :-(maar hoest?'

'Beter.'

Lollo schreef: 'Je bent uitgenodigd bij een feest van Jetset Carl ;-) Wist je dat?'

Natalie trok het niet echt om erop in te gaan. Soms leek Lollo te geloven dat alles net als anders was.

Later die avond kwam Patrik de keuken in en ging in de deuropening staan. Natalie had een zelfgemixte smoothie gedronken, haar eetlust was bijgetrokken.

Patrik wachtte tot ze opkeek. 'Viktor komt eraan, hij parkeert de auto op straat.'
Natalie knikte. Dacht: Stefanovic' camera's doen blijkbaar wat ze moeten doen. Maar Natalie wist al dat Viktor eraan kwam. Hij had ge-sms't om te vragen of hij langs mocht komen.
Ze stond op, liep de hal in. Aan de muur hing een ingelijste kaart van Oost-Europa, die er oud uitzag. De grenzen waren anders dan tegenwoordig, min of meer die van voor de Eerste Wereldoorlog.
De voordeur was nieuw, van metaal. Vroeger hadden ze er eentje met een vierkant ruitje erin. Nu zat er een plat scherm naast de deur. Daarop zag ze Viktor verderop het hek openmaken. Ze had de code naar hem ge-sms't. Hij liep het pad op. Droeg zijn Italia-trui en een opgelapte spijkerbroek. Bleef een paar seconden staan. Rechtte zijn rug. Keek voor zich. Belde aan.
De nieuwe sloten waren ingewikkeld. Ze deed open.
Ze omhelsden elkaar. Viktor zoende haar op haar mond. Hij vroeg hoe het met haar ging. Daarna stokte hij. Natalie keek hem aan. Zijn blik langs haar, het huis in.
Natalie draaide zich om.
Patrik stond even verderop in de hal. Checkte. Controleerde. Bewaakte.
Natalie zei: 'Trek je maar niks van hem aan. Hij woont hier nu, na wat er is gebeurd, je weet wel.'

Later. Ze hadden naar *The Blind Side* gekeken, die Viktor op z'n iPad had staan. Zoiets van: Sandra Bullock was knap en bouwde een held op in American football. Een schattige film, natuurlijk – zo was het leven in het echt immers ook. *Not.*
Ze lagen in Natalies bed van een veertig breed. Voelde klein vergeleken bij het kingsize bed dat Viktor had staan. Het was een raar gevoel om samen bij haar te slapen.
Ze waren meestal bij hem, in zijn gehuurde tweekamerappartement in Östermalm. Hij had veel geld neergeteld voor een zwart huurcontract, maar kon een eigen woning niet betalen.
Viktor met ontbloot bovenlichaam. Dat was mooi. Maar toen de film afgelopen was, ging hij voor de spiegel staan om zijn tatoeages te inspecteren. Op zijn rechterbiceps en -schouder had hij iets tribalachtigs – lange, puntige vlammen die zich om elkaar heen wikkelden en zijn nek in liepen. Op zijn linkeronderarm in krullerige schrijfletters: *850524-0371* – zijn persoonsnummer – en twee effen zwarte, vijfpuntige sterren. Aan de andere kant, in gotische gangstaletters over zijn hele onderarm: *Born to be King* – als een echte latinogangster uit het zuiden van LA. Vond Viktor in elk geval.
Ze keek naar hem. Vergeleken met de tatoeages op de onderarmen van papa's zakencontacten en vrienden waren die van Viktor zo potsierlijk. Gorans half verbleekte tatoeage: de dubbelkoppige adelaar en de vier cyrillische letters CCCC,

het staatswapen van de Servische republiek Krajina. De indianenveren van Milorad: lelijk, jarentachtigachtig, eenkleurig. Of Stefanovic in ontbloot bovenlichaam toen ze klein was en hij op haar had gepast in een badhuis. Ze was de tatoeage op zijn borst op de plek van zijn hart niet vergeten: een crucifix met een slang die eromheen kronkelde. Ze mocht Viktor graag. Maar was hij de juiste voor haar?

In een hoek van haar kamer stond de fluwelen leesfauteuil die van haar oma in Belgrado was geweest. Papa had hem hierheen laten brengen toen Natalie was geboren. Aan het plafond hing een witte lamp met tule eromheen. Tegen een muur stond een boekenkast met wat boeken: Läckberg-detectives, Marian Keyes-pockets, Zadie Smith-romans en twee boeken van die schrijvende advocaat. In de boekenkast stonden ook ingelijste foto's van talenreizen naar Frankrijk en Engeland: Lollo's stralende glimlach, geverfde platinablonde haar en abnormale tieten. Toves zongebruinde armen terwijl ze een fles Moët & Chandon omhooghield. Foto's van Natalie op diverse plekken in Parijs: de bar van La Société, de dansvloer van de Batofar. Twee foto's van Richie, Natalies chihuahua die drie jaar geleden gestorven was.

Ze had wat van haar lievelingsschoenen uit haar inloopkast gehaald en ze onder de boekenkast gezet – het leek wel een installatie. Jimmy Choo's zwarte pumps die helemaal van een netje van leer waren gemaakt, een paar rode lak-Gucci's, een paar crazy Blahniks met veren bij de enkelgespjes. Voor duizenden euro's aan schoenen. Papa's geld was ontzettend handig.

Ze hield van haar kamer. Toch – ze voelde het duidelijk: binnenkort was het tijd om uit huis te gaan.

Ze deden het licht uit. Bijna pikdonker. Viktor pielde aan zijn horloge. Hield het voor hun gezichten. Het gaf licht in het donker.

'Ik heb een nieuwe gekocht. Wat vind jij ervan?'

Natalie kneep haar ogen tot spleetjes. 'Ik zie eigenlijk niet zoveel.'

'Nee, maar je ziet wel hoe fel licht hij zelf geeft, moet je de twaalf en de zes zien. Die zijn het beste zichtbaar. Het is een Panerai Luminor Regatta. Überhip, al zeg ik het zelf. Bijna twee centimeter dik, vroeger had de Italiaanse luchtmacht ze.'

Hij sloeg zijn arm om haar heen.

Ze zei: 'Volgens mij word ik na de zomer toegelaten bij rechten.'

'Cool. Wat ga je tot die tijd doen?'

'Het is al bijna zomer, dus ik ga relaxen. Je weet hoe de zaken er nu voor staan.'

'Ja, ik begrijp het. Maar vind je hem mooi, m'n nieuwe horloge?'

Natalie dacht na. Vroeg zich af hoe hij zo'n horloge kon betalen. Misschien zou hij binnenkort wel geld binnenkrijgen, dat zei hij zelf in elk geval. Viktor leek de afgelopen tijd nogal afwezig, interesseerde zich alleen voor zichzelf en zijn werk. Zei dat hij op elk moment een megadeal kon sluiten, dat de dikke pegels binnen zouden rollen.

Misschien was het niet alleen tijd om uit huis te gaan. Misschien was het ook tijd om die gast te dumpen.

Natalie merkte dat ze wakker was. Ze draaide zich op haar zij. Het kussen was koel. Ze kromde haar tenen. Strekte haar arm uit. Zocht naar Viktor.

Ze voelde hem nergens. Geen Viktor. Ze deed haar ogen open.

Hij lag niet in bed.

Natalie tilde haar hoofd op, hij was niet in de kamer.

Haar mobieltje: kwart voor negen. Ze vroeg zich af waar hij heen was.

Ze zette haar voeten op het kleed. Een grasgroen, geknoopt kleed op de vloer. Net een grasveld in haar kamer, het hele jaar door een zomergevoel.

Natalie trok de witte zijden ochtendjas aan die ze van mama had gekregen voor ze naar Parijs ging. Knoopte de ceintuur om haar middel dicht.

Eerst langs de logeerkamer. Patrik was er niet. Daarna de hal door. Daar zat hij, Patrik. Wachtte, waakte, bewaakte. Ze liep langs de televisiekamer. Ze keek de trap naar beneden af, naar de ontspanningsruimte en de schuilkamer. Goran stond bij een raam naar buiten te kijken.

Ze liep naar de keuken. Wilde met mama praten. Wilde een kop thee drinken. Wilde achterhalen waar Viktor heen was.

Ze deed de deur open. Binnen zat Stefanovic te praten met een man die ze eerder had gezien. Groot, donkerblond, Zweeds. Volgens papa een ex-agent. Hij stond op, stak zijn hand uit.

'Goedemorgen, Natalie. Ken je me nog? Thomas Andrén. Het spijt me dat we genoodzaakt waren je vriend naar huis te sturen.'

Zijn handdruk was stevig, maar niet zo overdreven stevig als bij veel andere medewerkers van papa.

Ze zei: 'Wat is er aan de hand? Het lijkt me dat we de afgelopen tijd al genoeg mensen in huis hebben gehad.'

De vraag was bedoeld voor Stefanovic.

Thomas Andrén glimlachte.

Hij zei: 'Je vader komt over een uur thuis.'

*

De mensen die het snelste patronen kunnen zien zijn de voornaamste mensen in mijn branche. Ik dacht dat ik een van hen was.

De mens is een gewoontedier. Een wezen dat functioneert conform structuren. De manier waarop ieder individu zich beweegt en zijn leven leidt wordt een patroon, een structuur die ontleed en geanalyseerd moet worden.

Het was een fiasco. Ik was net een amateur, een beginneling, een B-acteur, die zonder diepgaand inzicht een aanslag op iemand probeerde te plegen. Ik heb zelfs geen contact opgenomen met de opdrachtgever. Ik schaamde me als een kind.

De dagen erna probeerde ik het gebeuren te reconstrueren. Waarom liep het zoals het liep? Ik nam mijn aantekeningen door. Bekeek mijn spionagefoto's, controleerde en reinigde mijn wapens. Kwam keer op keer tot dezelfde conclusie. Ten eerste: ik wist dat hij bijna altijd een kogelvrij vest droeg. Toch had ik een afstand gekozen waarbij ik op het lichaam moest schieten. Ten tweede: ik wist dat hij bijna altijd lijfwachten bij zich had. Toch koos ik een plaats waar hij makkelijk beschermd had kunnen worden.

Bovendien was Radovan toen hij de lift uit kwam en net in mijn vuurlijn zou stappen, afgeslagen naar rechts in plaats van naar links, waar zijn auto stond. Hij was in de ene auto gekomen, maar had besloten om in de andere te vertrekken. Toen had ik de poging al moeten staken.

Ik dacht aan de aanslag in 2004 op Puljev, in die disco in Sint-Petersburg. Ik wist langs vier lijfwachten te komen en schoot hem op vijf meter afstand neer. Ik wist dat hij een kogelvrij vest droeg. Eén schot in zijn voorhoofd volstond, dat kon ik van die afstand.

Maar Radovan was niet dom.

Ik erkende dat ik hem had onderschat. Alleen omdat die kleine Serviër koning was in het vredige Zweden dacht ik dat hij naïever en onvoorzichtiger zou zijn dan zijn gelijken in de rest van Europa.

Maar ík *was naïef geweest. Ik was onvoorzichtig geweest.*

Mijn opdrachtgever wist natuurlijk dat ik had gefaald. Zweedse kranten bleken ervan te houden Radovan Kranjic te haten. Ik zag foto's op voorpagina's, begreep fragmenten van koppen, bladerde tussen de omslagen.

Maar ik wist dat er ergens een opening zou ontstaan.

Ik moest gewoon wachten. Uiteindelijk zou mijn opdrachtgever krijgen wat hij wilde.

10

Jorge zat achter een surfcomputer bij 7-Eleven.

7-Eleven: kleurige borden met speciale aanbiedingen. Koffie en koffiebroodje voor maar vijftien kronen – dit soort winkels verpestte het voor echte koffiehuishouders. J-boy dronk daarom een Red Bull.

Bij zijn voeten lag zijn sporttas. In de tas: een gun. Walther PPK. Het oude politiewapen. Plus vier volle magazijnen. Brandend in zijn hoofd: stel dat er iets zou gebeuren. Tegelijkertijd: er kon niets gebeuren. Hij zat immers alleen maar te surfen – zo relaxed als het maar zijn kon. Kappen met de paranoia nu, J-boy.

Hij moest zich concentreren. Herhaalde een van de regels van de Fin voor zichzelf: niet surfen vanaf je eigen computer. IP-adressen, dingen op de harddisks. Jorge: geen hacker, maar dit begreep hij ook nog wel: de skotoe zou altijd shit weten op te diepen, zelfs als je alles deletete. Dus de Seven was *perfect* – hier kon hij op een openbare bak surfen.

Research vandaag: sites waar ze jammers verkochten.

De Fin had een paar adressen gegeven waarvan hij dacht dat ze konden werken. Jorge was zelfs bereid om naar Polen te gaan om daar een jammer op te pikken.

Hij nam een slok Red Bull. Een zoete, valse smaak. Toch lekker.

Hij had de energie nodig. Afgelopen dagen: was voor honderdtien procent met het WTO-plan aan de slag geweest. Liet de kraak nooit los. Constant voorbereidingen fiksen. Constant dingen regelen. Constant in zijn hoofd. Het café moest zichzelf maar een tijdje zien te redden – ze hadden Beatrice meer verantwoordelijkheden gegeven.

Hij keek op van de computer. De boulevardkranten schreeuwden de laatste wereldnieuwskoppen uit: JOUW GEHOEST KAN EEN DODELIJKE ZIEKTE ZIJN. Zo ongeveer het gebruikelijkste nieuws in dat soort bladen. Koppen die Jorge de afgelopen jaren had gezien: HOOFDPIJN LEVENSGEVAARLIJKE AANDOENING. BUIKPIJN EXTREEM GEVAARLIJKE ZIEKTE. BAARDSTOPPELS KUNNEN AANKONDIGING VAN DE DOOD ZIJN. Volgens die blaadjes: Jorge had tien jaar geleden al doder moeten zijn dan Michael Jackson en 2Pac samen.

Toch: de eerste dag dat ze niets schreeuwden over de poging tot moord op

Radovan Klootzak Kranjic. Jammer – Jorge digde het nieuws dat iemand had geprobeerd dat varken om te leggen.

Het plan weer. De sleutels tot een geslaagde kraak volgens de Fin: goeie langetermijnplanning, doorwrocht plan van aanpak, tighte gasten. Jorge noemde het zijn *mandamientos*. Elk onderdeel een gebod. Een fundament. Een pilaar. Elke mandamiento: een wet die WTO-kings naleefden.

Concreter: langetermijnplanning – een profwoord. De Fin dramde: meer waarheid dan in alle films van Scorsese bij elkaar. Maakte niet uit hoeveel geniale plannen je smeedde – als je te kort voor de kraak begon kreeg je problemen. Zonder langetermijnplanning: de smerissen volgden je sporen terug in de tijd. Het waren net vechthonden: als ze eenmaal beet hadden, lieten ze niet meer los. Braken je uitvluchten als een eitje op de rand van de koekenpan.

Jorge wist meer. Vrienden die gesnapt waren, vertelden torries waarop je niet kon vertrouwen. Ze waren altijd zo scherp. Maar J-boy was scherper. Hij had zich ingelezen. Kreeg hulp van Tom Lehtimäki bij het opvragen van vonnissen. Rechtbanken in heel Zweden – hadden vette pakken papier opgestuurd naar een postbus die hij had geregeld onder een valse naam. De heliberoving, de Akalla-beroving, de Hallunda-beroving. Jorge studeerde, zat met pen en papier. Leerde van de fouten van anderen. De prutsers die de boel verneukt hadden – geen normale alibi's hadden, als chickies zaten te babbelen tijdens politieverhoren, niet doorhadden dat de skotoe ze kon afluisteren, de dagen erna als miljardairs doekoe liepen te spenden. Hij begreep hoe de smerissen hun sporen backtrackten. Hoe ze je ter plekke verhoorden als je gepakt werd. Je onder druk zetten tijdens de politieverhoren in het huis van bewaring. Je erin luisden in de rechtszalen.

'We zien hier dat jullie de dag ervoor allemaal nieuwe simkaarten in je mobiele telefoon hebben gestopt.'

'Het is gebleken dat je twee dagen voor de overval twee magazijnen voor een automatisch geweer hebt aangeschaft.'

'Er zijn bewijzen dat jullie je de week voor de overval met zijn tienen in een eenkamerwoning bevonden. Waarom?'

Waarom? Die vraag moest niet eens opkomen.

Plan van aanpak: de tweede wet van de Fin. Eerlijk: de meeste mensen die kraken probeerden te zetten hadden niet direct het wiel uitgevonden. Klassieker: gozers met zelfvertrouwen klasse A overschatten zichzelf nog erger dan Zwedo's hun nationale voetbalteam. De jackpot waarvan iedere hombre dacht dat hij één keer in zijn leven binnen zou ratelen. De coup knallen die Zweden zou schokken. Het leek zo makkelijk om zoiets moeilijks te doen. Stevig op elkaar gepakte dollars in attachékoffers. Nee, dat was een *fugazy*.

Eigenlijk: een goed plan van aanpak betekende heftige research. Vooral: heftige hoofdbrekens. Zonder de Fin zou Jorge het nooit gered hebben en zou het nog steeds bikkelen zijn. Maar toch: in wezen lag de verantwoordelijkheid bij hem – een zware last om te dragen. Hoe moest het in foksnaam gaan? Het antwoord was duidelijk: p-l-a-n-n-e-n.

En last but no way least de belangrijkste wet. De regel die je nooit mocht vergeten. De derde pilaar van de Fin. Keer op keer herhaald.

Tot op het bot betrouwbare teamgenoten.

De Fin dramde: 'Kun je je vrienden vertrouwen?'

J-boy vatte hem.

Eén kletsmajoortje, en alles kon naar de klote gaan. Eén lulletje dat de druk niet aankon, zwichtte voor de beloften van de skotoe over strafvermindering, persoonsbescherming, nieuwe identiteit, geld, een huis op het platteland. Gladde verhoorders speelden sympathiek. Foute smerissen trakteerden op pizza in je cel en namen 's nachts een rukfilmpie mee. Het gekwetter van één ratje. De lafbekkige bekentenis van één miezerig mietje. Dat kon genoeg zijn voor een aanklacht. Erger: dat kon genoeg zijn voor een veroordeling.

En daarom moest je weten dat je je omringde met asstighte matties. Niet alleen zo tight dat ze normaal gesproken niks doorlulden – dat deed niemand. Ze moesten erop gebouwd zijn om meer druk aan te kunnen. Had een van hen ooit samengewerkt met een overheidsinstantie? Had een van hen ooit maanden met volledige beperkingen in voorarrest gezeten? Maximaal een uur per dag naar buiten in luchtkooien van hoogstens vijf vierkante meter – het enige moment op de dag dat je mocht roken. Geen contact met andere gedetineerden, geen tv. Geen telefoongesprekken of brieven naar de buitenwereld, niet naar vrienden, niet naar mama. Aangewezen op jezelf. Alleen.

Hoe hadden ze zich gedragen? Hoe hadden ze gepraat? Hoe waren ze met de skotoe omgegaan?

Hij dacht aan de formulieren die de Red & White Crew en andere bendes hun prospects lieten invullen – net een aanmeldingsformulier bij het volwassenenonderwijs. Misschien zou Jorge dat ook moeten doen.

Maar Mahmud, Javier en Sergio kende hij door en door. Tom was honderd procent. Mahmud stond garant voor Robert. Tom voor Jimmy en Viktor.

Ze waren tighter dan die bendes met hun vesten en zelfverzonnen reglementen – de zwaarste gasten werkten nooit met zulke idiotigheden: het was dan net alsof je de blikken van de smeris met opzet op jezelf richtte. De echt zware gasten werkten zonder gezien te worden.

Toch: de derde pilaar – als je compromissen sloot verdiende je niet minder dan de lik.

Hij dacht na over de progressie van de afgelopen weken.

Hij surfte als een freak over Google Earth en telefoongidssites. Satellietfoto's van Tomteboda: je reinste *Enemy of the State*-foto's. Alles was er te zien: auto's, hekken, controlehokken bij de toegangswegen, treinsporen, laad- en losperrons. Je kon de beelden zelfs in 3D bekijken. Heen en weer rijden als in een computerspel. Jezus, wat was dit wreed. Hij probeerde tekeningen van de overslagruimtes op te vragen – kreeg nada. Blijkbaar geheim. Hij vroeg zich af waarom Wikileaks alleen documenten voor terroristen vrijgaf, maar nooit voor overvallers.

In plaats daarvan regelde de Fin met de hand gemaakte tekeningen. Jorge bestudeerde ze alsof hij net was toegelaten tot een cursus architectuur van beveiligde ruimtes. De Fin trok rode lijnen: zo komen jullie erin, zegt m'n insider. Jorge trok blauwe lijnen: zo komen we eruit.

Hij jatte een digitale filmcamera bij de Media Markt. Een kleintje, Sony, driehonderd gram. Mahmud en hij lieten een oude alcoholist een auto voor ze huren en reden naar Tomteboda. Cirkelden er de halve ochtend rond. Megaspionageaanpak. Raakten thuis op de wegen. Leerden de borden, rotondes, het aantal rijbanen uit hun hoofd. Kwamen stukje bij beetje dichterbij. Plakten de camera met gaffertape vast op het dashboard. Legden er een T-shirt omheen zodat hij niet opviel.

't Was nu serieus lente: witte bloemetjes in het grasveld, achtergebleven strooigrind op de wegen, ontdooide hondenstront op de trottoirs.

Tomteboda was in de verte te zien. Een gigantisch gebouw: zeshonderd meter lang. Buitenmuren van metalen platen. Beglaasde, uitstekende kamers, pilaren en liftschachten aan de buitenkant. Overal dikke buizen, aircomotors, zonneschermen, afvoerpijpen, schoorstenen en een heleboel andere dingen. Het ding zag eruit als een ruimteschip.

Helaas konden ze niet echt dichtbij komen. Beste inkijk vanaf een heuveltje zo'n driehonderd meter verderop, aan de andere kant van het spoor. Volgens de Fin: woensdag was de dag in de week waarop de waardetransporten reden. Maar het waardetransportbedrijf veranderde de routines vaak, het exacte tijdstip was moeilijk te achterhalen. Dat zou opgelost worden – de insider van de Fin moest leveren.

Jorge pakte een verrekijker. Keek naar binnen. Stelde scherp. Perfect zicht. Grind en asfalt om het gebouw. De zon glinsterde op het metalen omhulsel van de terminal. De laad- en losperrons lagen op rij, genummerd – tweeëntwintig stuks. Gele vrachtwagens met het logo van het postbedrijf reden naar binnen en naar buiten. Parkeerden in. Postmedewerkers in blauwe truien duwden wagentjes met blauwe kratten naar buiten. Rolden de wagens, een voor een. Gewone post – eigenlijk oninteressant. Maar het kon toch goed zijn om het te zien.

Ze wachtten. Jorge pakte de in plastic gewikkelde broodjes die hij bij de kiosk had gekocht.

Ze aten.

Spiedden.

Dronken Fanta.

Om één uur kwamen er twee zwarte vrachtwagens de zuidelijke toegangsweg oprijden. Geen logo's, geen postemblemen, geen zichtbaar waardetransport. Maar J-boy wist al bij welke losperrons ze moesten blijven staan, de afgeschermde perrons: eenentwintig en tweeëntwintig.

De clou van het plan van de Fin: ze wilden het transport pakken bij de losplaats. Niet op de weg of als de geldkoffers in de depots lagen. Zo zouden ze de pantsers van de vrachtwagens of het beveiligingssysteem van de depots niet hoeven te forceren.

Ze speurden verder.

Jorge klooide met de camera, probeerde te filmen – de afstand te groot. Het beeld *crap*.

Mensen stapten uit de vrachtwagens. Groene uniformen, witte petten. Een paar: met mobieltjes of walkietalkies. Een paar wapenstokken. Ze werkten snel – duwden grote stalen wagens met tralies aan de zijkanten. In de wagens was de kleur van de koffers met grote handvatten goed te zien.

De insider van de Fin wist waar hij het over had, die lepe Sjaak. Zo moesten de geldkoffers eruitzien. Grote handvatten. Een halve meter hoog. Zwart.

Shit. Ze hadden beet.

Jorge versus de waardetransporten van de post: een-nul.

Terug in de 7-Eleven. Hij dacht aan de floesbundel thuis. Tachtigduizend ballen. Ingezameld binnen de groep. Mahmud had net zo'n stapel thuis liggen. Honderdzestig vijfhonderdjes met een elastiekje erom. In een plastic zak gestopt die in de spoelbak van de wc lag.

Jorge. Mahmud. Tom. Sergio. Javier. Robert. En de Zwedo's: Jimmy en Viktor. Stabiele kills. Mahmud zeurde: Babak zou ook mee moeten doen.

Dat kon ie vergeten.

Binnenkort was het tijd voor een plenaire bijeenkomst. Jorge had alles doorgesproken met de Fin. Zou het plan presenteren aan de jongens. Ze inpeperen: dit was van een heel ander niveau dan ze gewend waren.

Jorge wiste de geschiedenis in Internet Explorer. Sloot de browser af. Stond op.

In zijn hand: de tas met de gun.

Buiten wachtte Mahmud in een Range Rover Vogue die hij van sukkel Babak mocht lenen. Op papier was die van een veertigjarige dakloze. Babak: een irritante gozer, maar geen imbeciel.

Op weg naar de box. Ze zouden de Walther droppen. Een andere wet van de Fin: nooit wapens in huis.

Moeilijker dan je zou denken. Jorge en Mahmud: vonden het heerlijk met blaffers te flashen. Op feestjes showen. Ze heel relaxed onder de rand van hun broek laten hangen. Poseren voor homies, foto's nemen en ze als mms versturen. Als echte g-boys proefschieten in het bos.

Allemaal niet. Elke *piece* zou naar de box gaan.

Jorge keek naar Mahmud. De Arabier droeg vandaag een heuptasje. Wat had zijn vriend daar nou in zitten? J-boy overwoog te vragen of het make-up was, maar liet het zitten.

Mahmud zette de stereo zachter.

Hij zei: 'Ik heb wat wiskundigs verzonnen voor de perfecte misdaad.'

'Hoe bedoel je wiskundig?'

'Nou, ik dacht zo. Je kunt kleingeld tellen. Kleingeld omzetten in papier. Jarenlang lopen versnijden en dealen. Je kunt mensen afpersen, kleine acties doen, wat dan ook. Maar zo zit het: hoe meer floes, hoe beter. Hoe korter de straf die je riskeert, hoe beter, ja toch?'

'Natuurlijk.'

'Ja, maar het gaat nog verder. Als je wat je verdient deelt door de straf die je ervoor kan krijgen, krijg je een getal. Volg je me nog?'

'Jezus man, ik had voldoendes voor wiskunde, hoor.'

'Dus als je bijvoorbeeld vijf miljoen kunt scoren en vijf jaar in de bak kunt krijgen, of als je acht miljoen kunt scoren en tien jaar kunt krijgen. Wat zou jij doen?'

'Dat hangt ervan af.'

'Maar kijk nou zo, vijf miljoen gedeeld door vijf is een miljoen. Acht miljoen gedeeld door tien is maar acht ton. Dus moet je het eerste doen. Dat zijn meer kronen per jaar. Zo moeten de HA gedacht hebben toen ze met al die economische shit van ze begonnen, daar krijg je geen straf voor.'

'Oké, ik snap het idee. Maar misschien wil je liever acht miljoen dan vijf. Misschien wil je liever een Ferrari rijden dan een BMW.'

Een kwartier later. Ze reden de Malmvägen in. Jorges jeugdhood. Gebouwen van tien verdiepingen van het beruchte miljoenenproject, vol vlekkige betonschilfers. De wijk waar hij was geworden wie hij was: J-boy, c-dealer, de Houdini, de café-eigenaar. Waar z'n moeder het zo goed mogelijk had geprobeerd. Ze woonde hier nog steeds in de buurt, in Kista.

Hij vroeg zich af wat mensen over de auto zeiden. De Range Rover: fokking giga. Feeling van een bus.

Hij dacht: de Malmvägen was een land in een land. Een Zweden in een Zweden. Een zelfstandige staat waar mensen als hij de wet kenden. Dit was wat het Zwedo-Zweden nooit zou begrijpen – want zij waren gewend geraakt aan gescheiden moeders, halfzusjes, weekendvaders, veertienjarige meisjes die in dronken buien werden verkracht, bejaarden die je in een verzorgingstehuis stopte, verlopen alcoholisten op parkbankjes met familie die het geen reet kon schelen. Verre van perfect. Dus de buitenwijken moesten zich beschermen. Eigen systemen bouwen binnen het Zweden-systeem. Hun ding bewaren. Het meeste in de hood was beter dan in hun Zweden. Mensen bekommerden zich om elkaar. Het leven betekende echt iets. Vriendschap, lief-

de, haat – die gevoelens waren niet alleen maar geveinsd.
Hij keek op. De box lag in gebouw nummer vijfenveertig.
Achter ze: een geluid. Een licht.
Hij draaide zich om.
Een burgerauto. Zwaailichten op het dak. Jorge snapte niet hoe hij die had kunnen missen. Een Saab 9-5 met getinte ruiten achter en onnodig veel antennes – dit schreeuwde recherche in burger.
Hij keek naar de tas met de revolver tussen Mahmuds voeten.
Hij zette de auto stil. 'Nu zijn we erbij.'
Jorge draaide zich weer om. Er stapte een agent in burger uit. Er leek er eentje in de auto te blijven.
Hij zag zweetdruppeltjes op Mahmuds voorhoofd.
De hoofdpijn viel aan. Vette vuistslagen tegen de binnenkant van zijn schedel.
Zijn maagpijn groeide, de braakneigingen stootten omhoog.
Erbij. Er godverdomme finaal bij.
De smeris kwam dichterbij. Een meid. Ze was lang, blond. Handen aan haar riem: pseudorelaxed. Jorge zag een holster.
Kut.
De meid liep naar de bestuurdersplaats. Tikte tegen het raampje. Jorge drukte het open. Hoe langzaam kon een raampje naar beneden zakken?
Hij staarde voor zich uit.
Zijn gedachten chaosten.
Het had geen zin om trucjes te proberen. 't Had geen zin ze ook maar te overwegen.
Toch, hij: nog steeds snel. Hij: werd Houdini genoemd *for a reason*.
Buiten zag hij de sjofele gevels van de Malmvägen. De voordeuren – allemaal hetzelfde. Alleen de graffiti verschilde. De tunnels onder de flatgebouwen, de binnenplaatsen, de kelderruimtes.
Hij wist de weg hier.
Hij wist de weg hier beter dan Michael Scofield in *Prison Break*.
De smerismeid stak haar hoofd naar binnen. 'Kunnen jullie alsjeblieft uitstappen.'
Jorge reageerde. Hij drukte zijn voet naar beneden. De auto sprong vooruit. De V8 brulde. Driehonderd pk op volle kracht.
De jutin riep iets. Jorge luisterde niet.
Mahmud brulde: 'Rijen, man, rijen!'
Jorge zwenkte naar rechts, trok aan het stuur. Zijn lichaam klapte bijna tegen het portier.
Hij zag de woutenwagen de pit aanzetten. Hoorde de sirenes.
Hij gaste.
Met negentig kilometer per uur over de Malmvägen. De pitauto honderd meter achter ze.

Hij dacht sneller dan het licht. Wilde een voetpad inslaan. Tegelijkertijd: als het lukte het wapen te dumpen, zouden die klotewouten toch proberen ze te pakken voor ernstige nalatigheid in het verkeer.

Verder rechtdoor. Hij reed all-in.

Knetterscherpe bocht naar rechts, de Bagarbyvägen in. Voerde de snelheid niet verder op dan noodzakelijk.

Mahmud brulde van alles. 'Ik flikker de gun weg.'

Jorge zei nee.

Ze sloegen weer af. De villawijk. Jorge had hier zoveel appels gepikt toen hij klein was dat hij een ciderbrouwerij had kunnen beginnen. Hij kende deze wegen. Hij kon zich hier beter oriënteren dan Andy Dufresne in *The Shawshank Redemption.*

Even verderop. Twee zijstraten met bochten erin. Perfect. Als ze een daarvan namen zouden de smerissen geen idee hebben welke. Ze zouden hem niet moeten kunnen zien – als ze de bocht maar eenmaal om waren. Het enige wat nodig was: tijd om te stoppen en de tas met de gun te dumpen.

Moesten van die blaffer afkomen.

Het mocht nog niet voorbij zijn.

11

Al een paar weken in de lik. Als cipier.

Officieel was Hägerström ontslagen bij de politie.

Officieus was hij infiltrant.

Officieel had hij werk gekregen als piw'er in de Salberga-gevangenis. Officieus luidde zijn nieuwe opdracht: UC-agent in het veld.

Zijn moeder Lottie zei niet zoveel, maar hij wist dat ze zich zorgen maakte omdat hij bij de politie was gestopt.

Martin Hägerström wist al veel over het leven in de bajes. Hij had rapporten en onderzoeken gelezen over het gevangenisleven in Zweden, analyses van justitie over de kwalificaties en problemen van de gedetineerden, Torsfjälls eigen memo's met inside-information. Hoewel het in het echt anders was. De theorieën en ingestudeerde methodes verdwenen in de werkelijkheid van alledag. De veiligheidsprocedures leken stijf en futiel. Zelfs de informatie van Mrado Slovovic scheen hem onwerkelijk toe.

Wat belangrijk werd waren de mensen, ieder individu was een uitdaging op zich. Elke situatie een kleine theatervoorstelling. Maar Hägerström was een prof, dat wist hij. Hij speelde voortdurend iemand, voor zijn gevoel.

Een collega-cipier bekommerde zich om hem. Esmeralda – een meid met minstens tien oorbellen per oor en beter getrainde bovenarmen dan Madonna – vertelde hem hoe de zaken ervoor stonden. Elke koffiepauze kwekte ze maar door over wat ze vond dat hij moest weten. De geruchten die gonsden. De pikorde bij de gedetineerden. Wat er eigenlijk gebeurde als de celdeuren dichtgingen, wie er als zwaar werden gezien, wie als soft. Ze was een kletskous en gebruikte meer voetbaltermen dan een sportcommentator in een wedstrijdverslag. Het gevangenispersoneel moest het spel lezen, ze had dat weekend een uitwedstrijd gespeeld, sommigen van de vrouwelijke bewaarders waren echte bankzitters enzovoort. Esmeralda was een voetbalfanaat en een gevangenisfetisjist. Hägerström was blij met de informatieovervloed. Er was veel te leren.

De Salberga-gevangenis was relatief nieuw en daarom behoorlijk fris. Desalniettemin bikkelhard aan de binnenkant, hoewel het niet een van de zwaarst bewaakte inrichtingen van het land was. De veiligheid was ontwikkeld en verfijnd. Het contrast tussen de gevel en het werk erachter bevestigde maar één waarheid: het leven achter slot en grendel verandert niet door pasgeschilderde muren en elektronische supercamera's. Sommige dingen maken deel uit van het instituut an sich.

Er was geen binnenplaats. De gedetineerden mochten vijf aan vijf een uur per dag naar buiten naar de omheinde luchtplaats. Ze kozen zelf met wie ze gingen. De verdeling vond vanzelf plaats: etnische achtergrond, bendelidmaatschap, type misdrijf. Sommigen pasten overal: bikers, Zweedse overvallers, drugskoningen. Sommigen gingen alleen of twee aan twee: dat waren de veroordeelden voor seksuele misdrijven of vrouwenmishandeling. En sommigen bleven vierentwintig uur per dag op hun cel, degenen naar wie niemand ook maar wilde kijken: de verklikkers. Zij leefden het gevaarlijkst van allemaal.

Elke keer dezelfde procedure: als er een nieuwe gedetineerde binnenkwam vroeg iemand van de afdeling het vonnis op. Liet het van cel tot cel rondgaan. Iedereen kon lezen, beoordelen, veroordelen. De verraders kregen drie keer per dag pis uit plastic bekertjes te drinken, kregen ontlasting in hun lunchtrommels, werden tot bloedens toe geslagen met biljartballen in sokken. De verraders: binnen vierentwintig uur vroegen ze om overplaatsing naar een andere gang en binnen achtenveertig uur naar een andere inrichting. Eens een rat altijd een rat, werd er gezegd. Hägerström dacht aan zijn opdracht. Als hij slaagde maar werd ontmaskerd, kon hij Zweden beter voorgoed verlaten.

Hij leerde de ongeschreven regels van de gevangenis. Hoe je omging met provocaties waarvoor iedere willekeurige surveillant de persoon in kwestie bont, blauw en groen zou hebben geslagen. Hoe je mensen behandelde die vier liter water per dag dronken – om hun urine te verdunnen zodat de drugstesten negatief bleven – of zich sneden en de pis met bloed mengden, een andere manier om te verbergen wat je had ingenomen. Hij werd een expert in het doorzoeken van kamers van gedetineerden. Met opgedroogde tandpasta plakten ze sealtjes met hasj vast in hun tv. Hij schroefde computers uit elkaar: de gedetineerden mochten een eigen laptop hebben, maar geen internet. Het waren perfecte verstopplekken voor de kleinste *shanks*. Hij leerde de gedetineerden zo soepel mogelijk te fouilleren – het was niet hetzelfde als op straat, hier had je niets om mee te dreigen als ze tegenwerkten. Mobiele telefoons verstopten ze meestal in hun onderbroek. Esmeralda lachte erom. 'Ik ben dol op zweterige, behaarde kruizen.'

Na een paar dagen besefte hij wat hier binnen het hele eiereten was: de routines. Dat de rijdende kiosk elke dag op hetzelfde tijdstip binnenkwam, dat de luchtperiodes niet veranderd werden, dat de etenstijden gehandhaafd werden. Deze jongens hadden niet nog meer chaos in hun leven nodig. En veel gedetineerden vonden hun tijd in de bak het eerste halfjaar prima. Als je maandenlang in hechtenis had gezeten was het gevangenisleven een bevrijding. Ze mochten samen eten, spelletjes doen, hadden een goed gevuld programma met dingen die gedaan moesten worden.

Ze konden negen kronen per uur verdienen met werken, als ze wilden. Enveloppen vouwen, kleerhangers of vogelhuisjes in elkaar zetten. Sommigen spaarden hun weekloon op hun rekening bij de gevangenis, anderen kochten er pruimtabak en frisdrank voor. Sommigen stuurden elke kroon naar hun familie in Zuid-Amerika, Roemenië of Örebro. Eén gedetineerde wilde al zijn spaargeld, ruim vierduizend kronen, over laten maken naar de rekening van een medegevangene. De gevangenisdirectie had het vermoeden dat het om speelschulden ging en verbood de transactie. De jongen werd gek, weigerde twee weken lang zijn cel uit te komen. In de derde week begon hij ontlasting op de muren te smeren. Soms overheerste de wanhoop. Een onbetaalde pokerschuld kon erger zijn dan alle ellende van de wereld.

De overgrote meerderheid verdomde het te werken. Die hing liever hele dagen in de gang rond. Deden Mulle Meck of videospelletjes. Lagen in hun cel tv te kijken. Pingpongden in de pingpongruimte.

Soms liep een hele afdeling door de ondergrondse gang naar de gymzaal van de inrichting. Gingen ze zaalhockeyen of basketballen. Het eindigde bijna altijd met ruzie. Mensen vergolden onrecht in het spel. Maar dat was in elk geval beter dan met een geslepen tandenborstel in de doucheruimte.

Hägerströms opdracht was een geliefde cipier te worden, een vuile bewaarder, een pakezel. Dat was al helemaal niet gemakkelijk doordat de gedetineerden wisten dat hij smeris was geweest. Weliswaar eentje die de zak had gekregen, maar toch. FTP, ACAB. De graffiti op de celmuren spraken duidelijke taal: FUCK THE POLICE. ALL COPS ARE BASTARDS. Hij moest het vertrouwen van de jongens winnen. Iemand worden die bekendstond als schappelijk. De zwarten nooit onnodig laten komen. Altijd een halfuurtje extra bezoektijd geven voor de Estische vrouw van wie iedereen behalve de gevangenisdirectie snapte dat het een hoer was. Niet moeilijk doen als de celdeuren na acht uur 's avonds open waren. Geen al te grondige celinspecties houden. Ervoor zorgen geen onnodige controles te doen van de ruimte tussen bed en muur of de gebarsten zool van een instellingspantoffel.

Op een avond hoorde Hägerström een geluid toen hij een poging wou doen een praatje met JW te maken. Een gesloten celdeur, nummer zeven. Hij opende het luikje en keek naar binnen. Daar verdrongen zich minstens vijf gedetineerden. Luidruchtig. Straalbezopen. Vrolijk. Hij klopte aan voor hij naar binnen ging. Wilde respect tonen. Het werd stiller. Hij deed de deur open. Ze hadden gist en rozijnen bemachtigd en hadden zelf drank gebrouwen in een schoonmaakemmer. Hägerström probeerde relaxed met de gasten te praten. Zijn standpunt uit te leggen en ze te laten begrijpen: dit is geen goed idee. Ik kan jullie er zonder waarschuwing van af laten komen, maar ga hier nu weg.

Hij kon alleen maar vermoeden wat de andere cipiers ervan vonden. Slapheid was geen pluspunt. Onder de gedetineerden verhoogde het incident zijn status echter onmiddellijk. Hij voelde het zodra er geen andere cipiers in de buurt waren. Ze begonnen hem te diggen.

Maar er was één maar. De tijd drong. Over een paar maanden zou het vogeltje gevlogen zijn. Voor die tijd moest hij tot JW zijn doorgedrongen.

Ze hadden veel met elkaar geouwehoerd. JW had een beleefde, welwillende manier van doen. Geen gezeik. Nooit gedoe. Geen ellenlang gemekker over waarom uitgerekend JW een extra portie zou moeten krijgen, het recht had om bij iemand anders in de cel te zitten of iets anders waarover voortdurend werd gediscussieerd, gevraagd, geëist. Hij was easy going, welbespraakt, positief. Sommige cipiers vonden hem zo glibberig als glijmiddel, maar over het algemeen vonden ze het prettig dat hij rustig en plichtsgetrouw was.

Hägerström probeerde voorzichtig rond te vragen of iemand van het personeel een goede relatie met JW had, of er iemand was met wie hij meer praatte. Of iemand dichter bij hem was gekomen dan pure beleefdheid. Het antwoord was eenduidig: niemand die hier nu werkte had zo'n relatie met JW. Maar Esmeralda bevestigde Torsfjälls bewering, de hele reden dat Hägerström hier was: 'Dat zou Christer Stare dan moeten zijn, maar die is er dus mee gestopt. Heb jij hem nog meegemaakt?'

Hägerström vond soms dat de verdenkingen jegens JW erg zwak leken. Waarom zou iemand een gedetineerde gebruiken voor hulp bij ingewikkelde financiele delicten? Aan de andere kant, als Torsfjälls aanname klopte, was het geniaal. Niemand zou de verdenking koesteren dat een penitentiaire inrichting het zenuwcentrum van een witwasserij zou zijn.

Hägerström deed wat hij kon, elke dag. Tegelijkertijd wilde hij niet te opdringerig overkomen. JW was niet stom. Hägerström en Torsfjäll wisten al dat hij half paranoïde was, terecht bovendien. En er was geen echte reden voor JW om betrekkingen aan te knopen met een nieuwe cipier alleen omdat die cipier sympathiek was. Daar was meer voor nodig. Hägerström vermoedde dat hij wist wat.

Tijdens de lunch zaten de meeste gedetineerden in de eetzaal. De twee gangen op de derde verdieping hadden een gemeenschappelijke keuken waar mannen die van koken hielden zelf lunch en avondeten konden maken.

JW zat altijd aan een van de middelste tafels. Hij had blond haar van een decimeter lang. Hij was niet krachtig gebouwd, maar wel goed getraind. Hägerström had zijn routines bestudeerd. JW liep drie keer per week tien kilometer op de loopband in de fitnessruimte. Het interessantste was dat wie er ook op de band stond, hij plaatsmaakte voor JW als die de fitnessruimte binnenkwam. Het was duidelijk dat de positie van die jongen hier niet normaal was.

De bewaarders aten samen met de gedetineerden. Het idee van de gevangenisdirectie was dat dat voor een familiaire sfeer zou zorgen. Dat was vooral buitenkant. Alle bewaarders zaten aan hun eigen tafel. Maar vandaag wilde Hägerström wat testen.

JW at samen met drie andere gedetineerden. Hägerström wist precies wie dat waren. Torsfjälls memo's bevatten alle details. Links van JW zat een vijftigjarige Joego die Buis werd genoemd maar eigenlijk Zlatko Rovic heette. Twintig jaar geleden was hij zo in elkaar geslagen dat hij rechts doof was. Maar de artsen hadden een of ander apparaatje, een soort buisje, in zijn gehoorgang gezet en Buis kon zijn oor sindsdien weer gebruiken. Vroeger molesteerde hij mensen in opdracht, maar hij had zijn koers verlegd en was tegenwoordig in de weer met factuurfraude en andere financiële dingetjes. Aan de andere kant van de tafel zat een jong talentje met de koosnaam Getikte Tim. Zijn volledige naam was Tim Bredenberg McCarthy. Hij was drieëndertig en een voormalige voetbalhooli, een van de leidende figuren van de supportersvereniging van AIK in de jaren negentig. Tegenwoordig hield ook hij zich bezig met financiële shit, maar op kleinere schaal. De laatste man aan tafel heette Charlie Nowak. Een ander register: honderd procent geweldscrimineel. Laatste veroordeling voor zware mishandeling en afpersing. Hij was tweeëntwintig. Hij moest op een andere manier in de groep passen dan via oplichtingscontacten, maar dat verbaasde Hägerström niet. Dit soort onheilige allianties was tegenwoordig heel gewoon. In de bak sloegen de rouwdouwers de handen ineen met de knappe koppen, zoals Torsfjäll het uitdrukte.

Hägerström vroeg of ze er bezwaar tegen hadden dat hij bij ze kwam zitten. Buis legde zijn bestek neer. Getikte Tim verstijfde. Charlie Nowak stopte met kauwen.

Bewaarders en gedetineerden deelden geen tafel. Als olie en water, het was onmixbaar. Dus ondenkbaar.

JW at rustig verder. Bleef met de anderen praten. Keek niet eens op.

Duidelijk genoeg. Het was oké voor JW.

De anderen ontspanden.

Hägerström ging zitten. Buis hield hem continu in het oog.

JW bleef zijn stroganoffbiefstukjes snijden. Hield zijn mes ver onder aan het handvat vast. Hij sneed elk stuk in drie stukjes. Mengde ze met rijst. Schoof het stukje dat hij had uitgekozen op zijn vork. In Hägerströms ogen at hij met de tafelmanieren van een tiener met een voedselobsessie.

Hij kon zich niet eens herinneren hoe klein hij was geweest toen zijn moeder voor het eerst had gezegd: 'Bestek hou je aan het uiteinde vast. Zodat mensen niet denken dat je met je vingers in je eten zit.'

Met andere woorden: niet zoals JW het zijne vasthield.

JW deed zijn mond open: 'Hoe lang ben je hier nu al, Martin?'

Een opening. Hij zei: 'In elk geval nog niet lang genoeg om overal de weg te weten.'

JW lachte beleefd.

Hägerström zei: 'Maar ik heb het hier met de dag beter naar mijn zin.'

Buis morde: 'Dat kun je makkelijk zeggen als je niet drie jaar hoeft te wachten voor je naar huis mag.'

'Ik snap dat het misschien vreemd klinkt als ik zeg dat ik het hier naar mijn zin heb. Maar de sfeer op deze afdeling is oké.'

JW zei: 'Daar heb je gelijk in. Ik heb veel erger meegemaakt. Het is relaxed hier. Het enige wat ik hier mis zijn betere sportfaciliteiten.'

Getikte Tim grijnsde. 'Maar je knapt toch op van vastzitten, weet je. Niks te zuipen en zo. Je kop knapt op, bedoel ik. Maar je wordt goddomme ook vet. Te weinig sporten en te weinig wippen.'

Iedereen aan tafel grinnikte. Hägerström ook. Getikte Tim was een excellente stomkop. En de seksgrapjes hadden wel wat weg van de jongens-onder-elkaar-opmerkingen van zijn collega's bij de politie.

Ondertussen probeerde hij een spitsvondige repliek te verzinnen, maar zijn hersenen hadden op dat moment blijkbaar pauze. Er kwam niks. Hij voelde zich dom.

Buis, Getikte Tim en JW kletsten verder. Ze leken zich niet aan Hägerström te storen. Een stap voorwaarts. Maar dit bracht hem ook niet dichter bij JW.

Hij wist dat het tijd kon kosten.

Na tien minuten stonden ze op. JW als eerste. De anderen liepen, als kleuters achter hun juf, achter hem aan. Hägerström bleef zitten. Dacht na over zijn volgende stap. Al te veel gesprekjes met JW waren zo geweest – gezellig, accepterend en gemakkelijk. Maar geen toenadering. Geen opening.

Binnenkort moest hij JW-land binnengaan.

Hij had diverse mogelijkheden met Torsfjäll besproken.

Binnenkort zou Hägerström écht aan zijn operatie beginnen.

Hij had een plan.

12

Louise zei dat het zonder twijfel het feest der feesten was – de exclusiefste, prestigeuste privéparty van het jaar. Natalies instelling was evenwichtiger. Ze had zin om erheen te gaan. Ze kwam altijd binnen bij de kroegen rondom Stureplan – als je in de horeca had gewerkt, er goed uitzag, haar benen had en bovendien haar vader, lukte dat wel. Maar toch: dat ze samen met tweehonderd andere speciale gasten waren uitgenodigd op Jetset Carls hernieuwde housewarmingparty – dat was vip *for real.*

Tegelijkertijd: haar gevoel voor vanavond was maar zozo – wat er met papa was gebeurd bleef onaangenaam.

Carl Malmer – alias Jetset Carl, alias de Prins van Stureplan – had zijn penthouse aan de Skeppargatan tiptop gerenoveerd en vierde dat nu met gigapracht en megapraal. Een appartement van meer dan driehonderd vierkante meter in Östermalm: dat was klasse van niveau. Vorig jaar had Jetset Carl de woning naast de zijne gekocht, de wanden weggehaald, open ontwerpen laten maken. Niet zozeer omdat hij meer ruimte nodig had, maar omdat hij geen klagende buren wilde als hij feestte. Het klonk overdreven. Maar dat was in elk geval wat Louise had verteld.

Lollo had Natalie de dagen ervoor steeds updates gestuurd. Had haar prikbord op Facebook volgekalkt. De lekkerste jongens zouden komen. Kinderen uit de beste families. Ze jutte zichzelf steeds verder op. 'Hou je mobieltje aan – je zult megavaak foto's willen maken, geloof me.'

Natalie dacht soms dat Lollo niet alleen een beetje dozig was, maar haast een gevaar voor zichzelf. Wat dacht ze dat Jetset Carl zou denken als hij haar berichtjes zag?

Ook de roddelpers draaide op volle toeren. Jetset Carl: had volgens de geruchten romances met Hollywoodsterren en Europese prinsessen. Jetset Carls bedrijf draaide meer omzet dan alle andere Stureplan-kroegen bij elkaar. Jetset Carl: prijkte boven aan de lijst van de machtigste personen binnen het uitgaansleven van Stureplan.se.

Louise bleek te geloven dat ze dankzij haar waren uitgenodigd. Dat zou normaal gesproken ook zo zijn: ze ging elk weekend uit en werd op champie getrakteerd door kerels met opengeknoopte overhemden die hem er alleen maar in wilden stoppen. Maar Natalie wist waarom ze eigenlijk waren uitgenodigd.

Lollo plaatste zichzelf wat al te vaak in het centrum van gebeurtenissen. Ze had gruwelijke bacillenvrees: raakte flessenhalsen nooit met haar lippen als ze dronk, pakte deurkrukken alleen vast met haar trui over haar hand, raakte nooit iets in een wc aan zonder haar handen daarna te desinfecteren met haar tubetje DAX Alcogel. Tegelijkertijd pijpte ze wie dan ook in ruil voor een paar uur bevestiging. Maar Jetset Carl was een kennis van haar vader. Als dat niet zo was geweest, hadden Natalie en Lollo zelfs niet naar de afterparty hoeven komen.

Papa was niet blij geweest met Natalies plannen om erheen te gaan. Ze begreep dat dat zo moest zijn. Haar ouders waren voor de aanslag al niet bepaald de liberaalste ouders van Zweden geweest, maar ze wilden haar ook niet meer als een kind behandelen. Nu haalden ze de teugels aan. En ze begreep ze: hun hele familie moest voorzichtig zijn.

En bovendien: ze moesten niet alleen voorzichtig zijn. Ze moesten de aanslag wreken.

Lollo liep te drammen over Natalies twijfel. 'Je moet meegaan. Je hebt het nodig. Anders ga ik wel met Tove.'

Natalie wilde echt gaan, maar ze trok het niet om commentaar te geven op Lollo's kinderachtige pogingen haar uit te spelen tegen Tove. Plus: Louise moest beter weten dan te lopen zeuren, want ze wist wat er was gebeurd.

Twee avonden voor het feest sneed mama de kwestie echter zelf aan. Ze zaten in de televisiekamer naar *Grey's Anatomy* te kijken. Niet Natalies lievelingsprogramma, maar ze deed het graag voor haar moeder. Mama zei dat ze met papa had besproken dat ze haar niet eeuwig konden opsluiten. Dat Natalie eropuit moest kunnen gaan en moest leven. Ze wilden dat ze plezier had. Net als vroeger.

Maar papa was bondig geweest toen ze de zaak weer hadden besproken. 'Je slaapt in elk geval bij ons.'

Natalie zei: 'Oké, maar kan Viktor me dan misschien ophalen en naar huis brengen?'

'Gaat hij niet mee naar het feest?' vroeg papa.

'Nee, hij is niet uitgenodigd.' Natalie vond dat eigenlijk wel lekker. Viktor werkte tegenwoordig continu. Maar niet in zijn autoshowroom in Hjorthagen. 'Ik ga op pad voor m'n werk,' zei hij dan, en: 'Binnenkort, binnenkort komt het geld binnen.' Ze vond het vermoeiend.

Papa zei er niets over. In plaats daarvan rondde hij de discussie af. 'Omdat je bij ons slaapt, rij ik, Patrik of Stefanovic je naar huis. Waar wil je opgehaald worden, en hoe laat?'

Terug op Jetset Carls megaloft. Overvolle kleerhangers en een enorme, kaalgeschoren vent met een verschijning die niets te raden overliet: donkere spijkerbroek, zwartleren jack, poloshirt dat strak over een kogelwerend vest zat. Uitsmijter tot in al zijn poriën.

Hij keek op zijn lijst. Natalie wist niet of Lollo en zij erop stonden.

Louise probeerde te flirten. Tuitte haar lippen. 'Kom jij later ook op het feest? Dan moet ik echt een foto van ons samen maken. Ik heb nog nooit zo'n coole portier gezien.'

Lollo rook te veel naar J'Adore – en gedroeg zich ook als iemand die naar te veel parfum ruikt.

De uitsmijter keek niet eens op. Zijn vinger stopte bij een naam. Keek naar Lollo, daarna naar Natalie.

'Jij bent zeker Kranjic?'

Ze knikte.

'Welkom.'

Ze ontdeden zich van hun buitenkleren. Lollo vroeg of Natalie vond dat ze te veel zelfbruiner op haar gezicht had.

Natalie droeg een jurk die ze had gevonden in een vintagewinkel in Marais. Diane von Furstenberg – echt smashing, als ze het zelf mocht zeggen. Ze had een handtas van Louis Vuitton. Goed gevuld, met haar iPhone, portemonnee, twee pakjes Marlboro Menthol, sleutels, rouge, de klassieke gouden mascara van YSL, zeker vijf tubetjes Lancôme Juicy Tubes en het nieuwe alarmkastje.

Lollo droeg een kort volantrokje en een strak hemdje dat ze in Parijs had gekocht bij de uitverkoop van Marc Jacob. Haar push-up duwde haar borsten nog meer omhoog dan anders. Eigenlijk had ze een push-down nodig.

De warmte, het partygedruis en de geur van verwachting waren net een muur van heerlijkheid. Ze wrongen zich naar binnen. Overal geblondeerde babes, tweederangs tietenmodellen met cup D en jongens met colbertjes.

Het doel was om snel iemand te vinden die ze kenden of om door iemand versierd te worden. Ze wilden voorkomen erbij te staan als twee slome trutten die wachtten tot er iets zou gebeuren. Er eenzaam uitzien was übertaboe.

Ze kwamen de keuken in – een gigantische ruimte, zeker honderd vierkante meter. In één helft van de kamer een opgebouwde bar. Smirnoff-reclame bedekte de wanden: Jetset Carl wist hoe je sponsors strikte. De barkeepers, ingehuurd van Sturecompagniet, mixten drankjes met de reclamedrank als hoofdingrediënt en lieten aan de lopende band de Taittinger schuimen. In de hoek: gigaluidsprekers waaruit recente hits dreunden. Het plafond zat vol spotjes, bovendien hingen er twee glazen kroonluchters formaatje motorfiets. Het licht werd gereflecteerd als in de discoballen op de plekken waar Jetset Carl anders de baas speelde.

Natalie staarde voor zich uit. Al haar vriendinnen zetten hem altijd op: de dode blik. Op straat: gedecideerde stappen, het hoofd gefixeerd en het nergens voor omdraaien, behalve misschien om niet overreden te worden. In de kroeg: voor het damestoilet op je vriendin staan wachten en nooit iemand aankijken – het was een teken van zwakte om te laten zien dat je je iets van anderen aantrok.

De menigte was een mengeling van B- en C-bekendheden. Ze registreerde de aanwezigen. Blogger en cafébazin Rebecka Simonsson, journalist en blogger Bjorn af Kleen, zangeres September, een van de acterende Skarsgård-broertjes, superblogster Blondinbella, blogster Kissie en een stuk of tien andere blogbabes, acteur Henrik Lundström en trendwatcher en modejournalist Sofi Fahrman paradeerden langs.

Te midden van dit alles stond schrijver Björn Ranelid.

Natalie miste Parijs. Ze miste de tijd waarin alles tegen papa was begonnen.

Lollo had Lady Gaga-ogen, zonder dat ze vanavond ook maar een neusje had genomen. Deed haar best om haar verveelde gezicht te behouden. Het was duidelijk: het mocht niet aan haar te zien zijn hoe erg ze onder de indruk was.

Verderop stond het feestvarken zelf in een roze smoking.

Louise kneep onzichtbaar in Natalies arm. 'Zie je dat? Daar staat Jetset Carl. Shit, wat is ie knap.'

Natalie nam de moeite niet om antwoord te geven. De gastheer had haar duidelijk gezien. Hij kwam naar ze toe. Een blik in zijn ogen die nog echt leek ook. Een brede smile die er walgelijk uitzag.

'Natalie, god, wat leuk dat je kon komen. Hoe is het eigenlijk met je?'

'Oké. En met jou?'

'Echt top. Heerlijk dat dit af is. Het heeft bijna anderhalf jaar geduurd. Maar het is best aardig geworden, vind je niet?'

Hij klonk ernstiger. 'Maar ik begrijp hoe de zaken er voor jou voor staan. Het moet een griezelig gevoel zijn. Daarom ben ik ook zo blij dat je kon komen.'

Natalie wist niet wat ze terug moest zeggen. Er was een aanslag op haar vader gepleegd en zij was hier aan het feesten. Ze voelde zich volslagen idioot.

''t Is wel goed.' Ze draaide zich half om naar Louise. 'Dit is mijn vriendin Lollo Guldhake.'

Louises glimlach was geen echte smile, meer een grimas waarvan ze zelf dacht dat hij eruitzag als een glimlach. Maar hij leek toch te werken bij Jetset Carl. Hij kuste haar op haar wang.

'Hallo Lollo, wat fantastisch om je hier te zien. Ik hoop dat je het naar je zin hebt vanavond.'

Daarna boog hij zich voorover, fluisterde iets in Lollo's oor. Natalie dacht: dit zou een hoogtijavond voor Lollo Guldhake kunnen worden.

Later. Ze liep de hal in, zocht haar lammycoat, glimlachte naar de portier en nam de trap naar boven.

Het terras zag eruit als een bos metalen paddenstoelen, warmteaggregaten op gas om de koele meilucht aangenamer te maken. Jetset Carl nam geen risico's – een derde van het terras werd in beslag genomen door een partytent met infraroodlampen. Maar het was lekker buiten. De gasten verdrongen zich. Uit enorme luidsprekers klonk de laatste hit van Rihanna.

Overal dezelfde Smirnoff-reclames.

Ze checkte de mensen. Dezelfde mix als beneden. Dezelfde zinloze uitdrukkingen op de gezichten. Behalve bij degenen die te high waren om hun nieuwsgierigheid naar beroemdheden te verbergen.

Natalie keek uit over de reling. De lucht was donkerblauw. De stad straalde licht uit. Ze zag de contouren van het dak en de spits van de Hedvig Eleonorakerk. Verderop zag ze de torentjes van de markthallen van Östermalm. Donkere silhouetten in de ruimte van de lentenacht. Ze dacht aan het gesprek dat ze met papa had gehad toen hij uit het ziekenhuis was gekomen.

'Natalie, ik zou een paar woorden met je willen wisselen.' Altijd dat ingewikkelde Servisch, hoewel hij wist dat Natalie liever Zweeds sprak.

Ze gingen de bibliotheek in.

Aan het bureau zat Stefanovic. In een van de fauteuils zat Goran, in een andere Milorad. Ze waren alle drie aanwezig geweest bij de moordpoging in de parkeergarage. Papa ging in zijn fauteuil zitten, waar hij altijd zat. Zijn arm hing in een mitella.

Natalie groette de mannen, ze kusten haar op haar wangen: rechts, links, rechts. Ze kende ze allemaal. Zolang ze zich kon herinneren verkeerden ze al in de nabijheid van hun familie. Toch kende ze ze totaal niet. Het gevoel dat ze nu kreeg was dat ze elkaar ontmoetten als volwassenen. Voor het eerst.

Papa schonk een glas whisky in.

Hij liet de drank een paar rondjes draaien voor hij proefde.

'Natalie, mijn dochter, ik vind het belangrijk dat je aanwezig bent bij een gedeelte van ons gesprek hier. Wil jij ook?'

Natalie keek hem aan. Hij hield de whiskyfles en een glas in zijn hand. Johnnie Walker Blue Label. Het was ook de eerste keer in haar leven dat hij haar whisky aanbood.

Ze pakte het glas aan. Papa schonk in.

Hij richtte zich tot de anderen in de bibliotheek. 'Dit is mijn dochter, zien jullie dat? Ze spuugt er niet in. Een echte Kranjic.'

Stefanovic knikte in zijn hoek. De mannen hier mochten haar, dat voelde je – papa's bondgenoten. De enigen buiten de familie die ze nu kon vertrouwen.

Papa begon weer te praten. 'We staan op een tweesprong.'

Natalie nam een slok whisky, het brandde lekker in haar keel.

'Ik wil dat je erbij bent en begrijpt wat er gebeurt. Het sloopbedrijf, de drank- en sigarettenimport, de speelautomaten, de garderobes – je weet waar ik me mee bezighou, Natalie. We doen daarnaast nog andere dingen. Maar daar hoeven we het nu niet over te hebben.'

Hij liet de whisky weer rondgaan in zijn glas.

Natalie wist van meer dingen dan die papa had opgenoemd. Zijn zaken waren divers. Veel van wat hij deed werd door types als Lollo niet als netjes beschouwd – maar dat was het lot van de immigrant. En was het zoveel beter om geld te verdienen als durfkapitalist door bedrijven te slachten en arbeiders te ontslaan en zulke sluwe constructies te verzinnen dat je geen cent belasting hoefde te betalen, zoals Louises vader deed?

Radovan was ver gekomen voor iemand die als twintigjarige in de Scania-fabrieken in Södertälje was begonnen. Tegen alle verwachtingen in had hij zich van scratch omhooggevochten. De meeste bedrijven die hij tegenwoordig had, waren niet illegaal, maar in de ogen van de Zweedse samenleving zou hij toch altijd geclassificeerd worden als crimineel. Dus de Zwedo's hadden het aan zichzelf te danken – als je een mens nooit de kans gaf om eerzaam te werken, moest je accepteren dat die mens soms buiten de regels om ging. In het land van de racistische Zweden-democraten zou dat alleen maar erger worden.

Papa ging verder: 'Stockholm is jarenlang onze onbedreigde markt geweest. We hebben tegenslagen gekend, uiteraard. Kum Jokso is vermoord. Mrado Slovovic heeft geprobeerd ons te naaien. Die klootzakken die Smådalarö lieten knallen willen ons weer te grazen nemen. Maar – en dat weten jullie – niemand neemt een Kranjic te grazen. Of niet soms, Natalie?'

Natalie imiteerde haar vader, draaide haar whisky in haar glas. Smilede.

'En laatst heeft iemand in een godvergeten parkeergarage geprobeerd me voorgoed uit te schakelen. We leven in een nieuwe tijd. We zien deze ontwikkeling al jaren. Steeds meer mensen willen een deel van de koek. Jullie weten over wie ik het heb: de HA, de Bandidos, de Original Gangsters, de Syriërs, de Albanezen – ze zijn er al lang. Maar zij bemoeien zich met hun zaken en wij bemoeien ons met de onze. En eigenlijk speelden alleen de HA in onze divisie. Maar de nieuwen: de Gambianen, de Dark Snakes, Born to be Hated, het is je reinste junglebook. Vroeger accepteerden mensen ons, wisten ze dat het het beste voor iedereen was om ons niet aan te vallen. Maar deze nieuwe aapjes hebben niet begrepen dat wij een stabiliserende invloed hebben op de grijze zones in Stockholm. Ze hebben geen geschiedenis, ze hebben niet begrepen dat iedereen orde waardeert, zelfs de smerissen. HA, Bandidos en de andere ouderen verdienen goed op hun eigen terrein. Mensen hoger in de hiërarchie doen zwartwerkers en factuurfraude in de bouwwereld, de lagere jongens protectie en drugs. Maar de nieuwe jongeren willen alleen chaos, zolang ze maar koning in hun eigen achterlijke getto zijn. Daarom denken sommigen waarschijnlijk dat ze er iets bij te winnen hebben als ze mij uit de weg ruimen.'

Hij haalde diep adem.

'Maar aan de andere kant – de man die het in de parkeergarage heeft geprobeerd was geen amateur, dat kan ik direct zeggen. Dus een paar van de nieuwelingen vallen meteen af, die zijn alleen bezig met *ongeorganiseerde* misdaad. Iemand doet een serieuze poging me uit de weg te ruimen. Ik weet niet wie het is, maar het betekent dat iemand probeert ons allemaal uit de weg te ruimen.'

Natalie luisterde. Ze was het honderd procent met papa eens. Iemand probeerde hem uit de weg te ruimen, dat was duidelijk. En diegene was niet alleen

een oorlog tegen papa begonnen. Het was een oorlog tegen haar hele familie en tegen iedereen die nu in de bibliotheek zat. Dat kon je niet tolereren. Dat was een vernedering.

Ze keek naar de mannen in de kamer.

Papa droeg een overhemd en een chino. Hij zag er ernstig uit.

Stefanovic was stijlvol gekleed. Gestreken gestreept overhemd met dubbele manchetten en zilveren manchetknopen waar Gucci op stond. Hij had een strakke scheiding, een goed verzorgd stoppelbaardje en een harde, zilveren armband om zijn pols. Stefanovic was de enige die zich op die manier om zijn uiterlijk bekommerde.

Goran droeg zoals gewoonlijk een zwart trainingspak. Altijd Adidas. Afgetrapte sportschoenen, Nike Air, niks anders. Grappig om te bedenken dat Goran, de meest ontrendy Serviër in Noord-Europa, een paar retrohippe schoenen had gekocht. Of hij had dezelfde schoenen al sinds 1987 – dat was niet onmogelijk.

Milorad droeg een spijkerbroek en poloshirt – een roze Lacoste. Daarbij was hij gebronsd en zag er echt goed getraind uit. Saint-Tropez, *here I come*, zeg maar. Milorad probeerde er jong uit te zien, maar in Natalies wereld liep hij al net zo lang mee als papa.

Ze vroeg zich af wie deze mannen eigenlijk waren. Of ze papa konden beschermen. Of ze capabel waren.

Daarna schoot een laatste vraag door haar hoofd. Een gedachte die ontvlamde: waren ze echt te vertrouwen?

Papa had het over een nieuwe manier van werken. Zich meer diversifiëren. Routines veranderen. Dezelfde werkwijze niet te vaak herhalen. Nieuw personeel werven, de veiligheidscontroles aanscherpen, opruimen onder de mensen die zich niet goed gedroegen.

De mannen zaten stil. Luisterden. Maakten af en toe een opmerking.

Op hun gezichten voortdurend: respect.

Daarna keek ze even naar Stefanovic. Ze wierp nog een blik. Ze wist het zeker: zijn ogen glommen.

Lollo kletste met een of andere gozer met een roze pochetje in zijn borstzakje en een horloge om zijn pols dat op dat van Viktor leek.

Natalie had papa gebeld om opgehaald te worden.

Ze had met Louise en wat andere meisjes die ze kende van het uitgaan gekletst, had nog een paar woorden met Jetset Calle gewisseld, had slap geouwehoerd met iemand die Nippe heette, gegrijnsd naar een twee meter lange kerel die zo high was als de Burj Al Arab en het woord turquoise op een gigagrappige manier uitsprak. Er was niks mis met de avond, maar nu wilde ze naar huis.

Papa belde. Zei dat hij op straat stond. Ze kon naar beneden komen.

Ze nam de lift.

De entree van het huis was zo klassiek Östermalms als maar kon: ouderwets stucwerk en Scandinavische frescomotieven sierden het plafond. Een Perzisch tapijt deed dienst als deurmat. Door de ruiten in de deuren zag ze een donkerblauwe BMW op straat staan. Dat was papa's auto.

Ze stapte naar buiten.

De BMW stond twintig meter verderop.

Er wandelde iemand langs de auto. Verdween om de hoek van de Storgatan.

Ze zag niet wie er in de auto zat.

Een raampje ging een stukje naar beneden.

Ze hoorde een stem: 'Ik ben het.'

Een hand zwaaide. Papa had haar geroepen.

Natalie liep erheen. Zag papa aan het stuur zitten.

Hij startte de motor.

Nog tien meter.

Toen: een geluid. Een plotselinge knal.

Natalies lichaam werd naar achteren geduwd, de lucht in.

Ze snapte er niets van.

Ze hoorde een monotoon geluid.

Een piepen in haar oren dat maar niet ophield.

De BMW.

Ze probeerde op te staan. Stond op handen en voeten.

Uit de auto steeg rook op.

13

Buiten regen. Een zacht tikkend geluid. Gevoel: er lekte ergens iets in het huis.

J-boy tuurde naar buiten. Massieve bomen. Bosjes. Lange grassprieten. Een huisje dat Jimmy blokhut noemde. Drie geparkeerde auto's.

Het drupdrupgeluid hield aan.

De lente was traag dit jaar.

Hij keek omhoog. Dakbalken. Zag er weird uit: waarom bouwden mensen huizen zonder normaal plafond? Moest een Zwedo-ding zijn. Maar ze zaten in elk geval droog. Dus het druppelen kwam niet van binnen.

Hij keek verder. Behang aan de muur met een nichterig patroon: blauwe en roze bloemen. Houtkleurige boekenkasten, dunne gordijnen, een vet elandengewei boven de ene deur. Een boeket droogbloemen boven de andere. Op de vloer een voddenkleed, een mand met hout, tikkende elektrische verwarmingselementen.

Deze hut lag midden in de bush; ze waren er over een kronkelige weg heen gereden. Langs de weg: boerderijen, stallen en aftandse trekkers in gigabouwvallige schuren. Buiten Strängnäs, of 'op het platteland', zoals Jimmy zei.

Het huis: een zogenaamd buitenhuis. Zo'n rooie hut met een schoorsteen die iedere Zweed leek te hebben.

Maar waarom wou iemand zoiets hebben? Slecht geïsoleerd, geen afwasmachine, geen plafond. Jezus, ze hadden hier geeneens een dvd-speler of internet. Jorge snapte de lol van dit huis niet.

Flashes in zijn hoofd. Hij dacht aan de achtervolging in Sollentuna.

Gierende banden. De autogordel sneed in zijn schouder. De mobiele telefoon die achter de versnellingspook had gelegen, vloog als een stuiterbal door de auto.

Hij sloeg een straat in de villawijk in. Reed als een waanzinnige zodra ze uit het zicht van de wouten waren. Brulde tegen Mahmud zich om te draaien.

'Zie je ze? Zie je ze?'

Mahmud zag ze niet. De wouten leken niet dezelfde straat ingeslagen te zijn. Jorge stond boven op de rem. Sleurde de tas met de gun naar zich toe. Gooide het portier open. Sprong op straat. Keek achter zich. Remsporen in het asfalt achter de auto. Fuck. Maar geen woutenwagen, voor zover hij kon zien.

Tegen Mahmud: 'Kruip achter het stuur. Ga weg, we bellen later.'

Jorge rende – als een herhaling van zijn Österåker-ontsnapping. Een heg over. Een grasveld op. Een zandbak door. Hij hijgde. Ademde. Jaagde.

Weg, weg van de straat. Weg met de blaffer.

De wijk in.

De beschermende wereld van de villa's.

Hij sjeesde sneller dan Usain Bolt door de tuinen, richting Sollentuna-Centrum.

Hij keek om. Rende naar het station. Sprong in een regiotrein.

Later sprak hij Mahmud. Na een minuut was er van de andere kant een surveillancewagen gekomen, die de Arabier staande had gehouden. De juten hadden niet veel gevonden. Een oplader voor een mobiel, een capuchontrui van Babak en een pakje peuken. Maar geen wapen. Ze zeiden dat ze Jorge in de auto hadden zien zitten, maar dat was bullshit. Ze konden niet bewijzen dat ze als waanzinnigen door de villawijk hadden gescheurd. Mooi zo.

Toch: een beschamende tori.

Jorge zei Mahmud het niet aan Babak te vertellen.

Terug in de blokhut. Jorge draaide zich om. Achter hem: twee statieven. Een whiteboard. Een filmdoek.

Weer dat drupdrupgeluid. Het moest ergens inregenen.

Voor hem: zeven kills.

Mahmud zat het dichtst bij hem, op een houten stoel. Zoals altijd in trainingspak. De Adidas-strepen waren bendesymbolen voor z'n mattie. Kringen onder zijn ogen – hij en Jorge hadden de halve nacht doorgewerkt.

Op de bank: Sergio, Robert en Javier. Zagen er geïnteresseerd uit. Lulden wat. Grijnsden veel.

In de grote leunstoel zat Jimmy. Onderuitgezakt, natuurlijke rust.

Op de twee plastic tuinstoelen zaten Tompa en Viktor. Die Viktor zag er opgefokt uit. Tom in een goed humeur – diste mop na mop op: zo oud als bejaarden. 'Wat zie je als je een blondje in de ogen kijkt? De binnenkant van haar achterhoofd.'

Toch goed voor een relaxtere sfeer.

Jorge constateerde: de groep was compleet.

En nu: het team zou voor het eerst een plenaire bijeenkomst hebben – zo paalopwekkend dat je er pijn in je pik van kreeg.

Het huisje geleend van Jimmy's ma. Die swa had hier de hele zomervakantie zitten meuren. Jorge dacht: loco – wat had die gozer in foksnaam gedaan de hele zomer? Er was hier helemaal niks. Behalve brandnetels, maar die kon je niet roken.

Toch zei Jimmy dat ie hier mega had lopen chillen. ''t Is maar honderd meter naar het strand, je weet toch.'

Jorge dacht aan zijn eigen zomers als kind. Mama nam een deken en een petfles met limonade mee. Picknick in het park achter winkelcentrum Sollentuna. Mama, Paola. En die vuilak die hij uit zijn geheugen wilde schrappen: Rodriguez.

'*Tierra virgen,*' zei zijn moeder. Alsof een park van een paar honderd vierkante meter ongerepte natuur was.

Jorge nam in zijn hoofd door wat er was gedaan. Een van de principes van de Fin: geen geschreven lijstjes – die konden achteraf levensgevaarlijk bewijs voor de smerissen zijn. Maar J-boy wist alles nog goed. Dit vulde zijn kop overdag.

Vorige week: Tom Lehtimäki had via een zwerver acht splinternieuwe fonna's versierd bij twee verschillende The Phonehouse-winkels – had winkels zonder camerabewaking uitgezocht. Tompa gaf de kerel een vijfhonderdje en een fles whisky voor de moeite.

Bovendien: Tom had walkietalkies gescoord bij Teknikmagasinet. Misschien zouden ze dingen nodig hebben die niet opgespoord konden worden via het telefoonnetwerk. Zelfde truc daar: vroeg de zwerver de boel te halen zodat niemand hem met die apparaten zag. Had de bonnetjes in een put geflikkerd.

De andere gozers: waren losgerockt op een jattournee. Fiksten emmers, koevoeten, bijlen, jerrycans, schroevendraaiers, schragen, spraylijm en andere spullen die ze nodig zouden hebben.

In de Ica-supermarkt in winkelcentrum Sollentuna kocht Jorge zelf dertig rollen aluminiumfolie. De caissière vroeg of hij met dat folie zou gaan behangen. Ze wist niet hoezeer ze gelijk had.

Jorge ging als een ontzettende klassenleraar voor de groep staan. Wou wachten tot iedereen stil was. Geen kuchjes. Niks. Geen 'hallo, ik zou nu willen beginnen'-shit. Gewoon wachten. Hij: de leider.

Een paar seconden: ze snapten de hint. Werden stiller. Leunden achterover. Namen hem op.

Jorge zei: 'Gozers. Vandaag is onze dag. Dit is de eerste keer dat we elkaar allemaal zien. Dus nu ga ik het hele plan aan iedereen uitleggen. Niet elk detail en zo, maar wel het meeste. Ik wil dat jullie de basisgedachte van deze overval snappen. Als er iets gebeurt, als een van jullie verdwijnt of zoiets, moeten de anderen het opvangen en zijn taken kunnen overnemen. Snappen jullie dat?'

Jorge had zijn praatje voorbereid. Moest deze gasten laten zien dat ie een prof was.

'Misschien moeten we vaker zo afspreken. We zullen samen aan dingen moeten werken. Dat regelen we.'

Hij hoorde de woorden van de Fin uit zijn eigen mond komen.

'Ik wou eerst een paar regels op dit whiteboard schrijven. Dingen waar we allemaal aan moeten denken. Regels waar we ons aan moeten houden. Geloof me, als we het fout doen, kan onze hele actie een mega-fokking fuck-up worden.'

Jorge begon blokletters te schrijven terwijl hij uitlegde.

'Iedereen moet stoppen met zijn eigen dingetjes. En ik weet dat jullie weten wat ik bedoel.'

Hij hoefde niet meer te zeggen. Iedereen wist: Javier dealde wiet en rende vier nachten per week naar de hoeren. Robert hielp af en toe met invorderingen. Viktor herregistreerde gejatte luxe Duitse auto's en heelde ze via zijn bedrijf.

'We kappen vanaf nu met alle business die niet spierwit is. Als ik erachter kom dat iemand van jullie met zaakjes ernaast bezig is, moet die zich bij mij komen verantwoorden.'

Hij schreef meer regels op.

Geen hard gezuip.

Geen drugs.

'Het spreekt voor zich. Bezopen of stoned beginnen jullie te babbelen. Je lekt erger dan het Amerikaanse leger. Zo gaat het altijd.'

Altijd legaal parkeren.

'Mocht je per ongeluk verkeerd staan – dok die boete en vergeet niet hem ergens anders weg te gooien dan waar je hem hebt betaald. Anders kan de skotoe die boete vinden en achteraf zien waar jullie geweest zijn. Laat altijd iemand voor je uit rijden als jullie gevaarlijk spul in de auto hebben.'

Hij dacht weer aan de achtervolging in Sollentuna. Als ze een voorwagen hadden gehad, zoals Jorge nu propageerde, zou dat nooit gebeurd zijn.

Hij schreef verder:

Geen briefjes.

Geen sms'jes.

Raak niks belangrijks aan zonder handschoenen.

Belangrijkst van alles: geen geklets met anderen hierover. Zelfs niet met vriendinnetjes/homies/broers.

Niemand.

'Gesnopen?'

Jorge keek ze priemend aan. Een voor een. Dit waren swa's die geen shit slikten. Dit waren jongens die normaal gesproken iedereen die moeilijk deed op zijn bek sloegen. Toch: nu kwam het erop aan. Als ze de regels niet wilden volgen, konden ze opdonderen.

Even later: Jorge opende zijn tas. Haalde er een zwart foedraal uit, zo groot als een dvd-speler. Zipte de rits open. Een projector. Hij klooide met de videocamera. Sloot de snoeren aan. Frunnikte aan de knoppen. Techniek was zijn ding eigenlijk niet – maar deze had hij thuis gedubbelcheckt.

Er werd een beeld zichtbaar op het filmdoek. Een trillerige weg door een autoruit.

'Hier zien we de inrit naar Tomteboda.'

De film liep. Jorge lichtte toe wat ze zagen. Hij kende dit gebied inmiddels. Het hek rondom het gebouw en de laad- en losperrons als speelgoed ver op de achtergrond. Zoomde in. Op de hekken rond de gebouwen, de bewakingscamera's, de treinsporen, de inritten, de controlehokken.

Zoomde in: massieve schuifhekken. Motorisch aangedreven.

'Mijn contact en ik zijn aan het uitwerken hoe we binnen kunnen komen. Misschien knippen we het hek ergens door, hoewel dat te traag kan zijn. Of we blazen iets op. Of we moeten dat hek op de een of andere manier forceren. We verzinnen wel wat.'

Ze zagen vrachtwagens naar binnen en naar buiten rijden. Werknemers door sluizen gaan waar ze een pasje gebruikten om binnengelaten te worden.

Zoomde in: bewakers in controlehokken. Argwanend. Waakzaam.

Hij zei: 'Ze zullen het waardetransport bij dit losperron uitladen. Maar er is ook een kluis. Als we daarin komen is het zeg maar dubbel bingo. De grootste vraag is nu alleen nog hoe we het gaan doen.'

Daarna: een paar minuten film verder. Rotondes, wegen, afslagen. Borden die boven de weg hingen: STOCKHOLM CENTRUM, SOLNA, SUNBYBERG. Ten slotte: beelden van de politiebureaus. Solna. Kronoberg. Södermalm. Vooral: lange shots van de garage-uitgangen. Jorge zette de film stil. Liet het beeld bevriezen bij de laatste: de uitrit uit de garage van politiebureau Västberga.

Hij deed zijn best om niet te opschepperig te klinken. 'Jullie begrijpen, deze overval is speciaal. Ze denken dat niemand zal toeslaan bij het centrale depot van de cashleveranties omdat dat zo dicht bij de binnenstad is. En daar komen wij in beeld. We zullen de smerissen als kegels omknikkeren.'

Jorge liet een pauze vallen. Bestudeerde de reacties van de kills. Snapten ze het? Ze zouden de wouten uitschakelen – als echte cashterroristen.

Sergio trok zijn bek het eerste open. 'Ik snap het niet, gap. Hoe schakelen we de skotoe in Stockholm uit, ze zitten toch overal?'

Jorge wist dat zijn scheve grijns doorbrak. Het crescendo van het plan. De ideeën van de Fin. De actie waarmee echte g's zich onderscheiden van wannabe sukkels – de actie die hun een legendarische status zou bezorgen.

'Jullie zagen de beelden van de politiebureaus en hun garages, hè? We zullen geen helikopters of zo gebruiken om Tomteboda binnen te komen – jullie weten hoe goed het kan gaan als je te flashy probeert te zijn. Nee, in plaats daarvan schakelen we de juten uit. We zorgen dat we ongehinderd weg kunnen komen.'

Weer een kunstmatige pauze. Jorge keek om zich heen.

De jongens zaten stil.

Het drupdrupgeluid op de achtergrond.

Jorge dacht weer aan de onopgeloste punten. Hoe zouden ze eigenlijk door het hek heen komen? Hoe zouden ze in de kluis komen? Daarna zoomde hij in op zijn eigen grote vraag: hoe zou hij de Fin naaien? Hij had er zelfs tegen Mahmud nog niks over gezegd.

Weg met de vraagtekens nu. Hij zei: 'We gaan de mogelijkheden van de smerissen trashen. Zetten de juiste plekken in de hens. We zullen de hele stad lamleggen.'

Een paar gozers grijnsden. Tom zag eruit alsof hij nadacht. Viktor schudde zijn hoofd.

Jorge: 'Snap je het niet, Viktor, of wat?'

'Jawel, ik begrijp het prima. Maar ik begrijp niet wat er zo fantastisch is als je niet eens weet hoe we die kluis in komen. En is het echt zo goochem om dingen in brand te steken? Begrijp je hoe ze dat kunnen noemen? Terrorisme en dergelijke.'

Jorge antwoordde niet. Staarde hem alleen pissig aan.

Dacht: waarom lag Viktor dwars? Waarom hield hij niet gewoon zijn bek? Die gozer gedroeg zich als een Babakje, als een sukkeltje.

Jorge vroeg zich af of deze vent de druk aankon.

14

Hägerström dacht erover na hoe het tot nu toe met JW was gegaan – waardeloos. Wat gesprekjes in de eetzaal. Wat geklets op de gang. Hij had zelfs bij de jongen in de cel gezeten en geprobeerd over zijn adellijke familie te praten. Elke keer dezelfde reactie. Beleefde antwoorden. Vriendelijke houding. Maar geen vooruitgang. JW was duidelijk geïnteresseerd in Hägerströms Stockholmse leven – hij vond het heerlijk als hij over restaurants en cafés in de binnenstad vertelde, of over Torekov en Båstad in de zomer – maar niet als hij het over andere dingen had. Hägerström nam aan dat JW iets concreets wilde zien voor hij losser werd.

Dat zou opgelost worden. Vandaag zou Hägerström zijn plan te water laten.

Een slinkse route naar het vertrouwen van JW.

Een smerige weg, zouden sommigen misschien zeggen.

Maar in dit geval moest het doel de middelen heiligen. En bovendien had Torsfjäll het goedgekeurd.

Hoewel het nog maar zeven uur was voelde Hägerström zich fit, onderweg naar de gevangenis in zijn Jaguar XK. Dat was een genot op zich. De V8-motor van vierhonderd pk klonk alsof hij in een racewagen zat. Maar hij had toegehapt vanwege het design. De lijnen van de XK waren tot in perfectie getrokken. Sommigen vonden dat Jaguar met de XK zelfs het E-type had overtroffen.

Bij elke andere auto zou deze luxe gekunsteld overkomen. Dure auto's hadden al snel iets parvenuachtigs, op dezelfde manier als overdreven thuisbioscopen. Hägerström probeerde bovendien een laag profiel te houden ten opzichte van zijn collega's. Maar de Jaguar kon hij niet laten. Die was gewoon klassiek. Zijn collega's mochten ervan zeggen wat ze wilden.

Hij beschouwde de gevangenis nu al bijna als een normale werkplek. Dat was een sterk punt. Des te meer hij zich er thuisvoelde, des te beter was hij in het spel.

In het begin reed hij elke dag op en neer, maar omdat het hem meer dan twee uur kostte om er te komen en weer twee uur om naar huis te gaan, exclusief files, benutte hij zijn dagen niet goed. Na drie weken nam hij een flatje in Sala, op twee kilometer afstand van de gevangenis.

Soms ging hij in het weekend naar huis, met name om Pravat te zien. Hij deed het discreet. Als de andere cipiers begrepen dat hij een appartement in Stockholm had, zouden ze zich dingen gaan afvragen. Hoe kon hij zich twee woningen permitteren? Was de Jag alleen niet genoeg? Waarom werkte hij dan niet in de buurt van Stockholm? Als ze echter dachten dat hij af en toe iemand in de grote stad opzocht, was het oké. Ze wisten immers dat hij net ontslagen was bij de politie in de hoofdstad.

Hägerström zette zijn auto op de personeelsparkeerplaats van de gevangenis. Die viel zoals altijd uit de toon. De meesten reden enigszins wrakkige Volvo's V50 of Passats. Esmeralda reed op zich wel in een BMW uit de 3-serie, maar die ging al heel wat jaren mee en verhield zich zodoende tot een Jaguar XK als een Certina tot een Patek Philippe.

Hägerström liep naar het buitenste hek. Schoof zijn rijbewijs in de scanner. Drukte op de knop. Hij hoefde niets te zeggen, ze klikten hem naar binnen.

Hij liep over het grindpad. Hekwerk aan alle kanten, behalve voor zich, daar verrees de muur. Hij herhaalde de procedure. Schoof zijn rijbewijs in de sleuf. Drukte op een knop, keek naar de bewakingscamera voor zich en glimlachte.

Er heerste algehele verwarring onder de gedetineerden. Wat er met Radovan Kranjic, de godfather van de Joego's alias de maffiakoning, Mister R., was gebeurd, zette de gemoederen flink in beweging. De geruchten tierden weliger dan alle samenzweringstheorieën over *nine-eleven*. De vragen klonterden samen als de aardappelpuree in de bajes: wie zat er achter de aanslag, hoe zou oom agent reageren?

Hägerström dacht aan de operatie. Hij had zich op een nieuwe gedetineerde geconcentreerd die Omar Abdi Husseini heette. Veroordeeld tot vijf jaar voor de planning van de gewelddadige beroving van twee kantoren van de Swedbank in Norrköping. Omar Abdi Husseini had die trage, vermoeide look die mensen alleen hebben als ze belabberd hebben geslapen of willen laten zien hoezeer ze schijt aan alles en iedereen hebben. Hij liep langzaam, sprak langzaam, peuterde zelfs langzaam in zijn neus. Deze vent straalde op kilometers afstand autoriteit uit. Of je vond dat alles aan hem labiele psychopathische gekte uitstraalde. Niet uit te maken wat het ergste was.

Hägerström had Torsfjäll gevraagd de vent te checken.

Na een paar dagen kreeg hij een kopie van een zogeheten multizoekopdracht, waarbij alle toegankelijke registers van de politie waren doorzocht: het misdaadregister, het verdachtenregister, het douaneregister, de belastingdienst et cetera. Bovendien een uittreksel van een rapport van de regionale recherche, een paar artikelen uit Zweedse dagbladen, een memo van de Werkgroep Bendecriminaliteit met informatie van hun eigen informanten, UC-operatoren en verklikkers.

Er ontstond een helderder beeld toen Hägerström de inside-information van de WB en het Algemeen Opsporingsregister had bestudeerd. Het AO bevatte alle waarnemingen die in de loop der jaren waren gedaan, of er nu sprake was van verdenking van een misdrijf of niet.

Het was opmerkelijk: vanuit het perspectief van maatschappelijk werksters was er altijd sprake van gebroken relaties, afwezige vaders, verslaafde ouders die jeugdcriminelen schiepen, die een paar jaar later gangsterlevens leidden of in zwaarbewaakte gevangenissen zaten. Maar bij mannen als Omar Abdi Husseini – Hägerström had het eerder gezien – waren niet het verval van het gezin en het onvermogen grenzen te stellen de oorzaak dat ze op het verkeerde pad waren geraakt. Abdi Husseini was afkomstig uit een goede familie, had geen uitgesproken rottige vader of ernstig verslaafde moeder. Het was iets anders.

Het punt bij Omar Abdi Husseini was dat alle informele informatie één kant op wees: deze kerel was de president van Born to be Hated.

En BTBH was het snelst groeiende misdaadsyndicaat in Stockholm. De bende was via Denemarken en Malmö naar Stockholm gekomen en had het potentieel van de jonge, kwade jongens in de buitenwijken van Stockholm goed doorzien. Ze rekruteerden onder de relschoppers die auto's en vuilcontainers in brand staken en de brandweerlieden die kwamen blussen vervolgens met stenen bekogelden. Niet zoals de Joego's en Syriërs, die zich beperkten tot hun landgenoten. Niet zoals de HA of de Bandidos, die vooral rekruteerden onder onaangepaste Zweden en aardig geïntegreerde tweedegeneratieallochtonen. En evenmin zoals de Fittja Boys of Angered Tigers, waarvan de leden min of meer uit dezelfde wijk kwamen. Born to be Hated skipte het sujasuja en de motoren. Ze trokken zich geen flikker aan van de media en deden geen enkele poging om legale façades op te trekken. Ze probeerden geen speciale buitenwijken te glamouriseren. Ze hadden een president en een vice-president, maar deden niet aan ingewikkelde regelsystemen en clubhuizen. Gevangenissen, sportscholen, pizzeria's en jongenskamers bij ouders thuis waren hun ontmoetingsplaatsen. Ze rekruteerden de gestoordste allochtone jongens uit de hele provincie. En ze waren hevig in opkomst.

Omar Abdi Husseini was perfect voor Hägerströms plan.

Een week nadat Omar in Salberga was gekomen zocht Hägerström voor het eerst contact met hem. De BTBH-president lag onder de bankdrukmachine in de fitnessruimte. Pufte en drukte. Kreunde zacht bij elke duw. Hier hadden ze de gewichten niet achter slot en grendel liggen, zoals in veel andere gevangenissen en huizen van bewaring.

Hägerström ging naast hem staan. Hielp de man met de laatste push, die hij anders niet zou hebben gered. De president was reusachtig. Niet alleen lang en breed – alles was groot. Zijn vingers leken een voetbal kapot te kunnen knijpen, zijn hoofd was dubbel zo groot als dat van Hägerström en zijn biceps waren zo groot als bij een stripfiguur, hij moest anabolen hebben gebruikt voor hij hier kwam. De tatoeages in zijn nek waren duidelijk zichtbaar: BTBH en ACAB. Op zijn armen stonden Arabische tekens en arenden getatoeëerd. Crocs aan zijn voeten.

Omar keek op. 'Moet je wat of zo?'

Hägerström probeerde er ontspannen uit te zien. Hij moest Abdi Husseini respectvol tegemoet treden. Niet te opdringerig zijn.

Hij zei: 'Ik wou alleen even kijken hoe de zaken ervoor stonden, als dat oké is.'
'Kijk jij maar.'
'En hoe was het in Kumla dan?' De klassieke vraag aan een nieuwe gedetineerde die tot een lange gevangenisstraf was veroordeeld. Ze kwamen allemaal via Kumla, waar ze minstens drie maanden voor observatie en plaatsing zaten. De risicoclassificatie van Abdi Husseini gaf sterke redenen om hem in Kumla te laten blijven, maar hij was niet eerder veroordeeld, zodat besloten was hem hiernaartoe over te plaatsen.
Omar antwoordde: 'Best, hoor.'
De president ging overeind zitten op de bank. Veegde zijn gezicht af met de handdoek om zijn nek. Hij keek weg. Maar Hägerström wist hoe hij de reus enigszins kon laten ontdooien.
'Ik wou alleen zeggen dat ik veel goeds over je heb gehoord.'
'Van wie?'
'Van Gürhan Ilnaz. Ik heb hiervoor in Hall gewerkt.' Gürhan Ilnaz was voormalig vicepresident in dezelfde club als Omar. Hägerström had die gast eigenlijk nooit ontmoet, maar het zou wel even duren voordat Abdi Husseini daarachter kon komen.
Snelle glimlach bij Omar: een flits van voldoening op zijn enorme gezicht.
'Cool. Gürhan is een goeie gast.'
Omar stond op. Veegde zijn voorhoofd weer af, daarna veegde hij het kunststof van de bank af.
Liep terug naar de gang.

Twee dagen later was het weer zover. Omar stond voor zijn celdeur te praten met een andere gedetineerde, die naar het scheen voormalig lid was van de Werewolf Legion. Hägerström ging naar ze toe. Smalltalkte even. Het weer, het eten, de nieuwe loopband, van alles en nog wat. Hij kon dat doen. Hij stond bekend als een sympathieke cipier.
Na vijf minuten liep de Werewolf-gozer weg.
Omar bleef staan. Nog steeds zwijgzaam, maar leek zich toch niet tegen het praatje te verzetten.
Na een paar minuten begon Hägerström het over andere gevangenen te hebben. Hij vertelde hoeveel er geroddeld werd. Nam alle bullshit door. Noemde JW niet, maar hij zag Omar luisteren.
De boodschap werd ingevoerd: mensen kletsten.
De boodschap werd erin gehamerd: er werd smerig geroddeld.
De boodschap werd herhaald: er zaten hier mensen die geruchten over Omar verspreidden.

Hägerström kwam binnen via de centraalpost. Groette de portiers. Liep door naar de kleedkamer. Haalde zijn mobieltje uit zijn zak. Hing zijn kleren in de kast. Trok zijn werkkleding aan: donkerblauwe broek, een brede leren riem en een donkerblauw overhemd met het logo van de gevangenis erop. Hij liep door de detectiepoortjes, kwakte zijn sleutels op de controleband. Hij groette de controleur van vandaag. Hij piepte niet. Dat deed hij nooit.

Hij liep de gang naar de afdeling door, nog steeds in de korte geluksroes van het weekend.

Zag beelden in zijn hoofd. Hij had Pravat donderdag opgehaald bij de crèche. Ze waren naar oma gegaan. Lottie woonde nog steeds waar ze al jaren woonde, hoewel het wat eenzaam was sinds papa was overleden.

Hij zou het echt over bepaalde dingen moeten hebben met zijn moeder. Maar nu Pravat erbij was kwam dat niet goed uit. En bovendien maakte ze zich vast veel te veel zorgen over zijn ontslag bij de politie. Hoe zou ze kunnen begrijpen waar hij eigenlijk mee bezig was?

Het was een mooi appartement – en in dit geval was het terecht om het woord appartement te gebruiken. Oma Lottie noemde normaal gesproken alle flatjes appartementen. Allemaal, zelfs Hägerströms eerste eenkamerwoninkje van tweeëntwintig vierkante meter. Zo deed men dat in haar kringen. Hij glimlachte voor zich uit.

Lottie deed de deur open. In de hal dezelfde geur als altijd. Een mengeling van mama's parfum, Madame Rochas, oude meubels en schoonmaakmiddel. Het was geen onfrisse lucht, maar ook niet een van steriele reinheid. Voor Hägerström zou het altijd de geur van thuis zijn.

Pravat sprong in haar armen. Lottie was gekleed in een keurig geperste, nauwsluitende beige broek en een lichtblauwe blouse met een sjaaltje om haar nek, van Hermès of Louis Vuitton, waarschijnlijk de eerste. 'Na Hermès,' zei Lottie altijd, 'komt er niets, dan komt er weer niets, dan komt er weer niets. Daarna komt misschien YSL.'

Ze riep tegen Pravat: 'Dag goudklompje van me!' Lottie te horen roepen was haast surrealistisch. Iets wat ze normaal gesproken zelf als uitermate ordinair zou beschouwen.

Pravat trok zijn jack uit. Lottie hielp hem met het aandoen van een paar binnenschoenen die ze voor hem had gekocht.

Ze liepen de grote hal in. Chrysantenbehang van Josef Frank. Hägerström hoorde dat ze zijn oude bandysticks tevoorschijn haalde.

Hij begon in zijn eentje rond te wandelen in het appartement. De salon, de eetzaal, de bibliotheek, de rooksalon, papa's oude werkkamer, de logeerkamer, de kamer van het kindermeisje, die nu de tv-kamer was, de oude slaapkamer van zijn broer, door zijn vader veranderd in een verzamelkamer voor jachttrofeeën – en de oude kamer van zijn zus, tegenwoordig wasruimte.

Hij zag zichzelf op zijn step in volle vaart door de grootste vier kamers sjezen, die op een rij lagen. De salon, de eetzaal, de rookkamer en de bibliotheek. Minstens dertig meter Perzisch tapijt. Een perfecte racebaan voor een achtjarige. Als het kindermeisje er was reed hij vrijelijk rond. Maar als hij op zijn hardst ging, kwam mama altijd binnen om er een einde aan te maken. Niet bars, maar gedecideerd. Zoals altijd. Ze raakte nooit de controle kwijt, maar wist wat ze wilde.

Overal hingen schilderijen van Cronhielm af Hakunge. De graaf, de zus van de graaf, de vader van zijn moeder. Houten panelen tegen de wanden. Kristallen kroonluchters boven de tafels.

Hägerström liep verder langs de slaapkamer van zijn ouders. Zijn eigen slaapkamer was praktisch onveranderd. Zijn oude houten Deense bed stond er nog, maar met een nieuwe sprei. Ook zijn nachtkastje en het smalle bureau met de houten stoel stonden er nog. Zijn drie schilderijen hingen op exact dezelfde plek als altijd. Hij keek naar dat van Andy Warhol. Een bijgekleurde, behandelde foto van Michael Jackson. Die was ook gebruikt als omslagfoto op *Time Magazine* in 1984. Hägerström had hem dat jaar van zijn vader gekregen. Hij was twaalf geworden en The King of Pop was zijn grootste idool.

Aan de andere muur hingen twee schilderijen van de Zweedse fin-de-siècle-kunstenaar J.A.G. Acke. Het ene stelde een potige man voor die zijn spieren leek te stretchen, het linkerbeen naar achteren gestrekt. Op de achtergrond stond een wolf. De man had een naakt bovenlichaam en bedekte zijn onderlichaam met een lendendoek. Het andere was merkwaardiger. Het stelde een zee voor, blauwe golven sloegen de toeschouwer tegemoet. Op een rots midden in het water stonden drie naakte mannen. Bleek, jong, slank maar toch atletisch. Ze bedekten zich niet.

Hägerström had de twee schilderijen toen hij achttien werd uitgezocht uit de kunstverzameling van zijn vader. Hij stond stil. Bekeek de mannen op de rots. Hun witte, pezige lichamen. Hun kortgeknipte haar dat opwaaide in de wind. Het schuim van de golven. De geslachtsdelen van de mannen die ongegeneerd naar de rots wezen.

Misschien poseerden ze alleen maar, lieten ze hun naakte lichamen zien en genoten ze ervan bekeken te worden. Hägerström schrok op uit zijn staren. Hoorde Pravats stem achter zich. 'Papa, kom je geen broodje met ons eten?'

Hij keek omlaag naar Pravat. De jongen staarde ook naar de schilderijen.

Hägerström pakte hem bij de hand en nam hem mee de kamer uit.

Mama had niet in de eetzaal gedekt, maar in de keuken, wat een teken van gezondheid was. Als Martin en Pravat op bezoek kwamen, zou het er familiair aan toegaan.

Ze zei: 'Pravat, het heet geen broodje maar boterham.'

Pravat lachte: 'Ik vind je boterhammen heel lekker, oma.'

Lottie zei: 'Ik ben geen oma, lieverd, ik ben grootmoeder.'

Hägerström ging vandaag op hetzelfde spoor verder. Bewerkte de Born to be Hated-president. Speelde sympathiek. Welwillend. Open. Slijmde verschrikkelijk. Herhaalde de ontzettend positieve geruchten die de ronde over hem deden in Hall.

En tegelijkertijd: Hägerström bleef te kennen geven dat er hier negatieve geruchten de ronde deden. Dat andere gedetineerden op- en aanmerkingen over hem maakten, roddelden, op hem neerkeken.

En in andere gesprekken: Hägerström kletste met de gast van Werewolf Legion en andere gedetineerden van wie hij wist dat ze nauwelijks met JW omgingen – verspreidde de boodschap. JW had de pest aan Abdi Husseini. JW had allerhande opvattingen over Omar. JW lulde shit over de BTBH-president.

Bovendien: Hägerström zorgde ervoor dat Esmeralda de mobiel in beslag nam die JW onder het hoofdkussen van Buis verborgen hield. Hij verzocht een andere cipier om een hele stapel geprinte papieren die JW bij Getikte Tim bewaarde te vernietigen. Allemaal om hem murw te maken voor de toenadering.

Hägerström rekende erop dat het inherente mechanisme van het roddelproces de rest zou doen. Genoeg om de mythe van een schisma te creëren. Omar moest de stukjes zelf in elkaar puzzelen.

De algehele indruk was onvermijdelijk: de leider van Born to be Hated stond laag aangeschreven bij Johan Westlund.

De strategie leek na een paar dagen aan te slaan. Hägerström hoorde van verschillende kanten hoe het begon te koken. Hij begreep van andere bewaarders dat de geruchten aansloegen. Hij hoorde van Omar zelf dat de president dezelfde dingen van de Werewolf Legion-jongen en anderen had gehoord. Die klote-JW bleek allerhande meningen te hebben. Die gast liep te leuteren. Te zwetsen.

Hägerström bleef desinformatie verspreiden.

Hij wist dat Omars conclusie zo simpel zou zijn als een natuurwet: JW moest op zijn vingers getikt worden.

Om halfacht, op een avond kort voor de insluiting, knalde het. Hägerström observeerde de hele situatie op afstand, zonder in te grijpen. Dit was geen spelletje meer. Omar slikte de shit niet langer.

JW zat met zijn celdeur op een kier te studeren, zoals hij het noemde.

Omar duwde de deur zachtjes open en stapte naar binnen. Daarna klopte hij hard met zijn knokkels: *pop-pop-pop*.

JW keek op: 'Hallo, is er iets?'

Omar zei niets. Keek alleen in JW's vragende ogen. Achter Omar stond een andere kerel, die Decke werd genoemd, met zijn armen over elkaar.

Stilte in de cel.

Buiten klonken de stemmen van Buis en Getikte Tim: een stevig partijtje hold'em aan de gemeenschappelijke tafel op de gang.

Omar boog zich voorover. Naast zich, tegen de muur, zette hij een metalen stoelpoot.

JW hield zijn blik stabiel. Een van de basisregels in de bajes: nooit buigen.

Omar zei: 'Je kletst te veel.'

JW staarde hem aan.

Omar zei: 'Zo werkt dat hier niet. Zo werkt dat nergens. Maar ik ben vandaag in een goeie bui, kameraad. Voor dertig ruggen vergeet ik het. Doe ik alsof er niks is gebeurd.'

JW bleef naar de reus en zijn vriend in de deuropening kijken. 'Waar heb je het over? Ik weet nauwelijks wie je bent, Omar.'

'Heb je me niet gehoord? Nu ben je me vijftig ruggen schuldig. En als je nog een keer iets over me zegt, breek ik je. Wullah.'

Omar nam de stoelpoot in zijn hand. Decke deed een stap naar voren, rolde zijn mouwen op.

JW zei: 'Wie denk je dat je bent? Ga hier weg voordat ik echt genoeg van je krijg.'

Omars lange benen: twee stappen. Bij JW. Mepte hem op zijn rug. JW viel van zijn stoel. Schreeuwde luid.

Omar sloeg hem weer, tegen zijn been.

JW probeerde onder zijn bed te rollen en zich tegelijkertijd met zijn armen te beschermen.

De celdeur open: Buis en Getikte Tim stormden naar binnen. Buis pakte Omars slagarm. Decke duwde hem weg. Getikte Tim stuitte terug. Hij sprong op, deed een halve stap op JW's bed: kwam omhoog. Een knie richting Omars hoofd. Maar de president had al gereageerd. Incasseerde de knie met soepele hals en aangespannen nekspieren. Decke wierp zich weer tegen Getikte Tim aan, dit keer goed. Omar draaide zich om. Sloeg Buis met volle kracht. De vetste vuist van de gevangenis recht in de maag van de Joego. Buis hapte naar adem. Snikte. Verloor zijn houvast. Tuimelde achterover. Getikte Tim haalde met rechts uit naar Decke. Die pareerde de slag. Douwde hem weer aan de kant. Omar sloeg met volle kracht met de stoelpoot op Tims hand. En nog een keer. Tims vingers kraakten. Bloed spoot over JW's laken.

Decke hield Buis weg.

Omar bukte zich. De stoelpoot onder het bed waar JW lag. Hij sloeg zo hard hij kon.

Buis gilde.

Getikte Tim gilde.

JW gilde het ergst.

Omar sloeg keer op keer.

De stoelpoot was bebloed toen hij hem eronderuit haalde.

Decke stapte de cel uit.

De president zelf draaide zich om in de deuropening.

Boog zich voorover, schreeuwde naar het bed: 'Miezerig rotzakje. De volgende keer maak ik je af.'

Doek.

*

Aftonbladet

Bomaanslag op leider onderwereld

Er is een aanslag gepleegd op Radovan Kranjic, 49, de man die er door de politie al jaren van wordt verdacht een van de leiders van de onderwereld van Stockholm te zijn.

Om 3.05 uur werden de bewoners van de huizenblokken rondom de Skeppargatan in Östermalm in Stockholm gewekt door een harde knal. Op straat was een auto geëxplodeerd. Aan het stuur zat Radovan Kranjic. Ook bevond zich een man van een jaar of dertig in de auto.

Een voorbijganger vertelt: 'Ik was op weg naar huis en zag dertig meter voor me een gigantische explosie. Door de drukgolf werd ik tegen de grond gesmeten. Bij de auto's en woningen in de buurt braken een heleboel ramen. Ik dacht: weer een zelfmoordterrorist.'

Radovan Kranjic zou zich daar in zijn auto hebben bevonden om zijn 21-jarige dochter op te halen, die op een huisfeest zou zijn geweest bij de Stureplan-beroemdheid en feestorganisator Carl Malmer, alias Jetset Carl.

Carl Malmer, die in de Skeppargatan woont, zegt tegen Aftonbladet: 'Er waren veel mensen bij me thuis en we draaiden muziek. Maar plotseling hoorden we een knal die de muziek overstemde en alles stond te trillen. Ik dacht dat het een aardbeving was.'

De politie was binnen enkele minuten ter plaatse. De straat werd gedeeltelijk afgezet en het feest bij Carl Malmer werd afgebroken. Radovan Kranjic werd op een brancard afgevoerd naar een ambulance. Zijn dochter zou voortdurend naast de brancard zijn gebleven.

Bij aankomst in het Karolinskaziekenhuis bleek de toestand van Radovan Kranjic uitermate kritiek. De 35-jarige passagier werd eveneens naar het ziekenhuis gebracht. Er is niemand voor de aanslag gearresteerd, maar Radovan Kranjic werd enkele weken geleden beschoten na een vechtsportgala in de Globen Arena. Toen bracht hij het er levend van af dankzij een kogelwerend vest, maar raakte wel ernstig gewond aan zijn schouder.

De politie had vanmorgen geen betrouwbare hypothesen over het motief voor de daad.

'We hebben al jaren de indruk dat Radovan Kranjic grote opdrachten in de onderwereld heeft gehad, die we echter niet hebben kunnen bewijzen,' aldus Claes Cassel, woordvoerder van de politie. 'Gezien het feit dat er eerder een aanslag op hem gepleegd is, was dit niet geheel onverwacht.'

De politie heeft inmiddels een stuk of twintig getuigen die over de gebeurtenissen worden verhoord.

Anders Eriksson
Lotta Klüft

Aftonbladet

Koning van de onderwereld overleden

Radovan Kranjic, 49, is overleden, aldus het Karolinskaziekenhuis. 'Kranjic had ernstige brand- en scherfwonden en zware verwondingen aan vitale organen,' zegt de verantwoordelijke arts van de spoedeisende hulp.

Kranjic' auto is gisternacht opgeblazen in de Skeppargatan in Stockholm. Kranjic bevond zich daar om zijn dochter op te halen van een feest bij Stureplan-beroemdheid Carl Malmer, alias Jetset Carl. In de auto was ook een 35-jarige passagier aanwezig. Deze ligt nog op de intensive care van het Karolinskaziekenhuis.

Getuigen meldden een zware explosie in de auto. Een groot aantal ramen van geparkeerde auto's en omliggende woningen is gesneuveld. Het geluid van de explosie was tot in stadsdeel Södermalm te horen.

De twee mannen in de auto zijn met ambulances naar het Karolinskaziekenhuis gebracht.

'Onze teams hebben sindsdien onafgebroken geprobeerd Kranjic' leven te redden,' zegt de verantwoordelijke arts, 'maar tevergeefs. Om 11.14 uur moesten we vaststellen dat we niets meer konden doen.'

De politie onderzoekt nog steeds meerdere sporen, maar heeft nog geen hoofdverdachte, aldus een bron binnen de politie.

Anders Eriksson
Lotta Klüft

Aftonbladet

Koning van de onderwereld naar laatste rustplaats

Radovan Kranjic was volgens velen de koning van de onderwereld. Morgen zal hij begraven worden. De politie zet extra bewaking in.

Radovan Kranjic is door media en de politie van Stockholm aangemerkt als een grote speler in de onderwereld. Hij wist dat velen meenden dat hij onderdelen van illegale werkzaamheden in Stockholm leidde.

'Ik weet dat ze me de Joegoboss en allemaal andere nonsens noemen,' zei hij vier jaar geleden in een interview in Aftonbladet.

Meer dan twee meter lang, goed getraind en met een gewicht van rond de hon-

derd kilo, voelde hij zich onoverwinnelijk. Niemand zou hem kunnen uitschakelen.

'Ik ben een heel gewone jongen, maar ik train al dertig jaar,' zei hij lachend.

Radovan Kranjic is ruim dertig jaar geleden vanuit voormalig Joegoslavië naar Zweden gekomen. Velen waren van mening dat hij de kunst van het charmeren uitstekend verstond en geld rondstrooide. Hij had onder meer belangstelling voor paardenrennen en bezat drie paarden. Ook hield hij erg van vechtsporten en sponsorde een groot aantal zogeheten fighters.

Radovan Kranjic was echter ook veroordeeld tot gevangenisstraf vanwege bedreiging, mishandeling, wapenbezit en belastingfraude. Al zijn veroordelingen dateren echter van voor 1990.

'Dat waren jeugdzonden. Dat soort dingen doe ik niet meer,' zei hij in een interview in Aftonbladet.

In Servië had hij goede vrienden binnen de Servische nationalistische beweging, onder wie Zeljko Raznatovic, beter bekend als Arkan, leider van het paramilitaire privéleger De Tijgers. Radovan Kranjic heeft naar verluidt zelf ook deelgenomen aan de oorlog in voormalig Joegoslavië in de jaren 1993-1995, toen hij zich lange periodes buiten Zweden ophield.

Radovan Kranjic werkte aanvankelijk onder meer als portier in diverse uitgaansgelegenheden in Stockholm. Hij was goed bevriend met Dragan Joksovic, beter bekend als Jokso, die eveneens werd beschouwd als een leider van de Stockholmse onderwereld voordat hij in 1998 werd vermoord op de renbaan Solvalla. Velen zien de dood van Kranjic als een herhaling van Jokso's lot.

De afgelopen jaren heeft Radovan Kranjic zijn activiteiten opgebouwd, hij stond aan het hoofd van een portiersbedrijf en deed zaken in de onroerendgoed- en bouwbranche. De politie verdenkt hem ervan daarnaast een sigarettensmokkel- en gokimperium te hebben opgebouwd. Bronnen binnen de politie vertelden Aftonbladet *dat Radovan Kranjic er ook van werd verdacht bordelen in Stockholm uit te baten en incassowerkzaamheden te verrichten.*

Een persoon uit de kringen rondom Radovan Kranjic zegt tegen Aftonbladet: *'Radovan Kranjic leidde een hard leven, maar was voor velen van ons een held. Morgen zal hij in alle stilte begraven worden. Een koning krijgt eindelijk rust.'*

De politie is echter een andere mening toegedaan en zal voor speciale bewaking van de begrafenis zorgen.

Anders Eriksson

15

Koorzang. Stemmen. Gewijde sfeer. Daarna een paar minuten solozang van de bisschop.

Het koor weer. Kerkslavisch. Cyrillus' heilige teksten.

De geur van wierook en mirre. Natalie probeerde naar de woorden te luisteren, hoewel ze ze niet verstond.

Mama sloeg een kruis. Natalie voelde zich onbeholpen.

Praalbed. Natalie stond het dichtst bij de open kist. Een berg kransen eromheen. Ze probeerde haar blik op het houten kruis achter de kist te richten. Maar ze kon haar blik niet van haar vader losscheuren. Hij zag er zo eenzaam uit, hoewel de kapel bomvol mensen zat. Gekleed in een zwart pak. Gekamde scheiding opzij. Armen gekruist op zijn borst. Een icoon met zijn *svetac*, Sint-Joris, in zijn handen. Papa zag er klein uit. En hij was stil.

Zo stil.

Natalie en mama hadden gisteren met de bisschop gesproken. Hadden besproken hoe ze de ceremonie en de rituelen wilden hebben. Elke Servisch-orthodoxe familie had een eigen heilige, een svetac. In de Kranjic-clan hadden ze al meer dan honderd jaar Sint-Joris. En volgens de legende had Sint-Joris de draak gedood, hij was een strijder. Dat paste beter bij papa dan bij wie van de aanwezigen dan ook.

De nacht was lang geweest. Volgens de traditie werd het lichaam bij voorkeur binnen vierentwintig uur begraven. Maar het was onmogelijk geweest alle gasten hier zo snel heen te krijgen, en bovendien wilde de politie sectie verrichten, dus hadden ze besloten een paar dagen te wachten. Maar meer dan een week zou een schandaal zijn. Ze spraken met de Zweeds-Servische priester uit Södertälje om zijn medewerkers bij de kerk te betalen om over het lichaam te waken en het psalter te lezen. Het was belangrijk: niemand zou kunnen zeggen dat de familie Kranjic het niet volgens alle regelen der kunst had gedaan. Mama ging elke dag naar de kapel om naar ze te kijken. Papa moest behandeld worden als de held die hij was geweest. Natalie droeg een zwarte jurk van Givenchy met lange mouwen en een ronde hals. Niets waaraan je kon zien hoe *fancy* hij eigenlijk was. Dat was niet gepast. De bisschop was duidelijk geweest. Geen uiterlijk vertoon, geen hoge hakken of rokken die te Zweeds waren.

Haar moeder was nog strikter. Gekleed in een zwart mantelpakje met een rok die tot op haar kuiten reikte. Ze droeg er een hoed met donkere sluier bij.

Het was warm – er zaten zeker tweehonderd mensen in de kapel. Natalie wist dat er buiten nog minstens driehonderd stonden te dringen. En om de een of andere reden was er politiebewaking.

Mama en zij waren twee uur geleden al gearriveerd. Hadden de kist met het voeteneinde eerst binnen zien komen. Ze namen condoleances, bloemen, wangzoenen in ontvangst. Meer dan vijfhonderd gezichten. Ze herkende er nog geen tien procent van.

Ze schakelde de koorzang, de gezichten, de vlammetjes van de waskaarsen uit. Ze zag papa voor zich. Op de Skeppargatan. Op de brancard. Onder een gele deken. Onder vastgespannen riemen. Vuil. Bloederig. Haar oren piepten nog van de explosie. Toch: papa was zonder geluid.

Piepen. Papa.

De chaos.

Ze rende naast hem.

Ze hadden haar bij de ambulance moeten wegsleuren.

Tien uur nadat de autobom was afgegaan had ze in een benauwd kamertje in het ziekenhuis gezeten. Geen boeketten bloemen, geen dozen chocolade. Alleen apparaten met digitale cijfers. Ze hadden eerst niet willen zeggen waar papa lag, maar deze keer eiste Natalie dat ze erheen mocht gaan. Het metalen frame van het bed deed de zonnestralen die door de jaloezieën naar binnen vielen oplichten. Zijn halve gezicht zat in het verband en er zaten slangen in zijn neus en armen.

Mama zat aan het voeteneinde te snotteren. Natalie en Goran zaten ieder op een stoel. Stefanovic had hier moeten zijn, maar ze zeiden dat hij ook op de intensive care werd verzorgd. Buiten hield een agent de wacht. Ze vreesden meer geweld.

Op een gegeven moment kwam er een verpleegkundige binnen. 'Nu moeten jullie gaan. Hij zal nog een keer geopereerd worden.'

Mama hield op met huilen. 'Wat gaan jullie doen?'

'Dat kunt u beter aan de arts vragen.'

'Wordt het net zo zwaar als de vorige operatie?'

'Daar kan ik helaas geen antwoord op geven.'

Mama en Goran stonden op. Natalie wilde niet weg. Ze wilde hier blijven, ze wilde de rest van haar leven naast papa zitten.

Mama zei in het Servisch: 'Kom, lieverd. Het is tijd.'

Natalie stond half op, boog zich over papa heen om zijn voorhoofd te zoenen.

Toen: zijn hand trilde.

Natalie keek ernaar. Legde haar hand op de zijne. Het was meer dan een trilling. Hij bewoog zijn vingers.

'Wacht, mama. Hij beweegt.'

Mama liep snel naar het bed. Goran boog zich ook over hem heen. Papa tilde zijn hand op van het matras.

Natalie had de indruk dat hij iets wilde zeggen. Ze boog zich nog verder over hem heen.

Hoorde hem inademen.

Voelde mama vlak achter zich.

Nog een inademing.

Daarna een zwakke stem. Papa fluisterde in het Servisch: 'Kikkertje.'

Natalie kneep in zijn hand.

Goran zei: 'Wat zegt ie?'

Natalie siste, zonder zich om te draaien: 'Stil.'

Goran boog zich verder over hem heen, probeerde hem te verstaan.

Weer papa's stem. 'Kikkertje. Jij neemt het over.'

Natalie keek naar hem. Ze zag zijn lippen niet bewegen. Het was doodstil in de kamer.

Papa zei weer: 'Jij neemt alles over.'

De bisschop hield zijn preek. Hij was gekleed in iets wat het midden hield tussen een zwarte jurk met gouden versiersels en een tovenaarsmantel. Natalie was in haar hele leven misschien zeven keer naar een Servisch-orthodoxe dienst geweest, en altijd met Pasen. Maar vandaag was het niet zomaar een bisschop. Deze bisschop was een hoge pief in die wereld. Bisschop Milomir: bisschop van Groot-Brittannië en Scandinavië. Normaal gesproken zat hij in Londen, maar hiervoor kwam hij direct over.

De bisschop praatte verder. Dat papa in 1981 als werkzoekende naar Zweden was gekomen. Aan de slag ging bij Scania in Södertälje. Dat hij vooruitgang boekte, bedrijven begon, firma's oprichtte. Een vermogend man werd, een geslaagd man, een gerespecteerd burger. Dat hij de kerk geregeld bleef bezoeken, geld doneerde aan goede doelen en voor de stichting van de kerk in Enskede Gård. Bovendien: dat hij het Servische volk en het Servische geloof nooit in de steek had gelaten. Sommige dingen had hij blijkbaar van anderen gehoord, of zelf verzonnen. Bijvoorbeeld dat papa geregeld naar de kerk ging – dat was ongeveer net zo waar als dat er verse diepvriesspinazie bestond.

Het koor zong weer. De bisschop zwaaide met de olielamp boven de vloer. Iedereen zong tegelijk: het officieuze volkslied over Sint-Joris – dat was passender dan ooit. De kaarsen die iedereen vasthield begonnen op te branden. De vlammetjes flakkerden traag. Meer dan een uur al.

De bisschop begon in het Kerkslavisch te lezen. Hij goot olie over papa's lichaam. Druppels op papa's bleke voorhoofd.

De geur van mirre. Het eentonige psalmodiëren.

Nu was het voorbij.

De Zweedse priester uit Södertälje kondigde aan dat het nu tijd was voor de laatste kus. Mama zette zich in beweging. Het moest in een speciale volgorde gebeuren en je moest tegen de klok in teruglopen naar je plaats.

Natalie hield haar hand stevig vast.

Ze naderden papa.

Zijn donkerblonde haar was lichter dan anders. Zijn kaken, die altijd zo breed waren als hij naar Natalie glimlachte, leken mager. Zijn nek, normaal gesproken zag die er krachtig uit. Nu smal als van een vogel.

Mama boog zich voorover en kuste papa licht op zijn voorhoofd.

Natalie ging bij de kist staan. Had het gevoel dat iedereen in de kapel afwachtte en haar bekeek. Wachtte wat ze zou doen.

Ze keek naar beneden. Papa's gezicht. Gesloten ogen. Glanzende wenkbrauwen.

Ze boog zich voorover. Stopte met haar lippen een paar millimeter boven papa's voorhoofd. Ze huilde niet. Dacht niet. Rouwde niet.

Ze had maar één gedachte: papa, je zult trots op me zijn. Degenen die dit hebben gedaan zullen er spijt van krijgen.

Daarna kuste ze hem.

De drukte nam af. Er waren nu misschien nog honderd mensen op het kerkhof. Zelfs de politie begon weg te rijden.

Natalie liep in de richting van een taxi die ze meer dan een kwartier geleden had gebeld. Dat alleen al irriteerde haar – een kwartier te moeten wachten terwijl er om de hoek auto's zouden moeten staan.

Viktor liep een paar meter achter haar. Mama was duidelijk geweest: 'Jullie zijn nog niet getrouwd, dus in de kapel kan hij helaas niet naast ons staan.'

Het leek Viktor weinig te kunnen schelen. Eerlijk gezegd, de afgelopen tijd leek haast niets hem te kunnen schelen.

Verderop, bij het hek, kwam Goran aanlopen.

Zijn hoofd enigszins voorovergebogen. Goran had een belabberde lichaamshouding.

Hij bleef voor haar staan.

Rechts, links, rechts. Al had hij haar voor de begrafenis al op haar wangen gezoend. Hij zei: 'Natalie, ik betreur het ontzettend.'

Ze vroeg zich af waarom hij dat herhaalde.

Hij stak zijn hand uit. Pakte Natalies hand. Hield die een paar seconden vast. Kneep erin. Zijn grijze ogen keken recht in de hare. Zijn blik was niet medelijdend, zoals die van anderen. Hij was vastberaden. Scherp.

Hij liet haar hand los. Liep verder naar het kerkhof, waar mama en een paar anderen nog stonden.

Natalie bleef staan. Keek in haar hand.

Een verkreukeld papiertje.

Ze vouwde het open – potlood, onregelmatig handschrift. Twee woorden en een tijdstip: *Stefanovic. Morgen 18.00.*

Viktor kwam naast haar lopen.
'Wat is dat?'
Natalie sloot haar vingers om het papiertje.
'Niks.'
De taxi stond buiten het hek te wachten. Een stukje verderop zag ze een agent in een auto stappen.
'Helemaal niks.'

16

Jorge op weg naar Paola. En Jorge junior. Probeerde zich aan de maximumsnelheid te houden. Na het achtervolgingsavontuur – absoluut nul risico nemen.

Zijn kop tolde van de details. Het plan racend op de rails. Na weken van voorbereiding was het binnenkort zover.

Shiiit, weet je – echt kapot cool.

De nepwapens gefikst: Javier had Taurus-pistolen van Jula gejat. Kopieën van Parabellum, een Braziliaans woutenwapen. Zwart, zwaar genoeg. Ongelofelijk werkelijkheidsgetrouw. Ziek eigenlijk: de Zweedse staat wilde controle op wapens houden – waarom kon iedere willekeurige gek dan binnen een paar minuten een kopie aanschaffen?

Het idee van de Fin: ze zouden de nepwapens achterlaten na de overval, zodat ze als ze alles verneukten niet veroordeeld konden worden voor een roofoverval met zwaar geweld.

Robert en Sergio hadden auto's gestolen in Noorwegen en ze bij Jimmy's zomerhuis neergezet – ideetje van de Fin. Ze poetsten alle vingerafdrukken weg. Overdekten ze met zeildoek.

De Fin leverde hun massa's contacten met betrouwbare Syrische wapenhandelaars. Ze hadden minstens een kalash plus een pistool van een oké merk toegezegd gekregen. Jorge had nog niet besloten wie de kalasjnikov zou krijgen, maar die zou voor hem moeten zijn. Het zwaarste wapen voor de zwaarste gozer.

Jorge reed elke dag in de stad rond. Checkte de bureaus, het gebied rondom Tomteboda, vluchtwegen. Hield de anderen in de smiezen. Brainstormde met de Fin. Overlegde met Tom om te proberen ergens een onderhuurcontract te krijgen.

Dingen vielen op hun plaats. Maar twee punten knaagden nog. Hoe zouden ze het hek forceren? En, het belangrijkste: hoe zouden ze de kluis in komen?

Het hek kon je op diverse plekken met een betonschaar kapotknippen. Maar dat was niet genoeg. Ze moesten met de auto naar binnen en naar buiten. En de enige plek waar een geasfalteerde weg liep, was bij het toegangshek. Dus daar ging het om, dat moesten ze kapot krijgen – en het was vet stevig. De Fin informeerde: industrieel hekwerk van de standaardveiligheidsklasse. Een betonschaar zou nooit genoeg zijn, maar de Fin zei dat het met sterke haakse slijpers wel zou lukken. Het probleem: ze zouden geen tijd hebben om uit een voertuig te springen, naar het hek toe te gaan en het door te zagen. Ze moesten een andere manier verzinnen. De vraag was welke.

Hetzelfde gold voor de kluis. Ze zouden explosieven moeten gebruiken. Het alternatief was dat de insider iemand regelde die de deur van binnenuit opendeed, maar dat zou niet gebeuren. Oftewel: ze moesten dynamiet gebruiken.

De Fin was duidelijk: 'Om te slagen moeten we originele tekeningen van het gebouw hebben. Als je die niet hebt, kun je niemand laten berekenen hoeveel springstof je nodig hebt. Begrijpen jullie dat?'

Jorge begreep het: zonder de tekeningen zou de kluis onmogelijk zijn.

Jorge wilde zo graag zelf oplossingen verzinnen. Maar het Brein was hier het brein. Bovendien: de Fin kon ook wel wat doen. Zoals het nu ging: Jorge werkte zich de tyfus, terwijl de Fin alleen orders gaf en alle kanten op filosofeerde. Commandeerde. Besloot. Maar het zou andersom eindigen. Jorge en Mahmud: ze hadden hun plannetje buiten de Fin om nu af.

Een ander probleemgebied in ontwikkeling: Viktor. Niet alleen dat achterlijke gedoe op de bijeenkomst – de gozer liep te prutsen met de dingen die Jorge hem had gevraagd. Hij zou werkhandschoenen, overals en dat soort shit regelen. In plaats daarvan zat hij elke keer dat Jorge hem te pakken kreeg te zeiken. Zei dat het bezig was uit de hand te lopen. Dat het te gevaarlijk was, te crazy. Te lange straffen zou opleveren als ze gepakt werden.

Vaak belde hij niet eens terug.

Na een paar dagen: de gozer verdween zeg maar van de kaart. Jorge belde twee, drie keer. Maar die Zwedo-lafbek belde domweg niet terug. Jorge praatte met Tom. Vroeg hem met zijn mattie te gaan lullen – ervoor te zorgen dat Viktor het begreep. Er was nog ongeveer twee millimeter van Jorges geduld over voor hij in de smoel van die amateur zou exploderen.

De dagen verstreken. Er gebeurde niets.

Jorge stapte uit. Onderbrak zijn overvalgedachten. Keek omhoog naar de flat van Paola. Vijfde verdieping. Hägerstensvägen. Örnsberg. Paola: was zo ver mogelijk bij haar geboortestreek Sollentuna vandaan gaan wonen. Een signaal: wilde laten zien dat ze zelf besliste. Maar Jorge vroeg zich af of ze mama vergeten was. Oké, ze zag haar vast vaker dan hij. Maar Jorge woonde in elk geval dichterbij.

Hij belde aan bij haar voordeur.

Hoorde geluiden binnen. Zag iets donkers voor het spionnetje in de deur.

Twee seconden later: ze deed open.

'Kom binnen,' zei ze.

Hij trok zijn schoenen uit. Liep de flat in. Er lagen legosteentjes en Playmobilonderdelen op de grond.

Jorgito kwam eraan gerend. 'Hoi, hoi, hoi. Kom gauw kijken!'

Jorge tilde de jongen op, gooide hem in de lucht, kuste hem op zijn wangen.

Zei dezelfde dingen in het Spaans als zijn moeder altijd had gezegd. '*¡Caramba, cómo has crecido!*'

Ze gingen de kamer van het jongetje in. Blauw behang met dieren. Op de vloer een kleed dat straten en huizen voorstelde. Overal plastic speelgoed.

Paola's sloffende stappen op de achtergrond.

Hij zette Jorgito neer. Keek Paola aan.

'Wat is er?'

'Hoezo?'

'Paola, probeer het niet. Jij kent mij misschien niet, maar ik ken jou wel. Wat is er aan de hand?'

Paola bukte. Pakte Jorgito's hand. 'Kom, we gaan naar de keuken.'

Haar gezicht strak.

Hij ging voor haar staan. Ze liep langs hem naar het aanrecht. Maakte een glas limonade voor Jorge junior.

Jorge ging weer voor haar staan. Pakte haar gezicht tussen zijn handen.

'Paola. Wat is er?'

'Ik ben vandaag ontslagen.'

Paola zag er verslagen uit. Stond op het punt in snikken uit te barsten. Ze liet de hand van haar zoontje los. Wilde waarschijnlijk niet dat hij haar zou zien huilen. Het jongetje keek op naar Jorge: 'Heb je vandaag een vliegtuig bij je?'

Jorge probeerde te lachen. De vorige keer dat hij hier was had hij een Playmobil-vliegtuigje bij zich gehad. Deze keer had hij een ander cadeautje.

Kut – hij had nou geen tijd voor familieproblemen. De WTO-planning slokte al zijn tijd op. Toch: hij wist hoe blij Paola was geweest met haar administratieve baan bij een IT-bedrijf. Bovendien: hij wist hoe zwaar ze het leven als alleenstaande moeder vond.

Hij gaf Jorgito zijn cadeau, een doosje lego. Volkomen ziek eigenlijk: 'Lego Racers 8199 – Ramkraak op de weg'. Hij las de tekst op de achterkant van het doosje. 'De gepantserde wagen moet stoppen voor een opgebroken weg – en wordt geramd door de boeven in hun groene supertruck die naar het geld op jacht zijn.'

Hij probeerde Paola te vragen wat er was gebeurd. Waarom uitgerekend zij weg moest.

Ze stonden even te praten. Gingen zitten. Het houten tafelblad had ronde vlekken van te warme theekoppen.

'Ik ben niet de enige die is ontslagen. Ze hebben overal bezuinigd. Er zijn regels voor dat soort dingen.'

'Maar op de afdeling Financiën dan?'

'We waren maar met zijn drieën, en ik werkte er het kortste. Last in, first out, noemen ze dat. Als ik niet binnen negentig dagen werk vind, wordt het moeilijk.'

Jorges feeling: hij had met haar te doen. Tegelijkertijd: gegarandeerd negentig dagen een werkloosheidsuitkering klonk best lekker. Ze was nu een negen-tot-vijf'er. Een deel van het systeem. En binnenkort: hij zou financieel onafhankelijk zijn – kon Paola overal mee helpen.

Hij sloeg zijn arm om haar heen. Zag beelden in zijn hoofd. Paola en hij samen. Mama's stereotoren aan. Cd-doosjes over de hele vloer. Paola graaide tussen de cd's. Las de teksten achterop. Probeerde Jorge uit te leggen waarom Janet Jackson en Mariah Carey de besten waren. Ze draaide nummers, zong de teksten mee: *'Oooooh, I'm gonna take you there, that's the way love goes.'*

Maar voor Jorge: zij: zijn grootste idool. In feite: het enige idool dat hij ooit had gehad.

Jorgito kwam de keuken weer in. Keek naar Paola. 'Ik heb de ramkraak nu gebouwd.'

Jorge zei: 'Dan kom ik kijken.'

Paola keek hem aan: 'Wat zeg je, Jorgito?'

'Ik heb de lego gebouwd. Een hele coole overval. De vrachtwagen rijdt tegen de auto met geld.'

Paola wendde zich tot Jorge. Zuchtte. 'Dat is niet oké.'

Jorge probeerde te grijnzen.

Paola zei: 'Je moet nu gaan. We moeten later maar praten.'

'Doe nou niet zo, hij is gek op lego. En ik beloof je dat het goed komt. Je hoeft je geen zorgen te maken.'

'Nee, je kunt gaan. En ik wil jouw geld niet. Dat past hier niet.'

Jorge stokte. 'Hoe bedoel je? Krijgen we dat ouwe gemekker weer. Ik dacht dat we dat gehad hadden.'

Paola op weg naar Jorgito's kamer. 'Je kunt mij niet onderhouden van je café, dat weet ik. Dus als je erover begint dat je wel wat voor me kunt regelen, dan gaat het over vuil geld. En dat willen we niet. Snap je dat nou nog niet?'

Normaal gesproken: Jorge een king. J-boy *the man* – de gast met scherp weerwoord en mega-flow in zijn successen. Nu: met stomheid geslagen. Stil als een gecrasht mobieltje. Pathetisch als een afgetuigde snotjongen in een kroeg.

Hij liep de hal in. Keek snel in Jorgito's kamer. Gedachten stuiterden door zijn harses: als Paola geen hulp wilde, moest ze ook niet zitten zeiken. Als zij zijn cash niet wou, dan zou Jorgito die ook niet krijgen. Als zijn floes te vuil was, dan was die lego ook te smerig. Ja toch? Hij zou de kamer in moeten gaan om Jorgelito's speelgoed mee te nemen.

Hij deed een stap de kinderkamer in. De jongen zat bij zijn bouwwerk. Wachtte op hem en Paola om te laten zien wat hij gemaakt had.

Zijn krullen, zijn glimmende, turende ogen. Een onbedorven mens.

Jorge deed een stap terug. De hal in.

Deed de voordeur open.

Sloeg hem dicht. Zo hard hij kon.

Op de terugweg: een megaklomp in zijn buik. Hij zette The Voice op. *Robyn* – zoals altijd op alle zenders.

Zijn mobiel ging. Hij dacht dat het Paola zou zijn, om sorry te zeggen.

Het was Tom Lehtimäki. Een kort gesprek, zonder namen of details. Volgens Jorges principes.

'We hebben problemen.'

'Wat dan?'

'Acht loopt te knoeien, ik heb geprobeerd wat je vroeg.'

'Hoe?'

'Gewoon allemaal lulkoek.'

'Kunnen we afspreken?'

'Ik ben thuis.'

'Oké, ik kom naar je toe. Nu.'

Jorge had het aan voelen komen. Die flikker van een Viktor liep te kloten. Die gozer probeerde van hen allemaal te profiteren.

Het was tijd om eens met hem te gaan praten.

Een dag later zaten ze weer in het huisje van Jimmy's ma. De stoelen op hun plaats. Het statief met het whiteboard opgezet. De zon buiten fel – de zomer was begonnen. Het zou een lange zomer worden, met zieke hoeveelheden cash.

Maar dan moest alles lopen.

Het einde kwam naderbij. Afgelopen week was er veel geregeld. Zo'n rottig Viktorretje zou hier niet op mogen freeriden. *No way in hell.*

Maar er waren ook grote dingen over. Het toegangshek. De kluis. De explosieven.

Hij nam de jongens in de blokhut op.

Mahmud: cafébroeder. Planningsbroeder. Wapenbroeder. De treurige donkere ogen met lange wimpers: net ondersteboven gekeerde halvemaantjes. De Arabier zag er moe uit.

Sergio: zijn eigen neef. Javier: latino. Allebei: hermanos – maar misschien hielden ze meer van roken dan van plannen. De laatste keer dat hij met Javier had gepraat: de gozer was zo ontzettend van de wereld geweest dat zijn roos op de maan sneeuwde. J-boy was zelf een schoorsteen geweest. Maar wat hem betreft: afgelopen met dat soort dingen. Toch liet hij ze hun gang gaan – hij had deze kills nodig. Plus: Javier was niet zomaar iemand – hij kende half Alby.

Robert: zwijgzaam. Deed zijn ding. Maar nam zelf geen initiatieven. Eigenlijk: wel lekker.

Jimmy: gedroeg zich ook oké. Enige nadeel – het was een mattie van Viktor.

Tompa: een talent met humor. Een technicus met gevoel. Had het tot nu toe perfect gedaan. Tegelijkertijd: hij eiste *mucho*. Wilde over elk detail meebeslissen. Zijn woordje doen. Zijn eigen stem horen. Maar Jorge dacht: die gozer mag zo doorgaan – zolang hij maar doet wat ik hem vraag.

Viktor daarentegen: de zwartrijder die al tijden geleden zijn excuses had moeten maken.

Jorge begon te praten. Nam kort door wat ze allemaal hadden geregeld. Lulde over het plan van aanpak, uitrusting, wapens. Nam data, tijden, tijdstippen door. De dagopbrengsten uit heel Stockholm werden geleegd in de serviceboxen van de banken, werden verzameld, opgehaald door bewakers en waardetransporteurs, kwamen terecht in het telcentrum van Tomteboda. En daar lag ook wat er de volgende dag weer uit moest.

Bovendien: in de kluis lagen de resten, het geld dat misschien niet verdeeld werd, dat er nog lag van de week ervoor. Vette extra voorraden cash.

De kills zagen er tevreden uit, hoewel Jorge zei dat hij nog steeds niet wist hoe ze door het toegangshek en in de kluis zouden komen.

Hij ging verder: 'Maar we hebben ook een ander probleem. Een megaprobleem. Ik kan er mijn bek niet meer over houden. Een van ons doet niet wat hij moet doen. Een van ons heeft absoluut schijt aan ons plan. Denkt alleen aan zichzelf. Als een klootzak.'

De jongens staarden hem aan. Alleen Tom en Mahmud wisten waar Jorge het over had.

Jorges hoofd: kookte.

'Een van ons wil dat alle anderen het werk doen en dat hij alleen van de voordelen profiteert. Zwartrijden met de metro, maar dit keer wil hij blijkbaar ook cashen.'

Jorges blik: op Viktor. Hij begon het te snappen.

Kon het nu net zo goed bekendmaken.

'Ik heb het over jou, Viktor. Je doet geen flikker. Je neemt zelfs je telefoon niet op. Snap je eigenlijk wel welke risico's de anderen voor jou hebben genomen?'

De anderen keken naar Viktor.

Ademden uit – opgelucht dat Jorge hun niet had bedoeld. Tegelijkertijd: vragende gezichten. Was het waar dat Viktor probeerde ze te gebruiken?

Jorges smoel: zijn slapen bonkten. Zijn spuug spetterde.

Zijn gedachten explodeerden: wie dacht die kleine Zwedo-*puta* wel niet dat hij was? Wie dacht die sukkel eigenlijk dat hij liep te naaien?

Jorge stond op. Verhief zijn stem.

Vulde aan: foute attitude, nonchalante loserstijl. Viktor: belabberde instelling tegenover de kraak. Naai-*approach* van de groep.

Viktor staarde alleen maar nijdig terug. Jorge probeerde het te snappen. De ogen van die gast stonden schijtsbenauwd. Toch liep hij te kutten. Wat was zijn fokking probleem?

Na een paar seconden: Jorge nam een adempauze. Staarde. Stond nog steeds. Priemde zijn blik in Viktors ogen.

Viktor zei: 'Ben je nou klaar? Want ik begin doodmoe van je te worden.'

'Zeg dat nog eens.'

'Ik zei dat je doodvermoeiend bent. Je bent zo'n enorme zak vol bullshit dat de stront uit je oren komt.'

Jorges humeur: volledig op tilt. Hij brulde. Deed een stap in de richting van Viktor. 'Kleine flikkerhoer!'

Viktor: flapte er iets arrogants uit. Stond op.

Ieders heibelalarm: op donkerrood niveau.

Mahmud stond ook op. 'Relax nu, Viktor.'

Viktor schreeuwde: 'Kom op dan, lafbek, kom op dan!'

Tom stond op. 'Viktor, ga zitten. Relax godverdomme.'

Te laat.

Jorge vloog de laatste meters. Als die rukker klappen wou kon hij die krijgen.

Alles borrelde in hem: Paola's gebrekkige dankbaarheid, Viktors houding, de problemen met het hek en de kluis die nog niet opgelost waren.

Hij duwde Viktor met volle kracht tegen zijn borst.

De gozer liep struikelend achteruit. Viel op de bank.

Jorge: op hem.

Bitchslapte de puta. Smack-smack.

Viktor probeerde Jorges armen weg te meppen. Wapperde als een meid.

Probeerde op te staan.

Jorge haalde uit: raakte de sukkel met een paar halfbakken stoten.

Daarna was het voorbij. Javier en Mahmud hielden hem vast. Houdgreep om zijn middel. Om zijn armen.

Viktors wangen waren zo rood als de blokhut van Jimmy's ma – de gozer riep scheldwoorden. Daarna draaide hij zich om.

Rende naar buiten.

Tien minuten later. Jorge was bedaard. Zat met Mahmud en Tom in de keuken. In een hoek: een oud fornuis – een jaartje of honderd. Zwart ijzer, initialen op de voorkant, allemaal tierelantijnen op de handgrepen. Jorge snapte niet waarom je zoiets niet wegdeed.

De anderen waren in de woonkamer blijven zitten.

Tom praatte zacht tegen hem: 'Jorge, volgens mij is Viktor echt schijtsbenauwd.'

'Waarom heb je hem hier verdomme dan bij gehaald?'

'Ik heb me vergist. Maar serieus, hij is echt bang.'

'Omdat we auto's in de fik gaan steken?'

'Nee. Weet je niet wie Viktor is?'

'Jawel, een vagina.'

Tom trommelde met zijn vingers op tafel.

Jorge zei: 'Wat is er?'

Tom stopte met trommelen. Wachtte een paar microseconden. 'Viktor heeft iets met de dochter van Radovan Kranjic.'

Jorge staarde hem aan.

Tom zei: 'Die gozer heeft enorme financiële problemen. Hij is schijtsbang dat onze actie naar de klote gaat. Maar hij is vooral bang voor zijn leven, hij is in een familie beland die écht gevaarlijk is.'

17

De lente was in volle hevigheid losgebarsten, ook in de gevangenis. Meer licht in de cellen, vogelgekwetter vanaf de muren, zwoele winden over de luchtplaats. Je merkte het altijd goed aan de gedetineerden, zei Esmeralda. Minder humeurig 's ochtends, een rusteloosheid in hun lichaam en meer schunnige opmerkingen. Als warming-up voor de wedstrijd, zeg maar.

Maar nu: de stemming was ver onder nul. Volgens Esmeralda waren er te weinig fans op de tribune en heerste er een rotsfeer in de ploeg.

Een koud conflict in de inrichting, dat op elk moment kon ontaarden in een algehele oorlog. Weer. Het gevecht in JW's cel: Buis had klappen gekregen van Omar en co. Getikte Tim had er ook flink van langs gekregen van de president. En JW had zoveel slagen met de stoelpoot moeten incasseren dat hij een tand moest laten herstellen, twee hechtingen in zijn wenkbrauw kreeg en acht in een bovenbeen, en vier dagen door een verpleegkundige verzorgd moest worden.

Hägerström was tevreden over zijn aanpak. Torsfjäll was nog tevredener. Hij had aan wat touwtjes getrokken zodat Buis en Getikte Tim werden overgeplaatst. Dat hoorde bij de procedures. Als er ernstige conflictsituaties ontstonden, werden de ruziezoekers uit elkaar gehaald. De een werd acuut overgeplaatst, de ander moest misschien een paar weken naar de isoleer. Of ze werden op een andere manier gestraft. Trokken de luchtverloven in, of, de ergste dreiging van allemaal, de vi's. Ze werden niet voorwaardelijk vrijgelaten nadat ze twee derde van hun tijd hadden uitgezeten. Voor JW zou dat betekenen dat hij nog twee jaar achter slot en grendel moest zitten.

Essentieel was dat Omar Abdi Husseini hier bleef, dat hij niet naar een andere instelling of afdeling werd overgeplaatst. En JW moest ook blijven. Twee vechterige haantjes in hetzelfde kippenhok.

Met andere woorden: JW zou alleen achterblijven met zijn nieuwe aartsvijand. Hij zou doodsangsten uitstaan. Hij zou piekeren. Bovendien miste hij ongetwijfeld zijn papieren en telefoon.

Nu zou hij iets van Hägerström willen.

De dagen verstreken. Hägerström werkte als een bezetene, draaide elke dienst die hij kon krijgen. Hij wilde continu op de afdeling zijn.

JW hield zich nog afzijdiger dan voor het conflict. Zat vooral op zijn cel. Tijdens de lunchpauzes hield hij de jongere gozer, Charlie Nowak, constant in zijn buurt. Maar de indruk die ze wekten was anders dan voorheen. Charlie Nowak probeerde de situatie meester te worden. Lijfwacht te spelen voor JW, controle te krijgen. Maar zonder Buis en Getikte Tim ontbrak de vanzelfsprekende kracht, de zwaargewichten.

De angst voor meer aanvallen hing in de lucht, hoewel niemand dat wilde laten blijken.

's Avonds dacht Hägerström replieken uit. Schreef alternatieve scripts. Probeerde uit te dokteren hoe JW dacht. Ze wisten dat hij eerder gebruik had gemaakt van de bewaarder Christer Stare. De vraag was alleen hoe.

Binnenkort zou Hägerström het weten. Hoopte hij.

Hij mocht nog een weekend met Pravat doorbrengen. Ze lunchten samen bij grootmoeder Lottie thuis. Zelfgemaakte gehaktballetjes met macaroni voor Pravat en kalfsfilet met ovenaardappels voor Martin en zijn moeder. Ze zaten in de eetzaal. Er lag een geruit tafelzeil op tafel. Op Pravats schoot een stoffen servet.

Lottie wees naar het tafelkleed: 'Dat heb ik gisteren speciaal voor het mannetje gekocht.'

Hägerström schoot in de lach. 'Echt alleen voor Pravat?'

Lottie legde haar bestek neer en veegde haar mond voorzichtig af met haar linnen servet. Martin zag aan haar dat er nu iets zou komen.

'Vanwaar je huidige gebrek aan kapsel, als ik zo vrij mag zijn?'

Een paar weken geleden had Martin al zijn haar afgeschoren. Voor zover hij zich kon herinneren had niemand in zijn familie er ooit zo uitgezien.

'Dat is makkelijker.'

Zijn moeder keek hem aan. Sneed een ander onderwerp aan. 'Martin, waarom kwam je hier zo zelden toen papa nog leefde?'

De vraag overviel hem. Normaal gesproken hield de moeder van Martin Hägerström zich aan een gouden regel: begin nooit ongemakkelijke discussies binnen de familie. Ze had indertijd veel van zijn vader getolereerd. Meerdere dagen per week diensten van vierentwintig uur, krankzinnige woedeuitbarstingen en wellicht buitenechtelijke affaires. Maar en plein public maakte ze geen ruzie. Hij had haar nooit op papa horen mopperen. Over haar lijk dat er vanwege haar onweerswolken boven de familie zouden verschijnen.

Ongemakkelijke vragen hoorden volgens zijn moeder niet thuis in de familie Hägerström. Maar wat ze zojuist had gezegd was anders. Misschien kwam het doordat zijn vader overleden was. Doordat ze alleen met Martin was.

Martin wist niet wat hij moest zeggen. Hij zou het waarschijnlijk het beste gewoon kunnen vertellen. Hoe naar het was geweest om zijn vader sinds de scheiding van Pravats moeder onder ogen te komen. Hoe hij met een vreemde blik naar hem gekeken had.

Onder de vrienden van zijn ouders kwamen scheidingen niet voor. Hägerström wist dat een van Carls vrienden was gescheiden, maar hij kwam er op dit moment niet op wie dat was. Tegelijkertijd moest zijn moeder wel begrijpen dat hij zich beter voelde zonder Anna, hoewel niet zonder Pravat.

Het leven van Hägerström en Anna was zo vol geweest van het project om kinderen te adopteren, dat ze niet hadden gemerkt hoe weinig gemeenschappelijks ze verder hadden. En hun seksleven was een aanfluiting. Maar dat was al die tijd al zo geweest.

Maar nu, met Pravat erbij – het ging niet.

Aan de muren in de eetzaal hingen enkele van de mooiste schilderijen uit de verzameling van zijn vader. Een Miró en een Paul Klee. Het laatstgenoemde stelde een aantal viaducten voor die in beweging waren gekomen. Ze marcheerden, rukten op, kleurrijk, langbenig. Gebouwen die zich voortbewogen – het was een bizar protest. Het oproer der bruggen, de revolte der viaducten. Misschien voelde zijn moeder zich nu ook zo. Een gebouw dat zijn hele leven had stilgestaan, onwrikbaar in zijn betonnen structuur – dat eindelijk een stap zette.

Op maandagochtend bracht hij Pravat direct naar de crèche. Hägerström was de rest van de dag vrij. De gevangenisdirectie had hem gedwongen een dag vrij te nemen omdat hij de laatste tijd zoveel had gewerkt. Hij lunchte met zijn broer bij Prinsen. Hij kocht twee overhemden en een spijkerbroek bij NK.

’s Avonds zat hij op de bank in de woonkamer. Zapte. Het journaal. *CSI Miami.* Talentenjachten: *American Idol, Top Model, Let’s Dance,* elke geluk-zoekende-nul-die-iets-wil-worden-jacht. Hij kende de programma’s niet, maar wist dat hij ze niet wilde zien. Hij bleef hangen bij een documentaire over Rusland: vroegere KGB-soldaten in moordpatrouilles die dissidente journalisten executeerden.

Hij liep de keuken in. Stopte een cupje in zijn Nespresso. Livanto, koffie-intensiteit met een geroosterde smaak. Hij luisterde naar het gezoem van het apparaat. Nam de koffie mee terug naar de televisie.

De documentaire deed hem terugdenken aan zijn diensttijd. De kustjagers moesten de grens van het land verdedigen, maar vooral guerrilla-activiteiten ontplooien als het land binnengevallen werd. Het was de tijd waarin de Russen als een serieuze bedreiging van Zweden werden beschouwd.

Zijn koffie was op. Net als drie glazen bordeaux. Hägerström was niet gewend aan deze hoeveelheid vrije tijd.

Hij overwoog wat hij zou doen. Ergens was het zonde om gewoon thuis te zitten, zonder ook maar iets goeds op televisie te vinden, nu hij eenmaal in de stad was. Hij kon een dvd’tje gaan kijken. Hij kon foto’s van Pravat bekijken en wegdromen. Hij kon naar bed gaan en proberen te slapen. Of hij kon iemand bellen en wat gaan drinken in de stad. De vraag was wie. Hij was achtendertig en het was geen weekend. Al zijn vrienden waren ofwel getrouwd en hadden kinderen of waren gescheiden – maar hadden ook dan kinderen. Hoe groot was de kans dat ze spontaan een biertje konden gaan drinken? Hij wist hoe het werkte. Als je met iemand de stad in wilde, moest het afgesproken zijn, vaak al weken van tevoren. De enige die hij kon verzinnen die misschien zin had om de Stockholmse nacht in te gaan om wat te gaan drinken, was Thomas Andrén, zijn vroegere collega. Hij had nu weliswaar ook een kind – ook een geadopteerde zoon – maar hij zei nooit nee. Aan de andere kant hadden ze elkaar al meer dan twee jaar niet gezien. En bovendien werd er gefluisterd dat hij tegenwoordig voor de andere kant werkte. Hägerström voelde vanavond niet voor hem.

Een uur later zat hij alleen in de Half Way Inn aan het plein Mariatorget. Zijn stamkroeg.

Aan het begin van zijn carrière had hij op het politiebureau in de buurt gewerkt. Met een paar collega's gingen ze hier na het werk vaak een paar biertjes drinken, meestal op vrijdag, maar soms ook doordeweeks. Het was niet Hägerströms soort kroeg. Maar toch: een biertje of een glas wijn in de Half Way Inn na het werk en zijn hoofd voelde beter.

En er was nog iets. De Half Way Inn lag in Södermalm. Voor Hägerström was dat radicaal. Toen hij klaar was op de politieacademie was hij er zelfs naartoe verhuisd. Een flatje bij Hornstull. Hij zag de gezichten van zijn moeder, vader en broer toen ze ontdekten waar dat lag nog voor zich. 'Söder – waarom in godsnaam?'

Inmiddels was Hägerström tot bedaren gekomen. Hij ging nog steeds liever uit in Söder, maar woonde in Östermalm. Hij hoefde zich niet meer af te zetten. Hij koos gewoon wat het beste functioneerde, en Östermalm was toch thuis.

De Half Way Inn was een klassieke Britse pub met nautisch thema. Een ouderwets bord boven de bar: HARDY & CO FISHING RODS. Een plastic zwaardvis aan het plafond. Een messing reling langs de bar. Aan de muren groen behang met Schotse ruit en foto's van Hooglanders, bagpipers en boten. Op de vloer lag ranzige vaste vloerbedekking, geïmpregneerd met gemorst bier.

Op de tap: Samuel Adams, Guinness, Kilkenny. En – hoewel Frans meestal niet werkte bij deze stijl – Pelforth in alle smaken: *brune*, *blonde*, *ambrée*.

Het publiek was gemengd. In de hoek links van de deur bij het raam zaten altijd de oudere mannen: ongeschoren, beetje vadsig, heel dronken. De oorspronkelijke bevolking van Södermalm. Van voor de wijk hip was geworden. Aan de tafel in het midden, voor de bar, zaten gewone vaders en moeders, vrienden en collega's. Dronken een biertje, relaxten, bespraken het leven. En helemaal achterin, bij de digitale jukebox, zaten de trendy urbane types. Hägerström had hun kledingstijl door de jaren heen zien veranderen, maar nooit varieerden ze ten opzichte van elkaar. Een beige chino, witte sneakers en volle baarden voor de mannen. Hoeden en tatoeages voor de vrouwen. De mode kon er hier in Söder blijkbaar maar op één manier tegelijk uitzien, net als bij zijn eigen broer en diens vrienden – ze waren gekloond.

Twee uur later vertrok hij.

Draaiende gevels. Rode tanden. Wijnsmaak tegen zijn gehemelte. Het was halfeen.

De barkeeper was bezig de tafels op het terras aan elkaar te ketenen en af te sluiten. Hij schoof de kunstplanten van de pub naar de muur en keek Hägerström aan: 'Zal ik een taxi bellen?'

Hägerström schudde zijn hoofd. Hij was niet van plan naar huis te gaan. Hij wilde neuken.

De Side Track Bar lag naast de Half Way Inn.

Er was geen rij.

Een portier knikte, liet hem binnen.

De begane grond was piepklein. Hij nam de trap naar beneden. Boven de trap hing een kleurrijke vlag. Hägerström hield de reling stevig vast. Leunde lichtjes achterover, probeerde zijn evenwicht te bewaren. De trap draaide en Hägerström draaide mee. Tree voor tree.

Een grote ruimte. Kristallen kroonluchters aan het plafond en kaarsen op de tafels. De ruimte stond vol tafels met geruite kleden, restaurantgasten en een hoog geluidsniveau. Niemand lette op hem.

Hij liep verder naar binnen.

Daar was het schemeriger. Een lange bar voor hem.

Ze draaiden Abba.

Het plafond was hier laag. Een kristallen bol draaide langzaam boven de bar. Rood licht werd in duizend kleine, rode puntjes in de ruimte weerkaatst. Meer naar achteren zag hij nog een vertrek en een dansvloer met zwarte wanden.

Recht voor hem stonden groepjes mannen. Mannen in mouwloze T-shirts. Mannen in spijkerbroek, met sieraden. Hägerström keek naar beneden. De vloer bestond uit groene mozaïektegels. Hij keek naar zijn voeten. De mozaïek had de kleuren van de regenboog. Iemand raakte zijn schouder aan. Hij keek op. Zag twee lichte ogen.

'Ben je bijziend?' De man glimlachte.

Hägerström glimlachte terug. 'Nee, ik wilde alleen aandacht.'

'Dat is gelukt.'

De kerel had een kale schedel en een baard. Hij sloeg zijn arm om Hägerströms middel. Nam hem mee de ruimte in.

Hägerströms ruggengraat spoot signalen uit. Sterke synapsen. Stuurden kriebels door zijn hele lichaam.

Ze draaiden Lou Reed. '*Said, hey baby. Take a walk on the wild side.*

And the coloured girls go doo do doo do doo do do doo.'

Hägerström ging met de man met de baard mee naar de dansvloer.

De kristallen kroonluchter draaide traag.

'Doo do doo do doo do do doo.'

Het was halfdrie. Hägerström en de man wankelden de straat op.

Hägerström hoorde een stem: 'Hallo?'

Hij draaide zich om. Focuste zijn blik.

Achter hem stond een van de beste vrienden van zijn broer, Fredric Adlercreutz, gekleed in een donkere lange jas en een smoking.

Hägerström groette terug. 'Wat doe jíj hier?' Gebruikte de toonval van zijn broer als Söder ter sprake kwam.

Fredric zei. 'Hoe bedoel je?'

'Ik bedoel, hier in Söder, wat anders?'

'Ik ben naar een herendiner geweest.' Fredric keek weg. Hij wist waarschijnlijk niet hoe hij zich moest gedragen nu hij Hägerström net de hand van een man had zien vasthouden. Beleefd als altijd.

Er kwam een taxi voorrijden. Hägerström greep zijn kans. Trok de man met de baard mee en stapte in. Hij kon Fredrics gezicht niet loslaten. Het was niet de eerste keer dat iemand hem in zo'n situatie zag, maar het was elke keer weer een beetje vervelend.

Daarna dacht hij: herendiner in Söder? Misschien had Fredric Adlercreutz eigenlijk op het punt gestaan dezelfde kroeg in te gaan als waar Hägerström net uit kwam. Aan de andere kant, waarom had hij er dan voor gekozen hem te groeten?

Ze lieten zich afzetten bij de woning van de man aan de Torsgatan. Hij heette Mats. Ze begonnen al in de hal.

Trokken elkaar de kleren van het lijf. Streelden elkaars armen, borst, nek.

Mats rook naar parfum dat hij de hele dag al ophad.

Ze stortten zijn slaapkamer in. Het bed was onopgemaakt. Aan de ene wand hingen foto's van zijn kinderen, aan de andere hing een huisjasje aan een haakje.

Mats zat in de pr, zei hij.

Mats pijpte Hägerström op de rand van het bed.

Mats zag zijn kinderen om het weekend.

Mats pakte glijmiddel. Stopte zijn vinger in Hägerströms kont.

Mats zei dat hij Hägerström eerder in de Side Track Bar had gezien.

Mats stopte zijn pik in Hägerström.

Ze kreunden allebei.

Het was sensationeel lekker.

Terug in de gevangenis. Op een ochtend na het ontbijt klopte Hägerström op JW's celdeur. De jongen barricadeerde zich daar, maar voor bewaarders kon je je natuurlijk niet opsluiten.

Hägerström nam JW op. De hechtingen in zijn wenkbrauw waren nog steeds zichtbaar. Het blonde haar was minder stevig achterovergekamd dan anders – het hing meer in slierten langs zijn oren. Toch zag hij er redelijk rustig uit.

Geheel volgens plan. Precies zoals Hägerström het wilde hebben.

Hij ging op de rand van JW's bed zitten.

'Hoe is het er eigenlijk mee?'

JW zat op zijn stoel, een laptop voor zich op tafel. 'Je bent redelijk nieuw hier, Hägerström, maar je weet wat er is gebeurd. Het is een deel van het leven hier binnen, maar dat betekent nog niet dat het leuk is.'

'Ik begrijp het. En jouw mannen zijn overgeplaatst.'

Hägerström had goed nagedacht over de woordkeuze: 'jouw mannen'. Een teken van de voorwaarden van het gevangenisleven. Je had er je mannen, je gemeenschap – in JW's geval: je beschermers.

'Ja, ze hebben een acuutje gekregen. Sneu, het waren goeie kerels.'

Hij ademde, net als andere noorderlingen, in terwijl hij ja zei. Hägerström meende ook spoortjes Västerbottens in zijn uitspraak te horen, typisch dialect.

Hij zei: 'Weet je, ik heb een voorstel.'

Hij stond op, liep naar de deur van JW's cel. Duwde hem voorzichtig dicht. Ging weer op de rand van het bed zitten.

'Abdi Husseini zit hier nog. Zijn mensen zitten hier nog. Jij zit hier nog, alleen. Dat is geen goede combinatie, zal ik maar zeggen. Als kat en muis. Maar ik kan ervoor zorgen dat hij wordt overgeplaatst.'

JW zette zijn computer aan. Langzaam, aandachtig. Duidelijk dat hij heel goed luisterde.

Hägerström ging verder. 'Jij kent me niet, maar ik heb goede contacten. Goeie relaties binnen het gevangeniswezen. Een paar telefoontjes en het is geregeld. Abdi Husseini vertrekt hier en jij hoeft je geen zorgen te maken. Hoeveel maanden heb je nog?'

'Bijna drie.'

'Oké, een kleine drie maanden met Omar. Of drie lekkere, ontspannen maanden zonder die gek.'

'Dat laatste klinkt het prettigst.'

'Dus wat kies je?'

JW smilede. Een scheef lachje. Een businesslachje. Hij begreep het – alles is uiteindelijk een kwestie van prijs. Dat was immers ook zijn basishouding.

'Wat wil je hebben?'

Hägerströms antwoord kwam bliksemsnel: 'Vijftienduizend.'

JW speelde hem net zo vlug weer terug. 'Tienduizend. En hoe snel kun je hem wegtoveren?'

Hägerström hoorde zijn eigen overwinningskreet in zijn hoofd. 'Binnen vier dagen, denk ik. Maar dan wil ik vijftien hebben.'

JW lachte even. Zijn tanden waren wit en glanzend als die van Torsfjäll.

Hij zei: 'We hebben een deal.'
Hägerström dacht: nu heb je gehapt.
Nu hoef ik je alleen nog maar binnen te halen.

18

De ochtend na de begrafenis: Natalie zat in de fauteuil in haar kamer. Bekeek haar spiegelbeeld in de uitgeschakelde tv.

De tv die ze van papa had gekregen.

Eigenlijk zou ze in de stad moeten afspreken met een vriendin. Een wandeling maken met mama. Sporten. Of een film downloaden. Iets doen.

Maar niets werkte.

Vanmiddag zou ze Stefanovic zien. Het briefje dat ze na de begrafenis van Goran had gekregen: geen vraag, een bevel. Hoewel hij niet in de positie was Natalie te commanderen. Niemand besliste over haar – papa's medewerkers hoefden alleen hun bek maar te houden en te gehoorzamen. Maar toch: ze wilde Stefanovic op het moment graag zien. Kijken hoe het met hem ging, horen wat hij te zeggen had.

Ze bleef in de fauteuil zitten. Hetzelfde spiegelbeeld op het zwarte scherm van de televisie. Dezelfde zinloosheid.

De foto van papa – toen hij jong was – aan de muur.

De diamanten oorbellen van Tiffany's die ze van papa had gekregen op haar nachtkastje.

Papa.

Ze zag keer op keer dezelfde beelden langsflikkeren in haar hoofd.

De donkerblauwe BMW aan de overkant van de straat. Papa's stem uit de auto. De vlammen. De geur van verbrand leer en mensenhuid.

Daarna hoorde ze een geluid. Een irritant, aanhoudend geluid binnenshuis. Dat was het waarschuwingssignaal van het hek. Iemand was onderweg naar het huis. Iemand die ervoor gekozen had zich niet te melden bij de intercom.

Mama en Patrik leken het niet te horen. Het alarm bleef loeien. Het was pas tien uur.

Even overwoog ze naar de schuilkamer te rennen. Maar dat leek haar overdreven. Ze zou eerst op het schermpje moeten kunnen checken wie het was.

Er werd aangebeld. Wie het ook mocht zijn, hij of zij stond nu blijkbaar voor de deur en wilde naar binnen.

Ze stond op. Het T-shirt dat ze droeg had ze al sinds haar veertiende. Het was zo vaak gewassen dat het zo zacht als zijde was.

Ze liep de hal in. Keek op het bewakingsscherm. Voor de deur stonden drie mannen die ze niet kende. Ze zagen er niet uit als moordenaars.

'Zie jij wie het zijn?'

Natalie draaide zich om. Patrik stond achter haar.

'Nee, ik heb geen idee. Ze zijn met zijn drieën. Zal ik het vragen?'

'Nee, ik regel het. Ga weg uit de hal, Natalie, tot ik weet wie het zijn.'

Natalie ging de keuken in.

Ze hoorde Patriks stem.

'En wie zijn jullie?'

Het blikkerige geluid van de intercom bij de deur. 'Wij zijn van de politie.'

In elk geval niemand die eropuit was hun fysiek schade toe te brengen.

Ze hoorde Patrik de deur opendoen.

Natalie wilde naar ze toe gaan om ze te groeten. Voor ze de hal binnenstapte, hield ze een seconde halt. Een lichamelijk gevoel – toch beter om voorzichtig te zijn.

Ze hoorde hun stemmen.

'We zijn van de afdeling Financiële Delicten.'

'Aha, en voor wie komt u?'

'We komen voor niemand. Mag ik vragen hoe je heet?'

'Ik heet Patrik Sjöquist.'

'Zou je je alsjeblieft willen legitimeren?'

Geritsel. Natalie stond op scherp. Deze smerissen leken niet gekomen te zijn om haar te verhoren, niet om de moord op haar vader op te lossen. Ze wilden iets anders.

Ze hoorde ze zeggen: 'We gaan de administratie van Radovan Kranjic bekijken. Boekhouding en dergelijke. Zou je ons alsjeblieft willen laten zien waar hij dat soort dingen bewaarde, dan redden we ons verder zelf wel.'

Patrik was niet zo pseudobeleefd. 'Dan zitten jullie helemaal verkeerd. Dat soort dingen liggen hier niet. Papieren en dergelijke bevinden zich in de kantoren van zijn bedrijven en bij accountants. Daar moeten jullie maar heen. Hier woont zijn familie. En zij zijn in de rouw.'

Natalie probeerde snel in te schatten wat er gebeurde. Ze wist niet of papa boekhouding en dergelijke thuis had. Maar ze wist dat wat ze ook wilden, zij niet wilde dat dat zou lukken.

In de hal hoorde ze hoe Patrik zich bleef verzetten.

Ten slotte, een arrogante smerisstem: 'Zeg, kalmeer een beetje. Wij bepalen of we hier iets kunnen vinden of niet. Als je niet ophoudt, zijn we genoodzaakt om versterking te halen.'

Natalie had genoeg gehoord. Liep de keuken in. Op de gang: ze luisterde of ze politiestemmen hoorde. Er zaten nu een paar kamers tussen hen en haar.

Ze liep langs de kamer van haar ouders. Die was leeg. Een twee meter hoog ledikant – een hemelbed maar dan zonder hemel. Het kingsize bed was opgemaakt met een paarse zijden sprei met in het midden een groot geborduurd Kranjic-embleem.

De vaste vloerbedekking dempte haar stappen.

Ze liep langs mama's badkamer, de televisiekamer, haar eigen kamer. Een hoek om. Ze liep langs de logeerkamer waar Patrik sliep. De deur naar de bibliotheek en papa's kantoor drie meter verderop.

Nu hoorde ze Patriks verontwaardigde stem in de verte. Goed, hij lag nog steeds met de juten in de clinch.

Ze deed de deur van het kantoor open. Het massief eikenhouten bureau had een grote, lederen bureauonderlegger. Daarop lagen een stapel papier onder een presse-papier met het Kranjic-wapen, een dichtgeklapte laptop en een pennenbak – in veel pennen stond het embleem gegraveerd. Op de vloer lag een Perzisch tapijt en er stonden siervazen. In de boekenkast: boekhoudkundige boeken, stapels papier, ordners.

Natalie had geen tijd om te kiezen. Als een goed afgerichte hond bewoog ze zich naar haar doel: de boekenkast. Ze rukte er zoveel ordners uit als ze maar kon dragen. Duwde de deur met haar voet open. Keek nog een keer het kantoor in. Op het bureau lag een opengeslagen ordner. Daar moest papa op het laatst mee bezig zijn geweest.

Ze legde de ordners die ze droeg op het bureau. Ze kon er zeven tillen als ze ze op haar beide armen laadde. Als ze genoeg tijd had zou ze terugkomen om er meer te halen. Ze liep het kantoor uit. De gang door.

Ze hoorde stemmen.

Smerisstemmen.

Kutstemmen.

Natalie deed de keukendeur open. Ging via de achteruitgang naar haar auto. Hoopte dat die kloteagenten haar niet zagen.

Ze reed naar de stad. Belde Louise om te vragen of ze langs kon komen. Lollo was niet thuis. Ze belde Tove. Reed met de ordners naar haar toe.

Ze zat weer in haar auto. Had een middagdutje gedaan. Met Patrik gepraat, die haar garandeerde dat er niets aan de hand was. Hij zei dat alles wat belangrijk was bij de accountant van haar vader zou moeten staan, bij Mischa Bladman van Accountant Advies BV.

De smerissen hadden papa's kantoor ontruimd. Natalie zei niet dat ze zeven ordners had meegenomen.

Nu was ze op weg naar het Söderziekenhuis, waar Stefanovic inmiddels lag. Tijd voor een gesprek.

Ze was ruim op tijd. Reed door de stad. Langs Norrtull. De Vanadisrotonde met al die irritante zebrapaden waar mensen zo de straat op renden. De stad was nog niet tot rust gekomen.

Ze reed over de Karlbergsvägen. Keek de Sankt Eriksgatan in. Ze kon tot over de brug naar Kungsholmen kijken, bijna tot aan de Fleminggatan. Een ongewoon lang stuk in het vizier. Een snee door de stad. Een slagader die leven in Stockholm pompte. Papa's territorium. Haar territorium.

Ze parkeerde de Golf op een bezoekersparkeerplaats bij het ziekenhuis. Vergat haast haar auto op slot te doen. Drukte op haar sleutel toen ze twintig meter verderop was. Ze hoorde de sloten dichtklikken.

De hoofdingang was groot. Ze nam de mensen op. Oude mannetjes met rollators, zevenjarigen in het gips met hun moeder, Somalische vrouwen in laag na laag sluiers, ondanks de zon buiten. Natalie had geen idee hoe ze bij Stefanovic' afdeling moest komen. Ze was bang om te verdwalen.

Maar dat was niet het enige. Ze was ook bang dat ze dit niet aan zou kunnen. De ontmoeting met Stefanovic was niet het enige. Er gebeurde voortdurend van alles. Eergisteren: naar de politie voor verhoor over de moord. Ze wilden weten wat ze had gezien in de straat waar hij werd opgeblazen. Gisteren: de begrafenis. Vandaag: de paniekredding van de ordners terwijl de smerissen eraan kwamen. En elke dag sinds papa was vermoord: drammerige journalisten die haar commentaar wilden. Wat dachten die klootzakken nou, dat ze het met hén over haar gevoelens zou hebben?

Afdeling 43.

Ze liep door de gang. Voor een van de kamers zat een gast van een jaar of vijfentwintig. Natalie kende hem niet, maar ze kende de stijl: trainingsbroek, een trui met rits waar BUDO NORD op stond, extra veel spieren en een argwanende blik. Dat moest een van papa's mannen zijn.

Ze knikte naar de jongen. Hij stond op en deed de deur open. Natalie ging naar binnen.

Een lichte kamer. Raam met uitzicht over het water van de Årstaviken. Gebloemde gordijnen en lichte meubels. Structuurbehang, linoleumvloer en honderd procent ziekenhuisgevoel.

In het bed tegen de muur zat Stefanovic, ondersteund door kussens.

Goran, Marko, Milorad en Bogdan zaten op stoelen. Eén stoel was leeg.

Stefanovic zag bleek. Verder zag ze geen sporen van de explosie. Ze kon haast niet naar hem kijken – het deed haar veel te veel aan papa denken.

'Dobrodošao.'

Stefanovic bleef liggen. De andere mannen stonden op, kusten haar om beurten op haar wang.

Natalie ging op de vrije stoel zitten.

Stefanovic schoof nog verder omhoog in de kussens en zei in het Servisch: 'Goed, iedereen is er. Dan kunnen we beginnen.'

Hij wendde zich tot Natalie. 'Je kunt je mobieltje beter uitzetten.'

Natalie keek in zijn bleke ogen. 'Die heb ik al heel lang niet meer aan gehad. Die klotejournalisten.'

'Ik begrijp het.'

Hij zag er dodernstig uit.

'Ik waardeer het zeer dat we elkaar zo snel konden ontmoeten. Op de eerste plaats wil ik zeggen dat ik van veel kanten heb gehoord dat het gisteren heel waardig is verlopen. Een belangrijke manifestatie voor ons. Veel sterke personen aanwezig. Dmitrij Kostic, Ivan Hasdic, Nemanja Ravic. Magnus Berthold, Joakim Sjöström en Diddi Korkis, om er een paar te noemen. Ik vind het erg fijn voor je, Natalie.'

Stefanovic' opmerkingen waren vreemd – het ging meer over de gasten dan over de ceremonie zelf. Maar Natalie zei niets. Liet hem uitpraten.

'En nu moeten we met de werkelijkheid aan de slag. Het betreft twee dingen. Ten eerste moeten we de middelen van Kum redden. De financiële politie is bij de familie thuis geweest en heeft ook bij de accountant de boekhouding opgevraagd. Als ik niet in deze situatie had verkeerd, had ik die ordners dagen geleden al opgehaald, maar nu is het te laat. Het bedrijf zal binnenkort zonder twijfel vervelende brieven van de belastingdienst krijgen. Natalie, ik wil zeggen dat jullie als erfgenamen hetzelfde kunnen verwachten. Er zijn bankrekeningen in tal van landen die we moeten onderzoeken en veiligstellen. Ik weet wel een goede notaris voor jullie.'

Stefanovic vervolgde: 'We maken ons op om alle motherfuckers die denken dat we uitgeschakeld zijn, aan te kunnen. Ik verzeker jullie, de jochies buiten denken dat we zullen gaan liggen om te creperen, alleen omdat Kum Rado is overleden. Ik neem aan dat jullie allemaal al opgeroepen zijn voor verhoor. Ze zijn in elk geval langs geweest om mij te verhoren en ik had de stellige indruk dat ze deze zaak niet diepgaand willen onderzoeken. Jullie weten ook dat de politie geen flikker doet. Ze willen de moordenaar niet vinden. Integendeel, ze zijn er blij mee dat Kum is overleden en zien de verhoren als een manier om informatie uit ons te krijgen. En ze willen dat er oorlog in deze stad ontstaat zodat alle partijen verzwakken.'

Natalie luisterde. De mannen bespraken de kwesties die Stefanovic had aangesneden. Goran en de anderen brachten hun visie in. Hadden het over plannen. Allianties. Analyseerden: wie zijn vrienden en wie zijn vijanden.

En al die tijd kon het Natalie niet ontgaan: Stefanovic zat in bed te donderen als een baasje. Leek te denken dat hij de nieuwe papa was.

Ze dropten namen van bendes, buitenwijken en gevangenissen. Ze lulden over amfetamineleveranties, portiersbedrijven en buitenlandse wapenleveranciers. Ze hadden het kort over de bedrijven. Delegeerden taken. Hoopten dat Mischa Bladman zo veel mogelijk materiaal zou redden. Ze zei nog steeds niets over de ordners die ze achterover had gedrukt.

Natalie was van de meeste zaken op de hoogte. Maar sommige dingen waren nieuw voor haar. Ze liet de mannen praten. Hield zich onwetend. Luisterde.

Leerde.

Een uur later beëindigden ze de bijeenkomst.

Ze voelde zich moe. Draaierig. Verdwaasd. Dat ze hier überhaupt bij had mogen zijn – een nieuwe feeling. Tegelijkertijd: Stefanovic' houding was vreemd.

Goran liep met haar mee naar de auto.

Hij sprak nu Zweeds: 'Hoe is het met je, meisje?'

'Prima,' loog ze. 'Goed dat ik erbij kon zijn.'

'Dat leek me het beste.'

'Dank je. Binnenkort moet ik weer naar een verhoor.'

'Aha. Dan wil ik dat je aan een paar dingen denkt.'

'Waaraan?'

Goran vertelde hoe ze zich naar zijn idee het beste kon gedragen. Geen antwoord geven op irrelevante vragen. Niet speculeren over eigen hypotheses: 'Je kunt ze toch niet helpen om de moordenaar van Kum te vinden.'

Daarna stelde hij voor dat ze alle verhoren zou opnemen op haar iPhone.

Natalie vond dat een raar idee.

Goran zei: 'Nee, dat is geen raar idee. Als ze hun werk niet doen en de moordenaar van je vader niet vinden, moeten we de zaken misschien in eigen hand nemen.'

Ze beloofde erover na te denken.

Goran zei: 'Het is belangrijk dat je erbij was. Jij bent de dochter.'

'Hoe bedoel je?'

'Jij bent Rado's dochter. Je bent de erfgename. Ik heb gehoord wat Kum toen zei in het ziekenhuis. Begrijp je? Ik heb het gehoord.'

'Ja, daar moeten we het een andere keer maar over hebben.'

'Absoluut. En weet je, je zou een nieuw mobiel nummer moeten nemen. En als je dat hebt gedaan, kun je me het nummer doorgeven via Patrik. Bel niet.'

'Goed, ik zal niet bellen.'

'En nog één ding.'

Natalie vroeg zich af wat er zou komen. Ze was nu zo moe.

'Hebben je moeder en jij inzicht in de omvang van de nalatenschap?'

'Ik niet zo goed, maar ik heb gehoord wat Stefanovic zei. Ik heb me er nog niet toe kunnen zetten. Maar we zullen een advocaat in de arm nemen die zal zorgen voor het gedoe met de belastingen.'

'Ik heb het niet alleen over de belastingen. Er zijn meer aasgieren actief.'

Goran liep naar haar toe. In het zonlicht zagen zijn grijzende slapen er haast wit uit.

Hij kuste haar op de wangen.

'Probeer erachter te komen wat er in de nalatenschap zit. Dat is een advies.'

Natalie knikte. Was te uitgeput om zich af te vragen wat hij bedoelde. Ze wilde alleen maar naar huis om te slapen.

'Is alles oké dan?'

Natalie wist niet wat ze moest antwoorden.

19

Vandaag: belangrijkste voorbereiding van allemaal. Of eigenlijk: de tijd van de voorbereidingen was voorbij – nu begon het.

Twee dagen geleden: Jorge had het tijdstip van de Fin gekregen, die het van de insider had gekregen.

Plus: Jorge met zijn eigen plan. Er bestonden profmogelijkheden. Binnenkort zou er een vriend van hem vrijkomen, JW. Een gast die wist wat hij deed. Ging binnen de muren door met zijn business. Geavanceerde dingen. Geldverplaatsingen, floesoverboekingen, miljoeneninvesteringen. Kortom: wassen. JW zou kunnen toveren met de buit. Total make-over: in plaats van briefjes – cijfertjes op je bankrekening. Gekoppeld aan de beste creditcards. Kilometers verwijderd van die sneue Södertälje-verstopplekken van de Fin.

Een nieuw leven. Serieus.

Hij digde de gedachte: de leverantie van het jaar. De zomerlonen plus vakantie-uitkeringen, extra opnames bij de pinautomaten voor de vakanties, de toeristeninvasie in de stad – iedereen had cash nodig. En cash moest naar de pinautomaten in Stockholm worden gebracht. Bovendien: de insider had de Fin nieuwe tips gegeven: ze hebben een nieuwe procedure bij het lossen, ze hebben nieuwe gps-ontvangers, misschien krijgen ze extra aanvoer vanuit de kluis. Het leek wel of die gozer de directeur van het beveiligingsbedrijf zelf was.

Het begon nu.

Hallo, HET BEGON NU.

Jorge, Mahmud, Tom, Sergio: op weg naar de helikopterbasis.

Tom: een ster – had supervette research gedaan, à la Al-Qaida voor een aanslag.

Drie vragen.

Het hek: Tom had gerekend. Advies ingewonnen. Over andere overvallen gelezen. De Fin had gelijk: een haakse slijper was een slecht idee. Maar volgens Tom: het toegangshek kon gecrasht worden met een zwaar en groot voertuig. Voorstellen: shovel, dumper of nivelleerder. Tom had zelfs een proefritje met een shovel gemaakt door het hek van een bouwterrein. Dat was niet zo dik als het schuifhek van Tomteboda, maar toch. Het zou moeten werken.

Ze namen een besluit. Jorge vertelde het de Fin. Die was het met ze eens, het was een goed voorstel. Enige probleem: ze zouden het voertuig waarschijnlijk niet mee terug kunnen nemen – gevaar voor DNA-sporen, *big no no*. Jorge dacht: Tom verzint wel iets.

Ten tweede: de helikopters. Als Jorge nadacht: ongelofelijk. In het hele land had je maar zes jutenheli's. Eurocopter EC135 – hun model. Geparkeerd op helivliegvelden verspreid over het land. Hoe dacht Zwedo-Zweden eigenlijk? Maar zes woutenchoppers in een heel land – crazy. Na de helikopteroverval een paar jaar geleden hadden ze hun lesje echt wel geleerd moeten hebben. Maar de Zweedse staat had het aan zichzelf te wijten: de WTO-man, Jorge – *the Heist Guru* – zou het ze leren. Zonder heli's in de lucht geen achtervolging. Zonder heli's in de lucht, een makkie. De Fin had het allemaal bedacht. En Jorge had zijn eigen versie van het hele plan uitgedokterd.

Drie vragen. Twee opgelost.

De laatste: de kluis.

De Fin had nog steeds geen tekeningen of andere informatie over hoe het eruitzag. Over de constructie van de muren. Het mechanisme van de sloten van de kluisdeuren en de dikte.

Hij was duidelijk: 'Ik moet meer weten om de zooi op te kunnen blazen. Maar de insider beweert dat hij niks kan vinden.'

Waarschijnlijk: ze zouden die kluis niet in komen.

Vraag: zou hij Tom hier ook op moeten zetten?

De GROTE vraag: hoe zou hij zo veel mogelijk uit de tengels van de Fin kunnen houden?

Avond in de rimboe: blokhutten, boerderijen en dieren in het dimlicht. Bomen, akkers en weer bomen. Het beton omgekeerd: het echte Zweden in de ogen van mensen die Jorge niet kende.

Feeling: gespannen. Een kutgevoel in zijn buik. Irritatie omdat de misdaadangst hem net op dit moment besloop. Mahmud daarentegen: leek zo relaxed als het maar zijn kon. Draaide zoals altijd Arabierenmuziek. Haifa Wehbe, Ragheb Alama – echte Midden-Oosten-swing, zoals hij het noemde. Buiten: nu kome de bloeitijd.

Feeling: *shit, this was it*, zegma. Nu kwam het eropaan. Niet gepakt worden. Dit niet verknallen. Verneuk het nooit – een motto om naar te leven.

Want sommigen verneukten het: de flikker van een Viktor had het voor zichzelf verpest met zijn flikkerigheid. Ze moesten minstens met zijn achten zijn. Maar no way dat Jorge de V-flikker nog mee liet doen nu hij was gaan janken in het huis van Jimmy's ma. Was gaan etteren en zieken. Dus: nog maar zeven jongens over. Dat ging niet.

Kankerzooi.

Tom zei dat die gast bang was. Dat hij in de knoei zat, dat hij de druk niet aankon. Was blijkbaar schijtsbenauwd voor alles wat er kon gebeuren nu Radovan was omgelegd. Maar jezus christus, waarom kon ie zichzelf geen trap onder zijn reet verkopen? Maar nu maakte het niet meer uit, het was game over voor die gast.

En het klikrisico? Gelijk aan nul. Jorge liet Javier en Sergio eens met die Viktor lullen. Ze hadden gedetailleerd uitgelegd hoe het kon voelen om een buis in je anus geduwd te krijgen waar ze een rat in stopten en die ze dan dichtmaakten. Voor de rat was er maar één weg naar buiten.

Mahmud was er op een avond in hun café over begonnen. Beatrice was al naar huis – ze runde de zaak nu zelf, als een echte bedrijfsleider.

Mahmud was de afgelopen maanden afgevallen. Normaal gesproken: de Arabier trainde vaak. Niet zoals voor de cafétijd – toen was hij net een dopingjunk – maar toch veel. Nu: hij kon het werk voor de kraak niet loslaten – je was een beroepscrimineel of niet.

Jorge had geprobeerd een vervanger te verzinnen. Een lijst in zijn hoofd. Ouwe homies: Märsta-contacten, bajeskameraden, cokecriminelen. Eddie zat vast. Elliot en de broer waarmee Jorge Sunny Sunday had gehad waren Zweden uit geflikkerd – verblijfsvergunning was blijkbaar niet hun sterkste kant. Vadim en Ashur, vrienden van vroeger: niet te vertrouwen. Waren van ongevaarlijke coke overgestapt op armzalige amfetamine. Van buitenwijklol naar kelderhol.

Hij dacht aan andere kills uit Chillentuna. Van een paar dacht hij dat ze het zouden kunnen – maar dat waren harden: zouden een te groot deel van de buit opeisen.

Hij dacht aan Rolando: de vent uit de Österåker-gevangenis die hem meer over coke had geleerd dan een gaucho van paardenstront wist. Tegenwoordig: de c-latino was legaal geworden. Had een gezin gesticht. Rijtjeshuis geshopt. Verkocht verzekeringen vanuit een callcenter. Leefde als een man zonder pik.

De Fin dramde: 'Regel nog iemand. Jullie moeten met zijn achten zijn.'

Jorge moest nog een gast zien te vinden.

De Arabier sneed die kwestie aan. 'En wat doen we met die Viktor?'

'Hij is uit de race. Plus, Radovan is omgelegd.'

'Ja, dat is groots. Echt, dat de Joegobaas dood is, betekent veel. Misschien zouden we na de kraak in Zweden moeten blijven.'

'Wie neemt het over, wie neemt het over? Dat is het enige waar iedereen het over heeft.'

'Maar wie nemen we in plaats van Viktor? We hebben een ander nodig.'

'Ja, dat zegt de Fin ook. Voor een van de woutenbureaus, hun garages hebben zoveel uitgangen. Met zijn tweeën red je dat niet. Echt, ik heb geprobeerd iemand te verzinnen.'

Jorge dronk koffie. Mahmud dronk frisdrank.

Hij hield zijn flesje omhoog. 'Ze zeggen dat hier honderd procent fruit in zit.

Maar dit smaakt naar appel. Niet naar sinaasappel. Dan kijk je wie het geproduceerd heeft: de Coca-Cola Company. Dan snap je het. Die joden naaien je ook altijd.'

'Waar heb je het over? Coca-Cola zijn geen joden en we moeten die Viktorzooi nu oplossen.'

Mahmud nam een slok. 'Ik heb Babak gevraagd.'

Jorge zette zijn koffiekop met een klap neer. Zwarte koffie op de tafel. Druppels over de rand.

Mahmud schoof zijn stoel naar achteren. 'Jezus, wat heb jij nou?'

Jorge probeerde iets te zeggen.

Er kwam niks uit.

Het lag zo voor de hand: Babak, Mahmuds beste homie. Tuurlijk had de Arabier die rukker gevraagd. Voor Mahmud was dat een simpel, natuurlijk iets. Maar Jorge wilde die Iraniër niet hebben – die gozer ging met J-boy om als een pestkop in groep zes.

Tegelijkertijd: hij begreep waarom Mahmud hem had gevraagd. Babak zat in de c-branche. Absoluut geen verrader. Iemand die je kon vertrouwen: dat kon Jorge niet ontkennen.

Godver.

Hij wilde keihard schreeuwen. Toch hield hij zijn bek.

Ten slotte zei hij: 'Lekker ben jij. Je had het mij toch eerst kunnen vragen?'

Mahmud slurpte het laatste beetje uit zijn fles. 'Hoezo? We kunnen Babak vertrouwen. Hij is honderd procent oké.'

'Je kent de regels, gap. Niet met buitenstaanders lullen. *No matter what.*'

'Zeg, voor mij is Babak geen buitenstaander.'

Mahmuds mond: een streep.

Jorges mond: een grimas.

Dit voelde schijt.

Terug naar de rimboe. Voor ze: landingsbaan Myttinge. Tom en Sergio stapten uit hun auto. Wachtten in het halfduister.

Je zag de sterren amper, de lucht was zomers. Jorge en Mahmud parkeerden naast Toms auto. Stapten uit.

Verderop zagen ze de helikopterhangar. Als een grijze, ronde berg midden in het weiland. Even achter de hangar blauwe lichten die de plaats van de platformen markeerden.

Ze liepen naar Tompa en Sergio.

'Cool. Tot nu toe is alles chill. Sergio, dan kun je Toms auto terugrijden.'

Sergio knikte. Iedereen wist wat er gedaan moest worden.

Jorge ging verder: 'Tom, jij gaat naar het water en doet het daar.'

Tom liep op een sukkeldrafje weg langs de weg. Het donker in.

Sergio ging in de eerste auto zitten. Startte de motor. Keerde de weg op.

Reed terug naar de stad.

Jorge en Mahmud bleven samen achter. Ze liepen naar de gejatte auto. Ze hadden allebei een overall aan. Ze deden de kofferbak open.

Alles was rustig. Het bos om hen heen zo stil als een slapende steen. Jorge dacht aan de keren in zijn leven dat hij in een bos was geweest. Op school met sportdag – hij werd naar huis gestuurd. Als volwassene – toen werd hij in elkaar gebeukt door de Joego's. Voor hem: bos betekende slechte vibes. Het bos hoorde bij een andere wereld. Een *scary* jungle voor wie er nooit eerder was geweest. Voor wie een prettig gevoel in het bos niet met de paplepel ingegoten had gekregen. Maar Jorge wist het nu zeker: eindelijk had hij goed genavigeerd. Vandaag was het bos zijn bondgenoot. Eindelijk was hij vlak bij zijn definitieve break.

Zijn buikpijn trok weg. Het enige wat nu telde: *full action*.

Ze trokken hun handschoenen aan. Pakten twee zwarte vuilniszakken uit de kofferbak. Maakten ze open. Ieder een kalash. Mahmud pakte ook een sporttas, stopte zijn geweer erin. Jorge had het zijne nog in zijn hand. Inspecteerde hem: AK47. Donker metaal dat er zwart uitzag. De handgreep, de kolf en het handvat onder de loop voelden koel – de houten delen sloten aan bij zijn huid. Ze hadden er twee te pakken gekregen, gelukkig.

Een echt gangstawapen. Een wapen voor een gettoboss.

De adrenaline begon te pompen, maar J-boy voelde zich toch rustig. Hij dacht: voor Zwedo's staat adrenaline gelijk aan stress. Maar mensen als ik – wij worden rustig.

Ze liepen over de weg. Hoog gras. Vocht tegen hun bovenbenen.

Het hek was een kleine twee meter hoog. Vorige week hadden ze de boel hier verkend. Wisten alles al. Mahmud pakte de betonschaar. Jorge scheen met de zaklamp.

Chop, chop. De Arabier knipte het hek door alsof het zijn teennagels waren.

Ze stapten door het gat.

Misschien was er al ergens een alarm afgegaan, maar tot nog toe hoorden ze niks.

Twintig meter naar de hangar.

Camera's: twee stuks op elke hoek in beide richtingen. Niemand kon de buitenmuren bereiken zonder zichtbaar te zijn op de film. Op de muur stond het logo van de fabrikant van de hangar: DEBEUR. Klonk Nederlands.

Ze trokken hun bivakmutsen voor hun gezicht.

Nog tien meter.

Alles leek nog steeds morsdood.

Nog drie meter.

Toen: de schijnwerpers floepten aan. Verlichtten het gras enkele tientallen meters rondom de hangar.

Dat was verwacht. Bewakingscamera's hadden licht nodig.

Wat onverwacht was: Jorge hoorde geluid. Keffend, grommend geluid.

Twee herdershonden stormden op ze af. Jorge kon zich nog net omdraaien. Keek recht in kwijl en bijtende muilen. Op twee meter afstand.

Blaffende monsters.

Hij haatte honden.

Mahmud schreeuwde: 'Afschieten die kutbeesten.'

Jorge deed een stap naar achteren. Hief zijn AK47.

Probeerde te richten.

Bam-bam-bam. De kankerhond piepte. Ging op de grond liggen.

Jorge draaide zich om naar Mahmud. Hij rende. Vijftien meter verderop. De andere hond zat achter hem aan. Jorge sprintte erheen.

Schieten kon niet in het donker.

Hij riep: 'Mahmud, kom hier.'

Hij hoorde Mahmud. Hij hoorde de hond.

Toen: de Arabier met paniek in zijn ogen. Rende in een cirkel. Richting Jorge. Het licht in.

De hond een meter achter hem. Jorge hief zijn wapen. Volgde het beest.

Richtte. De korrel. De keep. De opengesperde kaken van het kankerbeest.

Pof. Het jankte.

Weer *pof.*

Voorbij.

Mahmud hijgde. Boog zich voorover, handen op zijn knieën.

Jorge grinnikte: 'Nu was je bang, hè?'

Mahmud keek op. Spuugde in het gras. '*Kaleb*, ik haat honden. Het zijn onreine dieren.'

Geen tijd voor meer gelul, ze moesten verder. Renden naar de hangar. Hadden maar heel weinig tijd.

Mahmud greep in de sporttas. Had iets in zijn hand. Hield het vast als een tennisbal. Jorge hoefde niet bij te lichten met de zaklamp. De schijnwerpers van de bewakingscamera's deden dat nu voor hem.

Hij wist wat Mahmud had. Een echte appel: granaat, M52 P3.

Mahmud stopte hem onder het uitstekende stuk metaal helemaal onder aan de muur. Een snelle beweging van zijn hand. Jorge op afstand. Mahmud nam megastappen naar achteren. Tien meter.

BANG.

Een drukgolf van de explosie. Gepiep in zijn oren.

Fok, wat een knal.

Het metaal in de muur was een meter opengespleten.

Ze renden erheen. Krankzinnig veel adrenaline nu.

Jorge scheen met de zaklamp naar binnen. Twee helikopters in de duisternis van de hangar. Propellers als lange vleugels van een insect.

Ze staken hun kalasjnikovs door het gat naar binnen. Afgesteld op volledig automatisch.

Ra-ta-ta-ta-ta. Jorge nu een prof – had geoefend op de honden.
Het geratel echode in de hangar. Klonk anders dan in de openlucht.
Het magazijn raakte leeg.
Mahmud groef in de tas. Twee appels in beide handen.
Trok de pinnen eruit. Rolde ze naar de helikopters.
Ze renden terug naar het gat in het hek.
De lucht was donkerblauw. Overmorgen zouden ze multimiljonair zijn.
Ze hoorden de knallen bijna meteen.
Bam.
Bam.

20

Hägerström was onderweg naar een afspraak met commissaris Lennart Torsfjäll. Rapport uitbrengen van de laatste ontwikkeling in de case. Het eerste stuk van de weg van Sala naar Stockholm tot aan Enköping ging traag. Hij was op zich laat genoeg vertrokken om het ergste verkeer op de E18 te vermijden, maar tot nu toe merkte hij niets van het rustiger tempo van de zomer. Toch hield hij van deze weg. Hij liep door landelijk gebied. Jonge aardappelplanten staken omhoog uit de akkers, de ingezaaide velden waren lichtgroen, de oogst was nog ver weg. Hägerström was geen plattelandsdweper, maar iets wist hij er wel van. Zijn moeder Lottie was dol op het platteland. Als het landgoed Idingstad Säteri geen fideï-commis was geweest, had ze het graag overgenomen. En Carl woonde nu het hele jaar door in Värmdö op Avesjö, het huis dat zijn ouders in 1972 hadden gekocht. Hägerström had er als kind de zomer doorgebracht, had de koeien van de pachtboer rond zien stappen in de weides, was met diezelfde boer meegegaan naar de kippenslacht en had zijn moeder geholpen met de rabarberplanten in de moestuin. Op een dag zou hij zelf misschien ergens een huis kopen. De enige vraag was met wie hij dat genoegen zou delen.

Hij dacht aan de man die hij een paar dagen geleden in de Side Track Bar had ontmoet. Mats. Maar nee, dat was een gewone onenightstand. Mats wekte geen dromen over een rustig, gedeeld leven buiten de stad.

Het appartement lag aan de Surbrunnsgatan. Waarschijnlijk was het op de een of andere manier van Torsfjälls eenheid binnen de politie. De vorige keer hadden ze afgesproken in een woning in Gärdet. Volgens de commissaris hadden ze toegang tot een aantal woningen op diverse plekken in de stad, voor informanten, infiltranten, getuigen en ander los volk dat een tijdje op een geheime plek moest wonen. Omdat dat voortdurend wisselde, hadden ze altijd een paar woningen paraat. Het waren goede ontmoetingsplaatsen.

Hägerström stond voor de deur van het appartement. Er stond JOHANSSON op de brievenbus. Volgens statistieken die Hägerström ooit gelezen had, was dat de meest voorkomende achternaam in Zweden. Hij belde aan.

Torsfjäll deed open.

De commissaris was gekleed in een bruine chino en een, zoals altijd, extreem goed gestreken overhemd. Vandaag droeg hij ook een stropdas met een fel paisleypatroon. Die leek niet van erg goede kwaliteit, hij glansde niet op de manier die erop wees dat het om honderd procent echte zijde ging. Hägerström wist dat je nooit zeker kon weten of een stropdas wel chic was, maar je kon het altijd zien als hij niet chic was. Bovendien waren stropdassen met al te felle kleuren een beetje potsierlijk, in elk geval om de nek van politiecommissarissen.

Torsfjäll glimlachte. Zijn tanden waren nog witter dan de vorige keer. Hij moest ze op de een of andere manier bleken.

Het appartement was spaarzaam gemeubileerd, net als de andere woningen waar ze elkaar hadden ontmoet. In feite stond in alle woningen in principe hetzelfde meubilair – ze hadden vast kwantumkorting gekregen bij IKEA. Aan de muur hing een enorme zesenveertig-inchflatscreen. Hägerström was verbaasd dat de politie zo'n duur apparaat had bekostigd, maar hij nam aan dat dat vaak de beste vriend van de bewoner was. Als je loslippig was geweest, wilde je waarschijnlijk het liefst vierentwintig uur per dag binnenblijven.

Torsfjäll vroeg hoe de reis was geweest en becommentarieerde de dood van de Joegoboss. Radovan Kranjic midden in Östermalm de lucht in geblazen, volgens Torsfjäll kon dat tot meer gewelddaden in de onderwereld leiden.

Hägerström wilde meteen ter zake komen.

'Hij is opener aan het worden.'

De commissaris glimlachte met toegeknepen ogen. Het was zeer twijfelachtig of Torsfjäll überhaupt iets zag als hij lachte.

Hij zei: 'Vertel. Ik ben een en al oor.'

Hägerström glimlachte terug. Een ingetogen, ontspannen glimlach, voelde hij. Hij had in elk geval een beetje succes geboekt in de operatie.

'Hij begint me te gebruiken.'

'Goed, heel goed. Dan heeft het gewerkt.'

'Precies. Je weet al wat hij heeft gedaan om me Abdi Husseini te laten overplaatsen. We hebben vijftienduizend kronen afgesproken. Ik vroeg hoe ik betaald zou worden. JW zei dat dat een deel van het werk was, dat ik de betaling zelf moest regelen.'

Torsfjäll straalde. Bepaalde onderdelen van de opzet had Hägerström hem al verteld, maar de commissaris leek het prettig te vinden het meer dan één keer te horen.

'Hij gaf me een mailadres en een achtcijferige code. Ik heb de volgende dag gemaild, de cijfercombinatie en mijn bankgegevens in Zweden. Het adres was gs@nwci-management.com. Een uur later kreeg ik antwoord dat het geld overgemaakt zou worden van de Arner Bank & Trust op de Bahama's via een andere rekening bij de Liechtensteinische Landesbank. En simsalabim, vier dagen later stond er vijftienduizend kronen op mijn rekening bij de SEB.'

‘Van wie is die rekening op de Bahama’s, heb je daar enige informatie over gekregen?’

‘Helaas niet. Maar op mijn bankafschrift stond meubels.’

‘En dat betekent?’

‘JW zei dat dat was voor het geval ik vragen zou krijgen. Dan kon ik zeggen dat ik via een advertentie op internet een meubel had verkocht aan een particulier.’

‘Aan wie dan?’

‘Ik moest zeggen dat ik niet wist hoe de koper heette. Dat het gewoon iemand was die mijn advertentie had gezien en bij me thuis kwam om een bank af te halen. Blijkbaar heeft hij advertenties uitstaan voor het geval iemand argwaan krijgt.’

Hägerström hoefde niet in zijn aantekeningen te bladeren. Hij onthield alle data en tijden als een robot. Een paar dagen later was Omar Abdi Husseini overgeplaatst naar Tidaholm. Vervolgens had Hägerström ervoor gezorgd dat hij een nieuwe telefoon voor JW naar binnen smokkelde – afgeluisterd, weliswaar, maar dat wist hij niet. JW was tevreden, andere cipiers hadden zelfs tegen Hägerström gezegd dat de jongen merkbaar zonniger was geworden.

Torsfjäll zei: ‘Jij bent nu zijn nieuwe ezel, heel goed. Maar met de telefoon liep het niet volgens plan, hè? Hij moet hem geruild hebben, misschien voor een andere telefoon. We krijgen alleen gesprekken binnen van een andere gedetineerde, die op zich wel bezig is met cocaïnehandel buiten de muren, maar als we hem op een slordige manier ontmaskeren, begrijpt JW dat die telefoon afgeluisterd wordt.’

Hägerström knikte. Het was jammer dat het niet was gelukt.

Hij bracht verder verslag uit over hoe JW een paar dagen later naar hem toe was gekomen in de eetzaal. Hij pakte het allemaal discreet aan. Geen grote gebaren of sterke woorden, alleen een knipoogje. Daarna vroeg hij of Hägerström later misschien langs wilde komen.

’s Middags ging hij bij JW’s cel langs. Hij zat zoals altijd met zijn laptop open en zijn studieboeken voor zich. De andere gedetineerden noemden hem de professor – het was duidelijk waarom. JW duwde de deur dicht toen Hägerström binnen was.

Hägerström laste een kunstmatige pauze in. De commissaris zat doodstil, zijn ogen aan Hägerström gekluisterd.

‘Eerst zaten we gewoon een tijdje te ouwehoeren. Hij houdt van kleding en schoenen, vooral van Britse schoenen, Crockett & Jones, Church en zo, dus hadden we het over leren zolen.’

Torsfjäll deed zijn mond open. ‘Houdt hij van kleding? Is dat niet een beetje...’

De commissaris grinnikte schalks. Hägerström wist hoe de zin afgemaakt zou worden. Hij keek de commissaris nijdig aan.

Torsfjäll grijnsde alleen maar.

Hägerström vertelde verder. Hij had meer over zijn familie en achtergrond verteld en JW was onmiskenbaar onder de indruk. Maar belangrijker was dat hij JW te kennen had gegeven dat hij bereid was opdrachten van hem aan te nemen. Toen ze uitgekletst waren vroeg JW of hij hem een dienst kon bewijzen. Hij moest bepaalde informatie doorgeven aan een bepaalde persoon. Niets ingewikkelds. JW wilde het deze keer op een nieuwe manier doen en Hägerström zou tweeduizend krijgen voor de moeite.

Hägerström vroeg waar het over ging. JW antwoordde: 'Cijfers, een heleboel cijfers.'

'Toen vroeg hij wat voor mobiel ik had. Ik beschreef het model en zo. We laten onze privémobiels achter in de kleedkamer. Maar hij vroeg me de volgende dag een simkaart mee te nemen. Er zit zoals je weet extreem weinig metaal in die kaarten en volgens mijn analyses reageren de detectiepoortjes daar niet op. Ik kocht een nieuwe simkaart en stopte die voor de zekerheid in mijn portemonnee. Die mag je altijd uit je zak halen voor je door de poortjes gaat.'

Hägerström zag de situatie voor zich terwijl hij erover vertelde. Het vrolijke gezicht van de controlecipier toen ze elkaar groetten. Hij heette Magnus en wilde eigenlijk bij de politie, net als veel andere piw'ers. Hij voelde een lichte steek van nervositeit toen hij door de poortjes liep. Het ergste wat er kon gebeuren was op zich dat hij op straat gezet zou worden.

Hägerström vertelde verder.

'Het hele systeem is toch gebaseerd op een zeker vertrouwen in het personeel, dus er moet veel gebeuren voordat ze grondig gaan controleren. Ik nam de kaart mee naar binnen en toen ik op een gegeven moment alleen op de afdeling was, ging ik naar de cel van JW. Hij stopte hem in zijn computer, die een speciale lezer heeft voor geheugenkaarten en simkaarten. Tien seconden later gaf hij de kaart terug en legde uit wat ik moest doen.'

Hägerström haalde diep adem. Zo was het begonnen. En zo was hij begonnen te begrijpen hoe JW met Christer Stare, de eerdere muilezel, had gewerkt.

Hägerström vroeg hoe JW al die informatie op zijn computer kon hebben, of er niemand argwaan had. JW schoot in de lach en zei: 'De computerkennis van de cipiers is enigszins beperkt. Ze snappen het verschil tussen Word en Excel niet eens, dus hoe zouden ze dan het verschil tussen studiebestanden en echte bestanden kunnen zien? Ik studeer immers economie.'

Torsfjäll zei: 'Dus zo doet die schavuit het. Dat de directie het gedetineerden toestaat computers te hebben, is voor mij een raadsel op zich. Maar dat ze bovendien computers met zulke geheugenkaartlezers toestaan, is volstrekt onbegrijpelijk.'

'Ja, dat zou je kunnen vinden. Maar je hebt toch nog steeds een bereidwillige bewaker nodig om het te laten werken. Bezoek wordt aanzienlijk nauwkeuriger gecontroleerd met handmatige metaaldetectors en soms lichaamsvisitatie. Bovendien krijgt hij op deze manier alleen maar bepaalde informatie naar buiten.

Het meeste geeft hij denk ik direct mondeling door aan het bezoek dat hij krijgt. We hebben ze immers gecontroleerd.'

Torsfjäll vroeg: 'Je hebt alles neem ik aan gekopieerd?'

Nu was het Hägerströms beurt om een grapje te maken. 'Schijten beren in het bos? Maar er zijn problemen. De informatie is gecodeerd.'

De commissaris grinnikte. 'Oké. Je kunt het naar mij toe sturen voor analyse. Bij het forensisch lab kunnen ze daar wel wat mee. En in het ergste geval sturen we het naar de Britten.'

Hägerström knikte.

'De simkaart zelf heb ik zoals hij heeft verzocht overhandigd aan iemand op het Centraal Station. Een man van een jaar of dertig. Ik zou hem de volgende dag terugkrijgen, zei hij. Ik heb hem natuurlijk geschaduwd.'

'Voorbeeldig.'

'Dat bracht me naar een accountantskantoor in Södermalm. MB Accountant Advies BV, voorheen firma Rusta Ekonomi BV. Dat kantoor wordt geleid door ene Mischa Bladman. Het heeft een aantal middelgrote bedrijven als klant. Bijvoorbeeld Bouwmarkt BV, KÅFAB en Claes Svensson BV. Maar ook Sloopspecialisten Nälsta BV en Saturday's BV, en bedrijven als Clara's Bar & Co BV en Diamond Catering NV. Doet dat een belletje rinkelen?'

Bij elk bedrijf dat Hägerström noemde werd Torsfjälls glimlach weer een fractie breder. Hägerström moest zijn hand haast voor zijn ogen houden om niet verblind te worden.

'Natuurlijk rinkelen er belletjes. Die laatste bedrijven die je noemde houden allemaal op de een of andere manier verband met wijlen meneer Radovan Kranjic. Niet onverwacht, maar toch heel interessant.'

'Inderdaad. En dat uitgerekend hij is vermoord maakt het allemaal niet minder interessant.'

'We moeten Bladman laten schaduwen.'

'En we zouden toestemming moeten vragen om de bezoekersruimte af te luisteren.'

'Toestemming vragen? Dat hoeven we niet te doen. Ik heb er al afluisterapparatuur op zitten, weet je.'

Hägerström schrok even: waarom had hij dat niet eerder gezegd?

Torsfjäll ging verder: 'En nu ben ik van plan dat accountantskantoor ook te buggen. Wat je hebt verteld is vast voldoende om toestemming te krijgen.'

Hägerström dacht na over de manier waarop Torsfjäll het formuleerde. 'Is *vast* voldoende.'

Er zat wel iets in de geruchten over de commissaris. Torsfjäll schrok er niet voor terug om met de regels te experimenteren.

21

Sinds de moord op papa: de ergste uren die ze had moeten doorstaan. De ondraaglijkste, treurigste, ergste seconden waarin ze zichzelf ooit had moeten dwingen door te ademen. Dat waren al veel te veel seconden van wanhopig gemis.

En die waren nog niet voorbij.

Later vandaag moest ze weer voor verhoor naar de politie.

Nu zat ze maar in haar kamer. Dacht aan de bijeenkomst in het ziekenhuis. Stefanovic' houding stoorde haar. Hij probeerde op te treden en het bevel te voeren. Dat was fout.

Wie kon ze nu vertrouwen? De agenten die ze had ontmoet bekommerden zich volstrekt niet om haar. En nog minder om papa. De laatste keer dat ze er was geweest leek wel een komedie, ze gedroegen zich als zwijnen. Ze was van plan Gorans advies op te volgen en de verhoren vanaf nu op te nemen. En die financieel rechercheurs die bij hen thuis waren geweest, waren er alleen op uit papa's imperium te vernietigen.

Sommige mensen in Zweden konden het niet uitstaan dat iemand zo goed slaagde als papa. Dat mensen die buiten Scandinavië waren geboren fantastische voetballers of atleten werden was oké. Dat sommigen pizzeria's hadden, of succesvolle stomerijen, hoogstens een restaurantketen, dat was ook te verwachten. Dat sommigen goed zongen en doorbraken bij *Idols* – dat konden ze tolereren. Maar dat iemand op zo'n grote schaal als papa bedrijven had – dat kwam in hun boekje blijkbaar niet voor. Sommige dingen waren gewoon niet oké. Maar het was ziek dat de samenleving zelfs een dode familievader niet een beetje kon respecteren. Natalie dacht aan wat papa altijd zei: 'Er is geen gerechtigheid. Dus moeten we onze eigen gerechtigheid creëren.'

Dat was waar – er was geen gerechtigheid. De politie zou hun gezin moeten steunen. De moordenaar moeten zoeken, Natalie en haar moeder moeten beschermen. In plaats daarvan: de samenleving piste op alles wat eer was. Voor gerechtigheid moest je zelf zorgen.

Precies wat papa altijd al had gezegd.

Ze had de ordners opgehaald die ze de avond ervoor bij Tove had verstopt en had sindsdien geen seconde geslapen. Had alleen bladzijde na bladzijde in de ordners gelezen, een pen in de ene hand, een notitieblok in de andere. Had alles wat interessant leek aangestreept, gekleurde post-its opgeplakt. Had vragen opgeschreven die gesteld moesten worden. Ze wist niet aan wie. De advocaat die ze in de arm hadden genomen voor de boedel leek sympathiek, maar hier was hij niet geschikt voor. Misschien dat Goran iets wist.

De ordners lagen voor haar op de vloer: zeven stuks, zwart, dik. Het Kranjiclogo op de ruggen. Op het accountantskantoor hadden er vast honderden gestaan. In papa's kamer minstens veertig. En op deze zeven na hadden de smerissen alles in beslag genomen.

Eerst had ze ze lukraak doorgebladerd, daarna was ze gaan zitten om ze beter te bestuderen. Ze had iets gevonden waardoor ze stokte.

Het was een mogelijkheid om meer over papa te weten te komen. Bovendien: om te proberen aanknopingspunten te vinden voor wat er was gebeurd. Wie de aanslag gepleegd had.

WIE?

Ze probeerde het materiaal te doorgronden. Orde te scheppen. Een structuur te vinden. Te bepalen wat belangrijk kon zijn en wat duidelijk oninteressant was.

Twee ordners zaten vol bonnetjes en kopieën van bonnetjes. Vijf jaar van papa's leven – vanuit consumptieperspectief. Hij leek alles bewaard te hebben, of het nou ging om een diner bij Broncos of een luxe auto van honderdvijftigduizend euro bij Autoropa. Levi's bij NK, elk jaar een paar handgemaakte schoenen, manchetknopen van Götrich – die herenmodezaak in de buurt van de Biblioteksgatan waar hij altijd inkopen deed – zeker tweehonderd diners, veel mobiele telefoons, Bluetooth-accessoires, computers, lampenkappen, Hugo for Men-parfum, gezichtscrèmes, vluchten naar Engeland, Belgrado en Marbella, meubels en zelfs een paar maaltijden bij McDonald's.

Vier ordners hadden tabbladen. Achter de tabbladen zaten papieren van diverse bedrijven. Het waren jaarverslagen van de afgelopen jaren en andere dingen, boekhoudkundige documenten, correspondentie met accountants. In totaal: eenentwintig tabbladen. Natalie schreef hun namen op een papier en daarnaast wat ze per jaar omzetten volgens de resultatenrekeningen die ze had gevonden.

Eerlijk: ze wist dat ze een goeie kop had voor cijfers. Kranjic Holding BV en Kranjic Holding Ltd, Sloopspecialisten in Nälsta BV, Clara's Bar & Co en Diamond Catering NV, Dolphin Finans AB, Roaming GI AB enzovoort. Sommige namen herkende ze: Kranjic Holding BV was papa's moederbedrijf. Ze had op zich niet geweten dat er ook een buitenlands bedrijf was, maar het verbaasde haar niet. Clara's had papa al jaren, net als het cateringbedrijf, en over de Sloopspecialisten hadden Goran en de anderen het vaak. Maar het was eigenlijk niet het feit dát er bedrijven waren waarvan ze niet wist, maar het aantal. Meer dan twintig bedrijven. Vier ervan hadden de afgelopen jaren nul omzet gedraaid. Vijf ervan meer dan twintig miljoen per stuk. Ze wist dat papa goed was in zaken, maar dit: hij was echt groot.

Maar ze was getriggerd door wat ze in de laatste ordner aantrof. Notulen van jaarvergaderingen, prospectussen, koopcontracten en wat documenten over sleutels en alarmsystemen. Het had allemaal betrekking op hetzelfde: een woning in de Björngårdsgatan in Södermalm.

Ze las de prospectus van de woning keer op keer door. Het ging om een zolderwoning van drieëntachtig vierkante meter. Open bouwkundig ontwerp. Luxe gerenoveerd met solide materialen: een vloer van Gotlandse kalksteen, walnoten lambrisering, keuken van Poggenpohl. Iemand die Peter Johansson heette, bleek hem voor 5,3 miljoen gekocht te hebben.

In de kantlijn bij een punt van een jaarverslag van de vereniging van eigenaren stond met de hand geschreven: *gevaarlijk*.

GEVAARLIJK.

Het punt was: die aantekening was in papa's handschrift.

Dit onderdeel van het jaarverslag ging over de woning helemaal bovenin, die niet bewoond werd door degene die als lid stond aangemeld bij de vereniging van eigenaren.

Natalie wist zeker dat deze woning, ondanks de naam van de eigenaar, met papa te maken had. Papa had op de een of andere manier een band met een woning in Stockholm waar hij thuis niets over verteld had. En die op de een of andere manier gevaarlijk was.

Ze moest meer achterhalen. Ze overwoog met wie ze kon praten.

Dat was maar één persoon.

Ze belde Goran.

'Ik heb ordners die de politie wil hebben.'

'Welke ordners?'

'Bedrijfsdingen, ordners die bij ons thuis stonden. Ze zijn hier gisteren immers geweest, die financiële smerissen, maar ik heb er wat achterovergedrukt.'

Goran zei: 'Verstop ze op een goede plek. We kijken er samen naar.'

'Ik heb ze al doorgenomen, ik ken ze bijna uit mijn hoofd.'

Ze zei niets over de aantekening in de notulen over de woning.

Hij zei: 'Oké, maar verstop ze. Dan hebben we het er zo snel mogelijk over.'

'Ja.'

'En nog iets, Natalie. Doe niets waar je spijt van krijgt. Eén ding moet je begrijpen. Het leven van je vader was niet altijd makkelijk. Sommige mensen zeggen dat hij de makkelijke weg heeft gekozen, maar één ding is zeker – zijn weg was niet breed. Er waren veel mensen die hem haatten, dat weet je? Dus nu moet je zelf je weg zoeken, onthou dat goed. En het zal er niet makkelijker op worden als je slechte dingen doet.'

Natalie overwoog even te vragen wat hij bedoelde. Maar ze liet het zitten, hij had immers gelijk. Papa's weg was niet gemakkelijk. En ze wist niet wat ze nu zelf wilde.

Zo meteen moest ze weer naar een verhoor met die klotejuten. Ze wist wat ze tot die tijd zou doen. Mama had papa's jassen in het kantoor gelegd. Ze hadden het er niet eens over gehad – wat er moest gebeuren met al zijn spullen: mobiele telefoons, horloges, pennen, computers, kleren. Maar mama wilde niet dat zijn jassen zo in het zicht hingen. Natalie was het met haar eens – niemand wilde er nu onnodig aan herinnerd worden.

Ze liep zijn kamer in. Hoopvol. Een doel.

Ze pakte de jacks en lange jassen. Tot eergisteren hadden ze in de hal gehangen. Een trenchcoat van Corneliani die peperduur moest zijn geweest. Een Helly Hansen-zeiljack dat te jeugdig voor hem leek. Een leren jack zonder merk – dat herinnerde haar nog het meest aan gewone papa.

Ze doorzocht ze. Buitenzakken, binnenzakken, borstzakken. Het zeiljack had minstens tien zakken.

Ze vond niets.

Ze herhaalde haar handelingen.

Niets.

Ze ging op de vloer van haar kamer zitten. De ordners om haar heen. Dacht: waar zou papa's sleutelbos kunnen liggen? Misschien had de politie hem gevonden en meegenomen.

Toen viel het kwartje. Hij had die avond natuurlijk een jas aangehad. Die zou dus niet bij de kleren zitten die nog thuis hingen. Maar hij was er ook niet mee begraven, dat wist ze. Of mama moest hem hebben teruggekregen van de politie, of hij lag nog bij de politie.

Ze maakte een rondje door het huis. Mama zat in de televisiekamer. Natalie liep verder naar de slaapkamer van haar ouders. Ze ging naar de kasten waar papa's kleren altijd hingen. Deed ze open. De kleren hingen er nog.

Een golf van pijn door haar lijf.

Ze kon haast niet kijken. Papa's broeken, truien en overhemden in een spectrum van wit via lichtblauw tot donkerblauw. Zijn riemen aan drie hangertjes aan de binnenkant van de kastdeur. Zijn stropdassen op vier inklapbare stropdashangers aan de andere kastdeur – flink wat met het familiewapen. Zijn jasjes en pakken op kleur.

Zijn geur.

Natalie wilde zich omdraaien en weglopen. Terugrennen naar haar eigen kamer. Zich op haar bed werpen en de hele middag huilen. Tegelijkertijd voelde ze: ze wist wat ze wilde – ze wilde de sleutels vinden. Ze wilde ergens komen.

Ze haalde diep adem.

Trok een la uit de kast. Een humidor. Een wijzertje aan de buitenkant gaf de luchtvochtigheid aan. Ze maakte hem open – voor duizenden kronen aan Cohiba's. Geen sleutels.

Ze trok een andere la open. Manchetknopen en dasspelden met het K-embleem erop, stapels en stapels zijden zakdoeken, drie lege portemonnees, een geldclip met wederom het Kranjic-wapen, vier horloges die waarschijnlijk niet chic genoeg waren voor het kluisje naast het bed: Seiko, Tissot, Certina, Calvin Klein.

Bovendien: een sleutelbos.

Ze haalde hem eruit.

Wie weet.

22

Ze begonnen vandaag vroeg. Jorge was al sinds vijf uur vanmorgen wakker. Had zijn ogen vanzelf geopend, als een baby die niet meer in slaap kan vallen. Dacht alleen maar aan de overval.

Hij zette koffie. Liep rond, in zijn onderbroek. Hij dronk water. Ging keer op keer pissen.

Jorge voelde zijn buik. Misdaadangst: de vloek van alle g-gozers.

Vandaag: het uitbreken van de oorlog – D-day. De grote, vette, kankercoole dag: de WTO-dag.

Samengevat: de dag waarop J-boy de leepste latino ten noorden van het Medellín-kartel zou worden. Toch: de onrust ging erger in zijn lijf tekeer dan een bad trip.

Je merkte aan iedereen dat het tijd was.

Robban en Javier: hadden flink wat keren gebeld vannacht om dingen te vragen, hoewel het tegen de regels was.

Jimmy en Tom hadden sms'jes gestuurd over planningsdingetjes, hoewel ze de antwoorden al wisten. Hij moest ze eraan herinneren hun simkaarten en telefoons weg te gooien.

Mahmud en Sergio stonden om zeven uur al voor de deur, hoewel ze acht uur hadden afgesproken.

Zelfs die clown van een Babak had vannacht om twee uur gebeld om iets te vragen. De Iraniër die anders altijd alles het beste wist. Dacht hij, ja – wie was hier nu het genie?

Een merkbare spanning in de lucht.

Over vier uur was het zover. Tot die tijd een barstensvol rooster.

Na het bombarderen van de heli's waren ze met de boot van Värmdö vertrokken. Tompa had het voorbereid: had de nacht ervoor een kleine Buster genakt – zo licht als een scheet in je broek. Die had bij het zomerhuisje van een Johanssonnetje gelegen, alleen op slot met een hangslot aan een ketting.

Jezus, een boot: ook dit – niks voor gettogangsters. Echt, Jorge had nog nooit eerder in een sloep gezeten. Serieuze gedachten: boten, buitenhuisjes, zee, koeien – voor volbloed-Zwedo's vast net zo natuurlijk als schijten. Voor Jorge: net zo onnatuurlijk als bakken belasting betalen.

De boot schommelde. Het water was donker. Dichtbij. Als hij zijn hand naar beneden zou steken zou hij het wateroppervlak aanraken. Probeerde naar beneden te kijken. Zag niets dan glinstering. De motoren bromden. Doorsneden het water als een machete. Ze voeren langs twee andere motorboten. Een rood lampje links en een groen lampje rechts. Verder was de zee verlaten.

Maar op de helikopterbasis zou het nu hectisch moeten zijn. Hoewel ze geen *jack shit* zouden vinden, behalve twee afgepafte honden en twee aan flarden geknalde choppers. Sergio: had de eerlijke auto teruggereden naar de stad. Jorge en Mahmud: hadden de gejatte auto op de uiterste punt van de aanlegsteiger van de pont gezet en hem een zetje gegeven.

Terug uit de gedachtewereld. Bij hem thuis. Mahmud en Sergio zaten op Jorges bank. Sergio zat te kletsen. Geinde, grinnikte. Lulde over de helislachting.

'Hebben jullie de *Expressen* gelezen? Ze schreven dat ze de helikopters nu niet kunnen gebruiken om muggen te bestrijden.'

'Echt waar? Dat is klote, zeg. Hebben ze geen reddingshelikopters?'

'Jawel, maar die mogen niet voor muggen worden gebruikt. Begrijpen jullie wat we het Zweedse volk hebben aangedaan? Ze zullen gestoken worden door muggen. Help, help.'

Jorge grijnsde. Nam zijn mentale lijstjes door. De overalls, de overvaltelefoons, de simkaarten, de auto's, de versperringen, het gelijkzetten van hun horloges. Dacht aan de incassering van Mahmud en hem – de bonus alleen voor hen.

Mahmud en hij inspecteerden de wapens. Een chille *air gun* en de twee kalasjnikovs – die deden het, dat wisten ze. De rest van de spullen hadden Tom en de anderen al.

Ze checkten de telefoons. Voor de helikopteraanval hadden ze een aparte set telefoons gebruikt. Voor de kraak zouden ze hun nieuwe fonna's aanzetten als ze de afgesproken posities hadden ingenomen. De reden: de smerissen mochten hun telefoons niet kunnen traceren via masten in de buurt van hun flats.

Het was acht uur. Jorge kreeg een sms'je van Tom: 'Een-nul.' Dat was de code: Tom was wakker en paraat. Relaxed.

Sergio en Mahmud bestudeerden de kaarten een laatste keer voordat ze ze in de box voor grofvuil zouden verbranden.

Op de binnenkant van zijn oogleden rolden lijstjes langs. De jammer, het folie, de walkietalkies, haakse slijpers, spijkermatten, de shovel. De laatstgenoemde: Jimmy had er eentje geregeld – die zou het toegangshek van Tomteboda makkelijker verpulveren dan het legobouwpakket dat Jorgito van J-boy had gekregen.

Toch: zouden deze jongens dit kunnen?

Om halfnegen piepten er nog vier sms'jes in Jorges fonna: 'Vier-nul', 'Drie-nul',

'Vijf-nul', 'Twee-nul'. De gozers waren wakker en actief. Hij antwoordde met de code: 'Goeie score'. Ze zouden begrijpen: hij, Mahmud en Sergio waren op hun plaats.

Ze gingen naar beneden, de straat op. Mensen op weg naar hun werk, naar de crèche met hun kinderen. Gestrest, speed in hun stappen, starre blikken. Kids die gilden. Bazen die zeikten. Buschauffeurs die de deuren dichtdeden voor de ogen van bejaarden die niet snel genoeg waren geweest. Een leven dat Jorge van plan was nooit te leiden.

De bestelwagen stond vier straten verderop geparkeerd zodat niemand hem in de buurt van Jorges portiek zou zien. Hij tuurde ernaar. Een Mercedes. Afgelopen week gerausjt. De ene nummerplaat vervangen en de andere eraf geragd. Als ze aangehouden zouden worden en de vraag kregen waarom ze met een gestolen nummerbord reden, zouden ze zeggen dat zij hem als gestolen hadden aangegeven. Op het afgerukte bord wijzen: 'Kijk, we missen er eentje.' Dat was Mahmuds idee geweest. Eigenlijk supersmart.

Sergio deed de achterportieren open. Ze knarsten. Jorge stapte in.

Binnenkant van de laadruimte: behangen met zilver. Zoals afgesproken – Sergio had de binnenkant met drie lagen folie beplakt. Ze trokken de deuren dicht. Deden een plafondlampje aan.

Sergio wees naar de muren. 'Het heeft me een dag gekost, weet je. En die spraylijm, beter dan tien gram wiet, man.'

Jorges vinger over het folie. 'Dit zou genoeg moeten zijn. Maar zoals afgesproken, we nemen geen risico's. Is dat de jammer?' Hij wees naar een zwarte vuilniszak.

Sergio knikte. Hij bukte. Trok de vuilniszak eraf.

De jammer.

Jorge grijnsde. 'Fok wat is ie vet.'

Ze sleutelden een halfuur aan het apparaat. Zetten hem aan en uit, stelden verschillende frequenties in, checkten met hun eigen oordopjes of ie werkte.

Halftien: Tom kwam langs om de mobieltjes van Mahmud en Jorge op te halen. Ze checkten de walkietalkies. Luisterden naar de politieradio. Over een uur: hun overvalmobi's zouden aangezet worden. Jorge nam Tompa op – de eerste keer dat die kill gestrest leek: lulde snel. Prutste aan de walkietalkie. Zag er vermoeid uit – donkere kringen om zijn ogen alsof hij een klap op zijn smoel had gehad. Jorge voelde het ook. En steeds: zijn maag rommelde.

Een kwartier later: hij, Mahmud en Sergio in de bestelwagen. Reden richting stad. Gingen de shovel oppikken.

Ze zwegen. Sergio zat niet meer te geinen. Jorge liet zijn hoofd achteroverleunen. Keek naar het plafond. Mahmud hield het stuur vast. Lette goed op niet te hard te rijden. De shovel: sleutel tot succes. Volgens de Fin: de shovel maakte deze kraak onoverwinnelijk.

Daarna dacht Jorge: de Fin bekijkt het maar. Jorge en Tom hadden die shovel verzonnen – niet de Fin. J-boy en zijn gozers namen alle risico's. En bovendien: de kluis, een verhaal op zich.

Langs Frösunda, het water van Brunnsviken links van hen. Mahmud reed een kilometer verderop de snelweg af. Haga-Noord. Een scherpe afslag van de E4 naar het park. Het Hagapark. De bomen groen: het leek wel een regenwoud. Ze reden tot aan het hek. Een kleine parkeerplaats. Zijn mattie zette het busje neer.

Jorge stak zijn hand uit naar zijn rugzak op de achterbank. Pakte een van de nieuwe mobieltjes. Frunnikte er een simkaart in. Daarna pakte hij een walkie-talkie: MOTOTLKR T7, het hotste model van Motorola. Reikwijdte meer dan tien kilometer.

Hij zette hem aan. Drukte de push-to-talk-knop in. 'Hallo?'

Geknetter aan de andere kant.

Hij wachtte even. Keek Mahmud aan. Nu moest alles het doen.

Pakte hem weer op. 'Hallo?'

Nog steeds alleen maar gekraak.

Een derde keer. 'Hallo, hoor je me?'

Geknetter, gekraak, suizen.

Ten slotte: Toms stem. 'Yo gozer. Ik hoor je. En ik ben op mijn plek. Klaar voor de start. Over.'

Jorge stak zijn duim in de lucht naar Mahmud en Sergio. 'En de anderen? Over.'

Het idee: geen enkel gesprek zou naar Jorges overvaltelefoon gaan. In plaats daarvan: iedereen bracht rapport uit aan Tom, die overzicht hield en Jorge op de hoogte hield via de walkietalkie. Smerishindernis: er konden geen telefoongesprekken in verband worden gebracht met de plaats van de overval zelf.

Tom antwoordde. Hij gebruikte echte namen, radiogolven konden de wouten achteraf niet reconstrueren.

'Babak en Robert zijn ter plaatse bij het grote jutenhoofdkwartier in de stad, Jimmy staat op Stora Essingen, klaar om naar het noorden te rijden over de Essingeleden. Javier is op zijn plek in Kungsholmen. Iedereen is klaar. Over.'

Terwijl hij zat te praten keek Jorge steeds naar Mahmud. Sergio zat op de achterbank. De sfeer in de bestelwagen: geconcentreerd als in een ebolalaboratorium.

Kwart over tien. Het was bijna zover.

Jorge hield de walkietalkie tegen zijn mond. 'Oké, dan gaan we. Blijf verslag aan me uitbrengen. Over en sluiten.'

Toms stem klonk vrolijk. De stress die Jorge vanmorgen bij hem had gezien was verdwenen.

Tom riep: 'Yes, sir.'

Jorge zei tegen Mahmud en Sergio: 'We checken alles nog één keer.'

Ze knikten. Mahmud stapte uit, checkte of de jammer achterin het nog steeds deed. Sergio checkte of hij de sleutels van de shovel nog had. Ze bekeken hun wapens, bivakmutsen, sleutels en de rest. Een laatste keer.

De laatste keer.

De walkietalkie op het dashboard zoemde. Toms stem weer: 'Ze zijn allemaal naar hun positie gereden. We zijn klaar om te beginnen. Dus laat het maar weten, boss. Over.'

Jorge probeerde te grijnzen, hoewel hij wist dat het eruitzag als een geforceerde grimas. '*Fire away*,' antwoordde hij.

Mahmud startte de bestelwagen. Jorge zat met de walkietalkie stevig tegen zijn oor gedrukt. Volgde Toms verslag van elke stap.

Tom reed een gejatte wagen. De avond ervoor had hij in de buurt van een jutenbureau in Solna een eerlijke auto neergezet.

Mahmud reed rustig. Ze waren nu bijna bij de plek waar de shovel zou staan. Tien minuten tot de *strike down*.

Tompa vertelde wat hij deed. 'Nu sta ik naast de auto. Ik heb het dashboard vernacheld. Alle zooi die ik eruit kon slopen eruit gesloopt. Ze zullen dit wagentje de komende uren niet aan de praat krijgen. Zelfs de beste joyrider uit Alby zou het nou niet lukken. De enige manier om hem weg te krijgen is een takelwagen bestellen, ik zweer het je. Over.'

'Dope, Tompa. Heb je iets van de anderen gehoord?'

'Ja, Javier rijdt zo sloom als een bejaarde op de Klarastrandsleden. En Jimmy rijdt zo langzaam als jouw moeder op de Essingeleden. Over.'

'Super.'

Tom ging verder voor zijn politiebureau: 'Alle jerrycans met benzine en de autobanden zijn er al. Het wordt een makkie.'

Jorge hoorde hem het portier dichtslaan. Tom klonk buiten adem. Jorge wist wat de kill droeg: een bomkoffer.

Mahmud en Tompa hadden nepbommen in elkaar geknutseld. Die waren eerder gebruikt bij Zweedse WTO's. Maar volgens de Fin maakte dat niet uit – de smerissen konden niet voorzichtig genoeg zijn. Ze hadden zes rolkoffertjes gejat bij het magazijn van Åhléns, waar Sergio een vriend had zitten die ze binnenliet. Tom had een oude accu in de koffers gestopt, zette er startkabels aan vast. Mengde vierentwintig kilo tarwebloem met water en verdeelde het deeg over zes plastic zakken. Wikkelde een paar keer zwart isolatietape om het hele pakket. Spoot het woord BOM met witte letters op de koffers. Een echte terroristenwerkplaats. Al-Qaida zou trots op hen zijn geweest. Hamas jaloers. De ETA zou hebben gedramd om mee te mogen doen: jullie zijn zulke kampioenen in het bommen bouwen.

Serieus: ze zagen er ziek echt uit.

En nu: Tom hijgde als een marathonloper. 'Nu heb ik de nepbom neergezet, midden op straat, en zo gedraaid dat de tekst te zien is. Hier komen ze nu niet meer langs met woutenwagens. Ik loop naar de andere auto. Over dertig seconden ontploft de benzinewagen. Over.'

'Vet. En de anderen? Over.'

‘Kreeg net een sms’je van Babak en Robert. Zo meteen gaan hun auto’s bij Kronoberg in de fik. Over.’

‘Dan duurt het nog zes minuten.’

Mahmud sloeg af naar Haga-Zuid. Voor het restaurant, of wat het ook was, stonden auto’s geparkeerd. Jimmy en Robert hadden de shovel de avond ervoor achter het gebouw gezet. Jorge registreerde half en half. Zijn oor stevig tegen de walkietalkie. Naast het restaurant lagen vier tennisbanen. Mensen speelden fanatiek. Jorge zette een zonnebril op.

Hij hoorde een scherpe knal. Daarna Toms stem in zijn oor: ‘Jezus christus, wat een fokking knal!’

Daarna: een portier dat openging. Tom moest klaar zijn: had de nepbom neergezet, de brandauto in de fik gestoken.

De skotoe zou het moeilijk krijgen om hun bureau uit te komen. De ontmanteling van de bom zou tijd kosten. Stomme idioten.

Tom schreeuwde: ‘Dat hadden jullie moeten zien!’

Jorge probeerde mee te lachen. ‘Rij daar weg nu. En rapporteer over de anderen.’

Hij legde de walkietalkie neer. De gozers tot nu toe: ze deden het vet goed.

Jorge sprong samen met Sergio uit de bestelwagen. Ze liepen naar het restaurant. Jimmy had de shovel beschreven: een gele Volvo Construction Equipment van negentien ton. Grof als een berg cement. Het was die gast gelukt: had met contacten van contacten in de bouwwereld gekletst, die hem hadden geholpen er eentje voor dertigduizend contant van een bouwheler in Skogås te kopen. Toch goedkoop voor zo’n monster.

Zo’n reuzevoertuig kon je niet missen.

Sergio draaide zich om naar Jorge. Hij zag bleek.

‘Hombre, als dit finaal misgaat, welke advocaat wil je dan?’

Pessimistenvraag. Toch belangrijk. De vorige keer dat Jorge werd veroordeeld, had hij door de rechtbank een flip toegewezen gekregen. Niks mis met die vent, maar hij was een beetje suf. Dat was lang geleden. Voordat hij een echte gangster was geworden. Voordat hij de coke-king van de betonjungle was geworden. Voordat hij in Thailand had gewoond.

Jorge antwoordde Sergio: ‘Ik weet het eigenlijk niet. Niet dezelfde als de vorige keer. Martin Thomasson misschien, of die Jörn Burtig. Die zijn kapot goed, heb ik gehoord. Verder heb je die rijzende ster, die lange gast, Lars Arstedt heet ie geloof ik.’

Sergio zweeg.

Jorge zei: ‘Jezus christus, hermano, wees niet zo’n *pesimista* – hier pakken ze ons niet voor.’

Ze liepen om het gebouw heen. Grote ramen die uitkeken op het water. Bruingeschilderd hout.

Een kleine parkeerplaats. Drie auto’s: een Volvo, een Audi, nog een Volvo. Drie lege vakken.

Geen shovel.
Sergio vroeg: 'Hier moest ie toch staan?' Zijn stem klonk pieperig.
Jorge keek om zich heen. Hij zag niets wat ook maar op een shovel leek.
Hij riep Tom op. 'Vraag Jimmy of Robert waar de shovel is.'
Tompa kwam na twintig seconden terug. 'Die moet daar staan, ze zeggen het allebei.'
Hoe was dit mogelijk?
Jorge snapte het niet. Zijn hoofd was uitgeschakeld.
Geen shovel.
GODVERDOMME GEEN SHOVEL.
Duizend gedachten tegelijk.
Als bommen in zijn kop.
Hij schreeuwde.
Zijn maag explodeerde.
Eén gedachte overstemde alle andere: nu was het gebeurd.
Hij kotste overal.

23

Hägerström was al snel weer in de stad. Er was een speciale reden waarom hij nu onderweg was naar Stockholm. JW zou met verlof gaan, een etmaal, en Hägerström bracht hem naar Stockholm. Er zat nu steeds minder tijd tussen zijn verloven, omdat hij weer aan een leven buiten de muren moest wennen.

JW en hij in een auto van de inrichting. Een interessante rit, ze hadden gepraat. Hägerström was nu bezig binnen te komen. JW's wereld in. En Torsfjäll was op de hoogte, als er vandaag iets interessants zou gebeuren, was hij beschikbaar.

Hij leefde undercover op twee fronten. Dat was er een te veel.

Weken in de gevangenis. Weken van toenadering, slijmen en pogingen JW's vertrouwen te winnen. Misschien was hij dicht bij een doorbraak.

Maar JW was nog steeds uitermate voorzichtig. Ergere paranoia dan bij een Amerikaanse ambassadeur na Wikileaks. Dacht dat de smerissen zijn telefoongesprekken en bezoek afluisterden. En hij had natuurlijk gelijk. Bovendien deed Hägerström zijn best om zulke gedachten te voeden: hoe voorzichtiger JW was, des te meer hij Hägerström zou laten doen.

Het werkte. JW had hem steeds vaker gevraagd iets voor hem te doen. Bel X of Y. Stuur een sms'je met de volgende cijfercombinatie naar dit nummer. Print deze brief en stuur hem naar die en die bankier daar en daar.

JW kocht voortdurend nieuwe kaarten voor de telefoonautomaten, belde minstens veertig minuten per dag. De andere gedetineerden begonnen te klagen. Sommigen noemden hem nu de Jood in plaats van de professor – die jongen bezette de telefooncel zoals Israël het Midden-Oosten. Hij kreeg één keer per week bezoek van Mischa Bladman. Al zijn bezoektijd ging op aan die accountant. Torsfjäll bugde de bezoekersruimte, maar dat leverde helemaal niets op: of JW en Bladman fluisterden, of ze spraken in codes.

JW had Hägerström kunnen vragen nog een mobiele telefoon of simkaart naar binnen te smokkelen. Maar Hägerström had ervoor gezorgd dat de andere bewaarders alerter waren op dat soort dingen. De afdeling verhoogde het aantal inspecties en zoekacties in de cellen. Ze vonden de middenpagina's van pornoblaadjes van andere gedetineerden opgerold in kleerhangers, amfetamine op tekeningen die ze van hun driejarige dochtertje hadden gekregen, mobieltjes in uitgehouwen ruimtes in de muur. JW werd nog voorzichtiger. Nam geen onnodige risico's.

Had Hägerström nog harder nodig.

's Avonds probeerde hij te analyseren wat er eigenlijk aan de hand was. De informatie die hij naar buiten had gesmokkeld. De cijfercombinaties, de banken die hij had gebeld, de mails die hij had gestuurd. Er begon zich een patroon af te tekenen. Er was een soort verhuizing gaande. Bedrijven werden geliquideerd, bankcontacten opgezegd, rekeningen opgeheven en middelen overgemaakt. Liechtenstein, de Maagdeneilanden en de Caymaneilanden. Tegelijkertijd werden er nieuwe bedrijven opgericht, bankcontacten gelegd, rekeningen geopend en middelen overgemaakt naar andere jurisdicties: Dubai, Liberia, Litouwen, de Bahama's, Panama. Creditcards werden besteld, bankgaranties uitgeschreven, rekeningoverzichten verstuurd. Misschien hield het verband met veranderde geheimhoudingsregels in sommige landen.

Maar nooit Zweedse namen. Altijd buitenlandse bedrijven, en daarachter: buitenlandse advocaten, accountants en andere stromannen.

Torsfjäll tierde over terroristische activiteiten. Tegelijkertijd liep hij te zeuren dat het afluisteren niets van belang opleverde. Riep dat ze JW's computer op de een of andere manier moesten hacken. Maar Hägerström dacht daar anders over.

Torsfjäll zei dat hij een accountant van de financiële recherche naar de hele zooi had laten kijken. Dat die godvergeten negerlanden een zwaarder geheimhoudingsregime hadden dan de Zweedse geheime dienst. Dat de accountant constateerde dat het om witwassen op hoog niveau moest gaan, maar dat ze geen hulp zouden krijgen van de staten waar de bankrekeningen zich bevonden.

Het probleem was dat ze nauwelijks bedragen van bedrijven of rekeningen in Zweden verplaatst zagen worden. Als ze grote geldstromen ontdekt zouden hebben, zouden ze die misschien naar de bron toe hebben kunnen volgen. Dat was makkelijker dan vroeger.

JW en zijn mensen moesten contanten verplaatsen. Koeriers. Of ze kregen hulp van een of andere financiële instelling in Zweden: bank, wisselkantoor, kredietinstelling of iets dergelijks. De vraag was hoe ze konden bewijzen dat het illegaal was.

Terug naar de gevangenisauto. Eerst hadden ze het over de gewone dingen gehad. Het eten in de bajes, andere gedetineerden, nieuwe procedures. JW liet weinig los over wat hij tijdens zijn verlof zou doen.

Hägerström duwde het gesprek in een andere richting. Begon te namedroppen. Oude klasgenoten en vrienden van zijn school. Mannen uit de financiële wereld, advocaten, industriemagnaten, erfgenamen, bekenden van het koninklijk huis. Mannen geboren in een wereld die ze nu bezaten. Mannen die met hun familie geen etages maar hele panden in Östermalm bewoonden, *townhouses.* Mannen die vijf jaar geleden, voor hij de bak in ging, JW's voorbeelden waren geweest.

Hägerström ging verder met namen uit de vriendenkring van zijn zus. Daar gold hetzelfde voor. Vijf, tien jaar geleden waren Tin-Tins vriendinnen de prinsessen van Stureplan geweest. In die tijd was JW wannabe nummer één geweest. Hij zou de meeste namen moeten kennen, zich misschien afvragen wat ze tegenwoordig deden, of ze vriendjes hadden, waar ze woonden.

Hägerström sprak alle namen op de juiste manier uit, liet opnieuw merken hoezeer hij wist waar hij het over had. Wachtmeister met een k en een e, Douglas met een u in het begin. En de moeilijkste van allemaal: du Rietz klonk als Duurrjé.

Hägerström wist dat hij raak geschoten had. Het klikte tussen hen. JW's zwak voor het chique leven: de bovenlagen, crème de la crème. Het verlangen van de jongen om deel uit te maken van een wereld waar hij zich niet in bevond. De wereld waarin Hägerström was opgegroeid.

Eerder, voordat Hägerström als loopjongen voor JW was gaan fungeren, had hij misschien niet echt geluisterd. Maar nu zoog JW zijn woorden op. Hägerström vertelde over een uitnodiging voor de bruiloft van zijn broer. Alle gasten hadden per koerier een flinke kist gekregen. Een fles roze Lanson, zonnebrandcrèmes en huidverzorgingsproducten van Lancôme en een speciaal gemaakte dvd. Robert Gustafsson gaf een rondleiding in het ouderlijk huis van zijn aanstaande – schertste, hekelde, dreef de spot met alles en iedereen. Op een klein kaartje de uitnodiging voor de bruiloft. Drie dagen: laat je kinderen thuis. Laat je creditcard thuis. Neem je paspoort mee.

Maar algauw wilde Hägerström het over spannender onderwerpen hebben. En JW leek dat te begrijpen.

Alleen zij tweeën in de auto. Eigenlijk was het tegen de regels, maar Torsfjäll had aan touwtjes getrokken. Een rit van twee uur. Hägerström zei dat hij geregeld had dat ze samen zouden gaan. JW begon een wat ontspannener indruk te maken. Er was geen reden meer om er doekjes om te winden.

Maar JW was hem voor. Hij zei: 'Weet je eigenlijk waar ik vandaan kom?'

Hägerström wist het.

'Geen idee, maar om eerlijk te zijn lijk je niet thuis te horen in een gevangenis.'

'Ik kom uit Västerbotten. Is dat niet te horen?'

'Absoluut niet. Ik vind eerlijk gezegd dat je klinkt als een rasechte Östermalmer. Of nee, eigenlijk iets meer richting Lidingö. Vanwege je i's.'

JW lachte. Duidelijk ingenomen met Hägerströms antwoord.

'Je moet weten dat ik een hele weg heb afgelegd.'

Hägerströms hersenen kriebelden. Nu waren ze op weg naar privéterrein. In de wereld waar hij vandaan kwam was het niet per se iets chics om een weg te hebben afgelegd. Dat JW dat vertelde, betekende dat hij zich openstelde.

JW ging verder: 'Ik heb gestudeerd aan de Economische Universiteit. Maar ze hebben me geen examen laten doen omdat ik ben veroordeeld, dus nu studeer ik aan de Universiteit van Örebro. In principe ben ik al klaar, wacht alleen nog op een cijfer voor mijn scriptie.'

Hägerström keek hem aan. Grijnsde. Knipoogde. 'Studeer?'

JW glimlachte flauwtjes.

Hägerström zei: 'Als je zin hebt, introduceer ik je als je eruit komt met alle plezier bij een paar zakelijke contacten.'

'Dat klinkt interessant. Wat voor contacten bedoel je?'

'Je kent het wel, mensen die hulp nodig hebben met hun geld. Het belastingklimaat in dit land dwingt mensen immers om op nieuwe manieren te denken, hoewel we de afgelopen tijd goddank een betere regering hebben.'

'Wat je zegt, niemand zou het meer met je eens kunnen zijn dan ik. Ze jagen op mensen die hard werken en geld verdienen, maar niet op moordenaars en verkrachters. Dat weet jij ook wel, je bent immers rechercheur geweest en nu cipier.'

Dit was glad ijs. Hoewel het prettig was dat JW hem begon te vertrouwen, bestonden er regels voor de manier waarop je over criminaliteit sprak, ook voor criminelen onderling. De gewoonte was dat je niet zomaar open kaart speelde. Je vertrouwde niemand. Je mocht nergens bij betrokken raken. Hete informatie kon een last zijn.

Hägerström hield zijn blik op de weg gericht. 'Inderdaad. Dus mensen hebben hulp nodig om te begrijpen wat je vervolgens met het geld doet om de tengels van de Zweedse staat te ontlopen en een hoop praatjes te voorkomen.'

JW krabde even verstrooid in zijn haar. Zag er haast ongeïnteresseerd uit. Hij speelde goed.

Daarna zei hij. 'Oké, laten we het er verder over hebben...' Hij pauzeerde.

Hägerström dacht: jackpot.

Daarna ging JW verder: '... als ik eruit ben.'

Shit. Dat zou nog even duren.

Maar misschien was het toch een succes: JW had het begrepen. En geaccepteerd.

Ze reden naar Djursholm. JW wilde graag afgezet worden op de Henrik Palmes Allé. Hägerström was van plan zich vast te bijten. Hij zag JW de straat uit wandelen en de Sveavägen inslaan. Hij parkeerde de auto. Stapte uit. Ging op een holletje naar de kruising. Hij zag JW honderdvijftig meter voor zich. Hij sloeg weer af, naar links.

Hägerström rende op volle snelheid. Tot aan de volgende kruising. Hij moest zien waar JW heen ging.

Net op tijd. JW stond voor de deur van een villa honderd meter verderop.

Iemand deed open. JW ging het huis in.

JW in een villa in Djursholm. Dit was niet zomaar een villawijk. Hier stonden de grootste villa's van Stockholm. De ruimste percelen van de Zweedse steden. De échte goudkust. En JW had ervoor gekozen om hier iemand op te zoeken tijdens zijn verlof.

Hägerström surfte naar de telefoongids en checkte het adres. Er stond niemand ingeschreven. Hij belde de belastingdienst. Het huis was in bezit van een Brits bedrijf: Housekeep Ltd. Verdacht in het kwadraat.

Hij belde Torsfjäll en vroeg hem uit te zoeken wie er in het huis woonde.

Daarna ging hij achter een groepje hazelaars staan. Hield het huis waar JW naar binnen was gegaan in de gaten. Liet het niet los met zijn blik.

Het huis had gele, gemetselde muren. Het had twee verdiepingen, in totaal misschien driehonderd vierkante meter. De tuin zag er goed onderhouden uit.

Hij zag iemand achter een raam bewegen. Hij overwoog Torsfjäll weer te bellen om hem te vragen een rechercheur in burger te sturen die dichterbij kon komen dan hij. Maar hij bedacht zich, wilde dit zelf opknappen.

Hij bleef wachten. JW zou toch niet de hele dag in dat huis blijven?

Een uur later. Er kwam een taxi bij de villa voorrijden.

De deur ging open. JW stond in de deuropening. Achter hem kwam een andere man naar buiten. Deed de deur dicht, draaide hem op slot.

De man was blond, een beetje vadsig, met pafferige wangen. Hij droeg een rode broek en een groen jasje. Een jaar of vijftig. Hägerström scherpte zijn blik om te proberen hem beter te zien. Hij hield zijn mobieltje omhoog en probeerde foto's te maken. Het was zinloos. JW en de man waren te ver weg.

Ze stapten in de taxi. Taxi Stockholm, het grootste taxibedrijf van de stad. De auto reed weg.

Hägerström belde Torsfjäll weer.

'JW rijdt nu samen met een man weg in een taxi met kenteken NOD 489, kun je regelen dat Taxi Stockholm de film in de bewakingscamera van de taxi bewaart?'

'Natuurlijk. Uitstekend idee. Wat hou ik van de controlesamenleving. En ik kan je vertellen dat ik zojuist een mailtje heb gekregen over wie dat huis gebruikt. Het stond voorheen op naam van Gustaf Hansén. Hij was directeur en bureauchef van de Danske Bank, totdat hij ontslagen werd. Nu is hij volgens de registers al vier jaar woonachtig in Liechtenstein. Dat stinkt zo erg naar financiele criminaliteit dat ik mijn neus dicht moet knijpen.'

Hägerström keek naar het huis. Hij zei: 'Wat vind je dat ik moet doen? Ik kan die taxi niet direct achtervolgen met een bedrukte transportauto van de gevangenis.'

'Nee, dat kan niet. Maar je kunt het huis binnen gaan. Je weet dat daar nu niemand is.'

Hägerström ademde snel in.

'Maar het alarm dan? Die villa heeft vast een alarm.'

'Geen probleem, dat regel ik.'

24

Later. Ze stond voor de deur van een zolderwoning aan de Björngårdsgatan. Nee, dacht ze: de zolderwoning – bepaald lidwoord.

Midden op de dag. Over twintig minuten moest ze voor verhoor naar de smerissen. Maar tot die tijd zou ze haar eigen onderzoek doen. Ze hadden maar te accepteren dat ze te laat kwam.

De lift ging maar tot de vijfde verdieping, het laatste stuk tot aan de zolderverdieping moest ze met de trap. De muren zagen er pas geschilderd uit.

Ze haalde de sleutelbos tevoorschijn. Hij rammelde.

Of misschien trilde haar hand.

De deur voor haar: twee sloten. Een cilinderslot en een gewoon slot.

Aan de sleutelbos in haar hand: in totaal zeven sleutels. Vier voor cilindersloten, waarvan twee voor thuis. Ze herkende ze.

Oftewel: twee mogelijke sleutels.

Ze pakte de eerste. Bracht hem naar het slot. Stopte hem erin.

Probeerde hem om te draaien.

Het werkte niet.

Ze haalde hem eruit. Stopte hem er weer in. Probeerde hem om te draaien.

Nee, ze kreeg geen beweging in het slot.

Ze haalde de andere sleutel tevoorschijn. Bracht hem naar het slot.

Het slot in.

Probeerde hem om te draaien.

Nee.

Die werkte ook niet.

Ze probeerde het weer.

Kut, kut, kut.

Het was niet de goeie sleutel.

Een geluid: haar telefoon – haar mobiel ging.

Ze herkende het nummer, het waren die rotagenten. Ze drukte het gesprek weg. Natalie zou op verhoor komen, ze hoefden zich geen zorgen te maken.

De telefoon en de sleutels haar tas in.

Ze voelde zich eenzaam.

Ze bleef voor de deur van de flat staan. Ze draaide zich om. Begon de trap af te lopen.

Wachtte bij de lift. Ze hoorde de kabels knarsen. Hij was op weg naar boven.

De liftdeur ging open: er stapte een meisje van haar leeftijd de lift uit. Ze raakten elkaar zachtjes: de Louis Vuitton-handtas van het meisje en Natalies Bottega Veneta-tas.

Het meisje keek recht voor zich. Geen blik op Natalie. Natalie stapte de lift in. Sloot de deur. Raakte geen knop aan.

Ze keek door het glas van de liftdeur naar buiten. Het meisje dat net boven was ging de trap op. Naar de zolderverdieping. Natalie hoorde haar de deur boven openmaken. Zij had blijkbaar de juiste sleutels.

Natalie ging met de lift naar beneden. Opende de deur. Bleef een paar seconden in de lift staan. Luisterde.

Spanning in haar hoofd. Een zuivere, heldere, stellige gedachte: ik moet erachter komen wie dat is. Ik moet die meid achterna.

25

Geen shovel.

Godverdomme geen fokking shovel.

Jorge schreeuwde. Spoot spuug. Blies scheldgrenzen op.

Sergio staarde hem aan. Jorge bleef tekeergaan.

'Mierda! ¡Joder! ¡Hostias ya! ¡Me cago en mi puta mala suerte! ¡Le manda cojones! ¡Me cago en su puta madre!'

Hij verstomde. Kon niet genoeg kutwoorden bedenken. Stond daar maar. Keek naar de halflege parkeerplaats.

Nada, nul shovels.

Hij nam weer contact op met Tom. 'Waar is die fokking shovel?'

Tom kwam na een halve minuut terug. 'Jimmy en Robert hebben hem er gisteren neergezet. Ze hebben geen idee.'

Jorge hing op. Keek naar beneden.

Kots op het asfalt: op de zijkant van een geparkeerde auto, op z'n broek, z'n pata's.

Zijn kop bonkte. Zijn handen trilden. Zijn hartslag: als een slecht technonummer.

Zijn maag kneep samen. Al lag alles daar al te stinken.

Wat moesten ze godverdomme doen?

Wat moest *híj* godverdomme doen?

De grondslag voor deze hele overval was de shovel. De shovel: een must.

Ze hadden nagedacht, gepiekerd. Uiteindelijk: hadden de oplossing gevonden. Dat shovelbeest moest de toegangshekken vermorzelen om het heilige der heiligen van Tomteboda te bereiken. De hekken te forceren naar de perrons waar ze de geldkoffers losten. Waar de bewakers onvoorzichtiger waren.

De opening naar de WTO van het decennium.

En nu stond ie er niet.

Over exact vier minuten zouden ze toeslaan – was het plan. Terwijl de politie opgesloten zat in hun garages en de toegangs- en uitvalswegen van Stockholm bezaaid lagen met voetangels en brandende auto's.

De gedachten vlogen door zijn kop.

Zijn brein brulde: kappen met die overval, wees intelligent. Neem geen risico.

Zijn hart schreeuwde: pak dat hek met de bestelwagen. Het is nu of nooit.

Get rich or die trying.

Hij weigerde er nu mee te kappen – dit was zijn pensioenverzekering. Zijn droom. Maar ze konden niet met dit Mercedes-busje door het hek rijden. Dat zou de klap niet overleven. De hekpalen waren absoluut te dik. Plus: de bus was van levensbelang – als die ook maar het kleinste probleem had, waren ze erbij.

De andere auto's op de parkeerplaats konden ze niet jatten – door de immobilizers van tegenwoordig konden alleen Julian Assange-hackers nieuwere auto's nakken. Bovendien: ook die zouden de hekken niet aankunnen.

Jorge probeerde zich te concentreren. Sloeg zijn handen voor zijn gezicht.

Opnieuw, in zijn hoofd: kappen J-boy. Stop ermee. Wees een beetje verstandig.

Blaas het af.

BLAAS HET AF.

Hij staarde naar zijn handpalmen. Bracht het niet op om terug te gaan naar de bestelwagen. Hoorde gepraat op de achtergrond. Sergio, Mahmud. Snelle, gestreste stemmen. Iemand pakte de walkietalkie van hem af. Hij hoorde Toms stem. Iets over auto's. Formaat. Hekken.

Jorge dwaalde af. Beelden flitsten voorbij. Paola en hij op weg naar school. Ze liepen alleen. Het laatste wat mama altijd tegen hen zei voor ze thuis weggingen was: '*Caminar cogidos de la mano.*' Hou elkaars hand vast. Mama dacht altijd aan ze – als Rodriguez zich er niet mee bemoeide.

De ondergrondse tunnels onder de woonwijk rondom de Malmvägen waren onder gekliederd. De zon scheen door vuile ruitjes naar binnen. Hij keek naar buiten. Knoploze rododendronbosjes op de binnenplaatsen, omdat kleine jochies ze hadden gemold om een knoppenoorlog te houden. Spijbelende middelbare scholieren en kapotte parkbankjes met ingekerfde bendenamen. Paola was gestrest. Ze trok aan hem. Ze wou altijd op tijd komen. Jorge wou nooit op tijd komen.

Toen bleef Paola staan. Ze deed haar rugzak af. Die was mooi. Ze maakte hem open en slaakte een kreet.

Jorge keek haar aan. 'Wat is er?'

'Ik ben mijn boeken thuis vergeten.'

'Zullen we terugrennen om ze te halen?'

'Nee, nee. Dat halen we nooit.'

Hij zag wat er zou gebeuren. Paola's gezicht begon te trekken. Ze kneep haar ogen samen. Ze schreeuwde dezelfde woorden steeds maar weer.

'Dat halen we nooit. Dat halen we nooit.'

Toen kwamen de tranen.

Nee, nu moest hij terug. Terug naar Haga-Zuid, de parkeerplaats. Terug naar de gruwelijke werkelijkheid.

Hij keek op. Zou proberen de jongens uit te leggen dat het tijd was om te stoppen. Te kappen met de overval. Misschien konden ze dezelfde kraak volgende week wel zetten.

Maar voordat hij had kunnen beginnen zei Mahmud: 'Brother, we hebben een voorstel.'

Jorge wou geen bullshit horen. Hij zei: 'Niet nu.'

Mahmud legde zijn hand op zijn schouder. 'Luister, Babak heeft de Range Rover. Die staat geparkeerd in Solna. Het kost hem drie minuten om hier te komen. Hij staat niet op zijn naam en hij wil hem best uitlenen als hij er later voor betaald krijgt. We kunnen hem gebruiken om de hekken te forceren. Dat zou dat ding wel moeten kunnen.'

Jorge keek Mahmud aan. Moeilijk om de negatieve gedachten nu te doorbreken. Hij zei: 'Die kan die hekken niet aan.'

'Jawel. Babak denkt dat het kan. En Tom denkt dat het kan. Je hebt er toch in gereden, het is het grootste model Range Rover dat er bestaat. Weegt meer dan tweeënhalve ton, V8-motor, vierwielaandrijving, superstijve carrosserie, een grille die andere SUV's verslindt bij het ontbijt.'

'Weet ik. Maar wie komt hem brengen?'

'Babak is klaar bij het jutenclubhuis. Hij is nu op weg naar huis, is er over twee minuten.'

'Dan halen we het niet.'

'Kom op zeg, dan zijn we alles bij elkaar misschien vijf minuten te laat. Dat lukt best. Wullah.'

'Maar wat doen we er daarna mee?'

Mahmud pakte Jorges schouder ook met zijn andere hand vast. 'Kom op joh, man.'

Jorge keek omhoog. Zag Mahmuds blik. Geen treurige halvemaansogen meer. Nu: een flonkering, een gloed. Een gangsterblik. Zijn gabber geloofde hierin.

Jorge slikte. Zijn verhemelte smaakte nog steeds naar kots.

Mahmud: zijn beste homie.

Mahmud: een echte vent.

Mahmud: een gozer die hij vertrouwde.

Bovendien: de Arabier had een soort *gut feeling*.

Jorge slikte weer. 'Oké, we gaan. Hij moet de kentekens bedekken en als we klaar zijn moet de auto vernietigd worden. Snapt ie dat?'

Mahmud smilede, reageerde meteen. Klikte op de walkietalkie. 'Hij zegt dat we gaan.'

Toms stem klonk. Met nieuwe energie.

Jorge hoorde hem via zijn mobiel met de anderen praten. Ratelde orders, richtlijnen, het nieuwe plan.

Ze hoefden alleen maar te gaan.

Range Rover Vogue versus de hekken van Tomteboda.

Zes minuten en twintig seconden later. Jorge en Mahmud in de bestelwagen. Babak en Sergio in de Range Rover voor hen. Minder dan drie minuten te laat.

De Iraniër had zilveren tape over de kentekenplaten geplakt. De hekken van de postterminal honderd meter verderop. Tijd: vijf over elf. De stemmen op de politieradio op de achterbank: ontdaan. De stad stond in brand. Het was een oorlogstoestand. Overal verdachte bommen. De hele invalsweg Essingeleden voor de Eugeniatunnel verstopt. Een stuk of dertig auto's met kapotte banden. Spijkermatten of voetangels. De smerissen nog zonder overzicht. Jimmy had als een held voor een megastremming gezorgd. Jorge was de verdwenen shovel al bijna vergeten. De Klarastrandsleden ook in chaos. Het verkeer ging trager dan kruipende peuters. Javier had zijn deel gedaan. Maar de noordelijke uitvalsweg van Stockholm lag open. Open als een racebaan. Zonder jutenheli's in de lucht.

Bovendien: de jachtige algemene oproepen van de skotoe, regionale orders, uitrukvoorbereidingen. Sabotage van de politie Stockholm. J-boy hoorde alles. *Tough luck – pacos.* De orders duidelijk: verhoogde paraatheid. Het kan gaan om een geplande aanval elders. Er kan sprake zijn van politieke activisten. Er kan sprake zijn van een terroristische aanslag. Zet alle invals- en uitvalswegen van de stad af. De juten wisten: WTO-veteranen creëerden altijd chaos. Maar nooit op deze schaal.

Jorge voelde zich beter. Zelfs: gretig. Tegen Mahmud: 'Loco, nu knalt het. Wil je ook?'

Hij hield een sealtje met een paar pillen omhoog. 'Roofies.'

Mahmud grijnsde. 'Ik heb m'n eigen spul al genomen.'

Jorge knikte.

Ze wachtten.

De pillen bitter in zijn mond, maar beter dan die kotssmaak.

Het hek was dicht. De bewakers in de controleruimte ernaast.

Hij ging open voor een gele postvrachtwagen op weg naar buiten. Babak gaste met de Range Rover. Jorge hoorde de auto loeien. Eerste versnelling. Ze zouden niet binnen kunnen komen voor het hek dicht was, dat wist hij. Maar het mechanisme was zwakker als het hek niet helemaal dichtzat, volgens de berekeningen van zowel Tom als de Fin. Een shovel zou het zeker aankunnen. De vraag: zou Babaks auto het hek omver krijgen?

De Range Rover barstte los. Jorge wachtte voor hij de koppeling op liet komen. Wilde zien hoe het de mega-SUV voor hem zou vergaan.

Dertig meter verderop: het hek. Dat schoof snel dicht. Toch: op dit moment voelde het langzaam. De Range Rover reed er vol op in. Het kraakte.

De Range Rover slipte even.

Hij zag het hek staan zwaaien op de steunpunten.

Besefte: de Range Rover had de weg gebaand. De hekken omver gewalst. Een doorgang gefikst.

God bestond.

Nu: J-boy back in the game.
Hij trapte het gas tot op de bodem in.
Dertig meter verderop. Jorge reed het gesneuvelde hek door.
Hij remde af. Mahmud schoof de zijdeur open. Smeet een koffer met een duidelijke tekst erop naar buiten: BOM. Ze wilden niet dat een idiote held het in zijn hoofd zou halen te proberen hun vluchtweg te blokkeren.
Ze hadden maximaal drie minuten de tijd, en ze waren al laat.
Ze reden rechtdoor. Om hen heen schreeuwden postbeambtes.
De zomerzon op zweterige kracht. Zoals J-boy. Sterk. Zweterig. Bezig het deze jongens heel warm te laten krijgen.
Hij durfde alles.
Perron nummer eenentwintig en tweeëntwintig achter extra hekken. Sergio in de Range Rover – kende de weg. Had Jorges filmfragmenten zeker vijfhonderd keer gezien.
Jorge remde af. Hij trok de bivakmuts voor zijn gezicht. Pakte de kalasjnikov en een sporttas van de achterbank.
Mahmud deed hetzelfde. De Arabier: als een echte WTO-prof, grijze overall, handschoenen met nopjes, zwarte balaclava. Een dikke kalash in zijn hand.
Ze stapten uit. Wisten: geen films in de bewakingscamera's. Echt: de insider was onbetaalbaar.
Sergio holde naar het hek. Dezelfde kleren als Jorge en Mahmud. In zijn handen: de zwaarste variant van DeWalt, een helse haakse slijper. Stortte zich op het extra hekwerk dat tussen hen en de losperrons stond. Hier konden ze niet met de SUV tegenaan rijden, en waarschijnlijk evenmin met een shovel. De betonnen blokken onder aan het hek waren erop gemaakt om een kleine oorlog te doorstaan.
Jorge zag een bestelwagen aan de andere kant staan, bij tweeëntwintig. Zeven meter verderop. Effen zwart, zonder tekst of logo. Dat was de waardetransportwagen. De achterkant naar het losperron. De laadklep in de hoogste stand. Twee bewakers maakten een metalen deur open, maar verstijfden toen ze het geschreeuw hoorden.
De informatie van de insider klopte.
Jorge keek naar de Range Rover: de voorkant ingedrukt. De voorruit gecrasht. Maar geen opgepompte airbags. De Iraniër was scherp. Hij had ze uitgezet.
Jorge en Mahmud richtten hun wapens door het hek. Hielden eventuele minihelden die de kraak wilden saboteren op afstand. Hielden bewakers die anders zouden willen ontsnappen in het vizier. Babak zat nog in de Range Rover – ze hadden geen balaclava voor hem gehad. De Iraniër verborg zijn gezicht zo goed mogelijk achter een capuchon.
Twintig seconden. Sergio was erdoor. Trapte tegen het hek. Er viel een vierkant stuk uit, een opening.
J-boy rende erdoor. Naar de metalen deur naast die waar de bewakers door

waren verdwenen. Een golf door zijn lichaam. Gangsterroes.

De deur was van binnenuit opengemaakt. Weer: de insider was geweldig.

Hij zag een gang. Hij vond de weg als in zijn eigen badkamer.

Betonnen wanden. Slechte verlichting. Een deur aan het ene uiteinde. Hij maakte hem open.

De overslagruimte: witte wanden. Bewakers. Wagens met koffers.

Nu: hij hief zijn wapen. Schreeuwde in zijn beste Engels: '*This is a robbery! Open the door.*'

Sergio kwam na hem binnen. Een Walther in zijn hand. Richtte hem ook op de bewakers.

De deur naar het laadperron ging open. De bewakers binnen en buiten begonnen koffers te versjouwen. Jorge probeerde te rekenen: het konden er wel zestien zijn.

Buiten: Mahmud bewoog zich schokkerig. Wees met zijn wapen: '*Put the cases in our car.*'

De bewakers pakten koffer na koffer. Stapten door het gat in het hek.

Tegelijkertijd: Jorge zag de andere metalen deur. De deur naar de kluis.

Mahmud nam het buiten over. Zwaaide met zijn kalash. Jaagde de bewakers op.

Jorge zette de sporttas op de grond.

Het grote nieuws: eergisteren hadden ze de kluiskwestie opgelost.

Jorge had contact opgenomen met een vent: Mischa Bladman, partner van JW. Fikser met een gezicht als een maanlandschap – de acneproblemen van die kerel moesten erger zijn geweest dan die van Freddy Krueger in zijn jonge jaren.

Bladman zei dat er veilige wegen naar JW bestonden. Jorge stuurde hem een bericht via Bladman. Twee dagen later kreeg Jorge antwoord. Ja, JW kon contact opnemen met mensen die contact konden opnemen met mensen die officieel geheime tekeningen uit het gemeentelijk bouwkantoor konden opvragen. Het was slechts een kwestie van prijs. Jorge bood honderdduizend via JW's wegen. Vijf dagen later: Bladman overhandigde hem de tekeningen – JW was een god. Jorge bracht ze zelf naar Gabbes Pizzeria in Södertälje. De Fin liet er een explosievenexpert naar kijken. Hij gaf groen licht.

Dus nu: Jorge haalde een plofraam uit de tas.

De Fin was bondig geweest: 'Die worden eigenlijk alleen gebruikt door brandweerlui die door muren en zo heen willen komen om mensen te redden. Mijn man kan de explosieve kracht vertienvoudigen.'

Sergio had Jorge geholpen het plofraam in elkaar te zetten. Ze hielden de tekening die de Fin had gemaakt omhoog. Hoe het raam exact geplaatst moest worden. Hoe het exact bevestigd moest worden. Hoe het exact aangestoken moest worden.

Jorge draaide zich om. Keek door de opening naar buiten.

Nu: al vier koffers in de bestelwagen.

Sergio's volgende gig: hij boorde in de muur. Jorge hield het plofraam omhoog. Sergio draaide de schroeven erin. Het zat goed vast.

Een bewaker, een vent met een dikke pens, stond nog bij de wagen met geldkoffers. Probeerde te treuzelen. Observeerde wat ze aan het doen waren.

Jorge wist: een strategie die ze gebruikten. Doe alles langzaam, geef de skotoe de tijd om te komen.

Hij wees met zijn kalash naar de bewaker. Weer Engels: *'Hurry up or I blow your fucking head off.'*

De slome vent zette zich in beweging.

Vijf koffers in de bestelwagen.

Mahmud schreeuwde. Onduidelijke dingen in het Zwengels.

Sergio drukte de ontstekingsknop in. Ze renden de gang in.

Handen voor hun oren. Jorge zag Sergio's ogen door het gat van de bivakmuts. Glinstering.

Toen kwam de knal.

BAM.

Ze renden weer naar binnen. Twee bewakers op de grond. Rook in de overslagruimte. De lampen aan het plafond kapot.

In de muur: een gat.

Jorge klom naar binnen. Moest zich klein maken om door het gat te passen. Hoorde Mahmud schreeuwen tegen de twee bewakers die hun bestelwagen nog aan het inladen waren.

In de kluis: donker.

Hij tastte naar het lichtknopje. Bedankte JW weer: J-boy wist precies waar het moest zitten.

Voelde het. Drukte.

Toch gebeurde er niks. Hij drukte weer. En weer.

Kut – de explosie moest de stroom in de kluis hebben verneukt.

Hij keek om zich heen. Het weinige licht uit het gat in de muur was stoffig. Geen tijd om te zoeken.

Hij deed een paar stappen naar binnen. Zag de contouren van tafels. Van stoelen. Van kasten tegen de muren.

Wilde zijn ogen laten speedwennen. Onmogelijk. Nog steeds alleen maar zwakke contouren van voorwerpen.

Sergio stak zijn hoofd naar binnen. 'Hoe ziet het eruit?'

Jorge zei: 'We hebben de elektriciteit verkloot. En ik heb geen zaklamp. Ik zie geen reet.'

Hij zag nog meer tafels. Telmachines. Dozen op de vloer. Hij zag de contouren van iets wat zakken konden zijn. Hij ging er op de tast heen. Struikelde. Verbruikte te veel tijd.

Twee zakken. Halve meter hoog. Hij voelde ze. Verzegeld. Het gewicht kon cash zijn.

Hij nam ze mee. Sleepte ze over de vloer.

Terug door het gat.

De bewakers lagen er nog. Onder een van hen: bloed op de vloer.

Hij zag Sergio in de Range Rover springen. Jorge hoopte dat die zou starten.

De bewakers die nog op de been waren zetten de laatste koffers in de Mercedes.

Ze zweetten. Goed, dat moesten ze ook.

Dertien koffers.

Hij stond op het punt weer door het gat naar binnen te kruipen. Er moesten meer zakken zijn.

Mahmud schreeuwde: '*We gotta go.*'

Jorge stokte. Al meer dan twee minuten over tijd omdat ze op de Range Rover hadden gewacht en het tijd had gekost de kluis binnen te komen. De smerissen konden er elk moment zijn. Toch: misschien lagen er meer zakken binnen.

Mahmud brulde weer: '*For fuck's sake, let's go.*'

De gozer stapte op Jorge af, rukte aan zijn arm.

Jorge wilde het donker weer in. Mahmud trok aan hem.

Dit werkte niet. Hij liet zich naar buiten glijden. Kut.

Hij gooide de zakken uit de kluis in het busje. Stak zijn hand in zijn zak. Haalde de soft air gun eruit. Gooide hem op de grond – zette dwaalsporen uit voor de juten.

Vijftien koffers.

Mahmud brulde. Ze waren fokking laat.

Hij stond stil. Wijdbeens. Klaar.

Richtte zijn kalash.

Zestien koffers.

Zóóóveel koffers plus de zakken, dat moesten dikke doekoes zijn.

Jorgelito – hij had verder schijt aan de kluis. Binnenkort: hoe dan ook een vet vermogende latino.

Zeventien koffers.

Een gruwelijk tighte nigga.

Achttien.

Een bulkrijke Chileen met stijl.

Ze startten de bestelwagen.

Jorge hoorde sirenes.

26

Hägerström stond voor de deur van de villa. Eerst wilde hij via het raam naar binnen gaan. Maar als Hansén zag dat iemand een raam had ingeslagen, zou hij begrijpen dat er was ingebroken. De deur zou beter zijn, als dat ging.

Er zaten stickers op de buitendeur en de ramen: DIT HUIS IS BEVEILIGD. Pan World Security. Maar daar had Torsfjäll voor gezorgd. De commissaris had Pan World Security gebeld en bevolen dat alle eventuele alarmen van dat adres de komende uren genegeerd moesten worden.

Hägerström waagde het erop. Hoopte dat zijn cipierskleding eventuele buren en passanten op het verkeerde been zou zetten. Zodat ze zich niet zouden afvragen waarom hij aan de deur van het huis stond te morrelen. Hij had zijn auto een stukje verderop geparkeerd. Begreep waarom JW had gevraagd om een halve kilometer van de villa afgezet te worden – het verband Hansén en gevangenisauto wilde hij niet door een nieuwsgierige buurman laten leggen. Dit was Djursholm – een auto van een penitentiaire inrichting was in deze buurt nog zeldzamer dan een Skoda.

Hägerström haalde de elektrische loper uit zijn zak – standaardgereedschap van de politie dat Torsfjäll hem zojuist per taxi had laten bezorgen.

Die zou waarschijnlijk voldoende zijn voor de buitendeur. Hij stopte de punt van de loper in het onderste slot. Assa Abloy: een normaal model. De loper zoemde.

Zijn gedachten dwaalden af.

De operatie boekte vooruitgang. Al voor de reis van Salberga naar Stockholm stelde JW af en toe een vraagje.

'Waar hou jij meer van, Juan-les-Pins of Cannes?'

'Ik overweeg een appartement aan de Kommendörsgatan te kopen als ik vrijkom, vind je dat die te ver weg ligt?'

'Wat vind je van de nieuwe Audi? Is die een beetje protserig of goed?'

Hägerström dacht: is het niet een beetje fout om een Audi te rijden? Als je een goeie wagen reed, nam je toch een echt goeie? Anders kon je net zo goed een oude Volvo kopen.

Daarna schaamde hij zich: het was merkwaardig – in de bajes leek de jongen onder de zijnen zo zelfverzekerd en op zijn gemak. Maar in verhouding tot Hägerström, als ze het over dit soort dingen hadden, was hij net een angstige zeventienjarige. Hij kreeg haast moedergevoelens voor het jochie.

Hägerström focuste zich weer.

Het slot klikte. De deur ging open. Erachter zat een afgesloten traliehek. Hij wist dat dat aanzienlijk beter beveiligd was. Hij ging er op zijn knieën voor zitten. Pakte een andere loper.

Hij probeerde zich de cursus sloten forceren te herinneren. Hij had maar één boek gelezen, maar had des te meer geoefend. Het geheim van het openen van sloten was drieledig. Het slotje van een bureaulade openpeuteren kon iedereen binnen een dag leren. Echte sloten openmaken vereiste concentratievermogen, analytisch talent en vooral mechanische gevoeligheid.

Het was moeilijker dan hij had gedacht. Maar zijn leraar had gezegd dat hij een natuurtalent was.

De concentratie was geen probleem. Hij was voormalig kustjager, intern rechercheur, denker. Concentratie was een deel van zijn dagelijks leven. Hoewel hij vaak veel gedachten in zijn hoofd had, kon hij zich focussen als het om sloten ging.

Sloten open krijgen was dus vooral een zaak van mechanische gevoeligheid. Van het leren omgaan met druk. Het probleem was dat de meeste mensen al vroeg in hun leven hadden geleerd hun lichaam of handen in een bepaalde positie te houden, ongeacht hoe hard je ermee drukte. Maar bij het open krijgen van sloten was het omgekeerd. Daar moest je de druk op een bepaald niveau houden. Als je de loper eruit trok moest de druk op de pinnen gelijk blijven. De man met de loper bewoog zijn hand, maar hield de druk volkomen gelijk.

Hij priegelde de loper in het slot van het traliehek.

Probeerde zichzelf te dwingen zich te concentreren, alle gevoelens te negeren die niet met het slot te maken hadden. Een licht briesje in zijn gezicht. Een deur die ergens verderop dichtsloeg. Een vogel die tjilpte op het dak van een huis.

Hij voelde de zwaartekracht, de frictie. Pinnetjes die zich honderdsten van millimeters bewogen. Een schoot die weerstand bood. De loper was een verlenging van vingertoppen en zenuwen. Hij hield de druk op de pinnen op exact hetzelfde niveau.

Hij draaide langzaam.

Hij voelde het draaimoment, de loper, de pinnen.

Hij voelde de schoot bewegen.

Het slot klikte.

Hij pakte het traliehek vast.

Het ging open.

Toen sloeg het bewegingsalarm aan. Loeide op de grens van het onverdraaglijke.

Hägerström deed de deur achter zich dicht. Liep naar het alarm dat meteen rechts van de deur zat. Toetste de code in die hij van Torsfjäll had gekregen, die hem op zijn beurt van Pan World Security had gekregen.

Het alarm zweeg net zo abrupt als het was begonnen.

Hij hoorde zijn eigen ademhaling. Bleef in de hal staan. Wachtte af of een van de buren zou gaan roepen.

Er gebeurde niets.

Hij keek om zich heen. Een rococotafeltje en een blaker aan de muur. Geen krukje, maar wel een trap naar de bovenverdieping.

Hägerström liep verder het huis in. Voor hem een woonkamer. Perzische tapijten op de vloer. Meer rococomeubels. Enorme schilderijen aan de muur: Bruno Liljefors, Anders Zorn, misschien een Strindberg. Het leek op mama's woning, maar met een slechtere smaak. Dit interieur maakte een ordinaire indruk.

Hij liep door een keuken in boerenstijl. Witte kastdeurtjes van een soort hout, handvatten van mat metaal. Geen onzichtbare mechanismen of vreemde materialen. Een kookeiland met inductiekookplaten in het midden, en een ventilator erboven die ongeveer net zo groot was als Hägerströms Jaguar. Een koffiezetapparaat van Moccamaster, afwasmachine, koelkast, vriezer en magnetron van Miele. Vier barkrukken om een hoge tafel. Op de vloer zwarte en witte tegels, ze waren warm – ongetwijfeld vloerverwarming met water.

Hij liep verder.

Een gang met vier deuren. Een snelle blik in de kamers. Een slaapkamer, een televisiekamer. Een kantoor. Hägerström ging naar binnen.

Hier konden interessante dingen liggen. Commissaris Torsfjäll had onmiddellijk een huiszoekingsbevel moeten aanvragen. Maar dat had hij niet gewild.

'Het is beter om al voor we toeslaan robuust bewijsmateriaal te hebben,' vond de commissaris aan de telefoon. 'Bovendien heb ik Taxi Stockholm gesproken en er iemand opuit gestuurd die nagaat wat JW en deze Hansén nu doen, dus dat zullen we in elk geval weten.'

Het kantoortje zag er alledaags uit. Britse, eikenhouten meubelen, een boekenplank met drie ordners en economieboeken, een pc. Vrij weinig papieren. Hägerström had op meer documentatie gehoopt.

Weinig interessants in de ordners. Een paar oude vliegtickets, taxibonnen, hotelrekeningen. Hansén leek zich vaak te verplaatsen: Liechtenstein, Zürich, de Bahama's, Dubai.

Getingel.

Het was de computer. Hägerström liep erheen. Die was aangesprongen uit de slaapstand. Een herinnering knipperde op het scherm. *Vandaag: lunch JW, bel Nippe, bel Bladman, uit eten Börje.*

JW en Bladman. Hanséns contacten hadden overduidelijk een thema.

Hij keek op van de computer.

Er was iemand in het huis.

Hij luisterde weer.
Stilte.
Hij zou willen dat hij zijn P226 bij zich had gehad.
Hij deed een stap naar de muur om niet bij de computer gezien te worden.
Geen geluid.
Hij deed voorzichtig een stap.
Hij pakte een pen van het bureau. Hield die voor zich.
Hij liep de gang op.
Voorzichtig.
Volkomen stil.
Misschien had hij zich vergist. Misschien was het een geluid van buiten geweest.
Hij passeerde de keuken.
Hij kwam uit in de woonkamer.
Iets hards raakte hem in zijn nek.
Hägerström tolde rond van de kracht in de slag. Hij liet de pen vallen, maar zag voor hij op de grond viel nog net een man in het zwart.
Hij hoorde een stem: 'Hé, vieze junk, hoe heb je het alarm verdomme uit gekregen?'
Weer pijn. De man trapte tegen zijn rug.
Hij probeerde zijn hoofd met zijn armen te beschermen. Naast de figuur die schopte zag hij nog iemand. Speedanalyse van de situatie. Minstens twee aanvallers. Misschien hadden ze de politie gebeld, maar dan zouden ze niet zo agressief hoeven zijn. Ten minste een van de twee was bewapend met een hard voorwerp, misschien met meer. Maar het belangrijkste was: ze hadden niet begrepen waar hij eigenlijk mee bezig was geweest. En ze hadden niet begrepen wie hij was.
Nog een trap. Maar nu was Hägerström erop voorbereid. Hij pareerde hem. Kroop tegelijk terug de keuken in.
Weer een trap. Hägerström draaide zijn lichaam; de trap miste hem. Hij dook naar het been, probeerde hard in de knieholte te drukken. Hij was opgeleid voor dit soort dingen, maar het was alweer een paar jaar geleden. De kustjagers kregen een extreem afgeslankte versie van Krav Maga. Binnen de politie was de training voor gevechten van man tegen man verwaarloosbaar.
De man schreeuwde: 'Laat me los, engerd.'
Hägerström rukte met zijn hele bovenlichaam. De man verloor zijn evenwicht. Viel.
Hägerström stond op. Greep de koffiemachine. Hij zwaaide hem met volle kracht tegen het hoofd van de man.
De man brulde.
De ander, ook hij donker gekleed, probeerde de keuken binnen te komen. Ze stonden nu in een krap gedeelte, precies zoals Hägerström het wilde hebben. Ze een voor een afwerken.

De eerste man hield zijn hand voor zijn gezicht. Bleef brullen. Er spoot bloed uit zijn voorhoofd.

Nummer twee kwam naar hem toe. Hij was groot. Leren jack. Zwarte spijkerbroek. Kort geknipt.

Hij hield een smal voorwerp in zijn hand. Klapte een blad uit.

Een stiletto.

Hägerström zag dat de man hem vasthield als iemand die dat eerder had gedaan. Zijn duim op de platte kant van het blad, hij zwaaide zijn arm voor zijn lichaam heen en weer.

Hij schreeuwde: 'Ik pak deze klootzak.'

Hägerström stond stil. De man met het mes had een licht Oost-Europees accent. Hij deed een uitval.

Hägerström bewoog zich zijwaarts, pareerde de steek. Ging mee in de beweging, schoof de arm van de man opzij. Probeerde zijn hand te pakken. Dat mislukte. Deze vent was écht een prof, een felle tik toen hij zijn arm terugtrok. Hägerström voelde de pijn in zijn hand, maar keek niet. Hij mocht zich niet laten afleiden.

De eerste aanvaller probeerde zich weer op hem te storten.

Tegelijkertijd kwam er nog een houw door de lucht.

Hägerström kon niet met zijn armen pareren. Hij draaide zijn lichaam. Het lemmet miste zijn wang op twee centimeter.

De man die uit zijn gezicht bloedde deed een uitval naar hem. Zijn armen om hem heen. Dat mocht niet gebeuren. Hägerström gaf hem een keiharde kopstoot. Hopelijk raakte hij hem waar het koffiezetapparaat hem had geraakt. De man gilde als een in koffie gemarineerd speenvarken.

Het was te laat. Hägerström voelde de pijn in zijn zij. Rauw, schrijnend, erger dan veel dingen die hij eerder had meegemaakt.

Het mes.

Hij mocht niet naar zijn buik grijpen. Mocht de controle niet verliezen.

Hij drukte zich omhoog op het aanrecht en trapte naar het kruis van de messentrekker.

Het deed pijn in zijn buik. Hij miste.

Hägerström ving een glimp op van zijn eigen bloed op de vloer. Of was het van de ander?

De messentrekker was snel. Nog een steek in zijn buik.

Brandende pijn bij zijn navel.

Hägerström schreeuwde niet. Hij hoorde zichzelf sissen, hetzelfde geluid als wanneer je een stuk verse tonijn in de grillpan legt.

Hij zette zich af. Met alle kracht die hij nog in zich had.

Hield zijn hand recht. Sloeg de man met het mes tegen zijn ogen terwijl hij hem weer in het kruis trapte.

Klassieke gevechtsmethode in een panieksituatie: mik op de zwakke delen. De vent sloeg zijn handen voor zijn gezicht. Brulde.

Hägerström greep zijn kans. Stootte hem opzij. Wrong zich langs hem heen.

De keuken uit. De villa uit.

De straat op.

Zijn trui was nat op zijn buik.

Het gevoel dat hij daar in brand stond. Alsof hij niet in staat was nog een stap te zetten.

Een bliksemsnelle gedachte: misschien is het nu voorbij. Misschien zal ik Pravat nooit meer zien.

De middag in Djursholm was doodkalm.

Hij voelde hoe hij druppelde.

Hij rende naar zijn auto.

27

Natalie ging aan de andere kant van de Björngårdsgatan staan, hield de portiekdeur in de gaten. Wachtte tot het meisje met de Louis Vuitton-tas naar buiten zou komen. Ze hoopte dat het gebouw geen achter- of kelderuitgang had. Eigenlijk had ze allang onderweg moeten zijn naar het smerisverhoor, maar *fuck the police*; dat moest een andere keer maar.

Ze had mazzel. Binnen een kwartier ging de voordeur weer open. De Louis Vuitton-meid kwam naar buiten. De handtas met monogram bungelde aan haar arm. Snelle stappen op plateauschoenen met decimeterhoge hakken en een blik die niet eens probeerde de omgeving te registreren – dombo.

Natalie liep achter haar aan. Ze sloeg de Wollmar Yxkullsgatan in, richting metrostation. Het meisje was overdreven opgemaakt. Ze droeg een roze topje, een kort, glanzend zwart jack, strakke blauwe spijkerbroek. Ze was moeilijk te plaatsen. Enerzijds: dat wat ordinaire bovenstukje en die plateauschoenen. Anderzijds: die tas leek echt.

Ze kwamen op het perron. Verderop stond alleen een gozer met een kinderwagen.

Het meisje ging ongeveer in het midden staan. Nog steeds met haar blik strak voor zich. Staarde naar de billboards aan de andere kant van het spoor: de bikini- en badpakchicks van H&M en reclame voor mobiele abonnementen met veertig miljoen gratis sms'jes. Volgens het elektronische bord aan het plafond zou de metro over vijf minuten komen.

Twee gasten van een jaar of dertig liepen ieder met een kinderwagen over het perron.

Natalie deed een stap naar voren: ongeveer dertig meter tot de Louis Vuittonchick.

Er kwam nog een gozer met een kinderwagen aanlopen. Het moest een soort religie zijn hier in Söder: alle mannen moesten een kinderwagen bij zich hebben. Deze wijk was net één grote sekte.

Toen reed de metro binnen. Het meisje stapte in. Natalie volgde haar.

Op het Centraal Station stapte de meid uit en liep de trap af naar de blauwe metrolijn.

Ze liepen door de gangen het onderaardse in. Stapten op de loopband die mensen tussen de tunnels vervoerde. Hier een andere smaak dan in Söder: geen softe papa's met mamacomplexen, in plaats daarvan een internationale sfeer. De blauwe lijnen reden tussen het centrum en de getto's. Natalie zag hier helemaal niemand die er typisch Zweeds uitzag. Toch voelde ze zich hier anders: geen van al deze Somaliërs, Koerden, Arabieren, Chilenen en Bosniërs zou twijfelen aan haar Zweedsheid. Of beter gezegd, ze voelde het, zag het in hun ogen. Ze keken naar haar alsof ze een deel van het systeem was, een deel van dit land: als naar een honderd procent Zwedo. Normaal gesproken was zij altijd de allochtoon. Hoewel Lollo, Tove en de anderen het nooit expliciet zeiden.

Er kwam een metro binnenrijden. Het meisje stapte in. De wagon was bomvol. Natalie wrong zich naar binnen. Het meisje stond vier meter verderop. Natalie bestudeerde haar beter. Ze had lang, geblondeerd haar met een paar centimeter uitgroei. Haar natuurlijke haarkleur was moeilijk te bepalen, waarschijnlijk onbestemd bruin. Haar wenkbrauwen waren heftig geëpileerd; ook daar kon je haar haarkleur niet uit opmaken. Ze was zonnebankbruin, net als Viktor meestal. Hoewel ze nauwelijks ouder was dan Natalie, zag ze er op een bepaalde manier afgeleefd uit. Of misschien nerveus. Ze constateerde: deze meid was bang.

Natalie haalde haar iPhone uit haar tas. Hield hem sloom in haar hand. Deed alsof ze surfte of sms'te. In feite maakte ze foto na foto.

De Louis Vuitton-chick stapte uit in Solna. Natalie ging achter haar aan. Hield vijftien meter afstand. Lange roltrappen naar boven – de blauwe lijn lag heel diep onder de grond.

Nog steeds mooi weer. Het meisje liep door winkelcentrum Solna. Geen blik over haar schouder. Geen spoor meer van stress in haar tred.

Ze kwam het winkelcentrum uit. Voetbalstadion Råsunda torende op als een fout geparkeerde ufo. Het meisje ging een tunnel onder de straat in. Natalie wilde niet te dichtbij komen. Wachtte een paar seconden. Daarna liep ze de tunnel in. Aan de andere kant zag ze het meisje nog net in de richting van de flats verdwijnen. Natalie holde om haar niet te missen. Hoopte, bad dat de Louis Vuitton-chick onoplettend zou zijn.

Ze zag haar dertig meter voor zich. Nog steeds lopend. Flatgebouwen verderop. Het meisje vertraagde. Ze ging een gebouw binnen: Råsundavägen 31.

De flat had vier verdiepingen. Codeslot op de buitendeur. Natalie besefte dat ze voor vandaag het einde van de weg had bereikt. Hier zou ze niet binnenkomen.

Maar het was niet voorbij. Dit was een begin. Ze was van plan erachter te komen wie deze meid was. Ze zou graven tot ze een antwoord had.

28

Exact drie minuten en twintig seconden nadat Babaks Range Rover de weg vrij had gebeukt, reden ze weg bij Tomteboda. Twee minuten en vier seconden uitloop op het schema van de Fin.

De bomkoffer die ze bij het hek hadden gezet stond er nog. De weg voor hen was helemaal leeg.

Ze hoorden de smerissirenes.

Misschien waren ze er nu bij.

Toch: geen pitauto's te zien. Ze moesten nog ver weg zijn. Of ze waren vast komen te zitten in de spijkermat die ze op de kruising hadden gelegd.

Ze reden richting Solna. Voorop de Range Rover met Babak en Sergio. Daarachter de bestelwagen met Mahmud en Jorge.

Mahmud bestuurde de wagen als een Formule 1-coureur. Jorge bediende de frequenties van de politieradio als een smeris in *The Wire*. Hij kreeg alle politiedistricten binnen, behalve de recherchefrequenties – daar had je speciale antennes voor nodig. Västerort, frequentie 79.000, was als eerste ter plaatse. De telefonisten van de regionale meldkamer schreeuwden als bezetenen. Belden ambulances, bomexperts, commandanten. Probeerden de vluchtweg te achterhalen, modus operandi, of ze helikopters uit Gotenburg konden krijgen.

Dat was niet de bedoeling geweest, dat er een bewaker bloederig op de grond zou liggen. En evenmin dat ze er met twee auto's vandoor zouden gaan. Twee auto's die herkend konden worden. Twee signalementen van voertuigen op de woutenradio. Twee auto's waarin ze hun sporen moesten uitwissen.

Toch: tot nu toe was alles verlopen als een strafschop op open doel, behalve dan dat ze de elektriciteit in de kluis hadden verknald. De bewakers waren rustig geweest; ze mochten toch geen wapens dragen in het vriendelijke Zweden, maar een alarm droegen ze allemaal. J-boy & co kregen alle koffers mee, netjes op een rijtje met de handvatten naar buiten en het kleine rode ledlampje dat bleef knipperen alsof er niks was gebeurd. Plus de twee zakken poet uit de kluis. Jorge besloot die als een bonus te zien.

Losers, adios.

Vijf minuten later reden ze de parkeerplaats op achter de begraafplaats van Helenelund. De rit de stad uit was zo *smooth* gegaan als maar kon. Rustig verkeer: dank aan Jimmy en Javier – de hoofdwegen stonden waarschijnlijk nog steeds in brand. Geen woutenwagens langs de weg: dank aan Jimmy, Tom, Robert en Babak – de juten braken hun hoofd waarschijnlijk nog steeds over de ontmanteling van Jorges nepbommen. Geen heli's: daar bedankte hij zichzelf voor – vond het sneu voor de honden die dood waren gegaan.

Geen verrassingen, behalve de shovel: god zij gedankt.

Hij wist niet hoe hij het er met Jimmy en Robert over moest hebben als ze elkaar zagen; eigenlijk was het raadsel van de shovel hun fout niet.

Ze parkeerden achter de kapel. Jorges maag kwam bijna weer in opstand: stel nou dat de vluchtauto's er ook niet stonden? Stel dat ze in dezelfde shit terechtkwamen als met de shovel?

De parkeerplaats voor hen.

Hij zag het meteen. Het vrachtwagentje stond waar het moest staan. Een zwarte Citroën. Fok, wat lekker.

Ze reden het Mercedes-busje erheen. Sprongen uit de auto's. Maakten de achterdeuren van de bestelwagen open. Laadden de zakken en geldkoffers over. Een, twee, drie. Het was zo gebeurd. Vier, vijf, zes. Ook de laadruimte van de Citroën was aan de binnenkant met folie beplakt. Zeven, acht, negen. Jorge kreeg via de walkietalkie het bericht van Tom dat iedereen op weg was naar huis. Tien, elf, twaalf. Ze pakten de jammer ook mee. Dertien, veertien, vijftien. Mahmud en Sergio stapten in de Citroën en reden naar de flat.

Twee zakken plus héééél veel koffers met floes op weg naar papa.

Nu, de laatste stap. Een van de belangrijkste: hun sporen uitwissen.

Jorge haalde een brandblusser uit de bestelwagen. Begon de binnenkant van de Merrie te sprayen – dit haalde vingerafdrukken weg en vrat de meeste DNA-sporen aan. Babak keek toe.

'En wat doen we met mijn auto?'

Onmogelijk die vraag te ontwijken.

Jorge zei: 'Deze blusser is nog niet leeg. Jij mag de rest gebruiken.'

Babak keek hem pissig aan. 'Ben je achterlijk of zo? Vind je dat ik een groter risico moet nemen dan de anderen? Krijg ik alleen het laatste bodempje van je fokking blusser?'

Jorge bleef schuim spuiten. Negeerde het gedram van de Iraniër. 'Jij of je katvanger moet uiterlijk vanavond aangifte doen van je gestolen waggi.'

'Waar heb je het in foksnaam over?'

Jorge stopte met spuiten. 'Kappen nou. Je snapte toch wel dat het een risico was om die auto te gebruiken? Nu gaat het erom dat risico te beperken.'

Babak bleef hem nijdig aanstaren. Jorge hoopte dat ze nu geen bonje zouden krijgen met zijn tweeën.

De Range Rover zag eruit als een wrak – pure magie dat ie hier ook maar heen had kunnen rijden. En nog grotere tovenarij dat er onderweg geen mensen op hadden gereageerd.

Jorge hield op met spuiten. Babak rukte de brandblusser uit zijn handen. Jorge zei dat hij met het stuur, het dashboard en de stoel moest beginnen. Daar had je het grootste risico op vingerafdrukken en DNA-sporen.

Het schuim was genoeg voor alles voorin.

Babak brieste: 'Godverdomme, man, ik had ook mensen achterin. Daar liggen zeker weten bergen haar en snotjes en zo.'

Jorge trok het niet. Toch had de Iraniër gelijk. De bestelwagen veilig: schuim op alle oppervlakken. Maar de Range Rover was nog steeds een levensgevaar. Ook al stond hij niet op Babaks naam. Het schuim voorin was niet genoeg.

Ze moesten die klotebarrel in de fik steken.

Weer: dit was niet de bedoeling geweest.

Hij trok een achterportier open. Nog steeds handschoenen aan.

Gooide de tas op de grond. Hij was toch al van plan geweest zijn kleren te verbranden. Hij haalde er een fles met aanmaakvloeistof uit, spoot meer dan de helft uit over het lichtbruine leer van de achterbank.

Hij voelde zich gestrest. Ze stonden hier al veel te lang. Er waren meer dan vijf minuten verstreken. Hij pakte het doosje lucifers.

Zijn handen trilden. Hij liet een lucifer vallen. Lastig met handschoenen aan.

Als Mahmud de wapens niet mee had genomen, hadden ze op de Range Rover kunnen schieten tot ie in brand vloog. Dat deden ze altijd in films, maar nu moest het met lucifers. Ouderwetse, suffe, lastige lucifers.

Hij trok een handschoen uit.

Fuck – zijn hand trilde echt. Was dat de rohypnol? Was het de kick van de roof van de eeuw? Was het de misdaadangst in een panieksituatie?

Hij kreeg leven in een lucifer. Mikte hem op de achterbank. Zag de aanmaakvloeistof vlam vatten.

Babak schaterde. Het vuur flambeerde zijn luxe stoelen.

Blauwe vlammen.

Jorge begon zijn overall uit te trekken. Lekker om daar vanaf te zijn. De zon was warm.

Hij haalde een spijkerbroek en trui uit de tas. Stopte de overall, handschoenen en bivakmuts erin. Spoot zijn laatste vloeistof eroverheen.

De tas, de kleren, de sporen van Jorge Royale gingen in vlammen op.

Babak begon weer te zeiken: 'Kijk nou. De auto brandt niet.'

Jorge keek op.

Dit was níét de bedoeling.

Het vuur op de achterbank was uitgegaan.

Een minuut later – alsof ze hier al drie jaar waren. Jorge verwachtte elk moment sirenes. Kleurige woutenwagens met piepende remmen. ME'ers met geheven wapens.

Babak draaide de dop van de tank, duwde stokjes en gras naar binnen en stopte een stuk berk tussen de klep om er zuurstof in te laten.

Jorge pakte zijn lucifers weer.

Zijn hand: trilde heftiger dan een massagestaaf op topsnelheid.

Toch lukte het hem. Stak er vier tegelijk aan. Gooide ze in de benzinetank.

Stapte snel achteruit.

Wachtte op een explosie.

Er gebeurde niks.

Ze bleven een minuut staan kijken. Hoopten. Baden.

Ten slotte: het zag er veelbelovend uit. Er kwam rook uit de tank.

Ze konden niet langer blijven.

Het laatste voor ze afnokten. Op de grond stonden nog drie geldkoffers. Hij pakte ze op.

Babak zei: 'Wat is dat, goddomme?'

Jorge liep naar de mini-Fiat die ze hier de avond ervoor hadden neergezet. Kwakte de geldkoffers in de minimale kofferbak.

Babak herhaalde: 'Moesten die niet met Mahmud mee naar de flat?'

Jorge zei: 'Dit is onze bonus. Mahmud doet ook mee, hij weet ervan. Wil je ook?'

Babak snoof, maar zeikte niet verder. X-tra cash *für alle*.

Jorge startte de auto. Ze reden naar de flat.

Hagalund. Blåkulla. De gebouwen zagen eruit als exacte kopieën van elkaar. Lichtblauw, torenhoog, propvol Irakezen, MMA-sporters en AIK-fans. En lekkere jongens – J-boy kende zat goeie gasten uit deze wijk.

Toen Babak en hij aankwamen was iedereen er. Bovendien: de Fin had een vent gestuurd om de buit te controleren. Die stond tegen de muur geleund, probeerde er cool uit te zien. De cash zou meteen verdeeld worden, de Fin zijn aandeel.

Jorge stapte na Babak naar binnen. Hoerageroep.

Mahmud omhelsde hem. Tom Lehtimäki hield een fles champagne omhoog. Jimmy sprong op en neer.

Eerst wou Jorge iets zeggen over de shovel. Maar er ontspande iets in hem. Hij smilede.

'Fok, gozers, wat zijn we goed!'

Ze lachten, schreeuwden om het hardst, omhelsden elkaar weer.

Zelfs de vent van de Fin zag er vrolijk uit.

Jorge zei: 'Ik wil de sfeer niet verpesten, maar we zijn nog niet klaar. Eerst heb ik een paar vragen. Daarna maken we die zakken en geldkoffers open.'

Hij spreidde zijn armen. Tegen de muur stonden vijftien koffers op een rij.

'Waren die koffers te zien toen jullie ze naar boven brachten?'

Mahmud zei: 'Nee, in de sporttassen.'
'Heeft iedereen zijn mobieltje weggeflikkerd?'
Ze knikten.
'De simkaarten kapotgemaakt en weggedaan?'
'Zijn kleren verbrand?'
'De haakse slijper gedumpt?'
Ze knikten weer.
'Tom, heb je de walkietalkie op een veilige plek gedumpt?'
Tom knikte.
'Mahmud, heb je voor de wapens gezorgd?'
'Ze zijn uit elkaar gehaald en liggen in de badkamer, bespoten met blusschuim en klaar.'
'Goed, als ik klaar ben haal je ze op en gooi je de onderdelen weg op de afgesproken plekken.'
Mahmud knikte.
'Is de jammer al die tijd aan geweest?'
Ze knikten.
'Hebben we beschermende kleding, maskers en dergelijke?'
Robert knikte.
'Hebben we boxen klaarstaan?'
Jimmy knikte.
Jorge stak zijn kin omhoog. Keek de kills een voor een aan. Hij voelde zich net een generaal. Een gangsterboss die zijn leger inspecteerde. Een godfather die zijn mannen beloonde.
'Dan, mijne heren, is het tijd om de koffers uit elkaar te halen.'

*

Politieinspecteur
Jörgen Ljunggren
Granitvägen 28
Huddinge

Betreft: ernstig onoorbaar gedrag tijdens politieverhoor
Uw zaaknummer K-2930-2011-231

Ondergetekende vertegenwoordigt Natalie Kranjic in bovengenoemde zaak en maakt in die hoedanigheid het volgende kenbaar.
U bent betrokken bij het vooronderzoek naar de moord op Radovan Kranjic in Stockholm. In het kader van dit vooronderzoek is mijn opdrachtgever viermaal ter informatie gehoord door de politie. In al deze gevallen was u de verhoorder. De laatste drie verhoren heeft mijn op-

drachtgever opgenomen op een meegebrachte mobiele telefoon.

Ik heb deze verhoren laten uitschrijven en heb daarbij een groot aantal voorbeelden van ernstig onoorbaar gedrag van uw zijde kunnen noteren. Minstens driemaal maakt u zich tevens schuldig aan seksuele intimidatie.

Hierbij stel ik u ervan in kennis dat mijn opdrachtgever overweegt aangifte tegen u te doen van genoemde delicten, alsmede ernstige ambtsovertredingen. Ze overweegt tevens aangifte tegen u te doen bij de justitieel ombudsman. Ondergetekende zal u op de hoogte houden van de eventuele juridische maatregelen.

Bijgevoegd vindt u een selectie van uitgeschreven politieverhoren met mijn opdrachtgever.

Mijn opdrachtgever wil benadrukken dat zij, om haar goede wil te tonen, in de huidige situatie uitsluitend contact met u heeft opgenomen via uw privéadres.

Stockholm,

Advocaat Anders Nyberg

Bijlage
(fragment van opgenomen verhoor)

'Zo, we hebben dit bandrecordertje even uitgezet. Dus wat we nu zeggen zal niet in het verhoor komen te staan. Begrijp je?'

'Waarom doet u dat dan?'

'Omdat we eens serieus met je willen praten, weet je. Over ernstige zaken.'

'Praat maar.'

'We weten wie je vader was. We hebben jaren aan hem gewerkt. Hij was geen engeltje, dat weet je vast wel. Eerlijk gezegd was hij in feite een laffe klootzak die mensen in deze stad doodsbang maakte. Of niet soms? Maar wij zijn niet bang.'

'Als u zo begint ga ik hier weg.'

'Dat zei je de vorige keer ook, maar dat deed je niet. Luister naar ons. Jouw walgelijke vader heeft deze stad verpest. Mensen zoals hij en jij zou je niet eens moeten terugsturen naar waar jullie vandaan komen. Jullie zouden onmiddellijk afgeknald moeten worden. Goddank hebben we eindelijk een fatsoenlijke partij in de kamer.'

(Geluid van schuivende stoelpoten.)

'Dan ga ik nu weg.'

'Als je weggaat, garandeer ik je dat we niks meer doen om de moordenaar van je vader te pakken te krijgen. Dan kun je het vergeten dat we ons daarvoor inzetten. Dus je blijft hier en luistert naar me, snotkind. Wat ik wil zeggen is dat we in dit geval van beide kanten uit moeten samenwerken. Als je wilt dat we ons best doen om die gentleman die gehakt van je vader heeft gemaakt op te pakken, dan willen we wat informatie van je. Begrijp je dat?'

(Fragment van opgenomen verhoor)

'Nou, dan zou ik het willen hebben over een paar dingetjes die we de vorige keer ook hebben besproken. Zoals je ziet heb ik de bandrecorder uitgezet.'

'Als u weer met die lulkoek begint, dan is het afgelopen voor vandaag.'

'Je weet wat ik heb gezegd. Tot nu toe willen jij en ik hetzelfde, achterhalen wie je vader koud heeft gemaakt. En als je wilt dat we ons daarvoor inzetten, moet je samenwerken.'

'Je bent een zwijn, wat wil je horen?'

'Niet zo'n toon, ranzig sletje. Dat irriteert me. Ik wil weten wie er voor je vader werkten.'

'Dat kun je vergeten. Als je me nog één keer zo noemt, dan heb ik er finaal schijt aan of jullie de moordenaar te pakken krijgen. Dan is dit circus voorbij.'

'Niet zo'n toon aanslaan, zei ik. Zeg, misschien wil je vannacht wel in een cel blijven? Misschien een beetje lol met me maken op de betonnen vloer.'

Deel 2

Ruim twee maanden later

29

Ontslagfeest voor JW. Die knakker was nog geen vierentwintig uur buiten.

Hägerström had zijn politiepenning kunnen laten zien om binnengelaten te worden. Daarna realiseerde hij zich: hij had op dit moment helemaal geen politiepenning.

In plaats daarvan noemde hij JW's naam bij de portier en werd meteen doorgelaten. Dat kwam ongetwijfeld niet doordat JW hier zo ongelofelijk bekend was – ondanks alles had de jongen meer dan vijf jaar vastgezeten. Maar er bestonden natuurlijk vele manieren om voorrang te krijgen. De voornaamste methode was: geld spenderen.

Stureplan: de enige echte buurt in Stockholm voor een party elite. Sturecompagniet heette het hier. Verder van de bekrompen Zweedse mentaliteit van je kop niet boven het maaiveld uitsteken kon je niet komen. Een plaats die heel Zweden hartstochtelijk haatte, maar waar iedereen onder de dertig waarschijnlijk dolgraag een vrijkaartje voor wilde hebben. Het was jetset aspirerend, glamoureus – honderd procent heteronormatief.

Hier was JW zes jaar geleden gekomen om geluk te zoeken. Om de keizer van de rijkeluiskinderen te worden, de koning van de yuppen, de überkakker van Stockholm. En dat had hij gedaan door hofleverancier van cocaïne te worden. JW was de luxedealer die iedereen had willen kennen, de kakker met het strak achterovergekamde kapsel die baadde in het geld. Daarna viel hij pardoes. De overbekende regel kon niet beter kloppen: hoe hoger je klimt, hoe harder de val.

Hägerström vroeg zich echt af wie JW vanavond uitgenodigd kon hebben.

Achter de entreedeuren was het bijna net zo chaotisch als daarvoor. Het wemelde van mensen die tien jaar jonger waren dan hijzelf. Jongens van buiten de stad die zoveel gel in hun haar hadden gesmeerd dat het twee maanden zou kosten om het eruit te wassen, wapperden met hun pinpas – niet eens een creditcard – en vroegen of ze entree konden betalen. De caissière schudde haar hoofd. '*Cash only*, jongens, en hoe zijn júllie eigenlijk binnengekomen?' Geroutineerdere kerels uit de binnenstad en de betere villawijken met opengeknoopte overhemden en strakke spijkerbroeken zeilden naar binnen via de viproute, deden alsof ze echt chic waren. Maar hun overhemden waren flodderig en hun schoenen hadden gummizolen. Toch werden ze door gastheren met donkere pakken en zwarte handschoenen naar binnen geloodst. Trossen veel te zwaar opgemaakte, waarschijnlijk minderjarige meisjes giechelden onophoudelijk – verrukt dat ze binnen waren gekomen. Andere meiden met een zelfverzekerder houding en handtassen die twee politiemaandsalarissen kostten, liepen met lange passen langs de kassa, alsof ze over een catwalk liepen.

Hij dacht aan de meiden die hij in de jaren voor Anna had geprobeerd te ontmoeten. Zodra ze een relatie met hem wilden of erover begonnen dat ze hem regelmatiger wilden zien, trok hij zich terug. Hij wist natuurlijk dat hij op mannen viel, op mannen geilde, hoewel hij geen vaste relatie had gehad. In plaats daarvan ging hij naar de Side Track Bar, de stoomsauna van S.A.T.S. Zenit-gym aan de Mästar Samuelsgatan, de US Video. In de zoele zomernachten was hij een paar keer naar de berg op het eilandje Långholmen gegaan.

Hij hoopte echter nog steeds dat hij ook op vrouwen viel. Dat leek hem makkelijker. Toch voelde hij louter angst bij de gedachte aan een permanente relatie met een vrouw.

Daarna dacht hij aan JW's zus. Het meisje dat zoveel op Stureplan had gestapt en verdwenen was. Naar wie JW had gezocht. Hägerström vroeg zich af wat er was gebeurd. En hoe JW daardoor was beïnvloed.

Terug in het nu. Het was vrijdagavond en Johan JW Westlund zou vieren dat hij vrijgelaten was. Ontslagfeestje voor een voormalige prins van Stureplan.

Wederom: Hägerström vroeg zich af wie er zouden zijn.

Hij kon hem niet vinden. Hägerström liep rond en rond en heen en weer. De club was groter dan hij zich herinnerde van de laatste keer dat hij er was geweest. Dat was acht jaar geleden.

Het was al laat, Hägerström wilde dat JW dronken was tegen de tijd dat hij kwam.

Hij moest zich door de mensenmassa's heen wringen, voorzichtig maar vastberaden tienermeisjes en mannen van zijn leeftijd die naar die meisjes staarden opzij duwen. De littekens op zijn buik trokken, hoewel ze goed waren genezen.

De muziek dreunde, een of andere eurotechno waar Hägerström de naam niet van kende.

De kristallen kroonluchters aan het plafond waren immens.

De stroboscoop op de dansvloer ving mensen in fotoflitsen vol actie.

Hij dacht aan Operatie Ariel Ultra.

De inbraak in de villa van Gustaf Hansén was abrupt afgebroken. Toen Hägerström wegvluchtte, had hij het betreurd dat hij de auto zo ver weg had gezet – even had hij gedacht dat hij het niet zou redden. Hij had misschien wel een liter bloed verloren.

Achteraf was hij echter blij dat de auto stond waar hij stond, want anders hadden zijn tegenstanders gezien dat hij was gevlucht in een auto van de gevangenis. Als JW daarachter was gekomen, zou de hele operatie voorbij zijn geweest.

Hägerström reed zo goed hij kon weg. Eén hand hield hij tegen zijn buik. Hij haalde maar een paar honderd meter. Daarna stopte hij en belde een ambulance.

Een dag later kwam de arts in het Danderydziekenhuis naar hem toe.

De eerste steek van de messentrekker had hem een oppervlakkige vleeswond bezorgd die slechts met drie hechtingen gedicht hoefde te worden. De andere was vijf centimeter zijn lichaam binnengedrongen, precies onder zijn navel. Dat werden zes hechtingen, maar hij had ongelofelijke mazzel gehad, zei ze. Een halve centimeter verder opzij en zijn lever was voor de rest van zijn leven verknald geweest.

Drie dagen later was Hägerström terug op Salberga. Tegen JW zei hij dat hij acute buikgriep had gehad, waardoor hij hem niet terug had kunnen brengen. JW vertrok geen spier – misschien wist hij niet eens dat er iemand in Hanséns huis was geweest.

Helaas leverde de inbraak minder op voor Operatie Ariel Ultra dan Hägerström en Torsfjäll hadden gehoopt. Hij had niet lang genoeg kunnen zoeken voor hij werd aangevallen. Maar ze hadden tenminste drie dingen begrepen. Ten eerste was Gustaf Hansén op de een of andere manier betrokken bij JW's zaken. Ten tweede: Gustaf Hansén was een schimmige persoon. Hij stond niet ingeschreven op het adres van de villa waar hij leek te wonen als hij in Zweden was en zijn woning bleek een dubbel alarm te hebben. Het ene ging naar een gewoon beveiligingsbedrijf en het andere bleek naar een bedrijf van aanzienlijk gewelddadiger aard te gaan. Ten derde: de herinnering in Hanséns computer. *Vandaag: lunch JW, bel Nippe, bel Bladman, uit eten Börje.* Bladman werd genoemd. Maar ook twee andere personen: eentje die Nippe heette en eentje die Börje heette. Het was natuurlijk mogelijk dat zij nergens mee te maken hadden. Maar het kon ook belangrijk zijn.

Al Hägerströms antennes zeiden dat er meer te halen was in de villa. Maar toch wilde Torsfjäll wachten met een huiszoeking.

Nadat Hägerström JW uit de villa had zien komen, had Torsfjäll contact opgenomen met Taxi Stockholm. Hij had het adres gekregen waar JW en Hansén waren afgezet, restaurant Gondolen bij Slussen. De commissaris stuurde er een rechercheur in burger heen. Een paar minuten later kwamen drie mannen bij hen aan tafel zitten. De rechercheur had geen goede foto's kunnen maken, maar had wel gezien dat het één jongere en twee mannen van middelbare leeftijd waren, die Zweeds spraken. De tafel was gereserveerd door ene Niklas Creutz. Een voor de hand liggende gok was dat Niklas Nippe was.

Hägerström wist bovendien wie dat was. Zijn zus Tin-Tin ging om met Nippes zus. Volgens alle conventies zou Nippe Creutz niet aanwezig moeten zijn in dezelfde context als een veroordeelde parvenu – Nippe was afkomstig uit een van de vermogendste families in Zweden. De Creutz-clan bezat het op vier na grootste bank-, factoring-, incasso- en valutawisselimperium van het land. Het was opmerkelijk.

JW liep met gespreide armen op Hägerström af.

'Cipiertjeee! Tof je te zien.'

Hägerström omhelsde JW ook.

JW zei: 'Mijn kaart ligt achter de bar. Bestel wat je wilt. Dit was vroeger mijn stamclub. Ik heb veel in te halen.'

Achter JW stond een drinktafel. Twee grote zilverkleurige emmers gevuld met ijs en in elk twee magnumflessen champagne. Lege champagneglazen. Bovendien stonden er flesjes tonic, cola en ginger ale, plus twee halflege wodkaflessen.

Aan de tafel zaten acht mannen en vier meiden. Hägerström kende drie van de mannen: Getikte Tim en Charlie Nowak, allebei vrij. Ze straalden – net zo blij als JW dat ze weer vrije lucht konden inademen. Bovendien was het voor zulke jongens een ongekende belevenis om überhaupt aan een drinktafel in een club als deze te zitten. Hägerström hoopte dat ze ertegen konden dat hij hier opdook.

Het derde gezicht dat hij herkende was eigenlijk geen verrassing meer. Het was Nippe.

Hägerström boog zich over de tafel, groette Getikte Tim en Charlie. Het leek ze niet te interesseren dat er een bewaarder langskwam op het feestje. Misschien wisten ze dat JW Hägerström had gebruikt in de gevangenis.

'Ha, kerels, ik ben ook klaar met Salberga, wisten jullie dat?'

Ze keken hem vragend aan.

Hägerström zei: 'Ik heb ontslag genomen.'

Ze schaterden. Hieven hun glazen met champagne. Proostten op de vrijheid. Op de eerste keer in jaren dat ze de wc-deur van binnenuit op slot konden doen. Op dat ze Stockholm stormenderhand zouden veroveren.

JW stelde Hägerström voor aan de onbekenden. Behalve Nippe bleken het allemaal bajesbekenden. Hägerström zag het aan hun wat matte oogopslag, tatoeages, spijkerbroeken en strakke shirts. Die stijl paste hier net zo slecht als JW's achterovergekamde haar in de gevangenis. Maar misschien ook niet. Hägerström liet zijn blik weer door de ruimte gaan. Niet iedereen hier had een kakkerstijl. Veel mannen gaven blijk van een andere achtergrond, geld dat niet afkomstig was van sneue financiële banen.

Nippe leunde naar voren en groette Hägerström.

'Dag, ik heet Niklas Creutz.'

Een andere manier van aanspreken, duidelijk gearticuleerd Zweeds. De lange a, de ietwat nasale stem. Zo ver van bajestaal als je maar kon komen.

JW leunde naar Hägerström toe. 'Hij wordt Nippe genoemd. Een oude vriend van me.'

'Leuk kennis met je te maken, ik heet Martin Hägerström.'

Nippe zei: 'Aangenaam. Ben jij de oudere broer van Tin-Tin?'

Hägerström zei: 'Ja, ken je haar?'

'Mijn oudste zus is goed met haar bevriend. Heb je mijn zus weleens ontmoet, Hermine?'

Hägerström knikte. Glimlachte.

Ze voelden saamhorigheid.

Hägerström bepaalde zijn doel voor vanavond: achterhalen wat Nippe met JW te maken had.

Meer mensen kwamen er niet op JW's ontslagfeestje. Hägerström had bijna medelijden met hem, de jongen had blijkbaar niet veel vrienden. Meer dan vijf jaar in de gevangenis en maar acht mensen kwamen een feestje met hem vieren, plus Hägerström. Maar hij was fake. Daarna realiseerde hij zich dat JW misschien veel meer mensen kende die zijn vrijlating wilden vieren, maar die niet in het openbaar met hem gezien wilden worden.

Hägerström ging naar de bar. Probeerde zich tussen de mensen door te wringen. Plattelandsjongens wapperden met hun pinpas. Kakkers wapperden met vijfhonderdjes. Het kostte hem een kwartier om contact te krijgen met een barkeeper. Hij bestelde een flesje Heineken. Hij zei dat hij Johan Westlund heette en zijn creditcard nodig had. De barkeeper zocht tussen de creditcards die mensen hadden afgegeven. Kwam terug. Legde het pasje op de toog.

Hägerström pakte het op. Wierp er een blik op. Vier seconden. Onthield het kaartnummer. 3435 9433 2343 3497. MasterCard. Gold. Afgegeven door een bank op de Bahama's, Arner Bank & Trust.

Hägerström gaf hem terug, liep weg en ging weer zitten.

Al snel bleek dat JW Hägerström aan Nippe wilde koppelen. Hij converseerde. Stelde Hägerström vragen met als doel zijn achtergrond te benadrukken. Martin Hägerström was heus geen gemiddelde burger-Zweed, hij kwam van dezelfde planeet als Nippe. Maar dat had Nippe na twee seconden al begrepen.

Nippe dronk net zoveel als de anderen. Hägerström begreep niet hoe hij naast deze figuren durfde te zitten. Als hij bij JW's zaken betrokken was, zou hij zo ver mogelijk bij zo'n feestje vandaan moeten blijven. De drinktafel was een podium. Honderden toeschouwers digden de groep jongens die vanavond tienduizenden kronen spendeerde.

Behalve minstens zes glazen champagne en drie longdrinks had Hägerström vier shots wodka bij Nippe naar binnen gekregen. Ze hadden lang genoeg over koetjes en kalfjes gepraat. JW was elders bezig, hij praatte met twee meisjes. Nippe was dronken genoeg. Dit was het moment.

Hägerström waagde het erop, boog zich naar hem toe: 'En waar ken jij JW van?'

Een geluksvraag. Nippe begon te borrelen als het champagneglas in zijn hand.

'Ik zou hier misschien niet moeten zijn. JW heeft zoveel schepen achter zich verbrand. Maar weet je, het is een verdomd goeie kerel.'

'Vind ik ook.'

Nippe lalde. 'Je moet weten, ik kende hem voor hij ontspoorde. We feestten hier rond en zo. En we hebben ook samen gestudeerd. Hij is een genie, weet je dat? Een wiskundig en juridisch genie. Elk tentamen zat hij in de top drie. Daarnaast studeerde hij rechten. Het was zo'n jongen aan wie de Engelse investeringsbanken al beginnen te trekken als hij nog maar in zijn tweede jaar zit.'

Hägerström knikte, liet Nippe verder praten.

'JW was niet zoals anderen, die alleen maar studeerden om voldoendes op hun tentamens te halen. Hij leerde dingen om ze meteen te gebruiken, ongeveer net zoals die ondernemerseikels uit Midden-Zweden die bezig zijn de Economische over te nemen. Het verschil was alleen dat JW een van ons was, bijna.'

Nippe sloeg zijn glas achterover. Hägerström nipte aan het zijne.

Hij schonk meer in. Dacht: drink, Nippe, drink.

Nippe nam een slok. 'Hij wilde te veel, JW. Dat hele gedoe met drugs verkopen was gewoon pech, als je het mij vraagt. JW rende als het ware wat te snel, maar wilde niemand kwaad doen. Dus ik heb besloten hem een kans te geven. Hij is gruwelijk slim en heeft een goed hart. Hij heeft me verteld dat hij al begonnen is leningen te verstrekken aan mensen in de gevangeniswereld, jongens die op korte termijn geld nodig hebben. Met dat soort dingen zou hij zich naar mijn mening niet bezig hoeven te houden.'

Hägerström speelde mee. 'Nee, daar is hij te intelligent voor. Ik mag hem echt graag. Je weet dat ik in de gevangenis heb gewerkt?'

'Ja, dat heeft JW verteld. Hoe ben je daar verzeild geraakt?'

In de loop der jaren had Hägerström meer dan duizend keer de vraag gehad waarom hij uitgerekend agent was geworden. Hij had standaardantwoorden op voorraad. Nu paste een daarvan bijzonder goed.

'Ik ben een beetje anders, weet je. Vind het niet altijd prettig om dingen precies zoals anderen te doen. Ik vind dat je je eigen weg moet gaan in het leven. Of niet soms?' Hij grijnsde. Observeerde Nippes reactie.

'Absoluut, absoluut.'

Hägerström wilde terug naar JW.

'Weet je, omdat ik in de gevangenis heb gewerkt, wil ik je wat vragen. Was het niet gevaarlijk voor JW om geld uit te lenen?'

'Niet dat ik weet. Maar hij was behoorlijk veilig, beschermd door de muren, zeg maar. Haha. Je moet begrijpen, ik heb nog nooit iemand ontmoet die zo hongerig is als JW. Voor ons anderen is het trek. Voor JW is het overleven. Heb je het weleens met hem over zaken gehad? Kijk dan in zijn ogen. Ze gloeien. Hij weet dat je een vermogen moet opbouwen om iemand te zijn in de wereld. Een welgesteld man moet worden. Voor jou is dat misschien anders, Martin. Jij hebt zo'n beetje kunnen doen wat je wilt, jij hebt misschien niet hoeven vechten om iemand te worden, want je weet al dat je iemand bent. Iedereen weet wie je ouders zijn. Iedereen weet waar je familie vandaan komt. Voor JW is dat niet zo.'

'Daar heb je misschien gelijk in.'

Hägerström vroeg zich af waar dit heen ging. Nippe was merkwaardig serieus. Misschien probeerde hij te rechtvaardigen waarom hij op de een of andere manier samenwerkte met JW. Hij werd directer.

'In de penitentiaire inrichting heb ik hem een beetje geholpen, heeft hij dat verteld?'

'Nee. Hoe bedoel je "geholpen"?'

'Je weet wel, soms wat klusjes. Zoals je net al zei, hij heeft zo zijn activiteiten.'

'Aha, wat goed.'

Al Hägerströms antennes stonden uit. Begreep Nippe dat hij ingewijd was? Zou hij iets onthullen?

Hij zei: 'JW begrijpt het systeem natuurlijk beter dan een labbekakkerige allochtone crimineel ooit zal kunnen. En hij kan directer en opener zijn dan een advocaat of accountant ooit mag zijn. Dat is nodig. Hoewel we inmiddels een andere regering hebben in dit vreselijke socialistenland, zijn de belastingen hier nog steeds hoger dan waar dan ook. Alle verstandige mensen zorgen ervoor dat ze zich inschrijven op Malta of in Andorra, of niet soms?'

Nippe sloeg zijn glas weer achterover. Hij lalde steeds erger. Hägerström moest snel iets bereiken, want deze knaap zou het niet lang meer volhouden.

Hägerström zei: 'Ik wil alleen zeggen dat het verdomde sympathiek is dat je JW wilt helpen. Ik zal zelf proberen wat klanten voor hem te regelen.'

Nippe schonk meer champagne in. Keek naar Hägerström. Zijn blik wazig.

'Klanten?'

'Ja, klanten, of hoe hij ze ook maar noemt.'

Nippe zag er misselijk uit. Toch had Hägerström de indruk dat hij registreerde.

Nippe zei: 'Mmm.' Daarna zei hij niets meer.

Dit zou niet werken. Nippe was veel te beschonken. Hij mompelde dat hij zo moe was en zaterdag vroeg op moest staan omdat hij een baan gereserveerd had in de koninklijke tennishal. Het klonk als een slechte smoes. Hägerström had er spijt van dat hij hem zoveel drank gevoerd had.

Zodra Nippe Creutz naar huis was, werden Getikte Tim, Charlie en de anderen wat losser. Het was net alsof ze zich tot dan toe hadden ingehouden. Hun geklets vergroofde. De meidenkijkerij intensifieerde. Het zuipen escaleerde. Ze bestelden een fles Dom Pérignon van dertigduizend kronen.

Het leek ze niet te interesseren dat Hägerström, een ex-bewaarder, zat mee te luisteren. Ze hadden het erover hoeveel ze konden verdienen aan fake coke. Slimme manieren om gestolen spullen te helen, relaxte straten in Berlijn om hoeren te scoren. Ze ouwehoerden over gemeenschappelijke vrienden die waren opgepakt, anderen die eruit waren gekomen, kennissen die dood waren gegaan. JW zei dat hij overwoog naar Thailand te gaan, waar hij mensen kende. Ze bespraken de waardetransportoverval op Tomteboda – volgens hen een slappe kopie van de helikopteroverval – en de moord op Radovan Kranjic, nieuwe constellaties in de jungle van Stockholm.

Hägerström probeerde zo goed mogelijk mee te lullen. Maar het mocht niet te overdreven worden. Iedereen aan tafel wist immers dat hij oorspronkelijk geen crimineel was.

Twee gasten aan de bar zaten naar ze te staren. Vond Getikte Tim in elk geval. Ze leken van JW's leeftijd, jasjes met pochetje uit de borstzak, geperste broeken.

Het was halfdrie. Getikte Tim was zo dronken dat hij met dubbele tong sprak.

'Die rukkers daar, die zitten ons de hele avond goddomme al aan te staren. Nu ga ik erheen.'

JW legde zijn hand op zijn arm. 'Kalm aan, Tim. Ik wil vanavond potdomme geen gelazer.'

'Kom op, zeg, ik ga er alleen heen om te vragen wat ze willen.'

JW hield hem tegen.

Na een halfuur stond JW op. 'Jongens, het is tijd dat ik naar huis ga.'

Ze waren allemaal stomdronken. Toch vroeg Getikte Tim of niemand met JW mee hoefde.

JW sloeg het aanbod af. 'Nee, het is goed zo. Maar misschien kun jij met me meegaan naar de taxi, gewoon voor de zekerheid.'

Dat zei hij tegen Hägerström.

'Uiteraard.'

Een kleine doorbraak.

JW omhelsde Getikte Tim, Charlie en de andere jongens. Hägerström en hij liepen samen de trap naar de uitgang af. Het was nog steeds bomvol. Hägerström liep voorop, schoof mensen met beide armen aan de kant. Baande een weg voor JW.

Het was een geslaagde avond geweest, goed voor het vertrouwen. Interessant met Nippe. Een hypothese van Hägerström en Torsfjäll werd bevestigd. Creditcards werden uitgegeven door banken daarginds en gebruikt door mensen hier. Bovendien had JW Hägerström nu min of meer verzocht zijn lijfwacht te spelen.

Ze hadden niets in de garderobe hangen. De augustusnacht was koel maar prettig.

JW liep naar een portier. Fluisterde iets in zijn oor. Hij glimlachte.

Hägerström bleef op het trottoir staan. Probeerde naar een taxi te gebaren. Hij merkte dat hij beschonken was.

Elke auto was bezet.

Ze probeerden het allebei vijf minuten lang, maar het was zinloos. Er leek vannacht taxidroogte te heersen.

Ten slotte zei JW: 'Ik denk dat ik maar ga lopen. Heb je zin om mee te gaan?'

Dat was geen vraag. Dat was een bevel.

Ze liepen de Humlegårdsgatan in. JW huurde een appartement aan de Narvavägen. Maar zoals hij vanavond tegen zijn vrienden had gezegd: 'Binnen drie maanden koop ik iets, zeker weten. Eerst moet ik alleen het juiste pand vinden.'

Getikte Tim en Charlie Nowak hadden alleen maar gelachen – ze deden niet eens aan dezelfde tak van sport als JW.

Bij het Östermalmstorg bleef JW staan. Hij wees naar twee mannen.

'Dat zijn de kerels die Getikte Tim op hun lazer wilde geven.'

Hägerström zag ze twintig meter verderop. Ze keken naar JW. Misschien was de irritatie van Getikte Tim gerechtvaardigd geweest – de grijns van die jongens was niet vriendelijk.

JW zei: 'Ze kennen me van vroeger. Begrijp je?'

Hägerström knikte. Hij dacht aan JW's dubbelspel van toen. Vroeg zich af of hij zich nu beter op zijn gemak voelde met zichzelf, nu iedereen toch wist dat hij in de gevangenis had gezeten. Nu hij niet meer werd beschouwd als iemand die hij niet was.

De jongens verderop lachten. Het geluid weerkaatste op het plein.

JW en Hägerström liepen door.

Ze kwamen in de Storgatan. Hägerström hoorde de stappen van de jongens echter voortdurend achter hen – ze kwamen dichterbij, te snel om normaal te zijn. Hij vroeg zich af wat JW verwachtte dat hij eraan zou doen.

Even later draaide hij zich om: 'Willen jullie misschien iets?'

De jongens stonden maar tien meter achter hen. Ze liepen langzaam naar hen toe. 'Wat zei je? Zei je wat?'

Hägerström en JW stonden stil.

JW zei: 'Niks aan de hand, mijn vriend is alleen wat aangeschoten.'

De jongens liepen naar hen toe. Blokkeerden de weg. Bleven staan.

Een van beiden lalde: 'Ik herken jou. JW. Ken je me nog?'

JW begon om hen heen te lopen. 'Nee, ik weet niet wie je bent. Maar een prettige nacht verder.'

Daar nam hij geen genoegen mee. Hij deed een stap naar JW toe, stootte met zijn schouder tegen hem aan. JW verstapte zich. De jongens brulden van het lachen.

Hägerström stapte op hen af. JW liep achteruit, pakte zijn telefoon.

Hägerström zei: 'Bedaar.'

De jongen negeerde hem, wendde zich tot JW. 'Er is vanavond geen normaal mens op je feestje geweest, hè?'

JW stond drie meter verderop, sprak in zijn telefoon. Reageerde niet eens op het geëtter van de jongens.

Hägerström zei: 'Ga naar huis om te slapen. Jullie hebben te veel op.'

De eerste jongen draaide zich naar hem om. Ging vlak voor hem staan. Borst tegen borst. Ze waren even lang.

'En wie ben jij wel niet?'

Hägerström gaf geen antwoord, maar spande zijn spieren.

De jongen spuugde als hij sprak. 'Wat? Wat ben jij voor achterlijke clown? Weet je wel met wie je hier loopt te paraderen?'

Hägerström zei niet veel, hij probeerde de jongen alleen te kalmeren. 'We willen hier vanavond geen herrie.'

De jongen gaf zich niet gewonnen. Ze bekvechtten even verder.

Het was tijd om JW hier weg te krijgen. Hägerström liep achteruit. Zijn blik onafgebroken op de jongen gericht.

Het werkte niet. De jongen volgde hem. Bleef klieren. 'Achterlijke clown.'

Tegelijkertijd zag Hägerström vanuit zijn ooghoeken hoe jongen nummer twee een uitval deed. Weer met zijn schouder tegen JW aan botste.

Een bliksemsnelle overweging: of hij werkte die jongens tegen de grond of JW en hij moesten hier wegrennen. Het eerste kon uit de hand lopen. Het tweede kon een vernedering zijn die JW zou verafschuwen.

JW klapte tegen een muur. Hägerström verhief zijn stem. 'Nu houden jullie op.'

Hij probeerde oogcontact te krijgen met JW, wat wilde hij?

De jongen bij Hägerström riep: 'Vieze flikker, wie denk je wel niet dat je bent?'

De woorden provoceerden hem. Hägerström keek weer naar JW.

Maar het was te laat. Hij hoorde iemand anders schreeuwen.

Tien meter verderop kwam Getikte Tim aanrennen.

Op hetzelfde moment wierp de jongen bij Hägerström zich op hem. Zijn jasje fladderde op. Zijn vuist haalde uit. Miste Hägerström net.

Getikte Tim was bij hen. Hägerström zag dat hij iets in zijn hand hield.

Een gummiknuppel.

Hij haalde uit met de knuppel en raakte de jongen op zijn achterhoofd. Hij viel op de grond.

De andere jongen gaf JW weer een duw. Probeerde daarna naar zijn gevloerde vriend te rennen.

Hägerströms gedachten dampten. Dit was niet oké, maar tegelijkertijd waren die arrogante klootzakken zich ongelofelijk aan het misdragen.

Hägerström greep de jongen vast. Duwde hem weg. Hij wankelde achteruit.

Getikte Tim stortte zich op hem. Sloeg met de stok in zijn gezicht.

De jongen op de grond kwam overeind. Stond op handen en voeten.

Hägerström liep naar hem toe. Drukte hem met zijn knieën en armen tegen de grond.

De kakker keek hem met wazige ogen aan.

Hij had een bloedneus. 'Jullie zijn godverdomme ziek in je hoofd.'

Daarna probeerde hij Hägerström van zich af te kiepen.

Wel godverdomme. Hägerström voelde de adrenaline omhoogschieten.

De jongen probeerde hem tegen de grond te krijgen.

Er knapte iets in Hägerström. Hij sloeg hem in zijn gezicht.

Hard.

Voelde een neus breken.

Hij sloeg weer.

Voelde lippen kapotgaan.

Hij sloeg weer.

Ten slotte lag de jongen stil. In foetushouding in elkaar gekropen, zijn armen om zijn hoofd geslagen.

Hägerström stond op. Hij was buiten adem.

De andere jongen lag ook stil op de grond.

JW en Getikte Tim keken Hägerström aan, met goedkeurende blikken.

30

Natalie strekte haar armen zo ver uit als ze maar kon. Probeerde haar rugspieren te voelen. Dat was niet altijd makkelijk – juist de musculatuur van de rug was lastig te pinpointen. Ze probeerde ze op te rekken, te versoepelen, te stretchen als een prof.

De instructeur draaide een rustig nummer: Michael Jackson, *Heal the world.*

Iedereen om haar heen lag op matjes op de grond, net als Natalie. Trokken aan hun lichaam. Strekten hun spieren. Het waren meiden van haar eigen leeftijd, een enkele vrouw van middelbare leeftijd en maar drie jongens. Jongens hadden de lessen op de sportschool minder hard nodig dan meiden – ze hadden hun vechtsportclubs, hun bedrijfsvoetbalteams en zaalhockeytoernooien. Ze hadden natuurlijker plekken om zich te bewegen dan voor een spiegel in een zaal zonder ramen. Dit hele sportschoolgedoe was eigenlijk gestoord, de pseudopoging van een generatie om te voldoen aan zieke lichaamsidealen. Een generatie die had geleerd ontevreden te zijn over zichzelf, ongeacht hoe ze eruitzagen. Die zocht naar iets wat iets betekende in hun leven.

Natalie liet de negatieve gedachten los. Ze wist wat iets betekende in haar leven.

De bodypumptraining was zwaar – ze vond het lekker zich af te matten. Ze voelde haar hart nog steeds in een hoog tempo slaan. Haar lichaam was warm. Het zweet stoomde van haar hoofd en armen. Ze zag in de spiegel die een wand bedekte dat ze een rode kop had.

Ze dacht terug aan de zomer. Een heftige tijd, met zoveel slapeloze, doorhuilde nachten dat ze zichzelf op een gegeven moment haast kwijt was geraakt. Ze had zich teruggetrokken – wou Viktor niet zo vaak zien, zag Louise en Tove alleen bij haar thuis. Ze ging niet met ze mee naar Saint-Tropez of Gotland. Ze ging niet met ze mee uit op Stureplan. Ze ging niet eens mee in hun grapjes en humor. Ze wilde alleen maar in zichzelf landen, wilde stabiel genoeg zijn om haar rechtenstudie deze herfst aan te kunnen.

Ze wilde ze niet betrekken bij wat eigenlijk belangrijk was: achterhalen wat er met papa was gebeurd. Wie hem van het leven had beroofd.

In juni, een paar dagen nadat ze de Louis Vuitton-meid was gevolgd naar Solna, belde ze Goran.

Ze zagen elkaar bij Natalie thuis. Praatten kort in de hal. Goran wilde een wandeling in de buurt maken. Hij boog zich naar haar toe en fluisterde in haar oor: 'Voor alle zekerheid.'

Natalie begreep het. Dat was beter. Er was geen reden om risico's te nemen.

Ze schoot haar korte leren jack aan. Ze gingen naar buiten.

Het was stil op straat. De vakanties waren nog niet begonnen, dus de buren waren naar hun werk.

Goran vroeg hoe het met haar ging. Daarna merkte hij op dat papa's dood volkomen onnodig was. Het was anders dan vroeger. Hij strooide geen clichés rond over papa die in de hemel was bij andere helden. Hij was oprecht betrokken.

Ze liepen naar het bosachtige park waar ze als kind altijd speelde. Natalie hield van dat gebied. De bomen, de stenen en de dennenappels hoorden bij haar. Het was haar wereld.

Ze draaide zich naar hem toe. 'Goran, ik zou je om een dienst willen vragen.'

Ze liepen door. Goran schoof pruimtabak onder zijn bovenlip.

'Zoals je weet heb ik die ordners weggehaald.'

Goran pulkte in zijn neus.

'Sommige papieren gingen over een vreemd appartement.'

Goran krabde in zijn oor.

Ze zei: 'Kan het je niks schelen?'

Goran keek haar aan. Er liep bruin sap langs zijn voortanden. 'Ik heb dit al gezegd. Jij bent zijn dochter. Ik steun je en help je bij wat je ook doet, dat weet je. Maar jij bepaalt de weg. Niet ik.'

Flashback: Gorans woorden op de parkeerplaats bij het Söderziekenhuis na de bijeenkomst bij Stefanovic. Hij beloofde haar loyaliteit. Beloofde naar gedane beloften te leven.

Ze praatten even verder.

Natalie zei: 'De wouten doen hun werk niet. Het interesseert me eigenlijk niet hoe ze zich tegenover me gedragen. Maar ze lijken geen flauw benul te hebben wie dit met papa heeft gedaan. Ik wil ermee aan de slag.'

Ze bespraken verschillende strategieën waarmee Natalie informatie uit het vooronderzoek van de politie kon bemachtigen. Het laatste verhoor waar ze was geweest had ze opgenomen. Toen ze daarover vertelde kwam Goran met het voorstel een advocaat een dreigbrief te laten schrijven. Bovendien zou hij kijken of hij haar op andere manieren kon helpen. Overleggen met Thomas Andrén, de ex-smeris die papa vaak hielp. Hij kon vissen bij vroegere collega's. Aan wat touwtjes trekken. Zogeheten gratificaties aanbieden.

Natalie dacht na. Ze had nog niet verteld over het meisje dat ze had achtervolgd. Moest ze zo ver gaan? Of Goran wist niet van de zolderwoning, of hij wilde dat zij er niet van wist. Toch: ze kon dit niet alleen.

Ze speelde honderd procent open kaart. Begon te vertellen hoe ze de woning op het spoor was gekomen. Dat ze had geprobeerd de sleutels te vinden, maar dat dat was mislukt. Dat ze erheen was gegaan. Dat ze een meisje van haar leeftijd de woning in en uit had zien gaan.

Dat ze die meid had gevolgd tot aan de Råsundavägen.

Ze bleven staan. Op een steen lagen allemaal dennenappels.

Natalie zei: 'Ik wil dat je uitzoekt wie die meid is. En je moet eerlijk tegen me zijn, ook als het iets pijnlijks is.'

Goran peuterde weer in zijn neus. Hij had geen fatsoen.

'Als het pijnlijk is, dan is het maar pijnlijk. Maar ik wil niet kwaadspreken over de doden. Een man is een man, zo simpel is het. En een man als je vader had waarschijnlijk plekken nodig waar hij man mocht zijn.'

'Ik hoor wat je zegt.'

'Ik kan je wel zeggen dat ik deze specifieke woning niet ken. Ik heb er nog nooit over gehoord.'

Natalie keek naar Goran. Hij was ongeschoren. Droeg zijn gebruikelijke kleding. Slechte houding. Hij zei dat hij niets over de woning wist. Toch: ze vertrouwde deze man. Heel Goran zond één en hetzelfde signaal uit: ik ben betrokken.

Op dit moment voelde dat zo ontzettend goed.

Natalie zei: 'En de vrouw?'

Hij zei: 'Ook niet. Maar dat is geen probleem. Ik zoek alles over haar uit.'

Goran had Thomas op de kwestie gezet.

Ze installeerden Skype op hun mobiele telefoons. Goran en Thomas waren allebei matig met computers, maar ze zorgden wel voor hun veiligheid. Het goeie van Skype: de politie kon ze zelfs niet horen als ze een van hun mobieltjes afluisterden.

De ex-agent had haar twee weken later gebeld. 'Hoi, met Thomas Andrén spreek je.'

Natalie zag zelfs een videobeeldje van Thomas op haar scherm.

'Ik zie het. Heb je wat gevonden?'

'Wel iets. Ze heet Melissa Cherkasova, ze komt oorspronkelijk uit Wit-Rusland, maar woont hier nu al vijf jaar. Ze spreekt Zweeds en woont alleen in Solna. Ze is vijfentwintig en lijkt geen regulier werk te hebben.'

'Maar wie is ze? Wat doet ze?'

'Laat ik het zo zeggen: ze ontmoet mannen in hotels.'

Natalie verstomde. Haalde een paar keer adem. 'Wat voor mannen?'

'Tot nu toe heb ik haar met twee mannen gezien. Allebei twee keer. In Hotel Sheraton.'

'Wie?'

'De een is een Brit en lijkt hier alleen voor zaken te zijn. De ander is Zweeds, van middelbare leeftijd. Veel meer weet ik niet over hem. Ze komen haar niet beneden ophalen, ze gaat naar hun kamer. Maar ik heb een paar foto's van die kerels.'

Natalie ademde weer een paar keer.

'Thomas, zoek alles wat je kunt over ze uit.'

*

K0202-2011-34445

Verhoor

Tijd: 5 juni, 09.05-09.16 uur
Plaats: Söderziekenhuis, Stockholm

Aanwezig: Stefan Rudjman 'Stefanovic' (SR), verhoorder Inger Dalén (ID)

Uitgeschreven in dialoogvorm

ID: Om te beginnen wil ik je zeggen dat je nergens van verdacht wordt. Dit verhoor wordt ter informatie gehouden en je bent op de hoogte gesteld van de aanleiding daarvoor. Het gaat dus om de gebeurtenis in de Skeppargatan enige tijd geleden.

SR: Ja, ik weet waar het over gaat.

ID: Dan vraag ik me af of je kunt vertellen hoe je Radovan Kranjic kent.

SR: We zijn oppervlakkige kennissen.

ID: Maar je bevond je toch ook in de auto?

SR: Ja, dat is wel duidelijk, daarom lig ik hier ook in een bed.

ID: Inderdaad, hoe gaat het eigenlijk met je?

SR: Had beter gekund.

ID: Goed, laat ik het zo vragen: waarom zat je bij Radovan in de auto?

SR: We zouden zijn dochter ophalen.

ID: En hoe goed ken je Radovan?

SR: Dat heb ik toch al gezegd, we zijn kennissen. Groetten elkaar, veel meer is het niet. En ik kan nu meteen al vertellen dat ik niet veel antwoorden zal hebben op je vragen, want ik weet hier helemaal niets over. Ik ken Radovan nauwelijks, ik ken niemand in zijn familie, ik heb nergens enig idee van.

ID: Oké, maar hoe heb je Radovan oorspronkelijk dan leren kennen?

SR: Dat weet ik niet meer.

ID: Was dat jaren geleden of maar een paar maanden geleden?

SR: Dat weet ik eigenlijk niet goed meer.

ID: Deden jullie zaken samen?

SR: Dat geloof ik niet.
ID: Ben je bij hem thuis geweest?
SR: Een enkele keer maar.
ID: Maar je kent zijn dochter?
SR: Ik heb toch al gezegd dat ik haar niet ken. Word ik soms ergens van verdacht? Je ondervraagt me alsof ik een of andere moordenaar ben. Ik zat verdomme in de auto, ik lig hier inmiddels al meer dan een week. Ik ben een slachtoffer, of niet soms?
ID: Dat klopt, formeel gezien ben je de klagende partij in deze zaak. Maar ik moet je, zoals je begrijpt, toch een paar vragen stellen. We willen namelijk zo veel mogelijk over Radovan weten om dit voorval te kunnen onderzoeken.
SR: Oké, maar ik herinner me nu niet meer. Ik heb alles verteld wat ik weet.
ID: Maar dan vraag ik je wat andere dingen. Wanneer ben je in de auto gestapt?
SR: Weet niet.
ID: O. Maar zat Radovan al in de auto toen jij instapte?
SR: Weet niet.
ID: Hoe lang hebben jullie dan samen in de auto gezeten?
SR: Geen idee.
ID: Heb je eerder in die auto gezeten.
SR: Geen commentaar.
ID: Wat had je eerder die avond gedaan?
(Stilte)
ID: Wil je geen antwoord geven?
SR: Geen commentaar.
ID: Waarom wil je geen antwoord geven? Je wordt toch nergens van verdacht.
SR: Ik heb verder geen commentaar. We kunnen dit nu afsluiten.
ID: Waarom? We proberen dit alleen zo goed mogelijk te onderzoeken.
SR: Geen commentaar.
ID: Wil je niet meehelpen dit op te lossen?
(Stilte)
ID: Nou?
SR: Geen commentaar.
ID: Maar het kan wel een beetje raar overkomen dat je niet wilt meewerken.
(Stilte)
ID: Nou, oké, ik neem aan dat je verder niets wilt zeggen. Dan beëindigen we dit verhoor. Het is 9.16 uur.

31

Thailand. Pattaya. Queen Hotel. Een *pool bungalow* helemaal voor hen alleen.

Jorge lag in zijn nest. Staarde naar het plafond. Dat was versierd met geschilderde kutten.

De airco zoemde – het klonk alsof er iets stroomde.

Thailand. Pattaya, Queen Hotel – een regelrechte hoerenkast: toen Jorge de kamer boekte vroeg het hotel of ze een *special reception* wilden. Hij wist dat het de jongens happy zou maken.

Elf uur naar Bangkok – twee dagen na de kraak waren ze erheen gevlogen.

Twee uur naar Pattaya – ze namen een minibus. Pattaya was de grootste toeristenplaats in de buurt van Bangkok – makkelijk om in de massa te verdwijnen. Perfecte halte voor rovers op de vlucht.

Heel veel weken in het Queen Hotel – de menu's van het restaurant bevatten prijzen voor meiden. Thailand was niet veranderd – precies dezelfde feeling als vier jaar geleden. De palmbomen, de parasols, de pedo's – alles een beetje te dicht op elkaar. Het enige verschil: toen draaiden ze The Police, Dire Straits, U2. Nu: overal Amerikaanse r'n'b.

Maar het weer was lekker en ze waren weg.

Jorge draaide zich om in zijn bed. Pakte zijn horloge van het nachtkastje: het was zwaar. Een Audemars Piguet Royal Oak Offshore, wijzerplaat van vierenveertig millimeter diameter, negentien millimeter dik. Ondanks de mandamientos van de Fin had hij de verleiding niet kunnen weerstaan. Eén dag na de overval ging hij naar horlogerie Nymans Ur in de Biblioteksgatan. Scoorde het wreedste vette model. Hij had het ook op internet kunnen bestellen of in Bangkok kunnen kopen. Maar dat was niet hetzelfde. Een deel van de lol: binnenstappen en direct cashen, midden in het chiqueste kwartier van Zwedo-country. Daarbij een bon, garantie en een Zwedo die boog, glimlachte en zo grondig reet likte dat de stront er via zijn oren weer uit kwam.

Mahmud, Jimmy en Javier zaten in hun vaste hang-out. Pattaya Sun Club. Lagen aan het strand. Akon op de achtergrond op hoog volume.

Babak was er niet – hij sliep nog.

Robert en Sergio waren niet mee naar Thailand. Ze waren hem naar andere landen gepeerd.

Tom was er ook niet – de gozer was naar Bangkok om te gamen. Jorge had geprobeerd dat te verbieden: 'Je kunt je daar niet beheersen, ouwe. Je gaat steeds hoger inzetten. Ik ken je.'

Tom grijnsde alleen maar. Beweerde dat je je cash in de casino's in Bangkok kon vertienvoudigen. Lehtimäki was gegrepen door de speelduivel – een understatement. De afgelopen weken liep die gast overal op te wedden. Wie het meeste gras in een joint kreeg. Wie het eerste een fles wijn ophad. Welke kakkerlak het eerste bij een suikerklontje was dat hij onder tafel had gelegd.

Jorge ging zitten. Lampen die 's avonds aangingen: opgehangen in de palmen. De rotanstoelen knarsten.

Hij had geen trek, hij bestelde versgeperst ananassap. Jimmy en Javier zaten te ontbijten. Mahmud beweerde dat hij zat te lunchen. Jorge vermoedde dat hij 's nachts met zaakjes in de weer was – dealde drugs aan Britten, Duitsers en Zweden die op meer dan één manier weg wilden uit hun vaderland.

Zonnebrillen. Alle jongens gebronsd. Mahmuds tatoeages waren amper te zien. De Alby Forever-letters op zijn onderarm waren aan het verbleken. Hij zou ze bij moeten kleuren.

Javier was zelfs verbrand. Liep te mekkeren dat hij niet net zulke lekkere meiden kreeg. Deze homie: ongecontroleerd. De hermano was zeg maar seksverslaafd. Lulde non-stop over de beste striptenten, hoerenbars, gogogirls. Schepte op over de *Kamasutra*, sandwichen, triootjes. Kletste zelfs over *the lady boys* – de Thaise variant van travo's, je had ze overal. De andere gozers pestten hem – noemden Javier ibne, banaanfan, thaitravoneukfantast.

Javier leek schijt te hebben aan de bijnamen. 'Ik pak alles en iedereen van boven de veertien. Maakt me niet uit of het echte chicks zijn of niet. Zolang ze er maar goed uitzien.'

Jorge kreeg zijn sap.

Jimmy zei: 'Jorge, moet je dit horen.'

Jorge zette zijn zonnebril ook op. Sloot zijn ogen. Deed alsof hij luisterde.

Mahmud ging verder met de tori waar hij middenin zat: 'Dus ik zoop als een suedi. Happy hour na happy hour, zeg maar. Toen kwam die Russische sma waarmee ik de eerste weken hier hing. Weten jullie nog?'

De anderen wisten blijkbaar over wie hij het had.

Mahmud ging verder: 'Ik zat er met een paar relaxte Duitse Turken en ze stapte zo op me af en zei "Daar ben je". En ik van: "Wie ben jij?" En zij: "Je mag niet verkopen zoals jij dat doet, dit is jouw gebied niet. Je moet betalen." En ik lachte haar vierkant uit. Wie dacht die trut wel niet dat ze was?'

Jimmy grijnsde. 'Was je niet hard genoeg tegen haar geweest of zo?'

Mahmud siste. 'Doe normaal. Wat moet ik goddomme doen? Ik heb haast niks verkocht. Wat wiet aan een paar Duitsers en Britten. En vijf gram coke aan een Gotenburger die ik op het strand tegenkwam. De c ziet er hier uit als krijtjes, je breekt het gewoon in stukken en hakt het zelf. Daar kun je toch geen monopolie op hebben?'

Jorge boog zich naar hem toe. 'Wat had ik gezegd?'

Mahmud zei: 'Ik weet het, ik weet het. Maar het was bijna niets. Ik had echt niet gedacht dat iemand daar moeilijk over zou doen.'

'Hoeveel zei ze dat je moest betalen?'

'Echt niet dat ik ga dokken.'

Jorge onderbrak hem. 'Je betaalt wel. We willen niet onnodig de aandacht op ons vestigen.'

'Maar Babak zei dat ik schijt moest hebben.'

Jorge verhief zijn stem. 'Oké, dus Babak vond dat je schijt moest hebben aan wat ze zei? Slim. Hij is fokking scherp, die gast. Ik ben zo schijtziek van Babak. Hij denkt dat hij zo bonanza is alleen omdat we zijn auto hebben gebruikt. Maar hij bepaalt hier de boel niet. Wat heeft hij verder bijgedragen, nou? Als ik zeg dat je moet dokken, dan doe je dat. Hoeveel wilden ze hebben?'

'Tienduizend dollar.'

'Wat?' Jorge morste ananassap op het glazen blad van de rotantafel. 'Ze willen tienduizend dollar?'

'Ja.' Mahmuds stem: ongerust.

'Hoeveel heb je eigenlijk gedeald?'

'Echt, niet veel.'

Jimmy bemoeide zich ermee. 'Dat is het niet. Het punt is dat ze begrepen hebben dat we geen gewone toeristen zijn. Ze denken dat we proberen ons hier te vestigen omdat we hier al zo lang zitten.'

De ongerustheid kwam in golven. Tienduizend dollar, dat stond gelijk aan veel floes. Ze dachten nu allemaal waarschijnlijk aan hetzelfde – hoe de situatie had kunnen zijn.

Jorge zag beelden aan de binnenkant van zijn zonneplanga. Alle gozers in de woonkamer in de flat in Hagalund. Beschermende kleding, plastic handschoenen, laarzen en nieuwe bivakmutsen op. Uitgerust om een virusaanval uit de hel te weerstaan.

Een geldkoffer midden in de kamer.

Belangrijk om het geld er snel uit te krijgen. Advies van de Fin: raak de cash zo snel mogelijk kwijt. Stash het op een paar veilige plekken: want wat er ook gebeurt – ze kunnen jullie oppakken, veroordelen, jarenlang in de bak stoppen, maar als de cash veilig is, hebben jullie altijd iets gewonnen.

De maat van de Fin hield de bijl vast. Op elke koffer knipperde een rode diode. Twee gaatjes aan weerszijden van de diode: er waren twee sleutels nodig om deze koffers open te krijgen.

Of je deed wat de maat van de Fin nu zou doen. Jorge stond ernaast. Inmiddels wist hij meer van WTO dan de meesten. Maar één ding wist hij niet: hij had geen idee hoe die smart DNA werkte. De Fin wist het ook nauwelijks. Ze wisten alleen dat er ampullen in geldkoffers met inhoud konden zitten die verspreid konden worden over degene die hem openmaakte. Traceerbaar voor de skotoe, onmogelijk weg te boenen, helemaal individueel samengeneukt met exact deze geldkoffers. Daarom zagen ze er nu uit als hiv-onderzoekers.

De vent hief de bijl.

Iedereen staarde.

Jorge voelde zich nu al katerig, hoewel hij die roofies maar een paar uur geleden had genomen.

De vent hakte.

Een klikkend geluid. Jorge boog zich voorover. Keek nauwkeurig. De koffer was opengebarsten bij de opening aan de korte kant. Precies zoals ze berekend hadden. Ze hoefden alleen de deksel maar op te tillen.

De andere kills bogen zich ook voorover. Jorge opende de koffer.

Duwde z'n beschermbril stevig vast. Keek erin. Vier plastic zakken. Niets wat opspatte. Geen geluid. Geen poeder, voor zover hij merkte. Misschien was al dat gelul over smart DNA verzonnen.

Hij maakte de zakken een voor een open. Legde de buit op de vloer.

Mahmud bukte zich. Telde elke stapel zodat iedereen het zag.

De maat van de Fin deed hetzelfde, telde biljet na biljet.

Mahmud vertelde met luide stem. Eenentachtigduizend Zweedse kronen contant. Drieduizend euro. Tienduizend kronen aan cadeaubonnen. Zeventienduizend aan krasloten.

Slecht.

Het was net een slechte komedie. Een walgelijke kloteparodie.

Maar misschien zat er meer in de andere koffers en zakken.

Ze herhaalden de procedure koffer na koffer. De vent van de Fin splitte ze. Jorge checkte ze op smart DNA. Jorge en Mahmud telden. De vent van de Fin hertelde.

Drie uur later waren alle koffers plus zakken bekeken. Alles bij elkaar hadden ze nog geen tweeënhalf miljoen kronen.

Zij: het hoofd op hol gebracht.

Zij: belazerd door de post. Misschien ook door de insider.

Zij: losers zonder grenzen.

Zij: genaaid als beginnelingen.

De enige hoop voor J-boy op dit moment. Lottogeluk: dat er net in de drie koffers die hij had verborgen onverwacht veel cash zat.

De koffers waarmee hij en Mahmud, en nu ook Babak, de anderen hadden belazerd.

32

Hägerström werd de volgende ochtend wakker doordat zijn mobiel ging.

Geheim nummer.

Hij nam op.

'Slaap je nog?'

Het was commissaris Torsfjäll. Zijn stem klonk lispelend en hees. Bijna alsof hij de avond ervoor ook uit was geweest.

Hägerström zei: 'Geen probleem.'

Dat was op meer dan één manier een leugen. Hij voelde de pijn in zijn lichaam.

'Ik belde om te zien hoe het gaat. We hebben elkaar al een tijdje niet gesproken.'

De afspraak was eigenlijk dat Torsfjäll nooit als eerste belde.

Hägerström zei: 'Ik heb je gezocht. We moeten een beslissing nemen. Formeel zou mijn opdracht ophouden als JW ontslagen werd. En hij is een dag geleden ontslagen. Wat doe ik nu?'

Torsfjäll zweeg even, daarna zei hij: 'Wat vind je zelf?'

Hägerström dacht na. Hij had de afgelopen maanden mooi materiaal verzameld. Elke keer dat JW hem had gevraagd zijn muilezel te zijn, kopieerde hij de informatie. Ze hadden honderden rekeningnummers, bedrijfsnamen, banken en stroman-advocaten in minstens tien landen. Een immense puzzel voor Torsfjälls financiële mannetje.

Maar Hägerström begon nu pas dichtbij te komen. Het ontslagfeestje gisteren, Nippe, de wandeling vannacht, wat hij met de jongen op de Storgatan had gedaan.

Jezus christus. Wat had hij gedaan?

Hägerström verdrong de gedachten. Hij zei: 'Ik boek de laatste tijd vooruitgang.'

'Je denkt er hetzelfde over als ik, hoor ik. Tot nu toe hebben we niks dat overeind blijft in de rechtbank, maar je bent goed op weg. Het is immers zo klaar als een klontje dat dit pareltje met ontzettend vuile zaken bezig is.'

'Maar hij laat me niet toe tot de details.'

'Nee, maar de details die we al hebben houden onze accountant wel een tijdje bezig. Volgens mijn bronnen zal Hansén deze herfst bovendien naar Dubai verhuizen. Dat strookt prima met onze hypothese dat JW en kornuiten hun middelen moeten verplaatsen naarmate er meer landen hun bankgeheim opheffen. En deze Nippe, sinds we hem met JW hebben zien lunchen heb ik hem meerdere keren laten achtervolgen. Heb je gisteravond trouwens iets uit hem gekregen?'

Hägerström vroeg zich af hoe Torsfjäll kon weten dat hij Nippe had gesproken. Hägerström had Torsfjäll niet verteld dat hij naar JW's feest zou gaan. Hij moest andere kanalen hebben.

Hij zei: 'Ja en nee. Hij was ontzettend beschonken. Maar hij bevestigde dat hij JW goed kent en, zoals hij het noemde: JW wil helpen. Waar die zogenaamde hulp uit zou bestaan zei hij niet. Maar hij klonk geïnteresseerd toen ik over potentiële klanten begon.'

'Mooi.'

Hägerström overwoog of hij zou vertellen over de mishandeling van vannacht. Hij keek naar de knokkels van zijn hand. Gestold bloed. Korsten in ontwikkeling. Misschien wist Torsfjäll het allemaal al.

De commissaris zei: 'We hebben in elk geval vast kunnen stellen dat Nippe JW's Lord Moyne is. Hij komt uit een chique familie, hij heeft betrouwbaar geld in de rug en een heleboel contacten. Hij is een goed gezicht naar buiten. Misschien spelen de bank- en wisselkantoren van zijn vader ook een of andere rol. Dat zou dan uitermate interessant zijn. Mijn jongens hebben hem met minstens zeven verschillende personen in diverse cafés en restaurants gezien, in plaats van dat ze elkaar in hun gewone kantoor ontmoetten. Van die zeven personen hebben er vervolgens vijf smurfen ontmoet die voor Mischa Bladman werken. Dat houdt verband met elkaar.'

'Ja, duidelijk.'

'Maar helaas hebben we geen biljetten van eigenaar zien wisselen. Dus wat bewijsvoering betreft staan we nog steeds zwak. Je weet, de afdeling Financiële Delicten heeft niet bepaald een sterrengeschiedenis wat het veroordeeld krijgen van mensen betreft.'

'Maar het is toch een begin, of niet?'

'Ja. En met behulp van de informatie die jij voor JW naar buiten gesmokkeld hebt, heb ik een organisatienummer kunnen achterhalen. Het is een Zweeds bedrijf dat naar we vermoeden in handen is van Nippe Creutz. Het heeft twee weken geleden voor vier miljoen euro een pand in het centrum van Stockholm verkocht. De koper was een bedrijf dat geregistreerd staat in Andorra. Ook dat komt voor in JW's documentatie.'

Torsfjäll laste een kunstmatige pauze in. Hägerström vroeg zich af wat er zou komen.

'Nu blijkt mijn financieel rechercheur ontdekt te hebben dat het pand twee jaar geleden op het dubbele getaxeerd is, meer dan acht miljoen euro. Dat betekent dat Nippes bedrijf het object ver onder de prijs heeft verkocht. De kopers betalen het verschil waarschijnlijk onderhands, Nippes bedrijf hoeft geen vermogenswinstbelasting te betalen en de kopers hebben een object dat voor de helft is aangekocht met zwart geld, dat ze kunnen verkopen en daarmee wit geld als winst kunnen krijgen. Op die manier hebben JW en Nippe iemand geholpen vier miljoen euro te wassen.'

'Aha. Maar dat is toch solide bewijs?'

'Misschien. Maar de taxatie van onroerend goed is geen exacte wetenschap.'

'Je zegt toch dat het te zien is dat JW die zaak heeft gepland?'

'Ja, maar er zou beweerd kunnen worden dat hij in dit geval alleen berekeningen heeft gemaakt. Dat is niet onwettig.'

Hägerström zei niets. Hij begreep dat dit complexe criminaliteit was.

Torsfjäll vervolgde: 'Ook Mischa Bladman ontmoet aan de lopende band mensen. De schavuiten die hij ontmoet zijn wat meer van het lichtschuwe soort dan Nippes contacten. Mensen uit de Joegomaffia, Hells Angels, waardetransportovervallers. Ze lijken hun klanten onderling verdeeld te hebben.'

'Gebruiken ze Nippes bedrijven?'

'Misschien. Nippe is vier maanden geleden aangesteld als directeur van World Change BV. Het bedrijf is van zijn familie. Ze hebben meer dan vijftig wisselkantoren in heel Scandinavië. Sinds Nippe is aangetreden is het aantal facturen voor in het buitenland gevestigde bedrijven met achthonderd procent toegenomen. Een groot aantal rekeningnummers, factuurnummers en transacties hebben we kunnen opsporen via documentatie die jij voor JW naar buiten hebt gesmokkeld.'

'Wat betekent dat?'

'Dat betekent dat Bladman smurfen, loopjongens, grote bedragen contant laat opnemen bij diverse kantoren. Daarmee worden bijvoorbeeld zwartwerkers betaald of wordt overvalgeld gewit. Daarna dekt het bedrijf de opnames in de boekhouding door te verwijzen naar de buitenlandse facturen. Maar die zijn naar alle waarschijnlijkheid fake.'

'Maar ik begrijp het niet helemaal, dan hebben we toch een prima bewijsvoering?'

'Zoals ik al zei, we hebben niets waaruit blijkt dat Nippe of Bladman hiervan op de hoogte is of er direct bij betrokken is. Bovendien hebben we veel informatie die jij voor JW naar buiten hebt gesmokkeld nog steeds niet kunnen ontcijferen. Het heeft geen zin om toe te slaan als we alleen een heleboel alcoholische katvangers en loopjongens kunnen pakken.'

Hägerström zweeg.

Torsfjäll zei: 'Het hangt van jou af. We moeten toegang krijgen tot de namen van hun klanten. En we moeten toegang krijgen tot hun materiaal. Ze moeten ergens een echte boekhouding hebben. Dat is het belangrijkste, zonder materiaal kunnen we niet bewijzen dat ze schuldig zijn. In de villa van Hansén heb je amper iets gezien. Wellicht staat er een deel bij Bladman, maar ik vermoed dat ze al het papierwerk elders bewaren. De vraag is of je JW kunt laten onthullen waar.'

'Ik zal het proberen. Tot nu toe is hij nog niet zo open tegen me geweest.'

'Je moet hem blijven verleiden. Hem het gevoel geven bevoorrecht te zijn.'

'Hoe bedoel je?'

'Neem hem mee naar iets wat hij leuk zou vinden. Een feest met prinses Madeleine? Elandenjacht? Weet ik het.'

Ze hingen op.

Hägerström dacht kort na. Hij vroeg zich af wat er met hem aan het gebeuren was. Was hij bezig de greep te verliezen? Alsof hij niet alleen bezig was in JW's wereld te infiltreren, maar dat die tegelijk bezig was in hem te infiltreren. Zou hij JW meenemen op elandenjacht? Naar zijn familie? Echt naar zijn wereld?

Hij dacht aan een scène uit *Donnie Brasco*. Ze zaten in een Japans restaurant. Brasco was kwaad op de ober. Zijn maffiavrienden gaven die arme man op zijn lazer, Brasco gaf hem nog harder op zijn lazer.

Hägerström pulkte aan zijn korstige knokkels.

Hij sloot zijn ogen. Het was alsof het buiten rommelde.

33

Natalie zat in de bibliotheek van de Universiteit van Stockholm en probeerde te studeren. Afgelopen week hadden ze de eerste colleges gehad. Juridische methode en theorie. Ze wist dat het warrig zou zijn in het begin.

Voor zich op tafel: de dertiende druk van Åke Bloms standaardwerk over de grondslagen der rechtswetenschap. De docent was meneer Blom zelf, hij had over het boek gepraat alsof het een klassieker was. De vent verdiende bakken met geld doordat studenten jaar na jaar gedwongen werden de nieuwste druk van uitgerekend zijn boek te kopen. Zo stak de wereld in elkaar.

Tove zat aan de tafel achter Natalie. Ze studeerde economie. Lollo zat drie tafels voor haar – notitieblok, juridische handboeken, post-its, plakkertjes, linialen, zakrekenmachine en achttien miljoen markers voor zich. Natalie was soberder. Ze onderstreepte met potlood, dat was genoeg.

Ze hadden hun hoek in de bieb gevonden en hadden afgesproken: hier zitten we, hier gaan we heen om elkaar te vinden. Om hen heen zaten soortgelijke studentes: behoorlijk gekleed, opgemaakt. Stijlvol als Olivia Palermo, allemaal. De bibliotheek van de Universiteit van Stockholm was allesbehalve triest. Natalie durfde te wedden dat de *trendiness* hier van wereldniveau was. Mensen vonden het belangrijk hoe ze eruitzagen, zo simpel was het – en aan de top stonden de rechtenmeiden.

De studie rechten werd tegenwoordig gedomineerd door vrouwen. Het toegewijdst, het meest gestructureerd, het sterkst op cijfers gericht. Rechten was studie-intensief, zei Louise. Natalie ging ervan uit dat ze hier de komende jaren vaak zou zitten.

Als ze zich maar kon concentreren.

Haar gedachten maalden als een espressomolentje. De ontdekkingen van de zomer – het onderzoek van Goran, Thomas en haar. De gedachten aan papa.

Na de dreigbrief van de advocaat had Natalie zelf contact opgenomen met een van de smerissen. Geen brief of mail, gewoon gebeld. Ze had hem als een prof onder druk gezet. Als hij haar geen inzage gaf in het vooronderzoek, zou ze de opnames inleveren. Aangifte bij het tuchtcollege zou volgen. Intern onderzoek – ernstige ambtsovertreding, seksuele intimidatie. Het besluit van het tuchtcollege was makkelijk te voorspellen. Eenvoudig gezegd: of die klotesmeris bracht haar het onderzoek, of hij was zijn baan bij de politie kwijt.

Het was Gorans idee geweest. En het werkte – twee dagen later kwam er een koerier met het vooronderzoek. Een nieuwe situatie: Natalie zat met vijfhonderd pagina's aanwijzingen.

Stefanovic belde haar vier dagen later. Ze wist niet hoe hij het wist, maar hij wist het.

'Je hebt toegang tot iets heel belangrijks. Iets wat je eigenlijk niet zou moeten hebben. Ik neem aan dat je dat weet?'

Natalie was niet van plan zich te schamen. 'Ik vind dat ik er recht op heb. Ze doen onderzoek naar de moord op míjn vader.'

'Ja, en we rouwen allemaal om hem. Maar het gaat ook om andere dingen. Zaken, zakencontacten, onafgesloten, waardevolle relaties. Het is niet goed als dat soort dingen naar buiten komt. Dat begrijp je toch wel?'

'Absoluut. En als het bij mij komt, komt er ook niets naar buiten.'

'Je vader was een succesvol man. Hij heeft iets opgebouwd in deze stad. En dat wil de staat hem ontnemen. Ze wroeten in dingen waarin niet gewroet zou hoeven worden. Ze graven naar toestanden die begraven zouden moeten blijven. Zoals je vast hebt gezien, heb ik in mijn verhoor gedaan wat ik kon om de juten geen onnodige informatie te geven. Ik hoop dat iedereen zich zo opstelt. Het is voor jou niet makkelijk uit te maken wat belangrijke informatie is en wat alleen pogingen van de smerissen zijn om de zaken van je vader te vernielen, of niet soms?'

Natalie gaf geen antwoord.

Stefanovic liet zijn stem zakken.

'Ik wil dat je het materiaal van het vooronderzoek aan mij afgeeft en geen eigen geintjes uithaalt. Ik wil dat je dat vooronderzoek laat voor wat het is. Je moet de politie hun werk laten doen en mij het mijne. Begrijp je? Ik wil dat je je eigen poginkjes om te graven in wat er met Kum is gebeurd staakt.'

Natalie weigerde dit te accepteren. Ze zei dat ze niet verder kon praten – hing op.

Meteen daarna belde ze Goran.

'Stefanovic is niet goed bij zijn hoofd.'

'Hij is geen vriend van je.'

'Nee, dat wist ik. Maar nu belt hij en verzoekt in alle openheid goddomme om het materiaal van het vooronderzoek in te leveren. Terwijl hijzelf geen reet tegen de smerissen heeft gezegd om te helpen. Wat zal ik doen?'

Goran bromde, hij klonk als een Viktor-auto. 'Natalie, je moet zelf je weg kiezen.'

Natalie dacht: hij had gelijk. Ze moest kiezen. Ze moest een leven kiezen.

En nu: twee andere kopzorgen. De financiën. En de situatie thuis.

De afgelopen weken. Stefanovic' voorspellingen waren uitgekomen. Opengescheurde enveloppen. Brieven die over de hele keukentafel verspreid lagen – de blauwe en zwarte logo's boven aan de brieven stonden in het bewustzijn van iedere Zweed gegrift. De SEB-bank, de Handelsbanken, de belastingdienst. Verder lag er ook iets van American Express en de Beogradska Banka.

Kutzooi.

Eerst dacht ze: *jebi ga* – fuck it. Ze had zichzelf er nog niet toe kunnen zetten hiermee aan de slag te gaan. Maar nu graaide ze de brieven bij elkaar. Nam ze een voor een door.

De SEB: overgedisponeerde bankrekeningen. Ze dacht: dat was te verwachten – ze had toch schijt aan de SEB – de belastingdienst had de spaarrekening van de boedel toch al gesekwestreerd.

De Handelsbanken: kapitaalverzekering afgesloten, de laatste waardepapieren verkocht – er stond niks meer op de rekening. Dat wist ze – zij had namelijk die laatste dingen verkocht om cash binnen te krijgen.

De belastingdienst: memo's over belastingfraude in twee bedrijven die van papa waren geweest. Natalie verdiepte zich er niet in – daar hadden ze een advocaat voor ingeschakeld. Hij moest zijn werk maar doen. Het zou de belastingdienst hoe dan ook jaren kosten om een besluit te nemen.

En: nieuwe pogingen van de belastingdienst papa's auto's en boot in beslag te nemen. Gelukkig stonden die op naam van anderen. Maar de advocaat moest knokken om de staat niet te laten winnen.

De situatie was onveranderd, in Zweden was niks meer te halen.

Er was slechter nieuws. American Express berichtte dat zowel de creditcard van Natalie als die van haar moeder werd ingetrokken. Meer dan drie maanden onbetaalde kredieten.

En het ergste kwam als laatste. Een kloterige kankerverrassing. Een doodsteek. Een ernstige bedreiging van alles wat ze bezaten en hadden. De Beogradska Banka: stelde voor het pand dat papa in Servië had te verkopen om de schulden af te betalen. Het was verpand. En de bankrekeningen waren leeggehaald, overgedisponeerd, finito.

Natalie voelde onrust in haar buik: het huis daarginds was haast het enige wat ze nog hadden. Plus de contanten die papa had nagelaten in de kluis thuis en de bankbox in Zwitserland. Natalie was blij dat mama en zij de kluis hadden leeggehaald voor de financiële politie langs was gekomen.

Daarna raakte ze geïrriteerd: hoe konden de bankrekeningen leeggehaald zijn? De laatste keer dat ze het saldo had bekeken was de dekking prima. Geen wonder dat American Express klaagde – hun krediet was gekoppeld aan de Beogradska Banka. Alles rustte op de middelen in Servië – waar de Zweedse belastingdienst niets van wist.

Wederom de vraag: wie had toegang tot de rekeningen in Servië? Waarom begonnen alle problemen nadat papa was vermoord? Of het was puur toeval, of papa's financiële toestand was al die tijd al klote geweest en hij had het verborgen. Of er was iemand die ervoor zorgde dat dit nu allemaal gebeurde. En dat moest iemand zijn die toegang had tot de bankrekeningen. Iemand die op de hoogte was van papa's financiën, zijn belastingoplossingen, zijn systeem.

Dat waren er niet veel.

Dat waren er absoluut niet veel.

Na de papierwinkel ging Natalie naar mama. Ze zat zoals zo vaak in de televisiekamer. Sinds papa's overlijden leek ze televisie harder nodig te hebben dan slaappillen. Dag en nacht *Desperate Housewives*, *Cougar Town* en films met Hugh Grant.

Natalie wilde over de financiën praten.

Ze legde haar hand op de knie van haar moeder. 'Hoi mam. Hoe is het?'

Mama bewoog zich niet. Haar blik was nergens op gericht.

'Denk je aan papa?'

'Nee. Niks aan de hand.'

'Ik denk steeds aan hem.'

'Dat begrijp ik.'

Ze zwegen een tijdje. Keken naar Eva Longoria's valse glimlach.

Mama draaide zich naar haar toe. Haar ogen waren niet troebel meer.

'Soms moet je proberen hem los te laten.'

'Misschien. Maar het geeft me ook kracht om aan hem te denken.'

'Ik vind je naïef. Je ziet alleen wat je wilt zien.'

Natalie snapte niet waar haar moeder het over had. Ze zei: 'Hou toch op.'

'Nee, nu luister je naar me.'

Natalie stond op, liep achteruit, de televisiekamer uit. Ze trok zulk gezeik nu echt niet.

Maar het was te laat. Mama explodeerde.

'Je snapt er niet veel van. Je aanbad je vader als een god. Maar denk je dat hij een god was?'

Natalie stokte.

Mama verhief haar stem. 'Hoe denk je goddomme dat het voor mij was? Gezien te worden als een trofee. Als een broedmachine. En daarna als een kinderverzorgster. Ik moest altijd maar raden naar waar je vader mee bezig was. Dat ik niet de enige was. Weet je wat hij deed? Weet je wat voor mens hij was? Nou? Geef antwoord!'

Natalie staarde haar aan. Ze hadden vaak ruzie gehad. Toen ze vier uur te laat thuis was gekomen omdat ze met Lollo mee was gegaan naar een afterparty, toen mama vloei en een sealtje in haar binnenzak had gevonden, de geur van kots in de wc had geroken, had ontdekt dat ze tijdens een weekendje Parijs in haar examenjaar meer dan tienduizend euro had uitgegeven met papa's creditcard. Maar al die oorlogen waren al zo lang geleden. De laatste jaren waren mama en zij net vriendinnen geweest. Als vriendinnen die met elkaar optrokken, koffie gingen drinken, films keken, over dé drie dingen praatten: mannen, vriendinnen, kleren. En zelfs in de tijd dat ze botsten had Natalie nog nooit zoiets gehoord. Het was ziek. Het was afschuwelijk.

Mama schreeuwde. Allemaal bullshit over papa: wat een bluffer hij was geweest, hoe hij haar had uitgelachen, had genegeerd. Ze huilde niet, maar haar ogen leken wanhoop te spuiten. Ze was alle controle kwijt. Ze was hysterisch.

'Ik was eenentwintig toen ik jou kreeg. Begrijp je dat? Zou jij nu moeder willen worden? Nou?'

Natalie probeerde haar te laten ophouden. 'Rustig maar, mama.'

Het werkte niet.

'Je wilt niet zien wie hij was. Je bent naïef. Dom en naïef.'

Mama spuugde. 'Je vader was geen mens. Hij was een beest.'

Het was genoeg geweest. Natalie stapte de televisiekamer in. Verhief haar stem. 'Nu hou je je mond. Als je nog één woord over papa zegt, donder je hier op.'

Terug op de universiteit. Grondslagen van het privaatrecht. *Pacta sunt servanda.* Afspraken zullen gerespecteerd worden. Allianties moeten behouden blijven. Eer mag niet gekrenkt worden. Families mogen niet verdeeld raken. Vriendschapsbanden moeten versterkt worden. Mensen die geacht worden loyaal te zijn, moeten dat blijven.

Verdomme.

Natalie stond op. Louise en Tove bleven zitten, keken haar na terwijl ze naar de wc's liep.

Haar hoofd tolde. Al die studententrutten om haar heen zaten over hun boeken gebogen. Probeerden belangrijk te doen. Wat maakte het ook uit? Iedereen speelde hetzelfde spelletje: dat ze controle over hun leven hadden. Ze waren verwend. Ze wisten geen bal van de werkelijkheid. Het waren prinsesjes die nog nooit iets smerigs hadden aangeraakt.

In de bibliotheek lag vaste vloerbedekking. Ze deed de deur van de wc's open. Hoorde haar hakken op de tegelvloer.

Ze ging op de klep van de wc zitten. Zette haar handtas neer. Sloeg haar armen om zichzelf heen. De paniek kwam in stoten.

Ze boog zich voorover.

Tien minuten later – de vloer glinsterde van de tranen. Ze kwam overeind. Voelde zich beter. Ze zou het aankunnen. Haar studie. Mama's gestoorde aanvallen. Het verdriet om papa.

Stefanovic' verraad.

Ze had het materiaal van het vooronderzoek. Ze had informatie. Natalie zou achterhalen wie haar vader had omgebracht – en zou ervoor zorgen dat de verantwoordelijke zou boeten.

Ze keek in de spiegel. Je zag dat ze had gehuild. Ze pakte haar tas op.

Ze dacht aan de zomer. Het was net alsof Viktor niet in staat was geweest om te gaan met Natalies gevoelens na de aanslag op papa. Zij wilde thuisblijven – hij wilde naar koffiebars, bier drinken of feesten. Zij wilde dvd'tjes of televisiekijken – hij wilde naar vechtsportwedstrijden, feestjes vol beroemdheden of de sportschool. Ze waren nooit zo goed op elkaar afgestemd geweest, maar in de weken na de moord was het overduidelijk.

Als haar gedachten niet bij papa in het verleden waren, waren ze in papa's wereld in het heden. Ze sprak Goran meerdere malen per week. Ze gingen vaak wandelen: in de stad of bij Natalie in Näsbypark. Ze verdeelden het werk. Ze bespraken Stefanovic' veranderde houding. Milorads en Patriks instelling. Thomas' loyaliteit. Ze analyseerden informatie. Ze brainstormden voortdurend. Dat ze inzicht moesten krijgen in papa's boekhouding. Hoe lang ze met de contanten toekonden.

Ze lieten Thomas inbreken in de zolderwoning – die was uitgeruimd. Iemand had de meubels weggebracht, boekenkasten gedemonteerd, de jacuzzi eruit gehaald en zelfs de mengkranen van de douche en de wastafel meegenomen. Natalie moest de advocaat vragen wie eigenlijk het recht had de woning te verkopen. Formeel was de eigenaar immers een stroman. De advocaat betreurde het: de woning was al verkocht – binnenkort zou een nieuwe koper het huis betrekken. Niemand wist waar de aankoopsom eigenlijk heen was gegaan, en de stroman konden ze niet bereiken.

Maar er waren lichtpuntjes, aanwijzingen. De politie had onder andere de films van papa's bewakingscamera's thuis in beslag genomen. Na de aanslag in de parkeergarage had Stefanovic er immers heel veel geïnstalleerd – alle films werden achtenveertig uur lang bewaard. Goran vroeg Thomas de films te bemachtigen.

Weer: dankzij de dreigbrief naar die klotesmerissen.

Thomas analyseerde het materiaal. Natalie had haast verwacht een sluipmoordenaar met een geweer in de aanslag door de bosjes te zien kruipen. In plaats daarvan vond hij iets anders wat haar onthutste: in die achtenveertig uur reed er meerdere malen een groene Volvo voorbij.

Ze maakte zichzelf verwijten. Herinnerde het zich pas toen ze de films zag: ze had die groene Volvo voor de aanslag in de parkeergarage gezien. En had ze hem niet ook een keer voor hun huis gezien? Ze had alerter moeten zijn, papa kunnen waarschuwen dat er nog steeds iets gaande was.

Thomas hield de kerels die Melissa Cherkasova in hotels had ontmoet continu in de gaten. Natalie had zelf ook een paar keer in haar auto voor de flat van de Wit-Russin gezeten. Had genoteerd wanneer ze kwam en ging. Was haar zo goed mogelijk gevolgd.

Thomas had de meid verder nagetrokken. *Thank God* voor zijn oud-collega's bij de politie. Melissa Cherkasova had een permanente verblijfsvergunning in Zweden. Ze was zes maanden getrouwd geweest met een vijftigjarige man, zo was ze het land binnen gekomen. Ze had geen strafblad, maar was vier jaar geleden beschuldigd van fraude. Thomas vroeg het vonnis op. Het bleek dat Cherkasova de persoons- en creditcardnummers van twee Zweedse mannen te pakken had gekregen en op hun kosten vliegtickets naar Wit-Rusland en Frankrijk had besteld. Het interessante: geen van beide benadeelden had aangifte tegen haar willen doen, maar het bedrog werd ontdekt door de creditcardmaatschappij. De mannen waren niet eens op de zitting verschenen – Cherkasova werd vrijgesproken. Ze stond niet ingeschreven op de Råsundavägen 31 waar Natalie haar had gezien, maar op een adres in Malmö bij een vrouw met een Wit-Russische naam. Maar ze kwam zo vaak op het adres in Stockholm dat het duidelijk was dat ze daar feitelijk woonde. Meestal was ze thuis. 's Avonds ging ze af en toe naar verschillende hotels en ze zagen haar een paar keer boodschappen doen. Op een dag ging ze naar een villa in Huddinge en een keer zag Natalie haar wandelen met een andere vrouw, die een hond had. Voor zover ze konden zien was ze nooit meer teruggegaan naar Radovans zolder in Södermalm. Bovendien: ze zagen haar nooit samen met iemand die een pooier leek. Ook hadden ze geen advertenties op internet gevonden waarin ze zich aanbood. Noch Thomas noch zijn ex-collega's vonden iets in de registers waaruit bleek dat Cherkasova zich zou prostitueren. Misschien had ze niets met de moord te maken. Misschien jaagden ze op hersenschimmen.

Aan de andere kant: de mannen die ze ontmoette waren interessant. In totaal zag Thomas zes mannen in drie hotels in de stad. Ze kwamen altijd alleen. Cherkasova kwam altijd alleen. Een van hen was de Brit en over hem konden ze niet veel vinden, hij werkte voor een Engelse vliegtuigfabrikant en woonde alleen in Londen. Verder had je de man van het Sheraton, naar wiens kamer Cherkasova die zomer vijf keer toe ging. Twee waren jongere Zweedse mannen – die zag ze drie, vier keer. De laatste twee zagen eruit als Indiërs of iets dergelijks, ze zag hen ieder vier keer.

Thomas zei: 'Dit is niet een of ander boek of een film. Dit is echt. Weet je wat dat betekent? Dat ik het grootste gedeelte van mijn tijd aan de telefoon, in mijn auto of achter de computer zit. En ik haat computers.'

Natalie mocht Thomas graag. Ze dacht: hij is een ex-smeris, maar hij praat niet als een smeris. Hij praat als een mens.

Thomas ging voorzichtig te werk. Wachtte voor het hotel. Volgde de mannen later in de nacht terug. Ze woonden overal in de stad. Hij kreeg hun adressen – van allemaal behalve van de Sheraton-man, die was voorzichtiger. Vertrok altijd via een achteruitgang. Het lukte Thomas niet hem te betrappen. De jonge Zweed heette Mattias Persson, was negenentwintig, werkte bij een IT-bedrijf, woonde al vier jaar samen met een acht jaar jonger meisje. De andere Zweed woonde in Örebro en was vrijgezel. De eerste man met het Indiase uiterlijk heette Rabindranat Kadur, was negenenveertig, ondernemer in de textielbranche, twintig jaar getrouwd met een Zweedse vrouw. De andere man was geen Indiër – hij kwam uit Iran, heette Farzin Habib, was vijfenveertig jaar, werkte als reisorganisator en was acht jaar geleden gescheiden. Thomas vond niks verdachts bij deze hoerenlopers, maar hij bleef vasthouden aan zijn onderbuikgevoel: dat schreeuwde hem toe dat de man uit het Sheraton interessant was. Die vent die zo overdreven voorzichtig was.

Eind juli stond Natalie op het punt het op te geven.

Op een ochtend was haar telefoon gegaan. Een Skype-gesprek. Thomas.

Mama zat in de keuken te ontbijten. Natalie liep de tuin in. Dit soort gesprekken voerde ze nooit binnenshuis.

'Hoi, met mij.'

Zijn gezicht verscheen op het schermpje. Het kantoor achter hem: rommelige boekenplanken, lelijk behang en beroerde verlichting. Hij stookte zijn tanden terwijl hij praatte. Als papa dat zou hebben gezien zou hij het gesprek onmiddellijk hebben weggedrukt – volgens hem: tanden stoken deden alleen junkies en daklozen in de bars van Belgrado, mensen die niet hadden begrepen hoe belangrijk het was je gebit goed te poetsen, mensen die hun hele leven nog niet bij de tandarts waren geweest. Dat was een statuspunt voor papa: mooie tanden betekenden een goeie achtergrond.

Thomas zei: 'Een doorbraak. Een contact herkende de auto van de Sheratonman. Hij heet Bengt Svelander, tweeënvijftig jaar. Hij woont niet in Stockholm.'

'Super. Weet je meer over hem?'

'Daar bel ik juist voor. Deze vent is niet zomaar iemand. Hij is al jaren politicus, parlementslid, zit in allerlei commissies en zo.'

'Wauw.'

'Het is een man met macht. Ik ben van plan die ouwe geilaard in de smiezen te houden.'

Natalie stond op. Zag haar gezicht in de spiegel van de universiteits-wc. Ze zat hier nu al twintig minuten. Lollo en Tove zouden zich wel afvragen waar ze heen was. Ze was weer goed opgemaakt. Had de huilsporen uitgewist. Haar uiterlijk hersteld tot een waardig niveau.

Ze deed de deur open. Buiten: de afdeling Geschiedenis. De kasten om haar heen stonden vol met boeken over het Romeinse Rijk. De opkomst en ondergang van het Kranjic-imperium.

Nee, voor haar familie was er geen ondergang. Ze had Goran. Ze had Thomas.

Natalie liep terug naar haar tafel. De meiden zaten er nog. Exact dezelfde boeken, dezelfde posities, dezelfde houding van hun hoofden. Lollo keek op.

'Waar ben je geweest?'

'Ik voelde me kut.'

'Ach, meisje toch. Wel zeggen als je ergens over wilt praten, hoor.'

'Het is wel goed. Dank je.'

'Zullen we gaan koffiedrinken? De rechtszaken beginnen zelfs onder mijn haar te kruipen. Verpesten mijn nieuwe coupe soleil. Vind je het trouwens leuk?'

Ze liepen naar Trean, het café in de derde toren van de universiteit. De trap in het midden van de bibliotheek: een tentoonstelling voor de arme filosofen, ideeenhistorici en taalkundigen die nooit meiden als Natalie, Tove en Lollo konden krijgen. Natalie voelde haar telefoon trillen in haar handtas. Het was Skype.

Ze verontschuldigde zich. Ging een paar meter verderop staan. Zag Tove en Lollo vreemd naar haar kijken. Ze drukte haar oordopje vast. Zag Thomas' gezicht. Ze nam fluisterend op.

'Met mij,' zei hij.

'Ik zie het.'

'Nog een doorbraak. Een échte doorbraak.'

Natalie hield haar adem in. Drie weken geleden had hij de hoerenlopende politicus geïdentificeerd. Dit gesprek voelde net zo.

Thomas zei: 'Ik was Svelander aan het schaduwen. Reed achter hem aan naar de stad. Geen hotelontmoeting of zoiets. Hij ging naar Gondolen, je weet wel, die luxebar bij Slussen. Doet dat een belletje rinkelen?'

Natalie kende het restaurant natuurlijk. Ze was er meerdere malen met papa en mama geweest.

'Daar ben ik geweest.'

'Dat vermoedde ik al. Want je vader nam daar vaak mensen mee naartoe. Maar goed, deze politicus ging naar een chambre séparée. Ik zag niet wie daar nog meer waren en met hem aten. Maar een paar minuten nadat Svelander het restaurant uit kwam, zag ik een ouwe bekende naar buiten komen.'

'Wie?' Natalie had een déjà vu-gevoel. Dezelfde feeling als drie weken geleden toen Thomas de hoerenloper had ontdekt.

'Stefan Rudjman. Stefanovic.'

'Jezus.'

'En daar komt bij dat ik Stefanovic twintig minuten later een envelop zag overhandigen aan ene Johan "JW" Westlund. Weet je wie dat is?'

'Nee.'

'Als je het zomaar iemand vraagt, kent diegene hem waarschijnlijk niet. Hij is net ontslagen uit de gevangenis, veroordeeld voor een zwaar drugsdelict. Maar als je het bijvoorbeeld Goran vraagt, dan weet hij veel meer over JW. Hij staat bekend als witwasser, adviseur en investeerder in dat deel van de economie dat zich uitstrekt van het donkergrijze tot het pikzwarte deel van het spectrum. Hij werkt samen met Mischa Bladman van MB Accountant Advies. Begrijp je?'

'Ja.'

'Zij hebben je vader geholpen met onder andere de holding en de bankrekening in Zwitserland.'

Natalie ging niet koffiedrinken met de meiden. In plaats daarvan ging ze naar buiten.

Ademde de heerlijke septemberlucht in. Studenten kwamen en gingen langs haar heen. Ze stond stil.

Ze voelde het als een golf door haar lichaam. Goran had gezegd dat ze zelf haar weg moest kiezen – dit was een keerpunt. Ze kon verdergaan met rechten studeren, met de meiden optrekken, om papa rouwen en een beetje rondpoeren in wat er met hem was gebeurd. Doen alsof het leven net als vroeger was.

Of ze kon iets belangrijks doen. Zelf actie ondernemen. Haar verdriet omvormen.

Ze voelde het bloed door haar aderen stromen, haar hart pompen. Ze voelde haar hete hersenen afkoelen in de buitenlucht. Ze was sterk – ze was de dochter van haar vader. Ze had te veel kracht om domweg door te gaan in de gebruikelijke sporen. Papa had een andere weg uitgestippeld. Nu was het aan haar om die te belopen.

Controle te nemen. Macht te grijpen.

*

De landmacht
Munitie- en mijnenverwijderingscentrum Defensie MMVCD
383883:2011

Verantwoordelijke/opdrachtgever
Technisch rechercheur Lennart Dalgren
Technische afdeling politie Stockholm
Vooronderzoek

K-2930-2011-231

Identificatie van handgranaat

Achtergrond
Het MMVCD is gevraagd een object te identificeren. Het verzoek is afkomstig van de politie te Stockholm en betreft een handgranaat en andere explosieven die zijn gebruikt op de Skeppargatan in Stockholm. De politie heeft afbeeldingen en scherffragmenten opgestuurd voor identificatie. Defensie antwoordt met een uittreksel uit de database van EOD met informatie over constructie en functie.

Identificatie van munitieobject
De munitie is geïdentificeerd als:
Type van munitie: scherfhandgranaat
Benaming: M52 P3

Herkomst: voormalig Joegoslavië

Overige explosieve elementen zijn geïdentificeerd als:
Type explosief: kneedbare springstof
Type: semtex
Fabricaat: Semtin Glassworks
Herkomst: Tsjechië

Bevindingen
Uit bijgevoegde foto's en fragmenten blijkt eenduidig dat er sprake is van een handgranaat van het type M52 P3 uit voormalig Joegoslavië. Rondom de granaat is vermoedelijk zo'n 1.000 gram springstof van het type semtex aangebracht.

Beschrijving van de constructie
M52 P3
M52 P3 is een handgranaat die als doel heeft een aanvaller tegen te houden, deze buiten gevecht te stellen of te doden. Er zijn geen civiele toepassingen. Het actuele granaatmodel is klein en handzaam: 56 mm diameter, 105 mm lang, gewicht van ongeveer 0,5 kilo. De granaathuls is gevuld met TNT (100 gram).

De fragmentatie van de granaat is gestuurd. Hij is glad aan de buitenkant, maar aan de binnenkant zijn er gefreesde sporen. Als de granaat explodeert, valt hij uiteen in grote en kleine scherven. Het scherfgewicht is 2,5 gram. Het aantal scherven is 150 en ze hebben een snelheid van 1400 m/s. Als de handgranaat ontploft op de grond en er geen beschermende objecten zijn, is het risico op sterfgevallen groot.

Semtex
Semtex is een plastisch explosief materiaal dat bestaat uit hexogeen en pentriet. Het is een deegachtige massa die aangebracht en gevormd kan worden naar behoefte van de gebruiker. Semtex heeft civiele toepassingen, bijvoorbeeld bij gecompliceerde gecontroleerde explosies van grote bouwprojecten. Semtex van het fabrikaat Semtin Glassworks wordt afgeleverd in de vorm van een patroon met een papieren omhulsel. De springstof heeft een detonatiesnelheid van 7.800 m/s en een densiteit van 1,5 kg/dm^3.

Om de springstof tot ontploffing te brengen wordt normaal gesproken een ontstekingspatroon gebruikt die wordt bevestigd op een kruitlont.

Semtex is moeilijk ontsteekbaar, wat normaal gesproken voor hoge veiligheid zorgt. Bij een krachtontwikkeling als van de explosie van een granaat wordt de springstof echter aangestoken en detoneert deze onmiddellijk.

Werkwijze bij de gebeurtenis in kwestie
De vermoedelijke werkwijze van de dader is dat hij de pin van de handgranaat heeft vervangen door staaldraad die onder de handgreep is gestoken. Daarna heeft de dader de semtex onder en op de granaat aangebracht en deze voor het rechtervoorwiel van de auto geplaatst, waarbij de staaldraad schuin omhoog richting wiel is geplaatst. Dit heeft zeer snel kunnen gebeuren. Waarschijnlijk was het voldoende de auto te passeren en zich voorover te buigen om de granaat met de aangebrachte springstof neer te leggen. Op het moment dat de auto startte en naar voren reed, heeft de band de staaldraad weggedrukt en zijn de granaat en de semtex na twee seconden gedetoneerd. De explosie vond plaats onder de achterkant van de auto, aangezien de auto ongeveer twee meter heeft gereden.

Een alternatieve werkwijze is dat de dader de granaat met semtex van enkele meters afstand onder de auto heeft gerold of gegooid. Deze werkwijze zou de dader echter blootstellen aan een groot risico zelf gewond te raken. Het verklaart evenmin de sporen van staaldraad die verderop op de plaats delict zijn aangetroffen.

Dit type granaat zou zonder aangebrachte semtex zeer waarschijnlijk niet met zo'n grote kracht door het onderstel van de auto zijn geëxplodeerd dat een chauffeur of passagier dodelijke verwondingen zouden hebben opgelopen. Het gebruik van semtex wijst zodoende in de richting van een dader met grondige kennis van explosieven, gevolgen van explosieven en gerichte explosieve werking.

34

Kleurige lampjes bungelden in de bomen. Op de achtergrond swingde een Usher-nummer.

Tom was terug uit de casino's in Bangkok. Was natuurlijk finaal misgelopen – na tien dagen was hij gestoomd en gemangeld, zo blut als een konijn. Moest met een minibus terug naar Pattaya – Jorge had hem moeten boeken én dokken.

Toch was Jorge blij dat Tompa terug was. Lehtimäki was de enige die niet liep te mokken.

'Ik heb een gast ontmoet die me gaat leren vals te spelen bij dobbelen. Dat is big business hier. Dobbelen dus,' zei Tom, en hij gooide fantasiedobbelstenen over tafel.

Jorge schaterde: 'Lehtimäki, je bent echt geweldig, weet je. Geeft nooit op.'

Tom zei: 'Vier tegen een dat die dobbelfraude me lukt.'

Jorge: 'Acht tegen een dat je belazerd wordt.'

Babak – voor de verandering wakker – bemoeide zich ermee: 'Ja, Jorge, daar lijk je wel verstand van te hebben, van mensen belazeren.'

Stilte om de tafel. Net op dat moment geen muziek uit de luidsprekers. Alleen het geluid van golven die op het strand sloegen. Aanspoelden als de slechte sfeer.

Jorge wist: dezelfde beelden in ieders hoofd. De opengehakte geengeldkoffers op de vloer van de flat. Ernaast, op stapels: nauwelijks tweeënhalf schamele miljoentjes. Na verdeling: ze zouden zich vet arm voelen. En dan wisten ze nog niet helemaal waar Babak op doelde met 'mensen belazeren'.

Er was tumult ontstaan in die flat. Javier klaagde. Robert ging zitten, handen voor zijn gezicht. Jimmy begon te piepen. Babak flipte serieus: ging los bij Mahmud. Dramde over een groter aandeel. Het risico dat hij had genomen. Hoe ze het nooit zouden hebben gered zonder de Range Rover.

De enige die niks had gezegd was de maat van de Fin. Die graaide gewoon het aandeel van de Fin bij elkaar. Stopte de floes in twee sporttassen. Misschien begreep hij dat niemand, zelfs de insider niet, had kunnen weten hoeveel koffers of hoeveel floes er zou zijn. Dat je nu gewoon je wonden moest likken en de volgende overval moest gaan voorbereiden.

Nadat die gast ervandoor was: massale oplaaiing van de protesten. Op het randje van een echte vechtpartij. Babak flipte nog heftiger. Begon Mahmud en Jorge te duwen. Tom en Robert moesten hem vasthouden. Iedereen riep. Iedereen schreeuwde. Iedereen klaagde over de verdeling.

Jorge bleef kankerrustig – zóóó bang dat Babak iets zou zeggen over de geldkoffers die hij achterover had gedrukt.

Het hielp niet dat Jorge beloofde de tickets naar het buitenland te lappen. Zei dat hij het hier met de Fin over zou hebben. Ten slotte: Jorge bezuinigde op zijn eigen aandeel – schonk iedereen dertig ruggen extra.

En nu, hier in Thailand: Babak liep weer te etteren. Sinds ze in Pattaya waren hadden de bekmeppen zeker tien keer gedreigd. Maar nog steeds: Jorge wilde niet te veel bonje met Babak.

Babak ging door: 'Geef je nog antwoord of hoe zit dat? Wie heeft wie hier eigenlijk genaaid? Ik heb goddomme het grootste risico van allemaal genomen, niet dan? We hebben mijn auto gebruikt.'

'Jezus, man, we moesten wel, die shovel was weggehaald door de eigenaar!'

'Ja, ik weet wel dat ze hem hadden ontdekt, maar ik ben de enige achter wie ze nu aan zitten, of niet soms?'

Babak zweeg.

Jorge keek op. Begreep meteen: er is iets mis.

Bij hun tafel stonden twee kerels. Een Thai en eentje met een Oost-Europees uiterlijk.

Ze zeiden iets in beroerd Engels tegen Mahmud. Jorge begreep: dit waren de mensen die het niet digden dat zijn brother wiet had verkocht.

De Oostblokker deed een stap naar voren. 'Je moet betalen, je hebt de regels hier overtreden. Probeert onze markt af te pakken.'

Mahmud in nog beroerder Engels: 'Waar heb je het over? Dat heb ik niet gedaan.'

De Thaise vent ging naast de Oostblokker staan, die zich over de tafel heen boog. 'Je moet betalen. Zo simpel is het. We weten dat je hier bent komen wonen. En ik geef geen fuck voor wat je zegt. Op zijn laatst morgen om twaalf uur. We komen naar je hotel.'

Mahmud probeerde weer te protesteren.

De kerels liepen al weg bij de tafel.

Mahmud stond op. Ging erachteraan. De Arabier: niet iemand die mensen zomaar te lijf ging.

Vijf meter van de tafel. Hij haalde ze in. De Oostblokker draaide zich om.

Mahmud zei: 'Wie denk je wel niet dat je bent?'

Jorge keek om zich heen. Zag de serveersters bewegingloos bij de bar staan. Hun donkere ogen: opengesperd. Hij volgde hun blik. Verderop, bij de entree: vijf Thaise gozers. Hun stijl glashelder. Zij: niet groot, geen bepaalde kleuren of kleren. Toch snapte hij het meteen, was genoeg thuis in Thailand om de littekentjes in hun gezicht, de tatoeages op hun handen, de boots aan hun voeten te zien.

Jorge stond op. Ging achter Mahmud aan. Pakte zijn schouder beet. Trok hem naar achteren.

Zei: 'Oké, oké. Mijn vriend zal betalen. Geen probleem. Op zijn laatst morgen om twaalf uur. Op mijn woord.'

Mahmud probeerde iets in het Zweeds te zeggen. Jorge, op bijtende toon: 'Nee, ik spreek je later.'

De Rus of wat het ook was accepteerde het. Ze liepen weg.

De vijf kerels bij de ingang draaiden zich ook om.

Langzame stappen. Duidelijke controle. Bewust signaal.

Morgen om twaalf uur.

Later die nacht: Jorge liep over het strand. De andere kills waren verdergegaan. Naar hun favostripbars, speelholen, meiden van deze week.

Hij snapte niet wat er aan het gebeuren was. Zijn kop had pauze als hij met de anderen was. Hij moest in zijn eentje nadenken. Overwegen. Besluiten. Wat moest hij in jezusnaam doen?

Elke dag las hij Zweedse kranten op internet. De dagen na de overval hadden die vette koppen. EEN NIEUWE HELIKOPTERKRAAK. OVERVALLERS MISLEIDEN POLITIE OPNIEUW. BEWAKER GEWOND NA ROOFOVERVAL.

Hij dacht dat het snel over zou waaien. De buit was immers klein. Media snapten ook: kleingeld was niet sexy.

Maar toen: BEWAKER IN KRITIEKE TOESTAND. DE MEEDOGENLOZE OVERVALLERS. BEWAKER VERLIEST ZICHT EN BELANDT IN ROLSTOEL. FAMILIE EN ZWEDEN IN SHOCK.

Het was ziek. De rotbewaker die het dichtst bij de explosie had gestaan was echt zwaar gewond. Bijna dood.

Nu: een heel andere divisie. Zware mishandeling. Overval met ernstig geweld, zeker weten. Poging tot moord?

Joder – ze hadden nooit die kluis in moeten willen. Ze waren te gestrest geweest door dat shovelfiasco. De Fin had de tekeningen misschien te kort van tevoren gekregen, had niet kunnen checken welke lading voldoende was. Fokking Fin.

Idioten.

Bovendien was er een opsporingsbevel tegen Babak uitgevaardigd – dat stond in de krantjes, hoewel hij daar niet bij name werd genoemd. En in het laatste artikel dat Jorge had gelezen, lieten de juten doorschemeren waar ze mee bezig waren.

De politie heeft vandaag bevestigd dat de technische analyse van de verdachte vluchtauto enig resultaat heeft opgeleverd. De vluchtauto, een Range Rover, is ook gebruikt om de toegangshekken van postterminal Tomteboda te forceren. De auto, die brandend is aangetroffen op een parkeerplaats in Helenelund even buiten Stockholm, is een tijdlang de voornaamste leidraad van de politie geweest.

Hoewel de Range Rover volledig uitgebrand was, is de technische recherche erin geslaagd een aantal sporen op de achterbank van de auto veilig te stellen. Uit de analyse blijkt dat deze sporen DNA bevatten van mensen die banden hebben met de vermoedelijke dader, tegen wie al een opsporingsbevel is uitgevaardigd.

De woordvoerder van de politie, Björn Gyllinger, zegt het volgende over de vondst: 'Dit bevestigt onze theorie dat er iets mis is gegaan. Waarom zouden de overvallers anders gebruikmaken van een auto met duidelijke koppelingen naar hen? Het laat ook zien hoezeer de nieuwe DNA-techniek tot ontwikkeling is gekomen. We hebben hierbij gebruikgemaakt van de zogeheten LCN-analyse, die zeer geavanceerd is.'

LCN (Low Copy Number) DNA-techniek houdt in dat er monsters met uitermate weinig sporenmateriaal worden geanalyseerd.

'Bij deze techniek hebben we genoeg aan tien cellen,' zegt Jan Pettersson, hoofd van het Forensisch Laboratorium in Linköping, tegen Aftonbladet.

'Iemand hoeft maar een hand tegen een ruit te hebben gezet om het DNA van het vet in de hand te kunnen identificeren. Het is haast sciencefiction. Maar ik wil eraan toevoegen dat we ook andere bewijzen hebben die deze dader in verband brengen met de overval. Ik kan niet nader op de details ingaan, aangezien dat schadelijk zou kunnen zijn voor het onderzoek.'

Misdaadangst.

Het hielp niet dat Jorge Stesolid, Atarax, benzo en allerhande Thaise shit die hij te pakken kon krijgen naar binnen werkte.

De misdaadangst kroop als een kakkerlak in hem rond.

Hij maalde erover dat de Thaise douane iedereen die het land binnenkwam bij de paspoortcontrole had gefotografeerd. Hij werd nat van het zweet wakker van het idee dat ze die smerige honden bij de helikopterbasis hadden moeten afknallen – de politie zou proberen de munitie te identificeren. Hij had nachtmerries over zweethanden die DNA-sporen afgaven.

Jorge verloor zijn eetlust. Rende zeven, acht keer per dag naar de plee. Viel af als een speedjunk.

De misdaadangst was godverdomme aan het winnen.

En nu: de Russische maffia met Thaise support wilde Mahmud afpersen.

Pattaya – hij haatte deze plek.

Hij liep langs een strandparty. Wandelde verder langs het water.

Een lekker windje in zijn gezicht. Childe z'n zenuwen.

Hij wist wat hij moest doen. Wat ze al veel eerder hadden moeten doen.

Morgen moesten ze weg.

Hij had liever een paar dagen gewacht. Maar nu was het te laat. Overwoog

Krabi, Koh Phi Phi, misschien Koh Lanta of Phuket.

Mahmud en hij kenden de koffiebranche al. Ze zouden hier een tentje kunnen runnen. Zou ie Jorge king Bhumibol worden in plaats van Bernadotte?

Hij sloeg af naar de boulevard. Wilde zijn gedachten afronden boven een drankje.

Een café verderop. Een blauw bord: POPPY'S BAR. Leek geen hoerentent. Geen Thaise of Russische chicks binnen.

Een kruk aan de bar. Hij ging zitten. Bestelde een kop thee. De barkeeper keek hem aan alsof hij een flikker was.

Naast hem zaten een paar backpackermeiden die verdwaald moesten zijn – Pattaya was niks voor hen. Eentje had dreadlocks en een T-shirt met de tekst LISBETH SALANDER FOR PRESIDENT. Misschien was ze Zweeds.

Hij dacht aan zijn mattie JW. De jetset-wannabe uit Norrland. De gozer die Jorge had leren kennen toen hij vijf jaar geleden coke dealde. Een goede vriend. Hij wist dat hij een paar dagen geleden vrijgekomen was.

Als hij hier iets met Mahmud wilde kopen zouden ze hulp nodig hebben. Normaal gesproken zou Tom Lehtimäki perfect zijn. Maar nu niet: die swa was niet in vorm – verslaafd aan spelletjes als een puber van de Malmvägen aan blowen. Lehtimäki was onbetrouwbaar tot hij tot bedaren was gekomen.

En de anderen? Javier wilde hier alleen maar achter chicks en chickachtige homo's aan. Jimmy was te stom en verlangde te veel naar zijn smatje in Zweden. Babak was de duivel op slippers. Jorge zou de Iraniër al heel lang geleden buitenspel hebben gezet – als hij niet had geweten hoe Jorge de Fin had genaaid.

Hij had iemand anders nodig.

Hij riep de barkeeper bij zich. Vroeg om het nummer van Poppy's Bar.

Hij liep naar de backpackchicks. Jorge tikte die met de dreadlocks op haar schouder.

'Excuse me, can I ask you a favour?'

Ze antwoordde in goed Engels. Maar niet goed genoeg.

Hij zei: 'Kom je uit Zweden?'

De chick nam hem op. Dezelfde reactie als altijd hier – puur omdat je allochtoon was dachten Zwedo's dat je niet op vakantie kon gaan.

Jorge zei: 'Weet je, ik zou een sms'je willen sturen aan een vriend in Zweden, maar mijn mobiel is leeg. Heb jij er eentje?'

Het meisje schoot in de lach. 'Dat heeft iedereen, toch?'

'Het is paniek, weet je. Ik betaal je.'

Het meisje lachte weer. Ze had mooie ogen: meerkleurig. Lastig te zeggen in de blauw-rood-groene verlichting in Poppy's.

Ze ging ermee akkoord. Ze had zo'n goedkope fonna. Dat maakte niet uit.

Jorge stuurde een sms'je naar het nummer dat hij van JW had. 'Gozer, je favolatino hier. Bel 0066-384231433 als je tijd hebt.'

Het was nu middag in Zweden.

Volgende ochtend. Vroeg. Halfelf nog maar. Mahmud zou wakker moeten zijn – de Arabier was gisteravond al voor twaalven gaan pitten. Jorge had zijn spullen al gepakt.

Hij liep langs het zwembad.

Mahmuds bungalow lag vijftig meter verderop. Hij klopte aan.

Van binnen hoorde hij Mahmuds vermoeide stem. 'Wie is daar?'

'Ik ben het. Doe open.'

Het duurde meer dan vijf minuten voor hij opendeed. Boxershort en hemd. Dezelfde schilderingen op het plafond als in Jorges bungalow. De kamer achter hem een zwijnentroep. Shit, dit zou tijd kosten.

'Gap, we moeten weg. Vandaag, voor twaalf uur.'

'Hoezo, man, je zei toch dat we die tjingtjongers zouden lappen?'

'*No fucking way*. We gaan. Ik dacht aan Krabi of Phuket. Ik ben met allerlei ideeën bezig, weet je.'

Veertig minuten later. Jorge had Mahmud geholpen met inpakken. Die gast leek zonnebrandcrèmes, dvd-kopieën en snuifbuisjes te sparen. Maar Jorge wilde alles meenemen of wegflikkeren. Geen overbodige sporen achterlaten.

Mahmud wilde de andere jongens niet in de steek laten. Jorge overreedde hem zo goed mogelijk. Bezwoer. Beloofde.

Garandeerde: 'Het is goed om een tijdje uit elkaar te gaan. Anders is er steeds maar bonje met Babak. En als we ons hebben gesetteld kunnen ze ons achternakomen.'

Ze liepen met hun koffers naar de receptie in het hotel ernaast. Bestelden een minibus naar het zuiden. Die zou over twee uur gaan. Daarna liepen ze terug naar het Queen Hotel en checkten uit.

Het was kwart voor twaalf.

Mahmud zei: 'Ik zal die kutten op het plafond missen, ouwe.'

Ze liepen naar hun Vespa's. Die moesten worden ingeleverd en betaald. Opnieuw: Jorge wilde geen gelazer.

Hij sprong op zijn Vespa, startte hem.

Mahmud deed hetzelfde.

Ze reden de hoofdstraat in.

De zee links van hen. De lucht helder. Jorge dacht: zo vroeg is Mahmud nog nooit opgestaan sinds we hier zijn.

Stofwolken achter de Vespa's.

Opeens: piepende banden.

Mensen brulden om hen heen.

Een grote pick-up, Toyota Hilux, veel te snel.

Reed naar Mahmud.

Reed hem klem.

Mahmud probeerde uit te wijken. Reed de stoep op.

De Toyota reed achter hem aan.
Mensen sprongen opzij.
Jorge wist niet wat hij moest doen.
Hij gaf gas, probeerde alles te zien. Erachteraan te rijden.
De auto stootte van achteren tegen Mahmuds Vespa.
De Vespa slingerde. Jorge schreeuwde dat hij moest proberen het strand op te rijden.
De Vespa slingerde erger.
Mensen stoven alle kanten op.
De mega-Toyota gaste.
Reed weer op hem in. Beukte de Vespa met *full power*.
Jorge zag Mahmud: beeldje voor beeldje.
Zijn homie vloog als een strandbal door de lucht.
Een grote boog.
De zee op de achtergrond.
Mahmud klapte zeven meter verderop tegen de grond.
Alles stierf.

35

Hägerström wachtte in zijn auto op JW. Hij zat hier al een uur.

Het was niet de eerste keer. JW had hem sinds de mishandeling na zijn ontslagfeestje meerdere keren gebeld om te vragen of hij hem naar allerhande plaatsen in de stad kon brengen.

JW's rijbewijs was ingetrokken toen hij werd veroordeeld voor het zware drugsdelict. En in de bak waren geen mogelijkheden om een nieuw rijbewijs te halen. Zo was het altijd voor mensen die net vrij waren: na jaren in instellingen moest je je niet alleen opnieuw aanpassen aan de maatschappij, je was meestal ook dakloos, had flinke schulden bij de belastingdienst en geen rijbewijs. Bovendien had je de afgelopen jaren misschien niet zo'n goed contact gehad met eerzame vrienden en familie. Daarbij kwam het probleem werk te krijgen. Steeds meer werkgevers in Zweden wilden je strafblad zien. Je begon niet bepaald opnieuw bij nul. Je begon dik in de min.

JW zwoer dat hij binnen drie maanden een nieuw rijbewijs zou hebben. Maar tot die tijd had hij een probleem. Hij weigerde met de metro te gaan. 'Dat past niet bij iemand als ik,' zei hij toen Hägerström hem voorstelde een abonnement te kopen. Hägerström kende de redenering. Zijn vader was zijn hele leven geen enkele keer met de metro gegaan. Die socialistensnelweg was niks voor hem, zoals hij altijd zei.

Dus daarom reed Hägerström JW als hij ergens heen moest. Vaak naar het kantoor van MB Accountant Advies, naar de sportschool, naar allerlei restaurants. Soms vroeg JW hem te wachten en soms alleen om bij zijn voordeur te zitten om erop toe te zien dat er geen ongenode gasten de moeite namen binnen te komen. Na afloop stopte JW hem een of meerdere vijfhonderdjes toe.

Het was een vervolg van hun relatie. Een vervolg van de infiltratie.

En Hägerström had de doelstelling helder voor ogen: hard bewijs van JW's bezigheden verzamelen.

Hij verveelde zich in de auto. Hij dacht na. Herinnerde zich van alles. Overdacht zijn eigen geschiedenis.

Op zijn eenentwintigste was hij begonnen op de politieacademie.

Het was een vreemde tijd. Ultramannelijke tests, homomoppen in de kleedkamers, collega's die dicht bij hem kwamen. Hij deed waar hij altijd van had gedroomd: werd agent. In die tijd werd ook een andere geheime droom vervuld.

Na het zomerfeest ter afsluiting van het eerste semester aan de academie stapte hij op de nachtbus naar huis. Hij was zo dronken dat hij het geld voor het kaartje nauwelijks tevoorschijn kreeg. Normaal gesproken nam hij een taxi, maar om de een of andere reden wilde hij toen met de bus. Het was halfvijf. De nachtbus was bijna leeg. Helemaal vooraan zaten drie giechelige meisjes met rodewijnvlekken op hun witte examenpetten. Dat was alles.

Hij ging meer naar achteren zitten. Viel bijna in slaap. De meisjes stapten bij de volgende halte uit en er stapte een jongen in. Alleen Hägerström zat nog in de bus. Meer dan veertig vrije stoelen en toch ging de jongen naast hem zitten. Dat was een provocatie. Of – Hägerström kon het meestal aan jongens zien als ze op dezelfde manier als hij dachten – een invitatie.

De jongen sloeg zijn benen over elkaar. Hij droeg een parka en een strakke spijkerbroek. Hägerström leunde tegen het raam. Deed alsof hij sliep. Zijn lichaam was tot het uiterste gespannen. Hij voelde zich haast nuchter.

Het leek alsof de jongen zijn been tegen het zijne duwde.

Hij had hem niet kunnen bekijken voor hij ging zitten, maar dit moest wel iets betekenen.

Durfde hij te doen wat hij wilde?

Het been van de jongen tegen zijn been. Hij zweette.

Hägerström liet zijn hand naar beneden glijden, schijnbaar vallen, naast zijn been.

De hand van de jongen aanraken.

Hun vingertoppen ontmoetten elkaar. Ze pakten elkaars hand beet.

De jongen boog zich naar Hägerström toe en kuste hem.

Het was de eerste keer dat zijn lippen de mond van een andere man beroerden.

Twee haltes later stapten ze uit. Naar Hägerströms huis.

Toen hij de volgende dag wakker werd, was de jongen weg. Hägerström was zijn naam nooit te weten gekomen. Maar die kus in de bus was hij nooit vergeten.

Hij zag JW in de zijspiegel. Zijn benen zwaaiden uit als hij liep. JW was verrukt van Hägerströms Jaguar. Hägerström merkte op dat er nog twee mannen naar buiten kwamen uit Riche, het restaurant waar JW had geluncht. Hij maakte inwendig een aantekening over het uiterlijk van de personen.

JW ging op de passagiersstoel zitten.

Hij zei: 'Kun je me naar Bladmans kantoor brengen?'

Hägerström startte de motor. 'Natuurlijk.'

Hij reed westwaarts door de Hamngatan, langs het Norrmalmstorg. De grote banken en advocatenkantoren eromheen. Hij dacht dat het nu tijd was om toe te slaan. Huiszoeking te houden in de kantoorruimtes van Mischa Bladman en bij JW. Maar Torsfjäll wilde wachten. Hij wist het zeker: 'Ze bewaren hun papieren elders, anders zijn het idioten. Je moet erachter komen waar. We hebben meer bewijs nodig. Je moet begrijpen waar ze het materiaal hebben.'

Maar tot nu toe had hij JW niet op zo'n soort plek afgezet.

JW zag er rustig uit.

Hij deed zijn mond open. 'Hägerström, jij kent veel mensen met geld. Weet jij wat de eenvoudigste manier is om geld wit te wassen?'

Hägerström spitste zijn oren. Dit was interessant.

'Nee.'

'Ga naar de renbaan of het casino. Daar zoek je iemand op die net gewonnen heeft. Iedereen die wint krijgt immers een bonnetje. Over het algemeen betaal je honderdtien tot honderdtwintig procent van de waarde van de bon. Sympathiek van de staat om bonnetjes van winst af te geven. Als je problemen met de politie of de belastingdienst krijgt, hoef je alleen dat bonnetje maar te laten zien. Dat toont immers aan waar je het geld vandaan hebt.'

'Slim. Ken je iemand die dat echt heeft gedaan?'

'Misschien, maar dat was vooral vroeger. Ik vind dat je in een andere divisie moet spelen. Als je ziet hoeveel de staat van mensen steelt, is het niet meer dan normaal dat de burgers terugslaan. Vind je niet?'

'Dat ben ik met je eens.'

'Bij de renbaan en het casino kun je alleen kleingeld witten. Dan zijn andere eenvoudige constructies beter, mocht iemand daar belangstelling voor hebben.'

'Wat dan, bijvoorbeeld?'

'Je zorgt ervoor dat je je geld op verschillende rekeningen zet, in zulke kleine bedragen dat het waarschuwingssysteem van de bank niet reageert. Daarna maak je het geld over naar een bedrijf met een buitenlandse rekening in een land met bankgeheim. Daarna laat je het buitenlandse bedrijf geld aan jou uitlenen in Zweden. Dat is perfect, op papier heb je geen inkomsten – het is immers geleend geld. En het beste is dat je de rente aan je eigen buitenlandse bedrijf mag aftrekken, prachtig, hè?'

'Slim, maar ken je iemand die dát in het echt heeft gedaan?'

'Misschien, maar ik zou het gedoe met een heleboel verschillende rekeningen en kleine stortingen toch niet aanbevelen.'

'Maar wat moet je dan doen?'

'Je moet contacten hebben in de wereld van de banken of wisselkantoren. Snap je? Contacten.'

Hägerström dacht: nu kwam het misschien. Nu begon JW misschien serieus te vertellen.

Hägerström zei: 'Ja, contacten zijn alles. Als het je wat lijkt, stel ik je bij gelegenheid aan wat mensen voor.'

'Dat zou geweldig zijn.'

'Maar wat ik me afvraag, hoe heb je dit geleerd?'

'Nou ja, geleerd, geleerd. Toen ik vastzat had ik wat spaargeld, weet je. Ik heb met mijn eigen geld gewerkt. Ik ben op kleine schaal begonnen. Ik wilde daar binnen niet voortdurend lastiggevallen worden, zoals door die nikker in Salberga die me te grazen nam, je weet wel. Dus toen een kerel me vroeg of ik hem ergens mee kon helpen, zei ik ja, in ruil voor wat protectie. Hij had een paar honderdduizend kronen. En ik vraag nooit waar die vandaan komen, ik vind dat het iemands privézaak is wat hij met zijn geld doet.'

Hägerström knikte.

'Die kerel wilde dat zijn vriendin en kind een woning konden kopen. Daar kan ik begrip voor opbrengen, hij wilde ze alleen maar helpen. Maar een woning koop je niet direct met contanten, dan vragen mensen zich dingen af. Dus gebruikten we de methode waarover ik je net vertelde. Ik kletste wat met een vriend die net vrij was gekomen, vroeg hem met de vriendin mee te gaan en haar te helpen rekeningen bij vier verschillende banken te openen. Die rekeningen waren gekoppeld aan een en dezelfde al bestaande bankrekening op het eiland Man. De rest kon ze vervolgens zelf doen. Binnen een paar maanden tijd haalde ze per rekening vierhonderdduizend kronen binnen, maar nooit meer dan twintigduizend per keer. Na vier maanden stond alles op de rekening op Man en kon ze een tweekamerwoninkje in Sundbyberg kopen.'

Hägerström applaudisseerde zachtjes.

JW zei: 'Inmiddels zou zoiets nog makkelijker gaan. Zoals ik zei: het is een kwestie van de juiste contacten. Wisselkantoren zijn het beste wat God heeft geschapen.'

'Bravo.' Hij hoopte dat JW verder zou blijven vertellen.

JW grijnsde. 'Meer details heb je niet nodig. Maar vertel je kennissen dat niemand dit zo goed kan als ik. En nog belangrijker: ik heb alle contacten die je ervoor nodig hebt.'

36

De aanvallen op Natalies financiën, op de nalatenschap. Ze moest achterhalen hoe het kwam dat het vermogen in Servië was verdwenen. Ze moest aan de slag met de kwestie van de contanten in Zwitserland. De oplossing heette Mischa Bladman of zijn kompaan JW. Zij hadden papa's systeem in het buitenland opgezet.

Daar kwam bij dat Thomas had gezien dat Stefanovic deze JW meteen na zijn ontmoeting met de hoerenloper Svelander had gezien – JW was hier op meer dan één manier bij betrokken. Ze wilde meer weten. Ze moest deze JW ontmoeten.

Natalie sprak met Bladman – hij wilde niet veel kwijt. 'Ik ken JW, we werken oppervlakkig samen. Meer kan ik niet over hem vertellen. Hij heeft hier niks mee te maken.'

Natalie wist dat hij loog, maar tegelijkertijd kon ze Bladman niet al te zeer onder druk zetten – hij had cruciale informatie in handen.

Goran zei: 'JW is het Zweedse antwoord op Bernard Madoff.'

Natalie vroeg: 'Denk je dat hij met Stefanovic samenwerkt?'

'Ik weet het niet. Die jongen is freelancer.'

Ze vroeg hem JW te pakken te krijgen. Goran beloofde aan touwtjes te trekken.

Een paar dagen later belde hij terug. 'Ik heb hem nu gesproken. Of eigenlijk, ik heb een van mijn jongens naar hem toe gestuurd. Hij heeft JW uitgelegd dat we het niet accepteren dat plannen of zaken die zijn begonnen door Kum niet door ons worden afgemaakt. Maar hij was niet echt ontvankelijk. Ik denk dat je zelf met hem moet gaan praten.'

Een paar dagen later zagen ze elkaar in restaurant Teatergrillen.

Ze waardeerde de keuze van de locatie. Teatergrillen: internationaal gevoel. Mondiale klasse. Sympathieke luxeverpakking.

Overal theaterdetails: abstracte schilderijen, harlekijns, maskers met lange neuzen en gordijnachtige doeken en draperieën. Halfronde banken om de tafels. Lichte stenen wanden. Muurlampen in de vorm van toneelmaskers, rode vaste vloerbedekking, rood velours tegen het plafond, rode fauteuils – zeg maar alles in het rood. Hoewel de tafellakens wit waren. Privacy op de juiste manier.

Achter de stoelen en banken stonden schermen. Je zag de andere gasten in de ruimte, maar ze konden niet alles horen wat je zei.

JW zat al aan een tafeltje op haar te wachten. Hij stond op.

Drukte haar de hand. Keek haar in de ogen. Ze glimlachte. Hij glimlachte niet.

Hij droeg een donkergrijze flanellen plooibroek, een double-breasted jasje en een lichtblauw overhemd met blauwe manchetknopen met gouden kroontjes erop. Zijn haar strak achterovergekamd alsof hij net onder de douche vandaan kwam.

Ze gingen zitten. JW bestelde een martini. Natalie nam een bellini.

Ze keken de wijnkaart door.

Ze praatten over gemeenschappelijke kennissen: Jetset Carl en Hermine Creutz. Ze bespraken uitgaansgelegenheden in Stockholm: de nieuwe bar in de Sturecompagniet, de nieuwe bovenverdieping bij Clara's. Ze namen de Stockholmweken in Saint-Tropez en Båstad door.

JW klonk als een ongelofelijke kakker – Natalie wist natuurlijk dat deze gast net vijf jaar gebromd had. Hoe posh was dat?

JW bestelde een fles wijn van zevenduizend kronen.

De gerechten werden gebracht. Ze begonnen te eten.

Het verbaasde Natalie dat de sfeer zo luchtig was. Gorans vent had JW toch wat hard aangepakt. Ze recheckte hem. Deze kerel: een acteur. Hij speelde het archetype van een kakkerige Stureplanfanaat. Een Jetset Carl-incarnaat. Een klimmer in ultraconcentraat. Maar daarachter zat meer. JW's ogen waren intelligent, flonkerend.

Natalie schoof dichter naar hem toe op hun bank. Hun lichamen raakten elkaar bijna.

Ze prikte een stukje vis aan haar vork, maar bedacht zich en liet het op haar bord liggen. 'Ik wil zaken met je bespreken, JW.'

Hij nam een slokje van zijn wijn.

Natalie ging verder: 'Ik weet dat je voor je een paar jaar verdween voor papa hebt gewerkt. Ik weet ook dat het niet altijd oké tussen jullie was. Je hebt je blunder begaan. Maar hij liet het gaan, dus mocht je hem helpen met onderdelen van zijn financiën. Mijn vader had mensenkennis, kan ik je vertellen. Hij dacht dat je ons niet nog een keer zou bedonderen. Dat doet geen mens.'

De kaarsvlammetjes flakkerden zacht.

Ze zag aan zijn ogen dat hij wist waar ze het over had. Goran had haar verteld hoe JW in korte tijd een dealerkoning in papa's stal was geworden. Maar helemaal aan het einde had hij een vuile truc geprobeerd – had samen met een paar andere mannen een eigen zaakje bedisseld. Het liep mis, de politie pakte JW en de anderen op. Ze gingen allemaal voor lange tijd achter de tralies.

JW zei: 'Maak je geen zorgen. Dat was lang geleden. Maar er wordt op het moment veel gepraat. Over Stefanovic, Goran. Jou. Ik heb je vader geholpen. Maar nu wil ik dat je open kaart speelt. Wat wil je?'

Natalie pakte de vork met de vis weer op. Stopte hem in haar mond. Ze at haar mond leeg voor ze antwoordde.

'Het is simpel. Ik ben degene die alle zaken die mijn vader is begonnen voortzet. Dat geldt ook voor alle samenwerkingspartners.'

JW's handen lagen roerloos op tafel. Zijn manchetknopen glansden. Natalie dacht aan zijn nagels. Echte Zwedo-nagels: onnodig kort geknipt, ongevijld, ongepolijst. Zo zouden papa's vingers er nooit uitzien.

JW leunde naar voren. 'Jullie moeten begrijpen dat ik niet zomaar een kelderconsulentje ben. Als mensen normaal gesproken advies willen gaan ze naar een min of meer bereidwillige advocaat of accountant. In het beste geval doen die alsof ze niet begrijpen waar het eigenlijk om gaat. Ze zijn afgericht goedgelovig en dan knutselen ze iets in elkaar dat moet volstaan. Bij mij gaat het anders. Bij mij kun je duidelijke taal spreken en mijn constructies zijn erop gemaakt om aan de wensen van mijn cliënten te voldoen.'

'Maar heb je begrepen wat ik zei? Alle zaken die van mijn vader komen, worden met mij geregeld. Met niemand anders. Dat is inclusief Stefanovic.'

Hij begreep het, dat zag ze. Maar hij legde uit dat hij niet precies wist waar Stefanovic zich mee bezighield. Dat hij er alleen voor zorgde dat geld op de juiste manier werd verplaatst. Hij weigerde namen van personen of banken te noemen. Maar Natalie wist de naam van één hoofdpersoon al: die politicus, Bengt Svelander. Toch was JW open genoeg om Natalie profijt van het gesprek te laten hebben – hij ontkende de collaboratie met Stefanovic niet. Deze vent was een prof.

JW zei: 'Jullie moeten ook begrijpen dat ik geen problemen wil. Als ik jou dit laat overnemen, wat zeg ik dan tegen de vroegere gunsteling van je vader? Zo werkt dat niet. Alles rolt nu voort zoals het gaat. Het is een machinerie die je niet zomaar stopzet.'

Natalie draaide haar hoofd opzij. Keek JW recht in de ogen. Had hij het niet begrepen? Als hij niet deed wat zij zei, zou het zijn hoofd zijn dat rolde.

De volgende dag. Natalie zat in haar Golf, onderweg naar het zuiden. Zij reed. Beetje bizar gevoel: naast haar – enigszins opgekruld om te passen – zat Goran. Hij had erop gestaan toen ze hem oppikte bij het Gullmarsplan. 'Jij rijdt. Het is jouw auto, boss.'

Dezelfde kleren als altijd: trainingspak en sneakers. Maar vandaag met opgerolde mouwen. Zijn gespierde onderarmen verraadden hem: lichtgroene tattoos – de dubbelkoppige adelaar en het staatswapen van de Servische republiek Krajina. Natalie hield van die armen – ze hadden haar die keer in de parkeergarage onder de Globen Arena vastgehouden. Toen papa werd beschoten.

Ze sloegen af naar Huddinge. Het verkeer was relaxed. Midden op de dag, voor de spits. Degene die ze wilden ontmoeten zou nu thuis moeten zijn. Degene die ze wilden ontmoeten zou dingen moeten weten die belangrijk waren.

De Golf reed lekker. Niet zoals zo'n vet verkoopobject van Viktor dat ze soms leende, waarbij voorzichtig voetjevrijen met het gaspedaal de motor al deed uitbarsten als een IJslandse vulkaan. Maar de Golf was ook sterk. Had iets veerkrachtigs.

Goran en zij zeiden niks. Natalie concentreerde zich op het vinden van de weg. De gps meldde hoe ze moest rijden.

Goran zei: 'Je rijdt goed, Natalie.'

'Dank je. Je weet wie mijn rijinstructeur was?'

'Ik weet het. Hij. *Izdajnik*.'

'Hij ja. De verrader.'

'Je vader was ook een goeie chauffeur.'

'Misschien had hij daarom veel te veel auto's.'

Goran grijnsde. Natalie glimlachte. Dit was de eerste keer sinds de moord op haar vader dat ze een grapje over hem maakte.

Ze zwegen een paar minuten.

Toen zei Goran. 'Je hebt humor. Net als je vader. En je doorziet mensen. Ook net als je vader. Ik weet nog dat ik bij hem solliciteerde als portier. Weet je wat hij deed?'

'Nee.'

'Hij had een doosje pruimtabak en een pakje sigaretten op tafel voor me neergelegd zonder te zeggen waarom. Het gesprek begon. Ik hield mijn handen al die tijd op mijn schoot. Want ik kende zijn trucje, ik kende hem immers ook al. Wie het doosje of pakje ronddraaide mocht nooit voor hem werken. Zo testte je vader mensen.'

'Waarom?'

'In de bars in Belgrado zitten ze de hele dag te roken en sigarettenpakjes rond te draaien. Werklozen, werkschuwen, luiwammesen. Zulke mensen wou je vader niet aannemen. Hij wilde actieve mensen om zich heen hebben.'

Natalie keek hem aan.

'Goran, ik ben blij dat ik jou heb. Ik weet niet wat ik zou moeten als ik jou niet had. Van mij mag je zoveel doosjes ronddraaien als je maar wilt.'

Uiteindelijk: de woonwijk. Kleine, lage huizen. Gemiddeld half zo groot als de huizen thuis in Näsbypark. Dit was Stockholm-Zuid. Dat hier überhaupt vrijstaande huizen waren ging tegen elke logica in. Ze had gedacht dat er alleen hoogbouw in deze wijken stond.

Ze reden door de straten. Geparkeerde Volvo's, Saabs en Japanse gezinsauto's. Ook: een ander wagenpark dan in Näsbypark. Op de Volvo's na, natuurlijk: die had je overal in dit land, maar waar zij vandaan kwam vooral de SUV-versie en S60's. Natalie vond sommige Zweden zo achterlijk – ze hielden net zoveel van Volvo als van het koningshuis, hoewel het automerk al zeker tien jaar niets meer met Zweden te maken had.

Daarna dacht ze aan de groene Volvo die Thomas telkens had zien terugkomen op de bewakingscamera's van hun huis. Bij het instellen van de camera's was een brute fout gemaakt: het gebied bij de heg en de weg erachter was goed te zien, maar de rest van de weg was vaag. Het kenteken van de auto was niet te zien.

Thomas, Natalie en Goran probeerden andere details te vinden die hen verder konden helpen. Het was een oude S80, wat versleten, lichte stoelen, geen transponder bij de achteruitkijkspiegel. Geen kinderzitjes, geen rotzooi op het dashboard, donkere achterruiten met een soort donkere vlek. Het was alsof ze probeerden een grassprietje op een voetbalveld te identificeren.

In plaats daarvan probeerden ze te kijken wie er achter het stuur zat. Het was een man, daar was geen twijfel over mogelijk. Hij was vrij groot, met donker haar en diepliggende ogen. En hij droeg handschoenen. Veel meer konden ze niet zien, de beelden waren pixelig. Toch: Natalie wist het zeker. De man aan het stuur had met de moord te maken.

Maar zonder kenteken zouden ze de auto nooit kunnen identificeren.

Dertig meter voor hen: het huis waar ze heen gingen.

Ze parkeerde de Golf.

Ze stapten uit.

De lucht was grijsblauw. Het huis was geelgrijs – als een smerige muur langs een snelweg.

Uitgezocht: hier bevond zich een koppeling met Melissa Cherkasova. Natalie en Thomas hadden haar hier allebei meerdere keren heen zien gaan. Ze ging naar binnen en was een paar uur later naar buiten gekomen. Vaak overdag, als alleen de vrouw thuis was.

Uitgezocht: ze heette Martina Kjellson. Negentwintig. Met zwangerschapsverlof thuis met een eenjarig kind. Ze zou nu thuis moeten zijn.

Natalie belde aan.

Na een hele tijd werd er opengedaan. De vrouw zag er vragend uit.

Natalie scande haar in een seconde. Dicht bij elkaar liggende ogen. Joggingbroek. Afgebladderde nagellak. Een sieraad om haar hals: *hope*.

Een kind op haar arm.

Uitgezocht: dit was de juiste vrouw. De vrouw die Cherkasova steeds bezocht.

Martina Kjellson trok haar wenkbrauwen op.

Natalie zei: 'We zouden graag even binnen willen komen om wat te praten.'

Constant: haar blik op Martina gericht. Natalie zag het meteen in haar ogen – dezelfde uitdrukking als bij Cherkasova: ongerustheid. Of eigenlijk: angst.

'En waar willen jullie het over hebben?'

Goran: twee meter achter haar. Misschien stom dat hij mee was.

Natalie draaide er niet omheen: 'We willen het over Melissa Cherkasova hebben. En we willen graag binnenkomen.'

Goran deed een stap naar voren.

De vrouw hield de buitendeur vast. Duidelijke onwil om hem verder te openen. Goran trok zich er niks van aan – hij deed nog een stap naar voren. Pakte de deur vast. Trok hem open. Duwde de vrouw voor zich uit de hal in.

Natalie trok de deur achter hen dicht.

'Jullie kunnen niet zomaar binnenkomen. Ik heb niks met jullie te schaften.'

De hal was netjes. Rechts lag een keuken. Aan de muren hingen foto's van kinderen en een zeilboot. Natalie wees met haar hand. Martina ging schoorvoetend naar binnen.

'We willen alleen praten. We willen je geen kwaad doen. Dat beloof ik.'

De vrouw bleef staan. Natalie zei haar te gaan zitten.

Martina zette de baby in een kinderstoel bij de keukentafel. Er lag een doorzichtige plastic plaat onder de poten, waarschijnlijk om de vloer tegen het geklieder van het kind te beschermen.

'Ik heb niks met jullie te schaften. Ik wil dat jullie hier weggaan,' herhaalde ze.

Natalie voelde zich moe. 'We gaan niet weg voor we gepraat hebben,' zei ze.

Ze ging zitten. De vrouw ging zitten. Goran bleef in de deuropening staan.

De keuken was fris. Zwart-witgeruite tegelvloer. Beige kastdeurtjes. Een PH-lamp boven de keukentafel.

Natalie zei: 'Vertel me over Melissa Cherkasova.'

'Waarom?'

'We weten dat je haar kent. We weten dat ze hier is geweest.'

'Wat willen jullie van haar?'

Natalie voelde de vermoeidheid weer. Waarom moest deze vrouw het zichzelf zo moeilijk maken? Ze stond op, stootte tegen de tafel. Een leeg koffiekopje trilde even.

'Ik stel hier vandaag de vragen. En als er iets is wat je niet begrijpt, zeg het dan. Ik wil alleen dat je over deze Cherkasova vertelt. En we kunnen niet de hele dag wachten.'

De baby keek haar met grote ogen aan. Martina leek op elk moment in tranen te kunnen uitbarsten.

'Beloof dat jullie daarna weggaan.'

Natalie ging weer zitten. 'Ja, ja.'

'Ik ken haar maar oppervlakkig. We hebben elkaar een jaar of wat geleden in de stad leren kennen. Ze is een kennis van een kennis. Daarna is ze hier een paar keer koffie wezen drinken, maximaal drie, vier keer. Maar dat is al even geleden.'

Natalie voelde haar irritatie de overhand nemen op haar vermoeidheid. 'Als je niet ophoudt met liegen, wordt dit echt vervelend. Ik weet dat Cherkasova hier vorige week nog is geweest.'

'Ja, dat kan. Dat klopt misschien wel. We zien elkaar af en toe. Ze is dol op de kleine Tyra. Ze houdt erg van kinderen.'

'En verder? Ik wil meer weten. Wie is ze, wat doet ze?'

'Volgens mij komt ze uit Wit-Rusland, maar ze woont hier al een hele tijd. Ze spreekt goed Zweeds. Ze leert geloof ik Zweeds en Engels. Heeft wat losse baantjes en zo. Ze woont in Solna, dus het kost haar veel tijd om de hele stad door te reizen om hier te komen.'

Natalie voelde de irritatie weer, die ging nu over een grens heen. Ze leunde voorover. Keek Martina strak in de ogen.

'Het is de laatste keer dat ik het zeg.'

Ze pakte Martina's hand vast. Keek naar de baby in de kinderstoel.

'Als je nu niet begint te praten, zal er iets heel, heel sneus gebeuren. Ik hou ook van kinderen, ik ben dol op schattige baby'tjes. Maar ik hou ook van mensen die meewerken. Tegenstrijdige belangen vandaag, heb ik de indruk. En nu wil ik dat je echt praat. Begrepen?'

Natalie keek de vrouw weer aan. Wat ze in haar blik zag was iets anders dan daarvoor. Geen angst. Geen vrees. Maar haat – haat zo dik dat hij haast tastbaar was.

Toch begon ze te praten.

'Nou, ik weet best wie jullie zijn. Ik heb nog nooit meegemaakt dat jullie een meisje als jij sturen, maar toch weet ik het. Ik ken jullie soort. En ik heb niks te verbergen. Dat leven heb ik achter me gelaten. Dus omdat jullie het zo graag willen, zal ik vertellen wat ik over Melissa Cherkasova weet. En als jullie me daarna niet met rust laten, schakel ik meteen de politie in. En ik verzeker je, het kan me niks schelen als jullie mij of mijn familie kwaad doen. Ik zal ervoor zorgen dat de politie jullie pakt.'

Natalie zweeg. Tevreden dat de vrouw sprak.

'Melissa en ik hebben veel gemeen. Begrijp je? Ik ben net zoals Melissa geweest. En ik ben er helemaal zelf uit gekomen. Kijk wat ik nu heb, alles waar ik van droomde. Ik heb een man, een huis, een kind. We hebben een mooie auto in de garage staan. Ik ben nu gelukkig. En Melissa zou ook zo kunnen leven, maar ze wil verder komen. Ik heb geprobeerd haar te laten begrijpen dat dit leven voldoende is. Maar dat kun jij nooit begrijpen. Jij weet niet hoe het is om helemaal aan de grond te zitten.'

Martina gesticuleerde terwijl ze sprak. Natalie dacht: misschien is het wel goed voor deze vrouw dat er iemand is om dit aan te vertellen.

Ze wilde begripvol lijken. 'Nee, misschien niet. Maar ik ben ook een vrouw. Ik respecteer wat je zegt.'

'Dat vraag ik me af. En ik vraag me ook af of je het echt kan begrijpen. Toen ik zeventien was, had ik meer doorgemaakt dan de meeste mensen in een heel leven. Ik kom uit een kutgezin. Ik heb op m'n lazer gehad. Ben het huis uit gegooid. In een jeugdinrichting geplaatst. Ik ben misbruikt en bedrogen. Ik heb alles met drugs geprobeerd wat je maar kunt verzinnen, behalve heroïne spuiten. Ik ben besodemieterd door iedereen die naar mijn idee van me hield. En ten slotte ben ik dus geworden wat iedereen al zei dat ik was. Het begon toen ik naar het volwassenenonderwijs ging. Ik en twee andere meiden. We werden mee uit genomen naar coole kroegen, kregen aandacht en drankjes. Maar er werd wel altijd van ons verwacht dat we iets teruggaven, en het voelde oké om dat te doen. Het zieke was dat een leraar alles eromheen regelde. Daarna ging het steeds sneller. Ik kon drieduizend kronen op een avond verdienen en soms hoefde ik niet eens wat met die mannen te doen. We waren met een paar Zweedse meiden, maar de meesten kwamen uit Oost-Europa. Ik heb het een paar jaar gedaan, maar ik wist al die tijd dat ik ermee op zou houden als ik genoeg had gespaard. En toen gebeurde er iets wat alles overhoopgooide.'

Vanuit haar ooghoeken zag Natalie Goran bewegen.

Hij liep naar de keukentafel. Zei in het Servisch: 'Ze praat te veel. Dit hoeven wij niet allemaal te horen. Zeg dat ze nu over Cherkasova moet vertellen.'

Natalie schudde haar hoofd. 'Nee, ik wil dit horen.'

'Maar ik denk dat het niet goed is. Het kunnen dingen zijn die je onnodig aangrijpen.'

Natalie negeerde hem. Knikte alleen naar Martina om haar door te laten gaan.

'Een van de meiden, ze kwam uit Norrland, probeerde slim te zijn. Ze begon informatie te verzamelen over de mannen en oude lullen die we ontmoetten. We waren immers topchicks, elite-escorts. Wij waren de meiden die op pad werden gestuurd als de mannen flink dokten. We ontmoetten klanten met macht, en deze meid zorgde ervoor dat ze wist wie het waren. Ze verstopte een mp3-speler met opnamefunctie in nachtkastjes, in hotelkamers verborg ze webcams onder decoratieve spulletjes en later kocht ze een soort van spionagecamera. Die zag eruit als een pen. Ze kreeg ze allemaal in beeld. Maar jullie ontdekten waar ze mee bezig was. En jullie konden het niet toestaan dat iemand probeerde haar eigen voordeeltje te verkrijgen. Dus hebben jullie ervoor gezorgd dat ze verdween.'

Natalie onderbrak haar. 'Wat zit je nou te kletsen? "Jullie", hoezo "jullie"?'

'Zoals ik al zei: ik weet niet wie je bent. Maar ik weet dat jullie het waren. Mensen van Radovan Kranjic.'

Goran zei in het Zweeds: 'Genoeg nu. Vertel over Cherkasova, skip alle bullshit.'

Natalie wist niet wat ze moest zeggen. Ze leunde naar voren. Steunde met haar armen op tafel. De baby was rustig. Zat in de hoge stoel met een rammelaar te zwaaien. Natalie keek naar Goran. Zijn gezicht was ontspannen, verraadde niets van wat hij dacht.

Niets.

Misschien wist iedereen waar dit Cherkasova-verhaal over ging, behalve zij. Misschien had ze Goran verkeerd ingeschat. Maar dat was een vraag voor later. Ze zou het er nog met hem over hebben. Nu moest ze rustig blijven.

Niets laten blijken.

De vrouw begon weer te praten.

'Oké, oké, ik zal over Cherkasova vertellen. Maar jullie moeten begrijpen waar ik vandaan kom. Ik heb Melissa een paar jaar geleden leren kennen op een event. Een gigantisch feest in een enorme villa een kilometer of dertig ten zuiden van de stad. We raakten serieus aan de praat. Een paar weken later stopte ik ermee. Zij was net begonnen. Na het feest hebben we elkaar een paar keer gezien. Daarna hebben we elkaar een paar jaar helemaal niet gesproken, ik ontmoette Magnus en begon aan mijn nieuwe leven. Maar ongeveer een jaar geleden nam Melissa contact met me op. Ze werkte nog voor jullie, maar wilde er echt mee stoppen. En het enige wat ik sindsdien heb gedaan is haar steunen. Haar helpen zich voor te bereiden om eruit te stappen. Ze komt af en toe langs. We praten. Ik probeer haar te helpen. Ze heeft steun nodig. Dat is alles wat ik kan geven.'

Natalie probeerde zich te concentreren. Ze zei: 'Zojuist noemde je Radovan Kranjic. Wat is Melissa's band met hem?'

Martina leek zowaar echt na te denken. 'Ik heb geen idee. Ik weet niet of ze Radovan ooit heeft ontmoet. We wisten alleen dat het een man was waar iedereen onrustig van werd. Wij zagen alleen de mannen die het uitvoerende werk deden. Andere mannen. Ze heeft hem nooit genoemd. Bovendien heb ik gelezen dat hij nu dood is.'

'Dat klopt. En Bengt Svelander, heeft ze het ooit over hem gehad?'

'Svelander?'

'Ja, een klant van d'r.'

'Aha, een klant. Ze noemt nooit namen van klanten.'

'Hij is politicus.'

Martina leek weer na te denken.

'Een politicus? In Stockholm?'

'Ja.'

'Ze heeft het over een politicus gehad. Maar dat zouden jullie moeten weten.'

'Hoezo?'

'Het waren mensen van jullie die haar hebben gevraagd hun ontmoetingen op te nemen. Jullie begrijpen inmiddels neem ik aan hoeveel er te winnen valt als je materiaal verzamelt.'

Stilte in de keuken.

De baby kraaide.

Natalie zei: 'Oké, we doen het als volgt. Jij vertelt Melissa dat we hier zijn geweest. Zeg haar dat ze voortaan aan niemand anders opnames mag geven dan aan mij en Goran. Aan niemand. Heb je begrepen wat ik zeg?'

Martina knikte.

*

Aftonbladet

Belastingparadijzen binnenkort verdwenen

De tijd dat rijke Zweden hun vermogen konden verstoppen in het belastingparadijs Man is voorbij.

De belastingdienst heeft met een groot aantal landen afspraken gemaakt – en heeft informatie over bankrekeningen en transacties verkregen, aldus nieuwsprogramma Aktuellt.

'Er zijn inmiddels niet veel plaatsen meer om geld veilig te verstoppen,' zegt Jan-Erik Bäckman, hoofd Analyse bij de belastingdienst.

Bankafschriften in te zien

De afspraken geven de belastingdienst de mogelijkheid afschriften in te zien, transacties te volgen en informatie over creditcards te verkrijgen om te zien wat Zweden in het buitenland met hun geld doen.

Volgens Aktuellt *heeft de belastingdienst alleen dit jaar al 850 miljoen kronen binnengekregen van Zweedse rekeningen in het buitenland. 160 particulieren zijn gedwongen in totaal 500 miljoen achterstallige belastingen te betalen, plus 100 miljoen boetes. Bovendien hebben 375 eerlijke mensen vrijwillig aangifte gedaan van tot dan toe niet opgegeven winsten, waardoor de belastingdienst nog 250 miljoen kronen binnen heeft gekregen.*

De laatste in de reeks landen die een overeenkomst met de belastingdienst hebben ondertekend, is Liechtenstein. De overeenkomst houdt ook in dat er geen toestemming van de officier van justitie nodig is om informatie in de diverse landen op te vragen.

'We hebben geen vooronderzoek meer nodig om buitenlandse banken vragen over geld en inkomsten te mogen stellen. Binnenkort zullen er geen landen meer over zijn waar kapitaal kan worden verborgen,' aldus Jan-Erik Bäckman tegen Aktuellt.

37

Samitivej Hospital Phuket. Jorge had iets anders verwacht: eenvoudiger, smeriger, tweederangser. In plaats daarvan: gruwelijk flashy entree, gigahoog plafond, dope bloemen in vette vazen op de vloer. Bungelende kroonluchters aan het plafond en vitrines met een soort van Thaise relikwieën. Verderop: een piano. Een vent in een zwart pak speelde pling-plong, pling-plong – mega-tjing-tjong-muziek. In een ziekenhuis – best wel crazy dus.

De receptie als van een luxehotel: een glazen balie, donkere houten lambrisering op de achtergrond, mensen die netjes in de rij stonden. Een receptioniste met een wit verpleegsterskapje sloeg haar handen in elkaar en zei: *Kapun kha* – zoals iedereen hier. Maar toen Jorge met haar begon te praten sprak ze perfect Engels.

Shit, dit was echt luxueus. Maar het kostte dan ook wat.

Ze wisten het meteen: Mahmud al-Askori. *Yes sir.* Afdeling vier. We lopen even met u mee.

Jorge hield de bloemen stijf in zijn hand.

De muren waren spierwit, er was niemand.

De verpleegkundige drukte op de knop.

De liftdeuren waren van metaal.

Ze liepen naar binnen.

Jorge logeerde in een budgethotel in de buurt. Phuket was duurder dan Pattaya. Mahmuds bed in het ziekenhuis moest ook betaald.

De cash zou niet forever genoeg zijn. De buit was beroerd. Bovendien had J-boy een groot deel afgestaan om de kills na het fiasco te kalmeren. Plus: het leven in Pattaya was niet goedkoop geweest.

Hij overwoog terug te gaan naar Zwedoland om het geld op te graven dat Mahmud en hij in het bos hadden verstopt. Wat in de geldkoffers had gezeten die ze hadden verstopt. Zes ton. Mahmud had twee ton gekregen en was tevreden. Zei hij in elk geval. Maar nu?

Jorge had Mahmud niet meer gezien sinds hij was aangereden door de Russen.

De stemming onder de jongens had een nieuw dieptepunt bereikt nadat ze hadden gehoord wat er was gebeurd.

Tom wilde terug naar Bangkok om te gamen. Vond dat ze allemaal een pauze van elkaar nodig hadden. Jimmy wilde terug naar Zweden. Had overal schijt aan, zei hij. Helemaal nu Jorge er een nog grotere puinzooi van had gemaakt. Jorge verbood hem te vertrekken – hij was godverdomme degene die de shovel verneukt had.

Javier liep zoals altijd te zeuren.

En Babak flipte volledig. Ging helemaal over de rooie. 'Je bent kapot achterlijk, weet je. Je hebt Mahmud genaaid. Zei dat we die klootzakken zouden betalen. Daarna probeerde je hem die ochtend weg te laten gaan. Hoe dacht je godverdomme dat de Russisch-Thaise maffia zou reageren? Glimlachen en graag tot ziens of zo?'

Babak kon zijn ma gaan naaien. Jorge slikte niet nog meer shit van die Iraniër – *forget it*. Hij draaide zich om en nokte af. Verwachtte dat Babak hem iets achterna zou schreeuwen over de verstopte geldkoffers.

In plaats daarvan vloog Babak achter hem aan. Schreeuwde zo hard dat zijn spuug rondvloog. Jorge negeerde hem. Had geen energie om nu te matten. En er kwam niks over de naaistreek.

Hij liep door. De kills konden kiezen. Hij of Babak.

De dag erna: ze splitsten op. Tom en Jimmy gingen met de Iraniër naar Bangkok. Jorge en Javier vertrokken naar Phuket.

Eigenlijk hadden ze dat meteen al moeten doen – overvallers kregen altijd bonje. Een klassieker. Een schoolregel. Haast een mandamiento.

De ambulance had Mahmud naar het plaatselijke ziekenhuis in Pattaya gebracht. Maar toen ze begrepen dat hij Zweeds staatsburger was, brachten ze hem hierheen, naar Phuket. Jorge en Javier kwamen later. Wachtten tot ze de Arabier mochten bezoeken. Eerst zeiden de ziekenhuiseikels nee, Mahmud was buiten bewustzijn. Daarna beweerden ze dat er een griep woedde in Thailand – besmettingsgevaar hier en daar. Daarna zeiden ze dat alleen familie op bezoek mocht. Bullshit – als Jorge een blonde Zwedo was geweest hadden ze niet zo lopen zeiken. Nu had hij meer dan een week moeten wachten.

Mahmuds kamer: parket, een ziekenhuisbed, een koelkast, een leren fauteuil bij het raam met uitzicht op het ziekenhuispark, gedroogde bloemen in een mand op een tafeltje. Zelfs schilderijen aan de muren.

Het zou een ziekenhuiskamer waar dan ook in Zweden kunnen zijn. Maar de verschillen: het parket, de schilderijen, de koelkast – dat soort dingen had je niet in Zweedse ziekenhuizen. Thailand-Zweden: een onverwachte overwinning, drie-nul voor Thailand.

De verpleegster stond achter Jorge.

Mahmud lag in bed. Ogen dicht. Nog steeds korsten en pleisters op zijn gezicht, een wit ding om zijn nek, een arm in het verband en een slang in zijn hand. De rest van zijn lichaam onder een groene deken.

Zag er niet goed uit.

Eerlijk: zag er gruwelijk uit.

'Yo, gap, ben je wakker?'

Mahmud bewoog zich niet.

'Hoe is 't, ashabi?'

Er gebeurde niks.

Jorge liep naar het bed. Boog zich voorover: 'Ouwuuuh?'

Mahmud bewoog zijn hand. Deed een oog open. Zag er groggy uit.

'Hoe is het met je? Kun je praten?'

Mahmud deed zijn andere oog open. Probeerde een glimlach. Die zag eruit alsof een kant van zijn mond begon te trekken.

Jorge hield de bloemen omhoog. 'Ik heb deze meegenomen. Maar je moet het maar zeggen als je iets anders nodig hebt.'

Mahmud bewoog zijn arm licht. Jorge snapte het: zijn homie was te moe om de bloemen vast te houden. Jorge gaf ze daarom aan de verpleegster.

Mahmud praatte langzaam: 'Eerlijk gezegd gaat het maar matig, man.'

'Kut, zeg. Maar je hoeft niet meer geopereerd, toch?'

'Weet ik niet. Vraag haar maar.'

Jorge wendde zich tot de verpleegster. Ze kon aardig Engels.

'Je zou eigenlijk met de arts moeten praten. Maar ik kan wel vertellen dat Mister Al-Askori tot gisteren buiten bewustzijn is geweest. Hij heeft beide sleutelbeenderen, een aantal ribben en zijn arm gebroken. Hij heeft hechtingen in zijn gezicht, in zijn arm en op zijn rug. Zijn rechterschouder was uit de kom en hij had een zware hersenschudding.'

'Hersenschudding?'

'Ja, een hersenschudding. En een zware. Hij heeft bewustzijnsproblemen gehad, en heeft nu last van hoofdpijn, misselijkheid, problemen met zijn gezichtsvermogen en evenwichtsstoornissen.'

Mahmud bewoog zijn hand weer. 'Zeg tegen haar dat ze weg moet gaan.'

Jorge stuurde de verpleegster weg. Hij trok een stoel bij het bed. Ging zitten.

Mahmud sprak met dubbele tong. 'Ik dank de Thaise koning en God voor de morfine hier.'

Jorge keek op hem neer. In elk geval een kleine smile.

'Wil je dat ik andere dingen regel?'

'Nee. Mijn geheugen schijnt sneller terug te komen...'

Mahmud pauzeerde. Verzamelde kracht.

'... als ik niet zoveel shit slik. Maar gap, ik kan me de overval niet eens herinneren.'

Ze zeiden niks, een paar seconden.

Mahmud probeerde iets te zeggen. Woord voor woord. Langzaam.

'Jorge, bedankt dat je bent gekomen.'

'Tuurlijk, man, ik doe alles voor je. Ik stond garant voor het geld toen ze je overplaatsten. Dit ziekenhuis is particulier, weet je. Als we niet wat bij Tomteboda hadden gehaald, hadden we deze luxe nooit kunnen betalen.'

Jorges beurt om te proberen te grijnzen. Hun blikken kruisten elkaar. Mahmud zag er onzeker uit. Misschien verdrietig. Misschien bang. De Arabier praatte minstens twee keer zo sloom als normaal. Misschien dezelfde gedachten als door Jorges kop schoten. De grote vraag: hoe zou dit godverdomme aflopen?

Mahmud zei: 'Jammer dat ik geen negen-tot-vijf'er ben.'

'Hoezo?'

'Inboedelverzekering en reisverzekering.'

'Ja, dat is zo, die hebben dat soort shit. Maar ik heb nog nooit een echte g uit de hood met een inboedelverzekering gesproken.'

Jorge streek zijn haar met zijn hand achterover. Zag die blik weer in Mahmuds ogen. Het voelde als een stoot tegen zijn hart. Zijn mattie, caféhomie, beste vriend: was er duidelijk heftig aan toe.

Jorge zei: 'Hé, trouwens, herinner je je mijn gap Eddie? Hij had wel een inboedelverzekering. Toen werd er bij hem ingebroken en jatte iemand alles mee. Zijn nieuwe tv, meer dan vierhonderd dvd's, de computer, de briljanten oorbellen van zijn vrouw, zijn achttienkaraats Cartier-horloge met briljanten bij elk getal. Weet je wat de verzekeringsmaatschappij zei?'

'Nee.'

'Zoiets van dat hij al die spullen met zijn financiën niet had kunnen betalen. Ze zeiden dat het allemaal oplichterij was. Maar ik weet dat hij die dingen had, want ik heb ze honderd keer gezien, en ik weet dat het geen geheelde shit was. Het waren door en door eerlijke spullen.'

Weer stilte. Jorge hoorde Mahmuds ademhaling: zijn vriend reutelde.

Hij zei: 'We zijn opgesplitst.'

Mahmud zei niks.

'Het ging niet meer. Een heleboel heibel. Tom wou weer naar Bangkok. En jouw homie heeft zich te vaak als een klootzak gedragen.'

'Jammer.'

'Nu is het niet anders. Javier en ik zijn hier in Phuket. Overmorgen ben je hier vast uit.'

'Ik hoop het.'

Jorge dacht: tienduizend baht per dag, dat is veel geld.

Mahmud sloot zijn ogen. Liet zijn hoofd achteroverleunen.

Jorge zat stil.

Dacht: gaten in zijn geheugen. Problemen met zien. Misselijkheid. *Joder* – zijn beste homie was veranderd in een gast die helemaal van de wereld was. Hoe zou dat verder moeten?

Jorge probeerde de sfeer te verbeteren. 'Het komt wel goed. We kopen hier wat. Gaan een café runnen, net als thuis. Doen het een paar jaartjes rustig aan.'

Mahmuds ogen nog dicht. 'Klinkt chill, ashabi.'

Jorge dacht aan de invallers op de basisschool. Ze kwamen, ze glimlachten, ze dachten dat ze iets konden veranderen. Ze deden alsof ze hun dingen van levensbelang leerden.

'Jullie zijn belangrijk, jullie kunnen worden wat je wilt.'

Na een paar dagen: ze begonnen het spel te snappen – de kids op deze school hebben schijt aan jouw ideeën want ze hebben al veertig andere invallers gehad die hetzelfde zeiden. Ze zagen er vermoeider uit, kregen woedeuitbarstingen, ze schreeuwden. Als de week voorbij was: je zag de paniek in hun ogen. De barsten in hun lichaamstaal. Ze begonnen te janken, holden de klas uit, kwamen nooit meer terug.

De hele overval: zo'n invallersweek. Ze hadden zulke coole plannen gehad, zulke wrede ideeën, zo'n vette opzet. Hij dacht dat hij de misdaadgeschiedenis kon veranderen: *legendario* kon worden, J-boy Royale, *the king*, de gettomythe met de retewreedste reputatie. Toen kwam de overval, die ging zozo. Ze wisten weg te komen, maar met een Range Rover met meer DNA-sporen dan een oud scheermesje. De buit: niet zo klein als een muggenballetje, maar minder dan verwacht. En daarna, daarna kwam het einde van het verhaal. Zes gozers in Thailand die maar amper de vrede konden bewaren. Kregen het aan de stok met de Russische maffia. Kregen het aan de stok met elkaar. Ontspoorden. Splitsten.

Niet alleen misdaadangst.

Jorge voelde de paniek.

Hij wilde gaan janken, wegrennen, nooit meer terugkomen.

Hij stond in de lift naar beneden. Had een paar woorden met een verpleegstertje gewisseld – Mahmud had een of andere infectie, zei ze. Hij zou hier nog minstens twee weken moeten blijven. Maar alleen als iemand kon dokken.

Een schok – hoe lang zou dit doorgaan? Toch: Jorge beloofde het te regelen. Hij moest een garantie ondertekenen, dertigduizend baht voorschot betalen.

Hij dacht eraan dat hij Mahmud had beloofd zijn zus Jamila te bellen. Daarna dacht hij aan zijn eigen zus, Paola. Hij had haar gebeld vanuit een telefooncel, na het ongeluk met Mahmud. Moest haar stem horen. Horen dat het goed ging met Jorgelito, dat mama leefde. Tien minuten bellen, zeven minuten huilen.

De liftdeuren schoven open.

Jorge liep de hal door.

Buiten sloeg de warmte hem tegemoet. Uit aircokoelte in hellehitte.

Hij moest meer poet regelen – honderd procent.

Hij moest iets hebben om van te leven: een bar of een café. Zijn woord tegenover Mahmud houden. Maar misschien was zijn vriend wel helemaal uitgeschakeld.

Hij moest een paar jaar blijven, tot de situatie thuis was gekalmeerd.

Hij moest meer met JW praten.

Hij moest hulp krijgen van iemand.

Iemand die de weg wist in Thailand.

Hij had geen idee van wie.

38

Hägerström liet zijn hoofd achteroverleunen. Zijn rug deed een beetje pijn. Er was niets mis met de vliegtuigstoel, maar de beenruimte was beperkt. Zo zat hij al negen uur. Had het vliegtuigtijdschrift gelezen en een misdaadroman van Roslund & Hellström, had een film en een natuurprogramma bekeken op het schermpje dat dertig centimeter voor zijn gezicht hing.

Hij was onderweg naar een nieuwe fase in Operatie Ariel Ultra. Een onverwachte wending. Hij was onderweg naar Thailand, in opdracht van JW.

Hij stond op en wrong zich langs de andere passagiers. Hij rekte zich uit. Probeerde zijn lichaam weer recht te krijgen.

Het was een groot vliegtuig met een trap naar de bovenverdieping, waar de eersteklaspassagiers zaten. Hägerström wou dat hij in elk geval economy flex had kunnen vliegen, maar dat zou argwaan wekken. Een ex-cipier telde gewoon geen vijfentwintigduizend kronen neer voor een reis naar Thailand.

Hij liet zijn blik over de rijen met stoelen gaan. Hägerström had deze reis meerdere keren in zijn leven gemaakt. Het vliegtuig zat vol met de gebruikelijke mix. Zweedse middenklassegezinnen met snotterige kinderen die hoestend rondrenden in de gangpaden. Groepjes van drie, vier jongens die al aangeschoten waren sinds het inchecken. Mannen alleen die vlogen in kaki korte broeken en T-shirts en die de personificatie waren van het stereotype van westerse pedofielen, maar in feite misschien gewoon zakenlieden waren. Ten slotte de Thaise vrouwen zelf, alleen of met kinderen, die naar huis vlogen om hun familie te bezoeken.

Hij sloot zijn ogen. Probeerde te slapen. In plaats daarvan begon hij te denken aan dingen waaraan hij eigenlijk niet wilde denken.

Na de politieacademie was hij in hoog tempo opgeklommen. Agent, inspecteur. Af en toe ontmoette hij mannen in de Side Track Bar, bij Patricia en Tip Top. Hij was drie keer naar Amsterdam geweest en was daar naar de Reguliersdwarsstraat gegaan. Maar hij was nooit serieuze relaties begonnen. Dat werkte niet. En af en toe had hij zelfs seks met vrouwen.

Hij leidde een dubbelleven, een geheim leven, een kastleven.

Toen hij dertig werd had hij restaurant Östergök afgehuurd en vijftig mensen uitgenodigd, inclusief zijn ouders, broer en zus. Hield een verjaardagsfeest. Negentig procent van de toespraakjes ging erover dat hij de ideale schoonzoon was die nooit trouwde. Dat hij iedereen kon krijgen die hij maar wilde, maar nooit tevreden was. Dat hij sinds de middelbare school geen noemenswaardige relatie met een vrouw had gehad.

Hij begon na te denken. Zijn collega's bij de politie gingen samenwonen, kregen kinderen, verloofden zich, trouwden. Zijn vrienden van vroeger deden het in omgekeerde volgorde: verloofden zich, trouwden, kregen kinderen.

Het kostte hem meer dan een jaar om te beseffen dat hij ook naar kinderen verlangde. Maar hij kon het er met niemand over hebben. Hägerström: voormalig kustjager, een carrière jagende politie-inspecteur op weg naar de rang van commissaris die een kindje wilde. Dat paste niet. Maar de gedachten namen niet af – hij piekerde er elke dag over hoe hij een vrouw kon ontmoeten met wie het oké voor hem voelde.

Maar hij wilde vooral weg.

Drie maanden later kwam er een aanbieding als een geschenk van de politiegod. Hij kreeg de mogelijkheid om verlof aan te vragen voor overplaatsing naar de Scandinavische coördinatie-eenheid in Bangkok.

Het was een goede tijd geweest. Het werk was niet al te zwaar, maar het was interessant. Typische zaken waren uitlevering van Scandinaviërs op de vlucht in Thailand en drugs- en kinderseksmisdrijven. Hij leerde aardig Thai en kreeg gevoel voor de Thaise mentaliteit. Hij ging om met de Scandinavische agenten van de eenheid en met wat Zweden van het consulaat. Over het geheel genomen was zijn sociale leven echter karig. In zijn vrije tijd sportte hij of wandelde hij rond in Bangkok. Hij bracht veel tijd alleen door. Vond gaybars en voelde zich vrij.

Twee maanden voor hij terug zou gaan naar Zweden ontmoette hij Anna. Ze werkte als secretaresse op het consulaat. Ze raakten aan de praat op een borrel die was georganiseerd door de coördinatie-eenheid. Ze was tweeëndertig, kwam uit Tyresö en had daarvoor als directiesecretaresse gewerkt. Ze deelden hetzelfde verlangen: kinderen. Hägerström vroeg zich af of ze ooit iets anders hadden gedeeld.

Toch trokken ze steeds meer met elkaar op en raakten ze zowaar goed bevriend. Aan het einde van zijn dienstperiode verleidde ze hem nadat ze samen uit eten waren geweest. Hij was toen ingenomen met het idee: te proberen een relatie met iemand te beginnen met wie hij goed bevriend was en die graag kinderen wilde. Helaas was het moeilijker dan verwacht geweest om kinderen te krijgen, misschien mede doordat Hägerström het zo zelden wilde proberen. Na vier jaar van kwellingen adopteerden ze een jongen, Thailand was een natuurlijke keuze voor ze geweest.

Pravat was ongeveer een jaar oud geweest toen hij kwam. Hägerström en

Anna beleefden de beste dagen van hun leven. Ze hadden zich ingelezen, waren naar informatiebijeenkomsten geweest, hadden deelgenomen aan discussiegroepen. Hij had zich goed voorbereid gevoeld en wist dat hij een goede vader zou zijn. Anna was ook prima, eigenlijk. Het probleem was alleen dat het verder waardeloos ging tussen hen. Hun gemeenschappelijke doel in het leven – kinderen krijgen – was bereikt, maar tussen hen bestond geen liefde of seksuele aantrekking.

Terug in het vliegtuig. Tien rijen verderop draaide een groepje dronken jongens luide muziek op een computer met externe luidsprekers. Negen rijen verderop probeerde een Thaise vrouw die jongens te negeren. Twee rijen verderop snurkte een vader wiens kind eindelijk uitgeteld in zijn armen sliep. Alle jongens droegen witte T-shirts met een Nike-tekst erop. Zelf droeg Hägerström een wit overhemd waarvan hij de mouwen had opgerold. Hij hoorde de stem van zijn vader: 'Vliegen doe je altijd met een boord.'

Als Göran was meegegaan op deze vlucht zou hij zijn zoon gedwongen hebben businessclass te boeken om te ontkomen aan de hordes Zweedse *white trash*. Al zou zijn vader de term 'white trash' nooit gebruikt hebben. Hij zou ze misschien 'Zweden met caravans' hebben genoemd.

Göran maakte altijd grappen over vliegtuigen.

'Die black box moet alles kunnen doorstaan. Die is zo gemaakt dat hij ongelukken in zee, in de woestijn of tegen bergtoppen overleeft. Dus waarom maken ze het hele vliegtuig dan niet van het materiaal van die box?'

Dat was echte papahumor.

Hägerström miste hem.

Hij ging zitten. In Zweden was het halftien 's avonds.

Hij haalde de deken uit het plastic. Die was paars met oranje en gele strepen – zoals alles op vluchten van Thai Airways: de stoelen, de kussens, de vloerbedekking, de uniformen van de stewardessen, het logo op de vleugels.

JW had hem gebeld. Vroeg of Hägerström in de buurt was, of hij hem naar de sportschool kon brengen. Hun relatie was erop gebaseerd dat ze elkaar halverwege ontmoetten. Hägerström een jongen uit een chic milieu op weg naar beneden, JW uit een simpel milieu op weg omhoog.

Ze kletsten een tijdje over niks. Vlak voordat JW zou uitstappen zei hij: 'Jij spreekt toch Thai?'

'Ja, dat heb ik je toch verteld. Ik heb daar gewoond.'

'Nou ja, er zijn zeven miljoen mannen die een Thaise vrouw hebben maar zelfs geen Engels spreken.'

'Zo ben ik niet. Ik heb meer dan een jaar in Bangkok gewoond. Ik spreek Thai. Ik weet alles over Thailand. Wil je weten waar de beste meiden zitten, vraag het mij. Wil je weten waar je het goedkoopste een negen millimeter kunt krijgen, vraag het mij. Wil je weten met wie je in Klong Teuy moet praten om niet in de problemen te komen, vraag het Mister Martin Hägerström.'

'Mooi, kerel. *I got the point*. Dan heb ik een vraagje voor je.'

'Oké.'

'Jij helpt me met ritten en zorgt dat het goed met me gaat.'

'Dat weet je.'

'Heb je de komende tijd ander werk?'

'Nee, maar ik heb gesolliciteerd op een baan als bewaker in Stockholm.'

'Wanneer krijg je die?'

'Ik weet niet eens of ik hem krijg, maar als, dan over vier weken.'

'Oké, dan zou ik willen dat je een paar weken naar Thailand gaat. Wat zeg je daarvan?'

'Hoezo?'

'Ik heb daar een vriend die hulp nodig heeft met wat business. Hij zit in de problemen en heeft iemand nodig die de weg weet in Thailand. Ik betaal de halve reis. Oké?'

JW vroeg hem eigenlijk niets, dit was een bevel.

Misschien zou het ergens toe leiden. Op dit moment was Operatie Ariel Ultra toch gestagneerd.

39

De eerste keer dat ze er een buitenstaander bij betrok.

Goran en Thomas hadden haar geadviseerd. Of eigenlijk, Thomas was met de naam gekomen: Gabriel Hanna. Naar buiten toe bekend als handelaar in kogelwerende vesten, legerlaarzen en paintballpistolen. Twee winkels in Västerås, een in Örebro en eentje in Eskilstuna. Daarbij: de belangrijkste website in Zweden voor militaire uitrusting. Uitsmijters, legerfetisjisten en wannabe-wouten waren dol op hem. Maar volgens Thomas: in de onderwereld – Gabriel Hanna stond vooral bekend als een echte. De kruitkoning van Mälardalen, handelaar in warm staal, hete waren. Kortom, Gabriel Hanna: de zwaarste illegale wapenhandelaar van Midden-Zweden. Misschien van het hele land.

Natalie, Goran en een jonge gast met een hoodie liepen door een gang. Tegen de zwartgeverfde muren stonden wat Jack Vegas-automaten. Een frisdrankautomaat. Een snoep- en broodjesautomaat. Daarna een smalle trap naar boven. De jongen deed het licht aan toen ze op de eerste verdieping waren.

Natalie scande de kamer. Hij was groot. Besloeg de hele bovenverdieping van het pand. Balken tegen het plafond. Linoleum op de vloer. Wit structuurbehang. In elk van de vier hoeken een grote speeltafel met groen vilt op het tafelblad. In het midden: een grote roulettetafel van donker hout. Om de speeltafels stonden bureaustoelen met een jarentachtiguitstraling: zwart ruimvallend leer met houten armleuningen. Aan de muren hingen affiches van verschillende internetgokbedrijven en het tijdschrift *Poker*.

Ze waren naar binnen gegaan bij de Västerås Gaming Club. Een semilegale club voor gozers die hun cash erdoorheen wilden jagen met poker, roulette en dobbelen. Ze hadden tenminste kunnen proberen om het een iets glamoureuzere uitstraling te geven – dat zou het spel ten goede komen. Aan de andere kant: dit was de provincie – misschien was een roulettetafel alleen al genoeg voor Västeråsers om zich chique kakkers te voelen.

Natalie en Goran gingen ieder in een stoel bij een speeltafel zitten. Het leer van de kussens siste toen het in elkaar werd gedrukt. De jongen sprak slecht Zweeds: 'Hij komt gauw.'

Goran zei: 'We hebben niet de hele dag de tijd. Bel hem.'

De jongen had een tatoeage van een adelaar met uitgestrekte vleugels op zijn rechteronderarm. Natalie wist genoeg: de standaardtattoo van Syriërs.

De jongen stopte zijn handen in zijn zakken. Herhaalde wat hij net had gezegd. 'Hij komt gauw.'

Daarna liep hij de trap af.

Goran had haar gewaarschuwd. Het was een spel – wie wacht op wie. Wie buigt voor wie. Wie naait wie in zijn reet. En op dit moment hadden zij informatie nodig, dan moest je een tijdje onder liggen.

Twintig minuten later kwam Gabriel Hanna met de jongen in zijn kielzog de trap op. Hij zag er niet zo uit als Natalie had verwacht. Hij was goed gekleed. Goed geschoren. Goed gekamd haar in een scheiding. Lichtblauw overhemd, donkerblauw jasje en een beige, goed gestreken chino. In feite: Hanna zag eruit als een hardcore advocaat, had zelfs wel wat van JW. Het enige wat afweek van de Stockholmse stijl: dikke naden langs zijn schoenzolen. Rubberzolen. Bovendien: zijn schoenen hadden gigantische punten. Natalie dacht aan wat Lollo vaak zei: 'Veel is voor geld te koop, maar smaak niet.'

Hanna smilede. Stak zijn hand uit.

'Hé, hallo, wat super dat jullie helemaal hierheen konden komen.'

Västerås-accentje. Sympathieke stijl. Sympathieke toonval, ondanks het accent. Niet bepaald hoe Natalie zich een handelaar van zoiets illegaals als wapens voorstelde.

Hij ging zitten. Maakte een hoofdbeweging naar de jongen, die vertrok.

Natalie zei: 'Ik ben blij dat je me kunt ontvangen.'

Ze legde de stapel papieren van het vooronderzoek op de speeltafel. Volgens Goran: als iemand in dit land iets over illegale wapens wist, dan was het Hanna.

Het jochie kwam terug met drie blikjes cola.

Hanna pakte ze aan en vroeg Natalie: 'Willen jullie?'

Gorans blikje siste toen hij het opentrok.

Gabriel Hanna zat te geinen, vertelde verhalen, kwam met Koerdenmoppen.

'Weten jullie waarom alle Koerden hun huiswerk op het dak maken?'

Natalie wilde ter zake komen.

Hanna beantwoordde zijn eigen vraag: 'Omdat ze hoge cijfers willen.'

Hij lachte om zijn eigen grap.

Daarna begon hij Natalies papieren te lezen. Een kwartier lang was het stil in de lokalen van de Västerås Gaming Club.

De loopjongen speelde met zijn mobieltje. Goran staarde voor zich uit. Natalie dacht aan Viktor. Die lachte ook altijd om zijn eigen grappen. Ze hadden elkaar al een week niet gezien. De laatste keer dat ze elkaar spraken, had hij het bijna alleen maar over zijn geldcrisis en nieuwe zakelijke plannen gehad. Natalie wilde hem vooral neuken. Daardoor vergat ze alle shit een tijdje. Maar daarna was Viktor begonnen te leuteren over dat hij dacht dat er mensen in Thailand zaten die met de moord te maken hadden. Dat hij een paar criminele gozers kende die daar kort na de moord heen waren gegaan. Gozers die haar vader niet hadden gemogen.

Hanna bladerde langzaam. Hield zijn lichaam in dezelfde positie, als een wassen beeld. De wapenhandelaar concentreerde zich maximaal.

Natalie dacht: Gabriel Hanna is een serieuze gast. Professionele werkwijze gemixt met humor. Sociale competentie, makkelijk om te mogen. Ze begreep waarom hij het zo ver had geschopt. Ergens in de toekomst konden ze misschien zakendoen. Ze dacht aan JW – ze moest weer met hem afspreken, Bladman of hij moest haar de juiste informatie geven.

De minuten verstreken.

Hanna keek op. 'Ik loop al lang genoeg mee in deze branche.'

Goran keek hem aan. Natalie luisterde.

Hij zei: 'Je kunt iets nooit honderd procent zeker weten. Maar ik denk dat ik weet waar deze munitie, de granaat en het semtex vandaan komen.'

Een dag later stapte Natalie bij het natuurgebied Lill-Jansskogen uit haar auto. Zoals steeds: Goran in haar kielzog. Tegenwoordig voelde ze zich alleen zonder hem.

Een wonderlijke plaats. Hoewel ze er heel vaak met papa was geweest, vond ze de sfeer hier nu vijandig.

Voor haar lag een springschans. Papa noemde hem meestal gewoon de Toren. Hij had hem een paar jaar geleden gekocht via een stroman. Een bouwvallige toren waar een springschans van afliep naar een helling op een weide in het bos eronder. De schans zelf was al dertig jaar niet meer gebruikt en er had een mountainbikeclub in de Toren gezeten. Papa renoveerde de boel. Haalde muren weg, bouwde nieuwe trappen, legde vloeren. Installeerde een restaurantkeuken op de benedenverdieping. Zorgde voor een kok en personeel. Deze locatie was perfect voor conferenties en bedrijfsevenementen.

En nu hield Stefanovic zich hier op. De stroman was met hem onder één hoedje gaan spelen – formeel kon Natalie weinig doen.

Ze voelde de hitte bij elke stap verder opstijgen. Stefanovic: een achterlijke idioot. Stefanovic: een schoft. Een *izdajnik*.

Ze moest kalmeren. Haar kaarten goed uitspelen. Drie keer diep inademen.

Ze moest als een prof met de situatie dealen.

Helemaal boven in de Toren: een grote ruimte. Aan drie kanten ramen. Je keek uit over Lill-Jansskogen. Daarachter Östermalm. Nog verder weg zag ze het stadhuis, de kerktorens en de flats bij Hötorget. Aan de horizon: de contouren van de Globen Arena. Stockholm strekte zich uit. Haar stad. Haar territorium. Niet het territorium van de verrader.

Twee bankstellen, een eettafel met zes stoelen, tegen de muur zonder ramen een minibar vol flessen.

Op de bank: Stefanovic.
Marko, Stefanovic' spierbundel, zat op een stoel.
Stefanovic stond op. Kus-kus-kuste. Ratelde wat beleefdheidsfrases, zonder hart.
Natalie vond dat zijn ogen er wateriger uitzagen dan anders. Hij had nog een Bluetooth-oortje in.
Natalie ging aan de tafel zitten. Goran bleef bij de deur staan.
Stefanovic zei: 'We hebben toch geen toehoorders nodig?'
Hij gebaarde naar zijn gorilla, Marko. De vent stond op, vertrok. Natalie knikte. Goran ging ook weg.
Zij en Stefanovic.
Ze zei: 'Het is lang geleden dat ik hier was.'
Hij zei: 'Het is een mooie plek.'
'Het is papa's plek.'
'Nee, we weten allebei dat deze plek in het bezit van Christer Lindberg is.'
Het boeide niet. Ze draaide er niet omheen. 'Stefanovic, jij was de rechterhand van mijn vader. Ik wil dat je me vertelt wat er gaande is.'
Stefanovic antwoordde in het Servisch: 'Je moet toch specificeren wat je bedoelt. Ik heb nooit iets voor je verborgen, meisje, dat verzeker ik je.'
Hij legde zijn hand op zijn hart, alsof hij er een had.
Er was geen reden meer om geheimzinnig te doen.
'Oké, dan wil ik dat je uitlegt wie Melissa Cherkasova is.'
Stefanovic vertrok geen spier.
'Natalie, lieverd, je vader had heel veel bedrijven. Sommige lucratief, andere minder lucratief, dat weet jij ook. Sommige volkomen legaal, andere niet. Sommige richtten zich op een algemeen publiek, sommige alleen op mannen.'
'Ik weet waar je het over hebt.'
'Mooi. Soms zijn er meisjes nodig om de sfeer losser te maken zodat het gezellig wordt. Vooral internationale klanten vinden dat mooie vrouwen er gewoon bij horen op avonden waarop ze dineren of naar een club gaan. Dus: Melissa Cherkasova was een zogeheten escortgirl. Daar is niets vreemds aan. Waarom vraag je naar haar?'
'Wat weet je nog meer over haar?'
'Geef je niet eerst antwoord op mijn vraag?'
Natalie liet zich niet onder druk zetten. Ze antwoordde: 'Nee, ik wil weten wat je nog meer over Cherkasova weet.'
'Oké, maar daarna geef je antwoord op mijn vraag. En ik weet niet veel, kan ik je vertellen. Ik weet dat ze een paar jaar geleden bij ons is gestopt. Misschien heeft je vader sindsdien een enkele keer contact met haar gehad. Daar weet ik niks van. Maar nu geef jij mij antwoord.'
Natalie zei niets. Ze dacht aan JW – die kerel had uitstraling. En hij had haar vader en nu Stefanovic geholpen met iets wat verder ging dan de gebruikelijke manieren om belasting te ontduiken.

Ze dacht aan wat ze nog meer wist. Ze had een groene Volvo gezien in de parkeergarage waar papa was beschoten en er had de dagen voor de moord een groene Volvo bij hen in de straat gereden, het kon hetzelfde voertuig zijn. Aan het stuur van het kreng zat een man met handschoenen aan. Thomas had geprobeerd beelden van de bewakingscamera's van de parkeergarage onder de Globen los te krijgen – helaas waren die al tijden geleden gewist. Natalie dacht aan het hoertje Cherkasova dat afsprak met de politicus Bengt Svelander, die op zijn beurt had afgesproken met Stefanovic in een restaurant in de stad, die weer had afgesproken met JW. Ex-hoertje Martina Kjellsson die beweerde dat mensen van haar vader Cherkasova hadden bevolen filmopnames te maken als ze de politicus ontmoette. Thomas had meer onderzoek naar Svelander gedaan – de politicus zat onder meer in het parlementair comité voor Oostzeevergunningen.

Thomas had haar uitgelegd: 'Zij nemen beslissingen over de economische zone van Zweden in de Oostzee. En specifieker: zij beslissen of de Russen hun enorme gasleiding, de Nordic Pipe, daar op de zeebodem mogen leggen.'

En nu zat Stefanovic haar recht in haar pas opgemaakte gezicht te liegen.

Natalie antwoordde ten slotte: 'Stefanovic, laat ik het zo zeggen. Ik weet dat er iets gaande is waar Cherkasova bij betrokken is. Maar omdat jij niet van plan bent me daarover te vertellen, zijn we uitgepraat voor vandaag. Ik verwacht echter wel dat je vanaf vandaag verslag aan me uitbrengt van alle zaken die papa heeft opgestart. Ik heb er geen enkel bezwaar tegen dat je je eigen zaken doet. Maar wat van mij is, is van mij.'

Dit was het einde – dit was het begin. Ze had de stap genomen. Haar eigen instelling uiteengezet. Stefanovic moest zich schikken of verdwijnen. Nu wachtte ze op zijn antwoord. Ze voelde haar hart tekeergaan als dat van een vogeltje.

Wat zou hij zeggen?

Ze dacht aan papa. Zijn reis: opgang en val. Hoe hij zich de Zweedse samenleving in geknokt had. Een positie had verworven. Zoveel landgenoten had geholpen. De segregatie doorbroken had: door de Zweden was geaccepteerd als een buurman in de villawijk, als een machtsfactor in de stad.

Langzaam opende Stefanovic zijn mond.

Hij glimlachte. 'Natalie, ik heb je altijd als mijn dochter gezien. En ik zag Kum als een broer. Je kunt er gerust op zijn dat ik hem in alles wat ik doe zal eren. Maar hij zou vandaag flink gelachen hebben als hij je spel had gehoord. Je bent een leuk iemand. Je bent een lieve meid. Maar meer ook niet. Deze branche is niet geschikt voor vrouwen.'

Natalie wachtte het vervolg af.

Stefanovic zei: 'Dat wist Kum en dat weet ik. Dus ik vraag je nu voor de laatste keer: hou op te doen alsof je je vader bent. Neem Goran mee en ga hier weg, het is genoeg geweest. Ik heb al tegen je gezegd dat je dat vooronderzoek moet laten voor wat het is. Dus luister nu naar wat ik zeg: kom hier nooit meer terug. Laat los wat er met je vader is gebeurd. Eis nooit meer iets van me. Ik wil geen ruzie met je.'

Natalie stond op. Schudde haar hoofd.
Stefanovic keek haar na.
Ze deed de deur open.
Goran stond ernaast. Misschien had hij begrepen wat er was gebeurd.
Ze liepen de trap af.
In haar hoofd: zou ze dit aankunnen?
Ze had geen idee. Maar één ding wist ze: papa zou vandaag niet om haar gelachen hebben.
Ze hoorde zijn stem in haar hoofd: 'Kikkertje. Jij neemt het over.'

*

Minder dan een halfjaar na mijn vorige keer in Stockholm zat ik weer in een taxi, van vliegveld Arlanda op weg naar het hotel. Op weg naar een klus.
En niet alleen was ik weer in Zweden, in dezelfde stad als voor mijn laatste opdracht. Ik was hier voor dezelfde types als de vorige keer. Dezelfde mensen.
Dezelfde familie.
Het was onwaarschijnlijk. Maar zo was het.
Ik vroeg me af of dit echt toeval kon zijn.

Ik was van plan het ditmaal beter te doen dan de vorige keer. Het kamermeisje en de parkeergarage waren twee pijnlijke herinneringen.
In sommige talen worden we clean up men *genoemd, het ligt in de aard van de zaak dat het dan ook schoon is als we klaar zijn met een klus. Feit was dat de mislukking in de garage onder het vechtsportgala me nog steeds enorm dwarszat. Mijn gebrek aan professionaliteit knaagde, mijn onhandige aanpak herinnerde me aan de complexiteit van mijn operaties. Maar er waren ook praktischer problemen. De Zweedse politie was vast nog niet klaar met het onderzoek. Ze zouden niets moeten hebben dat in mijn richting wees. Maar wie weet – iemand kon een foto hebben gemaakt op het moment dat ik de schoten loste. Iemand had me toevallig in de auto voor Kranjic' huis kunnen zien toen ik spioneerde. Iemand zou het kenteken van de huurauto hebben kunnen noteren, contact hebben gezocht met de verhuurder, de auto hebben gevonden en naar DNA hebben gezocht. De auto was uiteraard onder een andere naam gehuurd, maar toch.*

De taxichauffeur had een soort taxilegitimatie in een klemmetje voor de passagiersstoel gezet. Ik las zijn naam. Vassilij Rasztadovic, duidelijk uit voormalig Joegoslavië. Zijn kop stond me niet aan. Hij deed me denken aan de rechter die me naar de Goelag had verbannen.
Ik sprak hem aan in het Engels, verborg mijn accent zo goed mogelijk. Het maakte eigenlijk niet uit. Ik reisde onder een nieuwe naam, met nieuwe papieren en een nieuwe creditcard. Maar ik wilde onnodige vragen vermijden.

Ik voelde me ontspannen toen ik uitstapte. De maanden in Zanzibar hadden me goedgedaan. Ik verbleef altijd in dezelfde bungalow, nog geen vijftig meter van het strand. Ik nam altijd hetzelfde ontbijt in hetzelfde hotel. Ik jogde altijd hetzelfde rondje langs het strand en het dorp in. Ik had daar een vrouw die er om de een of andere reden mee akkoord ging op me te wachten. Of ik was degene die op haar wachtte. Ze had ongetwijfeld anderen als ik weg was.

Ik was uitgerust.

Ik was geconcentreerd.

Ik had zin in deze klus.

Deze keer was mijn doel Natalie Kranjic te doden.

40

Jorge en Javier zaten te ontbijten. Twee geroosterde boterhammen met dikke lagen Nutella.

Dit hotel: sjofeler dan in Pattaya.

Goedkoper dan in Pattaya.

Nog meer hoeren dan in Pattaya.

Jorges floes raakte serieus op – Mahmuds ziekenhuisrekening vrat de middelen erger aan dan Javiers hoerenzaakjes. Toch was hij blij dat Javier met hem mee was gegaan.

Tijd: halfelf.

Ze wachtten op de nieuwe vent, Martin heette hij. Achternaam Hägerström. Een echte Zwedo-naam. Die gast was ook een über-Zweed – niet zoals Jimmy en Tom, die Zwedo's waren maar zich als betonkids gedroegen. Martin Hägerström, godsamme, hoe kon je zoiets Zweeds heten?

Op dit moment lag die Hägerström nog te maffen. Hij sliep allejezus veel.

Javier zei dat hij moe was, hoewel hij drie blikjes Krating Daeng had gedronken, Thaise Red Bull.

'Dus wanneer denk je dat Mahmud daar weg mag?'

'De laatste keer dat ik er was, zeiden ze dat ze het niet wisten. Die schroeven in zijn armen zijn op de een of andere manier gedraaid. Verder heeft hij ook een ziekenhuisinfectie. Weet je wat dat is?'

'In een ziekenhuis word je toch beter?'

'Ja, maar er worden ook ziektes verspreid, *smart ass.* Ziekenhuisinfectie, dat komt door een of andere bacterie die stafylokok heet, zeiden ze tegen me. En dat is dus niet goed. En nu deelt hij een kamer, een eenpersoonskamer werd te duur, dus hij wil er echt weg.'

'Dat begrijp ik. Met wie deelt hij hem?'

'Dat wisselt. Ze komen en gaan.'

Javier nam een slok uit zijn vierde blikje. 'Chickies?'

Jorge wist wat er nu zou komen: een of andere grap over dat Mahmud kon neuken. Jorge: schijtziek van Javiers fixatie.

Javier wachtte Jorges antwoord niet af. 'Want als er chicks zijn, kan hij af en toe misschien een vluggertje maken. Als ze slapen?'

'Mmm... maar jij, kleine ibne, zou er toch ook niet overheen gaan als er zo'n *shemale* in de kamer lag?'

Javier slurpte opzettelijk. 'Ik hou van Thailand.'

Jorge zei: 'Mahmud komt er snel uit. Maar voor die tijd wil ik een kroeg geregeld hebben. Zodat we meteen kunnen beginnen. En die Hägerström gaat me helpen. Hij is eruit getrapt bij de politie, weet je. En daarna heeft hij mijn gabber in Zweden met van alles geholpen. Mijn gap zegt dat je hem kunt vertrouwen, maar ik vertrouw ouwe wouten niet.'

'Dat moet je nooit doen. Maar ik snap niet waarom je hier een kroeg wilt beginnen. Ik weet dat de cash op aan het raken is. Maar er zijn toch andere, betere dingen dan een kroeg uitbaten.'

'Ben je slim of zo? Je hebt toch gezien wat er met Mahmud is gebeurd? We moeten hier misschien een tijdje blijven en ik wil niks doen wat opvalt.'

'De Russen, die klootzakken.'

'Dat zijn de wetten van de natuur. Thuis ook. Wij eten de Zwedo's als peperkoekjes. De Somaliërs en Irakezen aten ons toen ze in de jaren tachtig kwamen als minibaklava's. En de Russen eten ons allemaal als kleine pirogs met zaadjes erop. De Russen.'

Toch: 's middags sprak Jorge alleen met Martin Hägerström. De volgende ochtend hadden ze een afspraak met een Thaise gast die zijn sportpub wilde verkopen. Jorge wilde de opzet van tevoren doornemen.

Ze zaten weer in het restaurant van het hotel. Die Hägerström liep er niet bij als andere Europeanen hier. Overhemd in plaats van T-shirt. Normale schoenen in plaats van crocs of slippers. Bovendien: lange broek in plaats van een korte. Dat maakte een goede indruk: Hägerström leek meer op de Thai dan op de toeristen.

De ex-cipier was hier nu een week, maar tot nu toe had hij weinig gedaan. Had alleen kort met Jorge gepraat over de lijst met makelaars die hij had geregeld en dat hij bij de Thai rondvroeg of er iets te koop was – maar op het moment was hij de enige die hij had. En Jorge moest snel ergens mee aan de slag.

Maar iets anders: Hägerström had uit Zweden een envelop voor Jorge bij zich gehad. Hij zei dat die van JW kwam. Jorge had hem opengemaakt – een paar opgevouwen papieren. Hij zag niet wat het was. Hij vouwde ze open. Het eerste beschreven: *Kerel! Ik heb wat informatie gevonden die je kan interesseren. Kijk naar de papieren die hierbij zitten. Verder begreep ik dat je een beetje krap zit op het moment. Stuur wat geld voor als je het nodig hebt.*

Helemaal onderaan: een codenummer voor Western Union. Duizend euro. JW – een chill mens.

En de papieren waren echt bijzonder. In feite: gruwelijk geheime inside-documenten. Het was een kopie uit een of ander smerissenregister. JW moest een supercontact hebben dat die zooi uit de geheimste registers van de politie had gehaald. Smerissen lekten vaak echt vet, wat bewees: het waren allemaal huichelaars.

De skotoe wist kapot veel. Focuspersoon: hijzelf. Eerst een pagina met allemaal foto's van hem. Verschillende aliassen: J-boy, Jorge Bernadotte, Houdini. Persoonsgegevens, adressen van allerlei plekken waar hij had gewoond, welke auto's hij had gehad, wanneer zijn vingerafdrukken voor het laatst waren genomen. En meer: verdenkingen. Jorge Salinas Barrio: een van de centrale figuren in Stockholm-Zuid voor cocaïnesmokkel en dealen. Uittreksels uit het Algemeen Opsporingsregister, papieren van de douane, het Centrale Strafregister. 'Jorge Salinas Barrio bevindt zich volgens de Internationale Eenheid en Interpol op het moment waarschijnlijk in Thailand. Verdere informatie ontbreekt.'

Daarna kwamen de onaangenamere punten. Ze hadden een lijst gemaakt van zijn netwerk, kennissen, vrienden. Dingen van vroeger: mensen aan wie hij had gedeald, mensen van wie hij had gekocht, gasten met wie hij had gezeten, kills die hij had bedreigd omdat ze probeerden zijn gebied af te pakken. Ze hadden een lijst van iedereen die hem in Österåker had bezocht, meiden die hij had gebald, hermanos bij wie hij had gewoond.

Daarna kwam een apart hoofdstuk: verdenkingen van de Tomteboda-overval. Hij werd in verband gebracht met Babak, die in verband werd gebracht met de Range Rover. Maar verder hadden ze niet veel. Jorge wist: er bestond ook een vooronderzoek met meer details – maar het ergste moest in dit overzicht te zien zijn.

Hij ademde uit.

Toch: duizelde bijna – de skotoe had zoveel informatie. Ze wisten zeg maar meer over hem dan hijzelf. Ademde weer uit: zo lekker dat hij in Thailand zat.

Als laatste kwam het ergste van alles: een overzicht van zijn familie. De persoonsgegevens, werkplekken, looninformatie van zijn moeder, Paola en zijn neef Sergio, en wat voor relatie hij met ze had. Positief, neutraal, negatief. Ze hadden goddomme zelfs een lijst van de kleuterjuffen van Jorge junior. Vier jaar oud, wat had hij er in foksnaam mee te maken?

Smerig. Hij haatte de juten. Haatte Zweden. Haatte een samenleving die hier een klein kind bij betrok.

Hägerström lulde over onderhandelingstechnieken. In Azië: altijd beleefd zijn, kapun khap volgen, niet in ogen staren. Je nooit opwinden. Geen nee, nee, nee zeggen en bikkelhard spelen. In plaats daarvan ja, ja, ja zeggen en je daarna bedenken. Glimlachen en doen alsof je het al met elkaar eens was, hoewel je mijlenver van elkaar verwijderd was.

De ex-cipier zei: 'Het doet er niet toe of je gelijk hebt, of ze je ongelofelijk hebben geprobeerd op te lichten. Want als je je opwindt laat je zien dat je de controle kwijt bent en hebt verloren. Dan heb je nul respect bij Thai. Je moet altijd je kalmte bewaren.'

Jorge luisterde, probeerde de adviezen van die Hägerström-gast in zich op te nemen. Hij zou alleen een café kopen, daarna kon die figuur weer naar huis gaan.

Hägerström zei: 'Ze zullen je nooit iets op papier laten zien over hun omzet. Dus een van ons moet toestemming krijgen om het café een paar dagen van dichtbij te bestuderen. Zien hoeveel mensen er komen, het bierverbruik berekenen, nagaan of ze protectiebijdragen betalen aan een Seedang-familie, de dagopbrengst controleren.'

Jorge lachte: 'Wie denk je dat ik ben? Zo gaat het thuis ook. Iedereen belazert iedereen. Je moet gewoon de cash die wordt geteld in de gaten houden.'

Toch: hij waardeerde Hägerströms gedachten. Het was goed hem erbij te hebben.

De volgende dag onderhandelden ze met de Thaise gast. Ze hadden afgesproken in de sportbar. Aan de ene kant van de tafel zaten Jorge en Hägerström. Aan de andere kant zaten die ouwe vent en zijn twee zonen.

Alles in het Thai. Hägerström kletste mee. Jorge volgde zijn instructies op: boog als een twaalfjarige die op bezoek ging bij de koning. Zodra de ouwe Thai opkeek, zette Jorge zijn breedste glimlach op.

De bespreking duurde anderhalf uur. Hägerström legde steeds uit wat er gebeurde.

Er was een groot probleem: de man wilde cash betaald worden, *up front*. Geen overmakingen, geen deelbetalingen. Hägerström probeerde de man te laten instemmen met een driemaandenplan, zodat Jorge een begin kon maken met de kroeg.

De vent gaf geen millimeter toe – alles in een keer of geen deal.

Fuck.

Fuck, fuck, fuck.

Jorge zou het nooit kunnen betalen.

Zelfs niet als hij geld van Javier, Jimmy en Tom leende. Als het er zo voorstond, moest hij naar huis gaan om de rest van de cash op te graven.

Hij kon het beter vergeten.

Er werd op de deur geklopt. Een meisje dat normaal bij de receptie stond, stak haar hoofd om de deur. Jorge lag op bed tv te kijken.

'Mister, there is a man wants to talk to you. Phone.'

Jorge stond op. Liep naar de receptie. Hier hadden ze geen telefoons in de kamers.

'Yo, fawaka?'

Het was Tom. Hij klonk gestrest. Jorge vroeg zich af wat er was gebeurd.

'Het is echt ziek, man.'

'Wat is er gebeurd?'

'De Thaise politie heeft Babak opgepakt.'

'Wanneer? En waarom?'

Tom klonk alsof hij zou gaan janken.

'Ze hebben hem vannacht gearresteerd. Jimmy en ik waren uit. Ze schijnen zo zijn kamer binnen gegaan te zijn. Vanwege dat in Zweden.'

'Hoe kun je dat nou weten?'

'We kregen een bericht van waar ze hem naartoe hadden gebracht. Een politiebureau in de buurt. Weet je hoe Thaise politiebureaus eruitzien? Hun arrestantencellen hebben tralies die direct uitkomen op de open hal van het bureau, je kunt erheen gaan om te kletsen met de mensen die vastzitten, als je de bewakers maar wat geeft, duizend bath of zo. Dus dat heb ik gedaan.'

'Fok, zeg. Goed gedaan. En?'

'Ik heb een kwartier met hem gepraat. Babak heeft te horen gekregen dat er een internationaal opsporingsbevel tegen hem is uitgevaardigd. Dat ze een beraad zullen houden over uitlevering aan Zweden. Hij heeft ook een Thaise advocaat gesproken. Het duurt minstens twee weken voor ze zullen toestaan dat hij naar huis wordt gestuurd. Thailand en Zweden hebben blijkbaar geen uitleveringsverdrag, dus alles moet via ambassades en dergelijke gaan. Snap je?'

'Ja, ja. Godverdomme, man. Wat zei hij nog meer?'

'Hij is niet blij, Jorge. Hij is eigenlijk fokking *pissed off*, dat weet je al. En nu heeft hij papieren uit Zweden gezien met de verdenkingen tegen hem. Je hebt hem genaaid, man.'

Jorge begreep niet waar Tom het over had. Hij had de Fin genaaid, en de andere kills, inclusief Tom. Maar Babak had hij verdomme niet genaaid.

Tom zei: 'Ze hebben verteld over zijn auto, de Range Rover. Hij is erachter gekomen dat die een paar weken voor de overval door de smerissen is achtervolgd. Met Mahmud en jou erin. En met zijn hoodie erin. Nu is de band tussen hem en de auto nog sterker. Want die hoodie hebben ze op camera's gezien. En dat had niemand Babak verteld.'

Jorge vatte hem. Hij: een idioot.

Hij: een IDIOOT.

J-boy was bij Babaks auto weggehold toen Mahmud en hij de gun bij zich hadden. Dat hadden ze allebei niet aan Babak verteld. En nu sloeg dat met volle kracht terug.

Hij zei: 'Maar er is die keer helemaal niks gebeurd. Dat doet er geen reet toe. Hij moet normaal doen.'

'Het maakt geen fuck uit wat jij vindt. Babak zegt dat als jij er niet voor zorgt dat je hem helpt als hij in Zweden is, hij je zal verlinken als de eerste de beste verraderflikker.'

'Wat is dat voor bullshit?'

'Ben je dom in je hoofd of zo? Hij lapt je erbij als je er niet voor zorgt dat hij vrijkomt.'

Hersenstilstand.
Gedachtekortsluiting.
Ideeënstilte.
Jorge wist niet wat hij moest denken.
Wat hij moest doen.
Wat hij moest zeggen.
Hij had gedacht dat hij op het diepste punt zat.
En toen kwam dit.

41

Hägerström was hier nu een week of twee. Hij kreeg nostalgieaanvallen van het eten. Hij genoot van het weer, de geuren op straat en de voorkomendheid van de Thai. Maar hij miste Bangkok. Phuket was een toeristenenclave van de ranzigste soort. En het hotel was misschien wel het smerigste waar hij ooit had overnacht.

De eerste dag had hij Jorge heel kort gesproken. De jongen vertelde waarvoor hij Hägerström nodig had – het leken hem niet direct uitgesproken criminele redenen. Maar Hägerström hoopte dat hij meer te weten zou komen. Eén ding was in elk geval duidelijk: Jorge Salinas Barrio was niet zomaar iemand. JW had Hägerström gevraagd een envelop voor hem mee te nemen. Hij maakte hem stiekem open en checkte de inhoud – een uittreksel uit het register over Jorge. JW moest een insider bij de politie hebben die het document had gelekt. Dat alleen al was onaangenaam.

De dagen daarop hield Hägerström zich gedeisd. Wandelde vooral rond in de stad en reisde naar de stranddorpen op het eiland. Rondom elk resort lagen enkele tientallen restaurants, bars en cafés. Patong Beach, Karon Beach, Kata Beach. Alleen de stranden Mai Khao en Nai Yang vormden al een strook van zestien kilometer waar meer dan vijfhonderd objecten lagen. Hij bekeek de cafés die interessant konden zijn voor Jorge. 's Avonds probeerde hij het bier in de verschillende gelegenheden. Bestudeerde de gasten, het aantal medewerkers, probeerde een ruwe berekening van de omzet te maken. Hij wachtte tot Jorge weer contact met hem opnam.

Een week of wat later zat Hägerström in het restaurant naast het hotel.

Hij dacht aan Pravat. Het was zo vreemd: het minihummeltje, papa's rakker, zijn kleine jochie zou beginnen op school.

Hij dacht aan de nachten waarin ze voor het laatst samen waren geweest. Pravat wilde bij hem in bed slapen. En Hägerström kende niets kalmerenders dan naast zijn slapende zoon liggen. Het was alsof Pravats rust zijn nerveuze ziel tot rust wiegde. De snuivende ademhaling van zijn zoon hulde zijn demonen in nevelen van ontspanning. Hägerström maakte zich geen zorgen over het onderzoek of zelfs maar over zijn eigen uitdagingen. Hij was gewoon rustig. Het was een van de beste weekenden van zijn leven geweest.

Hij keek op. Liet zijn gedachten varen. Een stem vlak bij hem zei iets wat misschien Zweeds was: 'Yo, fawaka.'

Het was Jorges vriend, Javier, die aan zijn tafeltje stond. De jongen trok een stoel bij.

Hägerström keek hem aan.

Javier zei: 'Bradda, snap je niet wat ik zeg?'

'Nee.'

'Maar je snapt dat gelul toch wel, je hebt in de lik gewerkt.'

De jongen ging zitten. Hägerström bleef hem aangapen. Wist niet of Javier hem zat te stangen.

Hij zei: 'Het is oké. Maar ik versta ook Zweeds. Kun je dat?'

Javier lachte zachtjes. 'Ik kan vier talen.'

'Spaans, Zweeds, Engels en dat taaltje van je?'

'Nee, dat taaltje ís Zweeds, hoewel ik niet meer zo lul. Het zijn vooral kleine jochies die zo van bradda hier en bradda daar praten. Ik bedoel de derde taal, *the international language*.'

Hägerström trok zijn wenkbrauwen op.

'*The language of sex*.'

Hägerström hief zijn fles met Singha. 'Proost.'

Javier toostte met zijn glas.

'Wat doe je hier eigenlijk?'

Opnieuw – Hägerström wist niet wat hij zou zeggen. Hij had geen idee waar hij deze jongen had. Probeerde de sfeer te polsen, Javiers lijzige stem te doorgronden. Hij was anders.

'Hoezo? Weet je wat een cipier verdient?'

'Meer dan wij hier, in elk geval.'

'Misschien wel, maar het is geen drol. De Zweedse staat naait ons. We werken ons uit de naad en wat krijgen we ervoor?'

'Jij weet in elk geval dat je iets krijgt.'

'Ik heb gebikkeld. Weet je wat ik deed voor ik cipier werd?'

Javier schudde zijn hoofd.

'Raad maar, brother.'

Javier grijnsde.

De jongen deed denken aan het weinige dat hij van Jorge had gezien. Dezelfde manier van praten, hetzelfde taaltje, dezelfde manier van bewegen. Maar toch: Javier was slomer – hasjlijzigheid in zijn stem. Toch had hij een andere intensiteit dan Jorge. Een twinkeling in zijn ogen die luchtiger overkwam.

Toen Javier er een halfuur later achter kwam dat Hägerström agent was geweest, leek hij niet verbaasd. Waarschijnlijk had Jorge het hem al verteld. Misschien speelde hij alleen relaxed.

Een paar dagen later kwam Javier weer naar Hägerström toe.

Overdag had hij samen met Jorge rondgereden op het eiland, ze waren de stranden over gegaan en hij had aangewezen wat te koop stond. Ze hadden een makelaarslijst in het Thai waarop Jorge aantekeningen had gemaakt.

Javier ging zitten zonder te vragen of het schikte. Hij bestelde een biertje.

'Hebben jullie al wat gevonden?'

Hägerström nam aan dat hij doelde op hun zoektocht naar objecten.

'Er staan hier veel dingen te koop. Maar zoals je begrijpt, het is een kwestie van prijs en andere voorwaarden, en hoe zeker je inkomsten zullen zijn.'

Ze kletsten verder. Javier zei dat er misschien wat vrienden van hen langs zouden komen. Hägerström probeerde uit te vissen hoe lang ze al in Thailand waren, wat ze hier deden, waarom ze hier waren. Javier vertelde hoe het was, maar toch ook niet: 'Over sommige dingen heb je het niet, weet je.'

Javier stelde wedervragen. Misschien probeerde hij Hägerström uit te horen. Waar hij vandaan kwam. In welke instellingen hij had gewerkt. Waarom hij was opgehouden als smeris.

De jongen was sympathiek, maar verre van uitbundig. Dat kon hij ook niet verwachten van iemand die wist dat hij bij de politie had gezeten. Toch was hij open, had het veel over seks, over Thailand in het algemeen en zijn jeugd in Alby. Javier was geen groentje, dat was duidelijk.

Hägerström besloot Torsfjäll later deze week alles over deze jongen te laten uitzoeken.

Hij speelde mee. Diste zijn verhaal voor de duizendste keer op: dat hij inmiddels een pesthekel had aan het politiewezen. Misschien hadden ze hem nagetrokken, JW had immers een insider. Dat was geen probleem. Torsfjäll had Hägerström in het opsporingsregister gezet voor verdenkingen van drugsdelicten, mishandeling en heling.

Ze zopen door. Javier kwam er steeds vaker op terug dat hij Hägerström mee uit wilde nemen en de chicks in dit gat wilde laten zien. Hägerström ontweek het. Hij wilde niet in een situatie belanden waarin hij iets met een prostituee moest doen om zich te bewijzen. Hij overwoog of het geen tijd was om op te breken.

Javier hield er een tijdje over op. Ze bestelden ieder een parasoldrankje. Javier ouwehoerde verder, over dat een echte g er niet allemaal hobby's bij kon hebben. Als je iemand wou worden kon je je niet druk lopen maken over muziek of sport.

Ze praatten verder. Javier wierp er af en toe vragen over Hägerström tussendoor. Had hij kinderen? Bij welke afdeling van de politie had hij gewerkt? Hoe voelde het om eruit getrapt te worden?

Na een uur of wat begon hij weer te drammen: 'Kom op, zeg. De chicks zijn nice hier.'

Hägerström zei: 'Ach nee, we blijven hier. Ik heb geen puf.'

'Ben je homo of zo?'

Hägerström negeerde hem.

'Toon een beetje mannelijkheid, joh. Ga mee.'

Hägerström grijnsde alleen maar.

'Je wilt best, ik zie het aan je. Je wilt. Je hebt toch geen vrouwtje thuis?'

Hägerström schudde zijn hoofd.

'Verdomme man, kom op nou. Alleen omdat je toevallig Zwedo bent hoef je toch niet zo bang te zijn.'

Uiteindelijk zei Hägerström: 'We gaan terug naar het hotel. Daar heb je toch ook meiden.'

Nu moest hij het goed spelen. Hij had echt geen trek in een ranzige situatie met een of andere vrouw. Tegelijkertijd moest hij vertrouwen winnen. Deinsde hij terug, dan zou hij te veel verliezen.

Ze stonden op, betaalden en wandelden de paar honderd meter terug naar hun hotel. Ze gingen aan een tafeltje in de bar zitten. De inrichting was standaard: overal gekleurde lampjes, palmbladeren en boeddhabeeldjes. Hägerström voelde zich een beetje aangeschoten. Javier begon over andere dingen. De jongen rende heen en weer naar de barkeeper om allerlei drankjes te bestellen.

Na een tijdje zei Javier: 'Ik wil je wat laten zien.'

'Oké, wat?'

Javier zei: 'Niet hier. Op mijn kamer.'

Hägerström vroeg zich af wat het kon zijn.

Ze namen de trap naar boven. Javiers kamer was een minisuite met een minislaapkamer en een miniwoonkamer met een minipantry. Hägerström verbaasde zich erover hoe netjes het er was. Hoewel het hotelpersoneel misschien gewoon zijn werk had gedaan.

Javier ging op de kleine bank zitten. Hij had een drankje in zijn hand, dat hij had meegenomen van beneden.

Hägerström ging bij het raam staan. Keek naar een hotel in aanbouw aan de overkant van de straat. Steigers van bamboe, zeildoeken en containers. Ze zouden daar gauw weer aan de slag gaan. Boorgeluiden en vrachtwagens die af en aan reden.

Javier pakte zijn mobiel en pielde er wat mee.

'Kom op de bank zitten, ouwe.'

Hägerström vroeg zich af wat er nu zou gebeuren. Wat wilde Javier hem laten zien?

Er werd op de deur geklopt.

Javier grijnsde. Deed open.

Er stonden twee Thaise meiden op de gang. Korte rokjes, korte hemdjes, staartjes in hun haar.

Duidelijk wat voor meiden het waren.

Javiers grijns nog breder. 'Hier is mijn verrassing. Nu gaan we eens echt lol maken, jij en ik.'

Opeens voelde Hägerström zich volkomen nuchter.

42

De luxaflex in de bibliotheek was dicht. Bovendien was het donker buiten. Natalie had de muurlampen en de lampen in de lage boekenkasten aangedaan. Het behang reflecteerde niet veel van het licht in de kamer. Alles kreeg een donkerblauwe gloed: de kaarten van Servië en Montenegro, de schilderijen met allerlei slagen en rivieren in Europa en de iconen met heilige kerels.

Het leek wel een film. Maar dit was echt.

Natalie zat in papa's leren fauteuil.

Ja – zíj zat erin. En om haar heen, in de andere fauteuils, zaten Goran, Bogdan, Thomas en een gast die Milad heette. Papa's mannen.

Haar mannen.

Het was de eerste keer dat ze hen uitgenodigd had in de bibliotheek. De eerste keer dat ze een bijeenkomst belegd had. En hierbij zou het min of meer officieel worden.

Natalie Kranjic was de nieuwe leider.

Goran wist het al. Ze had hier weken met hem over gebrainstormd, en nu liet Stefanovic' gedrag haar geen keuze. Thomas had het waarschijnlijk ook vermoed, maar dat hij hier überhaupt zat was een grote stap. Een Zwedo, die nog smeris was geweest ook – nu in de mooie kamer, in de inner circle. Maar Natalie vertrouwde hem, hij was solide en had haar al deze maanden gesteund. Maar belangrijker: Goran had haar verzekerd dat haar vader hetzelfde gevoel had gehad. Dat alleen al zou genoeg zijn geweest.

De veiligheid was opgeschroefd zoals na de eerste aanval op papa. Alle bewakingscamera's en alarmen waren in werking gesteld. De schuilkamer was ingeschakeld. Patrik was continu bij hen in huis. Het schisma met Stefanovic was niet alleen op komst – het was al een feit. Alleen God wist wat die verrader zou gaan proberen.

Thomas en Milad hadden de gebruikelijke check op bugs gedaan. Ze hadden hun telefoons in de keuken gelegd en de batterijen eruit gehaald. Ze waren in verschillende auto's gekomen en hadden op verschillende plekken geparkeerd. Ze wilden vermijden dat buren of anderen zich dingen zouden afvragen. Mensen in de buurt wisten wat er met Radovan was gebeurd – ze wilden hun chique villawijk niet bezoedelen. Ze wilden blijven genieten van hun nep-Näsbypark.

Natalie overwoog whisky te schenken, zoals haar vader altijd had gedaan. Maar daar was ze op teruggekomen. Een nieuw tijdperk. Zij zou hier haar stempel op zetten. En ze hield niet van whisky, dus waarom moest iedereen dat dan drinken? In plaats daarvan liet ze hen vrijelijk uit de bar kiezen.

Bogdan nam een zwakke gin-tonic.

Thomas nam een biertje.

Milad koos cola.

Goran wilde whisky. Johnnie Walker Blue Label – dezelfde als papa altijd schonk.

De mannen zagen er ernstig uit. Tegelijkertijd hing er een sfeer van verwachting in de lucht. Natalie dacht dat ze begreep waarom. Ze wilden dat zij de leiding zou nemen.

Ze dacht aan de keer dat papa haar whisky had ingeschonken in de bibliotheek, met sommigen van hen erbij. Dat was zijn signaal: Natalie heeft mijn volle vertrouwen – en moet ook jullie vertrouwen hebben.

Ze had tegen mama gezegd in de televisiekamer of de keuken te blijven. Het voelde raar om haar orders te geven, helemaal gezien de sfeer tussen hen van de laatste tijd. Maar er was geen alternatief, ze kon niet zomaar tijdens de bijeenkomst in en uit lopen.

Natalie en de mannen kletsten wat terwijl zij hun glazen inschonk. Daarna ging ze weer in de fauteuil zitten.

'Ik ben dankbaar en ik ben zo blij als ik maar kan zijn.' Ze sprak Zweeds, geen Servisch. Vooral omdat Thomas het zou begrijpen, maar ook: ze had nieuwe ideeën.

Natalie ging verder: 'Jullie weten dat ik mijn vader elke dag mis. Jullie weten hoe ik sinds het gebeurde met mijn verdriet heb gevochten. Jullie hebben dat gerespecteerd. Jullie hebben me gesteund. Maar jullie weten ook dat er mensen zijn die het tegenovergestelde hebben gedaan.'

De vier mannen knikten. Natalie pauzeerde even. Nam ze op.

Goran in zijn gebruikelijke trainingspak. Zijn hoofd enigszins in zijn nek. Niet op een arrogante manier, maar meer omdat hij zo geconcentreerd luisterde naar wat ze zei.

Bogdan in een rode trui met het mannetje te paard van Polo Ralph Lauren in reuzenformaat op zijn borst. Bogdans hoofd bewoog zich voortdurend terwijl Natalie sprak, hij knikte langzaam: accepteerde wat ze zei.

Thomas in overhemd en spijkerbroek. Milad droeg een spijkerbroek en een capuchontrui met een tribal patroon. Beiden luisterden.

Natalie zei: 'Ten eerste. Ik heb materiaal van het vooronderzoek van de politie gekregen. De smerissen hebben de scherven van de aanslag en de patronen en dergelijke van de poging tot moord in de garage geanalyseerd en ze zijn tot de conclusie gekomen dat het om een bepaald type granaat gaat, een bepaald type semtex en kogels uit een bepaald type pistool. Daarna hebben we contact opgenomen met Gabriel Hanna, jullie kennen hem wel. Hij zegt dat hij weet waar de spullen vandaan komen. Hij ziet een link.'

Ze pauzeerde weer. Observeerde de aandacht van de mannen.

'De granaat, het semtex en het wapen komen volgens Hanna uit de kroeg de Black & White Inn. Hij weet dat ze daar een voorraad van zulke granaten hebben gehad, dat ze toegang hadden tot dit soort semtex en dat ze begin dit jaar een partij Russische pistolen hebben binnengekregen.'

Een aha door de bibliotheek. Iedereen kende de Black & White Inn. De pub was een begrip in de onderwereld. Een marktplaats voor alles wat je maar kon verzinnen. Goran had Natalie uitgelegd: de Black & White Inn – de beste shopplek in Stockholm als je geïnteresseerd was in zelfverdediging of iemand ernstig wilde verwonden. Het punt was echter niet dat ze de Black & White Inn kenden. Het punt was dat de pub, via bedrijven en stromannen, voor eenenvijftig procent in handen was van de erfgenamen van Radovan. En het ergste van alles: toen Kum nog leefde had Stefanovic praktisch aan het hoofd van de kroeg gestaan.

De link: Stefanovic – de Black & White Inn – de verkoop van het wapen dat papa had gedood. De link: Stefanovic had geprobeerd Natalie ervan te weerhouden in het vooronderzoek te graven. De link: Stefanovic wilde papa's imperium overnemen.

Toch: één omstandigheid sprak sterk tegen Stefanovic' betrokkenheid: hij had tijdens de explosie zelf in de BMW gezeten. Hij had er net zo goed ook geweest kunnen zijn.

Maar wie zat er dan achter?

Natalie bracht verslag uit van andere informatie die ze in het vooronderzoek van de politie had gelezen. Dat de werkwijze bij zowel de poging als de laatste aanslag wees in de richting van iemand met een militaire achtergrond, een professional. Dat de dader een granaat uit voormalig Joegoslavië had gebruikt. Dat Stefanovic geen millimeter had meegewerkt in het verhoor.

De mannen luisterden zwijgend. De informatie kwam niet als een verrassing. Dat het iemand met een militaire achtergrond uit hun vaderland kon zijn, was te verwachten. Maar nog steeds: dat er een verband met de Black & White Inn bestond was onverwacht.

Natalie ging verder met haar analyse van de situatie. Niet alleen de moord; ze wilde vat krijgen op het totaalbeeld. JW weigerde haar volledige informatie en inzicht te geven. De Beogradska Banka gooide de boel in de war. Iemand moest hebben gelekt naar de instanties, het kon geen toeval zijn. De belastingdienst bestookte de nabestaanden met aanslagen, restitutieverzoeken en beslagleggingsdreigementen. Ze kreeg geen dividend van de zaken op Radovans naam, behalve die waarvoor Goran en Bogdan zorgden.

De mannen gaven commentaar op dingen die ze zei. Ze maakten aanvullende opmerkingen. Ze wilden weten wat ze aan de situatie konden doen.

Natalie gaf Bogdan instructies om naar Zürich te gaan om daar met de bank te praten en te proberen de laatste reserves aan te spreken – de bankkluis van papa's bedrijven. Ze gaf hem een volmacht, hoopte dat dat zou werken. Ze vermeldde niet dat de contanten die ze in huis had binnen een maand op zouden zijn.

Ze dacht terug aan een keer dat ze mee had gemogen. Een jaar of acht geleden, ze was nog een meisje. Verschillende sleutels, codes, receptionistes die glimlachten en slecht Engels spraken. Megaveel bankvakjes. Papa had het zijne geopend, het eruit getrokken en het meegenomen naar een apart kamertje. Natalie had buiten moeten wachten.

Ze zei ook tegen Bogdan contact op te nemen met de garderobes waarmee hij eerder had gewerkt en te laten weten dat betaling alleen aan hem of een van zijn jongens zou gebeuren. Ze gaf Goran order de vrachtwagenchauffeurs die de gesmokkelde drank en sigaretten vervoerden hetzelfde te laten weten. Vanaf nu leveren jullie uitsluitend aan Goran en de mensen die Goran heeft aangewezen. Ze vroeg Milad de controle over de amfetaminedealers en helers terug te nemen.

Ze zou heroveren wat van haar was. Ingecalculeerd: Stefanovic zou dit als een openlijke confrontatie beschouwen. Conclusie: de oorlog zou nu echt losbarsten.

Het was zaak daarop voorbereid te zijn.

Ze bespraken de kwestie. Ze moesten zorgen dat alle jongens in het veld op hun hoede waren. Kogelvrije vesten aanschaften, zich bewapenden, nooit alleen werkten. Alle klussen, zelfs als het ging om het verkopen van een paar gram versneden speed, moesten in groepen gebeuren. Bovendien: Natalie zou nooit alleen mogen zijn.

Ten slotte: de Cherkasova-kwestie. De anderen schoven ongemakkelijk heen en weer.

Ze was duidelijk. 'Ik heb begrepen waar mijn vader zich mee bezighield. Jullie hoeven je niet te schamen. Ik veroordeel hem niet, hoewel ik er niet direct dolgelukkig van word zoiets te horen. Hij was mijn vader. Dat is genoeg voor me.'

Goran nam het over. 'Ik heb het verder uitgezocht. Die politicus Svelander zit dus in een comité voor de Oostzee. Ik heb rondgevraagd. Je vader was erbij betrokken, dat weet ik inmiddels zeker.'

Natalie: 'Hoe dan?'

'Dat weet ik nog niet precies. Maar Stefanovic heeft deze, eh... wat voor woord zal ik gebruiken... geprostitueerde vrouw opgedragen Svelander te filmen. Die vent heeft invloed op de bouwrechten in de Oostzee. En de Russen bouwen een gasleiding op de bodem van de zee. Stefanovic wil die kerel dus onder druk kunnen zetten met de films die deze vrouw maakt.'

Herinspectie van de mannen: de wil in hun ogen, de lichte hoofdknikjes, hun instemmende gebrom. Ze doorzagen, ze beseften, ze begrepen: dit was niet de gebruikelijke kleinschalige shit. Dit was een ander niveau. Absoluut. En Stefanovic probeerde het alleen te doen. Zonder dat Kums dochter haar deel kreeg. De schoft.

Goran zei: 'Dit gaat over de Russen, dat je vader ze hielp door het meisje Cherkasova te gebruiken. Misschien heeft hij ze ook op andere manieren geholpen. En nu maakt Stefanovic die klus alleen af. Dat is niet oké.'

Natalie zei: 'En waar komt JW in beeld? We hebben hem immers met Stefanovic gezien.'

Goran keek haar in de ogen. Hij wist dat ze elkaar hadden gesproken. Ze wist niet wat hij daarvan vond.

Hij zei: 'Ik heb geen idee. Maar hij bouwt systemen om geld wit te wassen. Hij en Bladman moeten aan onze kant spelen. En nu de openlijke oorlog tegen Stefanovic begonnen is, kunnen ze geen struisvogel blijven spelen. Ze moeten partij kiezen.'

Ze rondden hun bijeenkomst af. De mannen zagen er tevreden uit, ondanks alle vragen. Eindelijk had ze de situatie in de hand genomen. Eindelijk kregen ze een richting.

Toch voelde ze zich teruggeworpen op zichzelf. Ze leefde in twee werelden. De mannen luisterden naar haar. Toch was ze alleen.

Alleen met haar verdriet.

Alleen met de verantwoordelijkheid.

Alleen met haar haat.

De dagen verstreken. Ze zette haar rechtenstudie in de ijskast. Ze werkte als een bezetene. Nu ging alles om de werkelijkheid. Ze belde Goran, Bogdan en Thomas meerdere keren per dag. Ze belden terug, van diverse telefoonnummers of Skype – ze waren veiligheidsfanatici. Ze waardeerde het dat ze haar hetzelfde bijbrachten. Ze praatte, faxte, mailde naar American Express, de SEB-bank, de Handelsbanken: redde in elk geval iets. Ze probeerde de Beogradska Banka te laten begrijpen dat Bogdan haar vertegenwoordigde, niemand anders. Ze las het vooronderzoek van de politie. Ze deed research naar de Black & White Inn – vooral door met Thomas en Goran te praten, maar ook via Mischa Bladman, die ermee instemde de boekhouding en andere documenten tevoorschijn te halen. Ze checkte alles wat ze vond over de politicus die Cherkasova betaalde voor seks, over de Oostzeevergunningen, over de andere kerels die voor Melissa betaalden. Ze liep rond in de stad en controleerde restaurants, bars, pubs en clubs waar Bogdan of een van zijn mannen langs moest gaan om de garderobes onder hun protectie te laten vallen. Ze onderzocht ideeën over manieren om amfetamine binnen te krijgen, de speed hier te versnijden, laboratoria in Zweden te plaatsen in plaats van in de Baltische staten. Het waren nieuwe dingen voor haar – Milad legde het vanaf de basis uit. Ze dacht strategieën uit om met Stefanovic om te gaan – het was slechts een kwestie van tijd voor de hel losbarstte en hij in actie zou komen. Eén ding was duidelijk: zij – zij allemaal – hadden geld nodig. Zonder poen zou ze niet verder kunnen gaan met dit project. Zonder poen zou ze een oorlog tegen de verrader niet redden.

Ze werd elke dag om zes uur wakker. Viel elke avond na enen in slaap. Dronk acht koppen koffie per dag, plus minstens drie blikjes Red Bull, slikte 's avonds valeriaan om te kunnen slapen. Ze at hardgekookte eieren en tomaten. Viel af. Ze zei tegen Viktor weg te blijven. Ze zou hem bellen: 'Als ik me oké voel.'

Ze chatte sporadisch met de meiden op Facebook. Schreef Lollo dat ze te depri was om uit te gaan.

Mischa Bladman deed alsof zijn neus bloedde. Hij stemde in met een afspraak met Natalie om haar in het algemeen te helpen inzicht te krijgen in de financiële situatie van de bedrijven van haar vader. Zes bedrijven waren op de fles. Een paar waren slapend. Vier bestonden nog. Kranjic Holding BV, Sloopspecialisten Nälsta BV, Clara's Bar & Co en Teck Toe BV. Een aantal bedrijven vielen op de een of andere manier onder papa, zonder dat hij formeel gezien de eigenaar was – Bladman was duidelijk nerveus, wilde de eigenaarsaandelen nu blijkbaar niet bespreken. Wist niet op welke bil hij moest zitten. Mischa Bladman repte er met geen woord over, maar Natalie begreep: tot nu toe had hij instructies van Stefanovic opgevolgd.

Ze bestelde een op maat gemaakt kogelwerend vest. Goran regelde gorilla's om altijd op sleeptouw te nemen, Adam en Sascha. Af en toe overnachtte ze in een hotel. Ze keken onder haar auto, lieten haar altijd zo ver mogelijk bij een raam vandaan zitten, lieten haar nooit ergens als eerste naar binnen gaan. Ze bestudeerde het vooronderzoek voor de twintigste keer. Er moest daar iets zijn. Ze overwoog de politie te melden dat ze wist waar de wapens vandaan kwamen. Ze hield overleg met de advocaat en een andere belastingadvocaat. Ze reed naar Frihamnen en bekeek de kaden en hoe de veerboten uit Tallinn binnenkwamen – kon je misschien zakken amfetamine van de boten gooien? Ze dronk zes cola's op een dag, slikte elke ochtend ginsengpillen, knabbelde elke middag vanaf een uur of vijf codeïnetabletten om de hoofdpijn te dempen.

Op een dag belde Goran. 'Hij wil je weer ontmoeten,' zei hij.

'Mooi.'

'Wees wel voorzichtig, Natalie.'

Ze zagen elkaar vier uur later. Weer in de Teatergrillen. Dezelfde rode stoffering. Dezelfde kaarsen. Dezelfde afzondering.

Adam, haar lijfwacht van vandaag, bleef in de auto.

JW droeg een donkergrijs pak en een groene das.

Hij begon onomwonden: 'Dit is niet goed.'

Natalie nam aan dat hij de situatie tussen haar en Stefanovic bedoelde.

Hij zei: 'Bladman voelt zich onder druk gezet.'

Zij zei: 'Laat mij mijn zaken regelen, dan kunnen jij en Bladman die van jullie regelen. En de vorige keer dat we elkaar zagen was je niet erg happig op samenwerking.'

Hij zei: 'We werken samen met wie het ons uitkomt samen te werken. Ik heb veel klanten. Je vader was een van hen. Nu is Stefanovic een van hen.'

Natalie was niet van plan te buigen. Ze deed wat ze moest doen. Tegelijkertijd had ze JW's hulp nodig. Bladman en hij hadden papa geholpen met alles wat Stefanovic nu probeerde in te nemen. Bovendien was hij betrokken bij het Cherkasova-Svelander-verhaal.

Zij zei: 'Noem me één reden waarom ik niet zou proberen terug te krijgen wat van mij is.'

Weer die twinkeling in zijn ogen. Misschien een flauw lachje om zijn mondhoeken.

'Het eigendomsrecht is het belangrijkste recht dat we hebben. Geloof me, daar strijd ik voor. Maar je moet de realiteiten hier ook begrijpen. Ik kan geen partij kiezen tussen mijn cliënten.'

'Je mag je principes hebben, dan heb ik de mijne. Ik ben van plan terug te nemen wat van mij is. Jij en Bladman moeten partij kiezen, zo simpel is het.'

'Dat zullen we niet doen. Maar laat ik het zo zeggen. Jij wilt iets van mij. Ik wil meerdere dingen van jou. Ik denk dat we dit kunnen oplossen. Gun me alleen wat tijd.'

Hij was anders. Zweeds – toch dezelfde manier van praten en rust als papa's mannen. Kakkerlook – toch speelde hij in dezelfde wereld als zij. Hij had in de bak gezeten – toch bestelde hij wijn met dezelfde stijl als papa. Hij speelde veel verschillende wedstrijden tegelijk. Net als zij, misschien.

En voortdurend: die twinkeling in zijn ogen. Zo iemand als hij had ze nog nooit ontmoet.

's Avonds sms'te ze Viktor en vroeg hem langs te komen. Mama was naar yoga. Ze bestelde pizza's, die hij onderweg afhaalde. Natalie sneed de randen eraf en at – het LCHF-dieet was momenteel uitgerangeerd.

Viktor vroeg zich af wat er aan de hand was. Waarom ze nooit wilde afspreken. Waarom mensen zeiden dat ze haar met iemand anders in de stad hadden gezien. Natalie probeerde het uit te leggen: de situatie was weer verslechterd. Ze ging niet steeds met dezelfde gast de stad in. Het waren verschillende lijfwachten.

Viktor zeurde verder. Natalie wilde het er niet verder over hebben. Ze zei: 'Laten we naar de televisiekamer gaan.'

Ze zette de tv aan en ging op de bank liggen met haar voeten op het salontafeltje. Viktor ging naast haar zitten. Op televisie was er een workplace-realityserie bezig. Je keek mee met advocaten op een strafrechtkantoor in Stockholm.

Natalie legde haar arm op Viktors bovenbeen. 'Voel je ervoor om naar mijn bed te gaan?'

Dat was een eufemisme.

'Jezus, Natalie, we hebben elkaar meer dan een week niet gezien, we hebben nauwelijks gepraat en nu wil je met me naar bed, zomaar meteen?'

'Doe normaal, man.'

Hij glimlachte: 'Ik mag je wel.'

Zij zei: 'Idem.'

Toch deed hij niks. Zat maar stil. Staarde naar de tv. Een advocaat leuterde erover hoe onschuldig zijn cliënt was, alleen maar omdat de cocaïne die was aangetroffen was versneden met lidocaïne.

'Nou, kom op dan.'

Viktor maakte flauwtjes aanstalten om zich naar haar toe te buigen. Hij had geen zin, dat was duidelijk. Maar Natalie had het geduld niet om te wachten tot hij opgegeild was. Ze knoopte zijn gulp open. Hij had een Polo Ralph Lauren-onderbroek aan. Ze haalde zijn slappe pik eruit. Masseerde hem.

Viktor liet zich op zijn rug op de bank zakken. Ze bleef hem strelen. Hij wou op dit moment echt niet, merkte ze.

Maar dat was niet haar probleem. Ze streek met haar hand over zijn gezicht, liet hem zijn ogen sluiten. Ze trok zijn voorhuid naar achteren. Likte aan zijn eikel.

Hij kreunde zacht. Dat was een goed teken.

Zijn pik werd half hard. Ze nam hem in haar mond. Hij smaakte naar doucheschuim en zweet.

Hij mompelde: 'Zullen we niet naar je kamer gaan?'

Ze negeerde hem. Bleef hem pijpen tot hij echt een stijve had.

Ze maakte haar eigen broek open. Klom op hem.

Hij zei: 'Niet hier.'

Ze negeerde hem, schoof hem in zich.

Ze hield haar handen op zijn borst. Zette zich af met haar armen. Bewoog zich op en neer en heen en weer. Voelde hem in zich.

Ze sloot haar ogen. Haar gedachten stroomden. Ze bewoog zich sneller.

Morgen zouden ze naar de Black & White Inn gaan om een praatje te maken met de ratten die wapens hadden verkocht die tegen papa waren gebruikt. De waarheid moest nu boven tafel.

Viktor lag half op de bank. Natalie bleef hem neuken – snellere en hardere bewegingen. Ze hoorde haar eigen ademhaling.

Viktor was stil. Schijt aan hem nu.

Ze bracht zijn handen naar haar heupen. Voelde hoe hij haar vastpakte. Ze drukte zich zo ver mogelijk naar beneden. Zijn pik kwam zo diep als maar kon.

Ze was nu dichtbij.

Kantelde haar kont. Drukte zich naar voren.

Op en neer.

Ze zag maskers en harlekijnen.

Ze zag een gezicht aan de binnenkant van haar oogleden.

Op en neer.

Ze zag rode gordijnen en kaarsjes.

Ze zag het gezicht weer.

Het was JW.

Ze zag JW.

43

Jorge: gestrest als een drugskoerier met een volle buik.

Nerveus als een kleutertje op zijn eerste schooldag.

Warhoofdig als een waardetransportovervaller op de vlucht. Precies wat hij was.

Jorges wereld: ingestort. Weer. Mahmud nog steeds in het ziekenhuis. Die rot-Thai die wilden verkopen wilden alle cash in één keer. Babak dreigde hem te verraden als een flikkertje.

Het leven scheet op Jorge. Het leven zoog paardenballen. Het leven was onrechtvaardiger dan de manier waarop een Zweedse rechtbank verslaafden veroordeelde. Hij was moe. *Rap life* veranderd in *crap life*. *G-life* in *l-life*. De l van loser.

Jorges angstgedachte herhaalde zich: misschien moest hij voorkomen. De politie bellen en verzoeken om opgehaald te worden. Een paar maanden zijn intrek nemen in het Rijkshotel. Zich weer in een cel in het huis van bewaring installeren. Dag en nacht verhoren. Vernedering door pseudosympathieke smerissen die zouden proberen hem zijn matties erbij te laten lappen.

Nee.

NEE.

Hij was J-boy: the king. Hij zou dit opknappen. Ze konden tot negen tellen – hij zou altijd weer opstaan.

Plus: er waren lichtpuntjes. Die Hägerström was nuttig, al was hij dan juut geweest. Volgens JW bleek uit het smerisregister dat hij een *bad boy* was geweest. Geen wonder dat die gast de zak had gekregen bij de skotoe.

Jorge zou een café in Phuket kopen. Mahmud en Javier wachtten. En Tom en Jimmy zouden hem vroeg of laat ook nodig hebben. Hij kon ze niet in de steek laten.

Nu, vandaag: het resultaat van te veel shit – Jorge op de roltrap op weg naar de bagageband op Arlanda. Geen andere uitweg: op weg naar Stockholm om óf de Iraniër op de een of andere manier te helpen, óf de cash op te graven en mee terug te nemen naar Phuket. De alternatieven lagen nog open. Maar terug moest hij.

Was de pascontrole doorgekomen met zijn valse paspoort. Nu: alleen de douane nog. Dit mocht niet fout gaan. Hij mocht niet gesnapt worden. Mocht dit niet verneuken.

Op de muren: grote beelden van Stockholmers. Benny Andersson, Björn Borg, de koning. En een eigenaar van een kebabzaak. Die laatste: een totaal onbekende figuur. WELKOM IN MIJN STAD, stond er. Jorge dacht: die kebabnikker is toch niet Zweeds, hoe kan hij hier nou iemand verwelkomen?

Daarna: fout gedacht – die kebabgast is net zo Zweeds als ik. En ik heb niks anders – dit is mijn stad, mijn thuis. Hier hoor ik thuis.

Zijn gedachten werden onderbroken. Iemand legde een hand op zijn schouder.

'Hé, hallo. Zaten we in hetzelfde vliegtuig?'

Jorge draaide zich om. Hij herkende de meerkleurige ogen meteen.

Die meid met de dreadlocks van wie hij het mobieltje had geleend in de bar in Pattaya. Ze glimlachte.

Jorge antwoordde: 'Ja, waarschijnlijk wel, maar ik moest tussen de koffers liggen.'

Ze lachte. Ze had een mooie mond. 'Maar dan zou je er toch op de bagageband uit moeten komen?'

'Is zo, maar ik ben eruit gekropen en heb me in jouw dreads verstopt. Niks van gemerkt?'

Ze lachten samen.

De chick vroeg waar hij de laatste weken was geweest. Jorge zei zoals het was, dat hij naar Phuket was gegaan. Zij was de halve aardbol rond geweest, leek het wel. Had getrokken in de jungle van Maleisië, was bij orang-oetans in Indonesië langs geweest, had elektronica geshopt in Singapore, wiet gerookt in Vietnam.

Ze had een ring in haar neus, droeg een versleten wit T-shirt en een vage gebatikte broek. Jorges wensgedachte: als de douane haar niet tegenhoudt om naar hasj te zoeken, kunnen ze onmogelijk iemand van deze flight tegenhouden.

Ze kletsten verder. De koffers rolden de bagageband op. Jorges koffer kwam als eerste. Hij pakte hem eraf. Zette hem op de grond. Liep naar de meid, stond op het punt gedag te zeggen. Daarna bleef hij staan. Dacht: ik wacht op haar.

Ze merkte dat hij wachtte. Wierp blikken. Grinnikte. Vroeg of hij nog meer koffers had.

Haar tas kwam een paar minuten later.

Ze liepen samen naar de douanefilter.

De chick vroeg waar hij heen ging in Stockholm. Wat hij deed. Wanneer hij weer op reis zou gaan. Hij voelde de onrust bonken in zijn lichaam. Hij had pijn in zijn buik. De kotsneigingen speelden op. Hij staarde voor zich uit. Zag de douanekerels vijftig meter voor ze staan kletsen. Probeerde de vragen van de meid te beantwoorden.

Hij zag een hond, een herder.

Hij zag hem snuffelen aan koffers die door de douane gingen.

Hij voelde zijn eigen hartslag sneller gaan dan het babyhartje van Jorge junior.
Hij wist dat hij geen drugs bij zich had. Maar de hond betekende dat de douane alert was. Dat ze bezig waren mensen binnen te roepen voor controle. En een controle betekende zorgvuldiger bestudering van het paspoort. Hij dacht niet dat hij gezocht werd, dat had dan moeten blijken uit de documenten die hij via Hägerström van JW had gekregen.
Maar ze hadden Babak nu opgepakt, de situatie kon veranderd zijn.
Ze kwam dichterbij.
Door het zweet in zijn handen liet hij zijn koffer bijna glippen.
De meid kletste verder.
Ze liepen naar de ingang van de douane.
Nothing to declare.
De douanebeambte keek hem aan. De vent zag dwars door hem heen.
Maar geen reactie.
Jorge passeerde. De hond snuffelde niet eens aan zijn koffer.
Ze kwamen er aan de andere kant uit.
Een paar Thaise gezinnen en dikke taxichauffeurs met borden met achternamen erop.
Hij was weer op Zweedse grond.
God bestond.

Een dag later. Hij zat bij Paola thuis. Herfstkleuren in de bomen buiten.
Jorge junior was door het dolle heen van geluk dat hij er was. Rende heen en weer en wilde tekeningen die hij had gemaakt laten zien.
Hijo predilecto. Het beste ter wereld.
In de keuken. Jorge en Paola. Mama wist nog niet dat hij terug was.
Jorge had om twaalf uur 's nachts aangebeld. Paola wilde hem eerst niet binnenlaten. In de kier van de deur: dertig minuten fluisterdiscussie. Uiteindelijk mocht hij op de bank in de woonkamer slapen. Ze was nog steeds kwaad op hem.
Maar nu: ze had het jochie net opgehaald van de dagopvang. Ze boog zich voorover over de keukentafel. Jorge keek naar haar. Haar ogen zaten niet meer vol giechels. Haar lachkuiltjes waren verdwenen. In plaats daarvan: twee plooien die haar mondhoeken naar beneden trokken. Ze zag er twee keer zo oud uit als de vorige keer. Ze zag er tien keer verdrietiger uit.
'Ik heb nog steeds geen normale baan en mijn werkloosheidsuitkering loopt bijna af. Weet je wat dat betekent? Dat ik op het bestaansminimum leef en bij de sociale dienst moet aankloppen.'
'Ik begrijp dat je het zwaar hebt. Ik beloof je, ik zal alles voor jullie doen.'
Paola brieste. 'Hou op met die lulkoek. Als je daar weer mee begint, kun je hier meteen vertrekken.'
Hij zei niks.
Zij zei niks.

Hij keek om zich heen. Op het aanrecht: een Sodastream, een waterkoker, een broodrooster. Op de koelkast: het telefoonnummer van de pizzeria om de hoek, crèchefoto's van Jorgito en tekeningen. Een stapel kleren op een stoel. Een piepend geluid van de koelkast – die moest waarschijnlijk vervangen worden.

Ze leefde negen-tot-vijf. Ze nam geen risico's, had al die jaren haar belasting en premies betaald. Maar wie hielp haar nu? De sociale dienst, met vierduizend kronen in de maand? Dat was een lachertje. In dit soort situaties telde alleen je familie.

Het zieke: op dit moment was Jorge toch jaloers op haar leven.

Hij zag beelden. Hij en Paola in de keuken thuis in Sollentuna toen ze klein waren. Ze stonden bij het broodrooster te wachten. Ieder een boterham erin. Als ze omhoogsprongen stortten ze zich erop. Gristen de boterhammen eruit, grepen het botermes dat in de botervloot stond. Je moest ervoor zorgen er als eerste bij te zijn. Je geroosterde boterham als eerste te smeren. Dat was hun eigen kleine ochtendwedstrijdje. Ze wilden allebei zo gesmolten mogelijke boter op hun boterham hebben.

Jorge stak zijn handen uit over de tafel. Raakte Paola's ellebogen aan.

'*Hermana*, jullie zijn alles voor me. Ik heb de afgelopen tijd zoveel fout gedaan. Maar nu ben ik terug. Ik zal alles in orde maken.'

Paola keek alleen maar naar hem. Jorge begreep haar blik niet. Was ze weer kwaad? Ging ze bijna huilen? Besefte ze hoeveel liefde hij voelde?

Hij dacht aan zijn eigen alternatieven. Of hij probeerde een soort alibi voor de Iraniër te regelen. Maar hij had nu geen idee wat Babak in een politieverhoor zou kunnen zeggen dat hij op de WTO-dag had gedaan. Of hij probeerde Babak te bevrijden. Maar met wie? Hij kon dit niet alleen. En op dit moment waren al zijn homies óf in het buitenland, óf eerzaam geworden. Op JW na. Jorge moest met hem praten. En snel.

Het andere alternatief: hij had schijt aan de Iraniër, groef het geld van hemzelf en Mahmud op in het bos en ging terug naar Thailand. Kocht dat café met hulp van Hägerström.

Kut, zeg.

Hij had er spijt van dat hij het caféleven in Zweden had verlaten. Wie had hij gedacht dat hij was? Al die klojo's lulden altijd maar. Hoe makkelijk het was cash te fiksen. Hoe simpel het was rijk te worden. Maar het criminele leven was net zo moeilijk als een gewone baan. Of moeilijker. Veel meer hoofdpijnveroorzaking, maagzweerontwikkeling.

Er waren geen makkelijke wegen. Geen brede wegen. Geen levens *de luxe*.

Allemaal leugens.

Alles zoog pik.

Alles naaide hem keer op keer.

Hij keek naar buiten: de wind waaide in de bomen.

Het STORMDE in zijn hoofd.

44

Het weer was zoals altijd mooi. Door het vensterluik viel een zwak, gestreept licht op de witte muur. Geen schilderijen, geen boekenkasten, geen gordijnen. Inrichting had hier niet direct prioriteit.

Hägerström had veel gedachten in zijn hoofd. Tegelijkertijd overschaduwde één gedachte alles. Een gedachte die hem een soort rust gaf.

De afgelopen dagen was zijn leven op zijn kop gezet.

Hij dacht aan Pravat. Hägerström stuurde hem meerdere ansichtkaarten per week. Een volwassene zou het hysterisch hebben gevonden, maar hij wist dat Pravat de plaatjes en berichtjes leuk vond, vooral omdat ze uit Thailand kwamen. Pravat was begonnen met vragen over wat adoptie voor iets was en hoe de zijne was verlopen. Af en toe skypten ze. Hägerström vanuit een internetcafé, Pravat vanaf zijn schoolcomputer. Hägerström legde uit dat mama en hij hier allebei hadden gewerkt en daarom Pravat hadden gekozen. Hij zei: 'We wilden alleen jou hebben, we kozen je uit liefde.'

Het was niet duidelijk of Pravat het begreep.

Hij dacht aan de sms van zijn broer. Carl vroeg zich af wanneer Hägerström weer thuis zou komen – binnenkort was het immers tijd voor de elandenjacht. Hägerström wist het zelf niet eens. Maar als hij op tijd terug was, kon hij misschien iets voor JW en de jacht regelen.

Hij dacht aan alle sms'jes van Torsfjäll. Korte stukjes informatie over Jorge en Javier. Hägerström lette goed op alle berichten te verwijderen nadat hij ze gelezen had.

Hij dacht na over alle onderhandelingen die Jorge en hij hadden gevoerd voor Jorge naar Zweden was gegaan. Ze waren nu klaar. Jorge had een bod gedaan op een café en drie dagen later ging de verkoper akkoord. Ze onderhandelden over de voorwaarden, maar vooral over de manier waarop de betaling zou plaatsvinden. De deal nu: opgesplitste betaling. Precies zoals Jorge had gewild – hij kreeg de kans om de zaak draaiende te krijgen, wat inkomsten te krijgen.

Hij vroeg zich af waarom Jorge nog niet terug was uit Zweden, hij had beloofd asap naar Phuket te komen. De verkoper had zijn dollars gisteren eigenlijk moeten krijgen. Misschien was het lastig om tickets te krijgen.

Jorges plotselinge reis naar huis was natuurlijk interessant. Het eerste werkelijk interessante sinds Hägerström hier was. Want om eerlijk te zijn had zijn bezoek hier geen klap opgeleverd voor Operatie Ariel Ultra. Jorge had het nooit over JW. Hij leek Mischa Bladman, de Joegoslaven, Nippe en Hansén niet te kennen. Torsfjäll zei dat Jorge en Javier waarschijnlijk betrokken waren bij de overval op Tomteboda eerder dit jaar. Dat was heel goed mogelijk, maar Jorge repte er met geen woord over. Hij klaagde voortdurend over geldgebrek. In een ziekenhuis in de buurt lag een vriend van ze, Mahmud, bij wie Jorge geregeld op bezoek ging. De algehele indruk was die van een mislukking.

Misschien was het tijd op te houden met dit onderzoek en terug te gaan – hier viel op het moment niks te halen.

Tegelijkertijd viel er iets fantastisch te halen.

Hij dacht terug aan de nacht waarop Javier hem had meegenomen naar zijn kamer.

De Thaise meisjes stapten de woonkamer van de suite binnen. Javier sloeg zijn drankje achterover. Riep tegen Hägerström: 'Haha. Dit is wat je wilde, hè?'

Hij was verstijfd als een ijspegel aan een Stockholmse dakgoot. Hij dacht: wat moet ik nu in godsnaam?

Het ene meisje ging naar Hägerström toe. Ze had een pony en zag er jong uit. '*You are very pretty, did you know that?*' Ze sprak goed Engels.

Hägerström antwoordde in het Thai. 'Vanavond heb ik geen interesse.'

Het meisje giechelde, zei tegen haar vriendin dat hij hun taal sprak.

Javier zat op de bank met zijn meisje te vozen. Hägerström zag dat hij een zakje wit poeder tevoorschijn had gehaald.

Hij probeerde te glimlachen. Het meisje sloeg een arm om zijn schouder en antwoordde in het Thai: 'Kom, dan gaan we naar de slaapkamer.'

Hij zag Javier het witte poeder op een dvd'tje leggen.

Hägerström wilde niet met hem in dezelfde kamer zijn. Hij nam het meisje mee naar Javiers slaapkamer. Ze ging op bed zitten. Hij bleef bij het bed staan.

Voor hij haar kon vragen of ze met hem mee wilde gaan, ging de deur open. Javier en zijn meisje struikelden naar binnen. Hägerström zag cokeringen om zijn neus.

Ze wierpen zich op het bed. Javier pakte Hägerströms arm in de val. Trok hem mee.

De meisjes giechelden. Javier rolde om en werkte Hägerström tegen het bed voor deze weer had kunnen opstaan.

'Kom op, agentje, schaam je nergens voor.'

Hägerströms hoofd zocht alternatieven. Uitvluchten. Hij kon gewoon opstaan en weggaan, zonder uit te leggen waarom. Morgen kon hij zeggen dat hij misselijk was geworden of zoiets. Hij kon proberen zijn meisje weer mee te krijgen naar de woonkamer, weg uit het blikveld van Javier. Of hij kon een tijdje meespelen en proberen ervandoor te gaan als Javier zijn ding deed.

Hij voelde zich warrig. Beschonken. De gedachten wilden zich niet uitkristalliseren. Alles draaide.

Een van de meiden begon zijn overhemd open te knopen. Javier lag op zijn rug op het brede bed, de andere meid was bezig zijn broek uit te trekken. Hägerström ging rechtop zitten. Zette zijn voeten op de vloer. De meid trok zijn overhemd omhoog. Hij zat met zijn rug naar Javier. Hoorde hem kreunen. Het hoertje begon zijn bovenlichaam te masseren.

Hij wilde een laatste blik op Javier werpen voor hij opstond om naar zijn hotelkamer te gaan. Hij draaide zijn bovenlichaam, keek om. Javier lag nog steeds op zijn rug. Het meisje zat op haar knieën boven hem, boog zich voorover, had het bovenste deel van zijn pik in haar mond. Haar lange zwarte haar omlijstte het beeld, haast als een foto. Hägerström zat er als versteend bij. Staarde alleen maar.

De meid naast hem begon zijn broek open te knopen.

Javier tilde zijn hoofd op. 'Wat is er met jou, man? Heb je soms hulp nodig?'

Voor Hägerström kon reageren – of waarschijnlijk voor hij wilde reageren – schoot Javier overeind en pakte zijn onderbroek beet. Hij stopte zijn hand erin. Haalde Hägerströms pik eruit.

Hij kreeg meteen een erectie.

Javier lachte. Het Thaise meisje op Javier keek op. Het meisje bij Hägerström boog zich snel voorover. Likte aan zijn eikel. Er ging een schokje door Hägerström heen. Javier bleef zijn geslacht vasthouden.

Het meisje likte weer.

Al die tijd hield Javier zijn pik stevig vast.

Het meisje tilde haar hoofd op.

Javier lag op zijn buik. Drukte zich met zijn vrije hand omhoog.

Over het algemeen herkende Hägerström mannen die van mannen hielden – hij dacht dat hij het in hun blik kon zien. Maar Javier had hij volkomen gemist – nu wist hij wat die twinkeling in zijn ogen was.

Javier sperde zijn mond wijd open.

Nam Hägerströms pik in zijn mond.

De volgende ochtend werd hij wakker in Javiers bed. De Thaise meisjes waren weg. De lakens waren verkreukeld. De airconditioning zoemde.

Hägerström draaide zich om. Hij hoorde de deur opengaan, of dicht. Hij zag condooms en glijmiddel op het nachtkastje liggen. Hij ging rechtop zitten. Hij was naakt. Zijn kont schrijnde een beetje.

Javier kwam de slaapkamer binnen. Een glas sap in zijn hand. Hij schaterlachte en zei: 'Zo, man, dat was echt een superparty gisteren.'

Hägerström voelde zich overrompeld. Hij had een fantastische nacht achter de rug met een enorme gangster. Een man die volgens Torsfjälls naspeuringen was veroordeeld voor talloze gewelds- en drugsdelicten, die waarschijnlijk betrokken was bij de waardetransportoverval van het jaar en bij wie hij bovendien moest infiltreren. Dit was iemand die hij constant moest bedriegen. Niet moest neuken.

Wat zou hij zeggen? Javier leek het allemaal niet zo vreemd te vinden. Hij was tegenover Jorge immers niet open over zijn geaardheid, een dubbelspeler, net als hijzelf. Anderzijds: Jorge was nu in Zweden. En hij wist natuurlijk niet dat Hägerström dubbel dubbelspel speelde.

Hij trok zijn onderbroek aan, die bij het voeteneinde van het bed lag. Eerst wilde hij niets zeggen. Gewoon weggaan en doen alsof er niks gebeurd was.

Maar Javier was hem te snel af. 'Ik ben bij Mahmud in het ziekenhuis geweest. Hij mag over een paar dagen weg.'

'Aha, mooi.' Hägerström had Mahmud nog niet gezien. Hij bukte zich om zijn broek te pakken.

Javier grijnsde. 'En nu vind ik dat je je onderbroek maar weer uit moet doen, en wat sap moet drinken. Dan gaan we daarna weer op bed liggen.'

Hägerström kon niet anders dan terugglimlachen.

Hij zei: 'Aardig van je, dat je sap hebt gehaald.'

Javier wierp zich op het bed. 'Ik ben aardig geboren. Nu maken we een snelle wip, hè?'

Hägerström ging naast hem liggen.

Javier zoende hem op zijn borst.

Hägerström stond op van zijn eigen bed. Zijn koffers waren gepakt. Hij deed de deur open.

Er was zoveel gebeurd in zo'n korte tijd. Hij had de dagen met Javier doorgebracht. Ze hadden sigaretten gerookt, eten besteld bij Hägerströms favoriete restaurant en heel veel gesekst. Ze hadden het overal en nergens over gehad. Waarom Hägerström de zak had gekregen bij de politie, hoe het kwam dat Javier smerissen haatte. Waarom Phuket een smerig gat was terwijl Bangkok chill was. Waarom alle restaurants hier plastic stoeltjes hadden en cashewnoten smaakten als Zweedse melkchocolade met nootjes.

's Avonds gingen ze uit eten. Ze zaten niet openlijk aan elkaar, maar raakten elkaar voortdurend aan. Knie tegen knie. Hand tegen heup. Schouder tegen schouder. Elke keer ontvlamde Hägerström.

En vandaag zou de vriend van Jorge en Javier, Mahmud, het ziekenhuis uit komen. Dat betekende het einde van Hägerströms en Javiers dingetje.

Maar Javier had een idee: 'We gaan een paar dagen naar Bangkok. Nu de Arabier weer beter is en voor zichzelf kan zorgen, hoeven we niet meer in dit gat te blijven. Dan kunnen jij en ik ergens anders meer lol hebben.'

'*All right*,' zei Hägerström.

Hij wilde graag naar Bangkok. Hij wilde graag meer tijd met Javier doorbrengen. Er was alleen één vraag: wat was hij in godsnaam aan het doen?

Hij liep de trap af. Javier zat al in de taxi die ze naar het vliegveld zou brengen. Een paar dagen in Bangkok, geen plannen voor daarna.

Er verstreken vijf dagen. Hägerström en Javier brachten elke minuut samen door. Ze namen een lekker hotel, Hägerström betaalde. Ze lagen op het bed over Hägerströms Jaguar en Javiers droomauto, de Porsche Panamera, te praten. Ze hadden het erover hoe het zou zijn om vader te zijn – Hägerström noemde Pravat niet, maar alles wat hij zei was natuurlijk gebaseerd op eigen ervaring.

Ze analyseerden het leven in de gevangenis – Javier vanuit zijn perspectief, Hägerström van de cipierskant. Ze vreeën. Ze maakten grapjes over hoe je wapens het beste verstopte. Javier had een keer gezwijnd bij een huiszoeking omdat hij zijn Glock geel had gespoten. De juten dachten dat het een speelgoedpistool was. Sukkels. Ze schaterden, ze vreeën weer.

Ze gingen uit eten in restaurants waar het eten smaakte als thuis. Hägerström gidste Javier langs de gaybars waar hij kwam in de tijd dat hij hier werkte. Ze slenterden door gigantische winkelcentra, bekeken de shoppinghysterie. Ze hadden het over de altaartjes in de 7-Elevens en de boeddhabeeldjes die oude westerse mannen om hun nek hadden hangen.

Jorge was nog steeds in Zweden. Hägerström belde de verkoper van het café in Phuket en wist een verlenging te bedingen. Javier belde Mahmud – de Arabier genoot ervan dat hij ontslagen was uit het ziekenhuis, maar vroeg zich wel af wanneer Jorge en Javier weer naar Phuket zouden komen. Javier betaalde de rekening van het ziekenhuis met het laatste geld dat Jorge had achtergelaten.

Hägerström en Javier kochten dezelfde zonnebril van Ray-Ban. Ze droegen hemden en slippers. Ze verschilden meer dan tien jaar. Ze liepen naar de tempel bij de rivier en bekeken de reusachtige liggende boeddha van goud. Ze gingen naar de drijvende markt. Ze relaxten in hun hotelkamer.

Ze liepen hand in hand over straat.

Voor Hägerström was het de eerste keer in zijn leven dat hij openlijk de hand van een andere man vasthield. Maar dat was niet het enige. Hij voelde zich lekker bij deze jongen. Het leven was eigenlijk geweldig. Het enige wat hem dwarszat was dat hij naar Pravat verlangde. Maar hij voelde zich met Javier overduidelijk heel anders dan hij zich in tijden had gevoeld. Het was alsof ze echt contact hadden, hoe verschillend ze ook waren. Alsof het elke keer dat ze een gesprek voerden klikte.

Een volstrekt onmogelijke combinatie. Een ex-smeris, ex-cipier met een supergangster. Een Östermalmman met een gettojongen. Twee machomannen in een homoseksuele relatie. Een undercoveragent met een van zijn objecten.

Hij had dit op dag één al moeten afkappen.

Maar hij kon het niet, wilde het niet. Zo gevaarlijk was het toch ook niet. Ze waren helemaal alleen in Bangkok, niemand zou ze betrappen. Het kon allemaal afgescheiden blijven van de rest van hun leven en van Hägerströms operatie. Misschien zou het gewoon uitlopen op vriendschap.

Hij dacht aan zijn broer. Carl kende al zijn vrienden van school of uit zijn studietijd in Lund. Geen van zijn vrienden had hij na zijn drieëntwintigste leren kennen. En daar was hij erg trots op. 'Er is iets raars met mensen die allemaal vrienden maken als volwassene,' zei hij altijd. 'Of ze hadden toen ze jong waren geen vrienden, of hun eigen vrienden wilden niet met ze om blijven gaan. Absoluut verdacht, vind ik.'

Hägerström dacht aan zijn vader. Hij dacht aan zijn moeder. Zij hadden al hun vrienden al sinds mensenheugenis. Al hun vrienden leidden precies hetzelfde leven als zij. Immense appartementen binnen een straal van vijfhonderd meter, immense huizen in de noordelijke villawijken of landhuizen in Södermanland. Aardige zomerhuizen in Torekov of de scherenkust. Nul scheidingen. Nul kennissen uit niet-Europese landen. Kinderen die met elkaar trouwden, in standaard heteroseksuele huwelijken. Geen politie zover het oog kon zien.

Op dag zes dwong Hägerström zichzelf te ontnuchteren. Hij had al meer dan twee weken niets aan Torsfjäll laten horen. De commissaris stuurde sms'jes, hij wiste ze zonder antwoord te geven.

Maar nu schreef hij: 'Ik ben met Javier in Bangkok. Mahmud uit het ziekenhuis. Jorge nog weg.'

Twintig seconden later een antwoord. Hij zat op de wc. Zijn telefoon op geluidloos. Voorzichtigheid nog steeds het allerbelangrijkste.

'Waarom heb je niets van je laten horen. Bel me.'

Een kwartier later stond hij op straat. Hij zei tegen Javier dat hij zijn moeder moest bellen, ongestoord.

Torsfjäll zei: 'Waar heb jij gezeten?'

Hägerström wist wat hij zou antwoorden. 'Toen Mahmud uit het ziekenhuis kwam hoefde Javier niet meer in Phuket te blijven en wilde hij naar Bangkok. Dus ben ik meegegaan.'

'Ik begrijp het. Hier in Zweden is van alles gebeurd. Ze hebben een zekere Babak Behrang uit Thailand overgebracht, hij is in hechtenis genomen op verdenking van betrokkenheid bij de overval op Tomteboda. En hij bevindt zich in dezelfde kring als Jorge, Mahmud en de anderen daar. Dus het is zoals ik al zei: ze hebben allemaal met die overval te maken.'

'Dat is niet onmogelijk, maar ze zijn erg gesloten. Omdat het profs zijn, misschien. Maar ze lijken niet veel te besteden te hebben. En ik heb niemand Babak horen noemen.'

'Ja, die overval schijnt niet veel opgeleverd te hebben. Bovendien moeten ze de buit met velen delen, er zitten daar in Thailand immers meer mensen met een link. En de werkhypothese van het rechercheteam is dat er ergens op de achtergrond ook een opdrachtgever is. Hun informatie wijst in de richting van een persoon die zich de Fin noemt. Ze weten niet wie het is, maar de rijksrecherche vermoedt dat hij achter een groot aantal overvallen op waardetransporten van de afgelopen jaren steekt. Heeft iemand hem genoemd?'

'Met geen woord. Over dat soort dingen hebben ze het niet met mij.'

'Dat komt misschien wel. Ze hebben die Babak hier in Zweden al drie keer verhoord.'

'En wat zegt hij?'

'Niet veel. Maar de rechercheurs denken dat ze hem kunnen laten doorslaan. En Jorge, wat weet je van hem?'

'Zoals ik in het sms'je schreef, hij is nog steeds weg. Voor zover ik weet zit hij in Zweden. Heeft niemand daar iets van hem gehoord?'

'Nee, en hij is er goed in om zich schuil te houden, die slimmerik. Een paar jaar geleden is hij meer dan een jaar op vrije voeten geweest na een ontsnapping uit een gevangenis.'

'Dus wat zal ik nu doen?'

Torsfjäll zweeg een paar seconden en dacht na. 'Ik kom bij je terug met instructies. Misschien kun je een tijdje in Thailand blijven, misschien wil ik dat je naar huis komt. Misschien wil ik dat je probeert iedereen die daar is naar Zweden te krijgen, zodat ze hier opgepakt kunnen worden.'

Ze hingen op. Hägerström bleef nog een paar minuten op straat staan. Taxi's zetten toeristen en Thaise zakenlieden af. Verderop zag hij grote trappen kronkelend omhooglopen naar de hogergelegen *railway*. Er kwam een gezin met kinderen langs. Hij bekeek ze.

De moeder duwde de dubbele kinderwagen. Ze glimlachte vluchtig naar Hägerström.

Hij ging naar Javier in het hotel.

Een paar dagen later kwam Hägerström de douche uit. Javier zat op het bed. Zijn bruinverbrande bovenlichaam begon wat bleker te worden.

Hij keek naar iets in zijn hand.

Hägerström was geheel naakt.

Javier hield Hägerströms mobiel omhoog.

'Wat is dit godverdomme voor iets?'

Hägerström pakte zijn telefoon aan. Hoe stom kon hij zijn om hem aan te laten staan?

Javier had er blijkbaar in zitten snuffelen terwijl Hägerström onder de douche stond.

Het was een sms'je. De afzender was een van Torsfjälls nummers.

Er stond: 'Haal er zo veel mogelijk naar Zweden.'

45

Natalie zat tegenover Lollo in Brasserie Godot aan de Grev Turegatan. Adam wachtte buiten. Ze trok het niet een lijfwacht naast zich te hebben als ze met Louise afsprak.

De brasserie: creatieve muurschilderingen, designlampen aan het plafond, nog meer gedesignde kandelaars op de tafels. De belichting tot in perfectie afgesteld: sterk genoeg om iedereen te zien. Zwak genoeg om flatterend te zijn. De achtergrondmuziek was gedempt: iets jazzigs, iets swingends, heel erg in. De prijzen van de drankjes vanaf honderdvijftig. De prijzen van de hoofdgerechten gemiddeld zo rond de vijfhonderd. Aan de prijs van een flesje Moët wilde Natalie niet eens denken.

Kortom: very poshe sfeer.

Het publiek: akelige arische A-klasse Zweden. Crème de la crème, mensen die er fris en gebruind uitzagen, hoewel het buiten guur najaarsweer was. Mensen die hun zomers doorbrachten in Tropez, Torekov of op Gotland. Natalie kende een aantal ervan persoonlijk en kende er nog meer van gezicht. Jetset Carl, bijvoorbeeld, en Hermine. Helemaal niemand die iets in de trant van Natalie heette of iets wat ook maar in de buurt kwam van namen als Daniella of Nadja. Niemand met ouders uit het voormalige Joegoslavië. Dat paste hier simpelweg niet.

Een gast twee tafels verderop zag dat ze opkeek. Hij flirtte bruut met haar.

Natalie wendde zich weer tot Lollo. Ze droeg een minirokje en een paar Louboutins met buisjes als hakken. Haar topje had een patroon van kersen. Natalie wist dat het peperduur was. Toch: het liet te veel zien. Zoals altijd had Louise haar op zich al onwerkelijke tieten zo ver omhooggeduwd dat ze praktisch tegen haar kin zaten.

Natalie keek naar haar voorgerecht: eendenleverterrine met granaatappel, portgelei, eendenrilette en een geroosterde brioche. Ze verlangde naar gewone koolsalade.

Alles om haar heen voelde vreemd. Belachelijk. Haast afstotelijk. Ze voelde zich hier net een toerist. Dit was haar wereld niet meer. Op een bepaalde manier leek ze thuisgekomen te zijn – als ze met de mannen in de bibliotheek zat voelde ze zich beter op haar gemak dan ze ooit bij Lollo, Tove en de anderen was geweest, hoewel ze het over veel vreemdere dingen hadden.

'Is het lekker?' vroeg Lollo.

Natalie at met lange tanden. 'Hmm. Helemaal oké.'

'Heb je gezien dat Jetset Carl hier is?'

Dezelfde oude fixatie op B-celebs en Stureplankakkers.

'Hmm.'

Lollo zei: 'Heb je Fredrika daar verderop gezien? Ze kan niet op haar schoenen lopen. Meiden die met knikkende knieën op hoge hakken lopen is echt het ergste wat er is, vind je ook niet?'

Natalie keek in de richting van het meisje dat Lollo bedoelde. Ze zag niets bijzonders aan haar manier van lopen. De gast twee tafels verderop probeerde haar aandacht weer te trekken. Natalie negeerde hem.

Ze dacht aan JW – vroeg zich af hoe hij het gedaan zou hebben. Die jongen daar was zo lomp en ongeraffineerd.

Na de laatste keer dat ze elkaar hadden gezien dook JW vaak op in haar gedachten. Oké, hij was belangrijk voor de zaken. Hij wist misschien iets over de politicus, maar er waren belangrijker contacten. Toch: JW bleef haar bezighouden. Ze wilde hem weer zien. Ze had het gevoel dat hij voortdurend in de coulissen stond. Hij leek meer te weten dan anderen. Leek meer touwtjes in handen te hebben, zelfs meer dan Stefanovic. Maar dat was niet het enige; ook wie hij was, was aanlokkelijk. Hij straalde een zelfbewustheid uit die haar aantrok, heel sterk. Bovendien was hij op veel manieren dubbel – net als zijzelf.

Lollo kletste door. Over nieuwe crèmes van Dior. Een nieuwe nachtclub in Parijs. Een nieuwe blog op internet. Natalie luisterde met een half oor.

Ze dwaalde weer af.

Goran had gisteren gebeld. Thomas en hij waren een paar dagen daarvoor bij de Black & White Inn geweest. Goran: normaal gesproken bondig, militair direct en eenvoudig. Maar hier had hij kleurrijk verslag van gedaan.

Hij was direct naar de vrouw achter de bar gelopen – iedereen wist dat zij de ingang tot de bijbusiness van deze kroeg was – en had in het Russisch gezegd: 'Na sluitingstijd wil ik met je praten. We wachten.'

Om één uur ging de kroeg dicht. De barkeepers zetten de stoelen op tafel, begonnen de vloeren te schrobben. De vrouw nam Thomas en Goran mee naar achteren. Door de keuken heen en aan de andere kant eruit. De gang had naar schoonmaakmiddel en knoflook geroken. Uit een kamer kwam een man. Hij fouilleerde ze snel. Daarna ging hij weer naar binnen. De vrouw deed een andere deur open. Goran, Thomas en zij gingen op vuile stoelen in een kantoortje zitten. Geen plichtplegingen. Meteen ter zake.

Ze vroeg wat ze wilden kopen.

Goran antwoordde in het Zweeds. 'We willen informatie hebben.'

De vrouw keek hem strak aan. 'Die verkoop ik niet.'

'Weet je wie we representeren?'

De vrouw bleef hem aankijken.

Hij zei: 'Wij willen geen problemen. Jij wilt geen problemen. Maar je weet wat er met Kum Rado is gebeurd. We moeten het onderzoeken. Dat begrijpen jouw mensen ook, neem ik aan.'

De vrouw zei niets.

Hij legde de situatie uit. Ze wisten uit betrouwbare bron dat Radovan was vermoord met wapens en explosieven die bij de Black & White Inn waren aangeschaft. Hij wilde weten wie die spullen had gekocht.

De vrouw had zijn ogen niet losgelaten. 'Daar heb ik geen idee van. Dat weten jullie. Wie denken jullie dat ik ben? Iemand die paspoortnummers en vingerafdrukken controleert van iedereen met wie we zakendoen?'

Goran week niet. 'Misschien niet, maar wij hebben onze manieren om zulke dingen te controleren. Ik wil dat jij je mensen laat weten dat we alle voorwerpen willen zien die hij heeft aangeraakt.'

'Hoe bedoel je? Jullie moeten morgen terugkomen.'

Goran zei: 'We bedoelen dat je alle voorwerpen die hij heeft aangeraakt nu tevoorschijn moet halen. En je belt je mensen nu meteen maar.'

Zo was het gegaan. De Black & White Inn had magisch genoeg ingestemd met Gorans eisen, voor tienduizend contant.

Hij was weer naar de auto gegaan. Haalde de man die op de achterbank zat te wachten op: Ulf Bergström. Scheikundige en voormalig medewerker bij het forensisch lab in Linköping, tegenwoordig mede-eigenaar van een laboratorium, Forensic Rapid Research BV. Een particulier alternatief voor het forensisch lab van de staat.

Ulf was de hele nacht in het kantoortje gebleven. Penseelde, tapete, schraapte. Volgens de vrouw: degene die het wapen had gekocht had ook een koffer, twee pistolen en vier granaten aangeraakt. Het was bijna een halfjaar geleden. De kans om iets te vinden was kleiner dan de kans om op zondagavond na tienen een parkeerplaats op Östermalm te vinden.

Toch was het een poging waard.

Ulf Bergström had toegezegd zo snel mogelijk bij ze terug te komen met de uitslagen van de onderzoeken.

Ze waren klaar met eten. Natalie stelde voor dat ze een sigaret zouden roken op het terras.

Ze gingen naar buiten. Staken ieder een Marlboro Menthol op. De lucht was fris. Uit opgehangen verwarmingselementen spoot infrawarmte.

Er kwam een kelner naar hen toe met een blad met twee glazen champagne. Hij zei: 'Die man daar trakteert.'

Natalie zag de flirtgast zwaaien.

Lollo zei: 'Weet jij wie dat is?'

'Neuh.'
'Ik ook niet. Maar hij lijkt me niet helemaal verkeerd.'
Natalie schudde haar hoofd alleen maar.
Lollo vroeg hoe het met Viktor was.
'We zien elkaar niet vaak en hij is nogal vervelend.'
'Ach jee. Hoe precies?'
'Weet niet. Het is al zo lang bezig. Hij irriteert me. Hij snapt niet dat ik soms verdrietig ben en aan papa denk. Of hij wil steeds van alles en nog wat doen, of hij werkt keihard. Ik heb er geen tijd voor. Weet je, ik vind hem een echte loser.'
'Maar misschien kunnen jullie ergens heen om samen wat qualitytime te hebben?'
Lollo deed slechte voorstellen. Natalie had op dit moment echt geen tijd om zomaar ergens heen te gaan.
'Nee, dat wil ik niet. Dat gaat nu niet. Bovendien zou ik me alleen maar meer aan hem ergeren. We hebben gisteren ruzie gehad.'
'Ach, meid toch. Waarover dan?'
'Hij is jaloers. Begon erover te zeuren dat ik iemand anders had en zo. Maar dat is gelul. Ik heb soms een assistent, dat is alles. Maar dat snapt Viktor niet. Hij denkt dat ik niet opneem als hij belt. Zegt dat ik niet kan uitleggen waar ik ben geweest. Maar dat is ook gelul. Ik wil hem gewoon niet alles vertellen.'
'Maar kun je hem niet begrijpen, een klein beetje maar?'
'Nee, niet na dit met papa en alles. En verder heeft hij het lef me te vragen of ik hem geld kan lenen. Snap je?'
'Wat onbeschoft.'
Lollo hield haar mond. Haar blik doolde rond. Ze zei: 'Die vent daarginds zwaait weer naar ons, hij wil dat we aan zijn tafeltje komen zitten. Zullen we dat niet doen?'
Ze wees naar de flirter. Die gast: donker jasje, opengeknoopt gestreept overhemd, roze stropdas waarvan hij de knoop in de hals wat losser had gedaan.
Natalie was totaal niet geïnteresseerd.
'Nee, ik denk dat ik maar naar huis ga,' zei ze tegen Lollo.
Louise zag er beteuterd uit. 'Kom op joh, meid. Ik vind dat je een beetje plezier moet maken.'
Natalie zette haar glas op tafel.
'Meen je dat?'

Adam bleef op gepaste afstand, een meter of vier. Ze liepen naar zijn auto, die aan de korte zijde van park Humlegården geparkeerd stond. Het was een donkere avond. Het waaide. Luchttemperatuur een graad of vijf. Een van Natalies lenzen jeukte.
Ze had er geen spijt van dat ze Lollo had afgesnauwd. Sinds papa was vermoord voelde ze zich niet meer betrokken bij die meiden. Ze mochten gerust

bezig blijven met hun kleine leventjes tot ze over een paar jaar rijper waren.

De gedachten fladderden door haar hoofd als de bladeren in Humlegården. Misschien was ze dronken. Misschien was ze gewoon uitgeput na de afgelopen tijd. Misschien moest ze achter een computer gaan zitten om te proberen overzicht te krijgen over alles wat er gebeurd was.

Er was een oorlog gaande. Stefanovic' reactie kwam vlak nadat ze elkaar in de Toren hadden gezien. De advocaat die de erfenis van papa afwikkelde, had een nachtelijk telefoontje gehad van een onbekende man met een Oost-Europees accent. Deze man beloofde de buik van de advocaat en zijn vrouw open te snijden als hij Stefanovic' stromannen de tekenbevoegdheid voor een aantal bedrijven niet teruggaf. De dag erop: Marko en twee andere jongens waren papa's sportschool Fitness Club met honkbalknuppels binnen gestapt en waren losgegaan op de inrichting. Toen de receptionisten ze probeerden te stoppen, werden ze neergeslagen en mishandeld. Die twee lagen nog in het ziekenhuis, één met levensbedreigende schedelfracturen. Twee dagen na de mishandeling: een speeddealer vond de kop van zijn hond in de kofferbak van zijn auto met een briefje ernaast: *Laatste waarschuwing. Verkoop niet aan Kranjic.* Dezelfde week: een aantal cafés in de stad kregen brieven toegestuurd die naar benzine roken. De boodschap duidelijk: *Geen zaken meer met Kranjic.*

Natalie dacht: jezus, Stefanovic, je bent Don Vito fucking Corleone niet. Je bent een ongelofelijke loser.

Goran zei tegen Natalie dat ze terug moesten slaan. Natuurlijk zouden ze terugslaan.

'Maar hoe?'

Hij zei: 'We doen wat we altijd doen.'

Ze liet Goran het bevel voeren over de details van de oorlog. Ze probeerden de Toren in de fik te steken. Helaas kwam het gebouw er met beperkte schade van af. Ze kaapten een vrachtwagen met een lading sigaretten die Stefanovic' mensen hadden besteld. Ze slachtten Stefanovic' mooiste renpaard, Timba Efes. Stopten de paardenkop in een enorme koelbox, die ze door een koerier bij hem thuis lieten bezorgen. Ze pakten een uitsmijter die banden met Stefanovic had bij een magazijn in Huddinge en braken zijn knieschijf met een hamer. Dat was een eerste wraak voor de mishandeling op de Fitness Club.

Natalie zelf werkte als een bezetene. Ze praatte en mailde elke dag met de banken. Ze discussieerde met Goran en Thomas. Ze gaf orders aan Bogdan en anderen. Plande tochtjes naar de stad met een van haar lijfwachten. Ze nam contact op met mensen in de bajes die binnenkort vrij zouden komen, doneerde geld aan hun vrouwen. Ze doneerde geld aan de Servische Vereniging in Stockholm. Ze doneerde geld aan sportclub Näsbypark IF. Binnenkort had ze geen öre meer over – Bogdan moest zeer binnenkort naar Zwitserland. Alleen moest ze eerst alles met JW op orde krijgen.

Ze deed nog iets: ze nam contact op met Melissa Cherkasova.

Ze belde aan bij de deur van haar flat aan de Råsundavägen. Adam en Sascha op de achtergrond. Het was drie uur 's middags.

Ze wist dat Melissa thuis was, Sascha had de flat tien uur lang vanuit de auto in de gaten gehouden. De meid was naar binnen gegaan, niet naar buiten gekomen.

Het werd donker achter het spionnetje. Ze hoorde een stem. Een sterk accent, toch correct Zweeds.

'Wat willen jullie?'

'Ik wil alleen praten. Ik heet Natalie Kranjic.'

De stem aan de andere kant klonk zwak. 'Ik weet het. Je hebt al met me gepraat toen je met Martina praatte.'

'Maar nu wil ik rechtstreeks met jou praten. Ik beloof je dat je niks zal gebeuren.'

De deurketting aan de andere kant ratelde.

Melissa stond blootsvoets in een strakke spijkerbroek en een wijd T-shirt. Onopgemaakt, onaangekleed, ongerust.

Dezelfde blik als toen Natalie haar achtervolgde.

Sascha deed de deur achter hen dicht.

Melissa nam ze niet mee haar woning in. Natalie probeerde te gluren. Een kleine tweekamerwoning. Ze zag een bank en een salontafel. Ze zag een laptop en dvd's op de salontafel.

Ze bleven in de hal staan.

Natalie zei: 'Ik weet alles van je. Ik weet wat je doet. Ik weet wat je met mijn vader hebt gedaan in de woning aan de Björngårdsgatan. Ik weet wat je met de politicus Bengt Svelander doet. Ik weet dat je alles filmt.'

Melissa keek naar de vloer.

Natalie ging verder: 'Het is geen probleem voor me dat je dat doet. Maar Martina heeft toch wel tegen je gezegd dat je niets van het materiaal aan Stefanovic mag geven? Luister nu naar me.'

Natalie ademde in en ging toen verder. 'Ik zal me niet bezighouden met jouw soort activiteiten. Ik heb tegen de mannen gezegd dat Stefanovic daarmee door kan gaan als hij wil, maar wij zullen geen escortservice meer doen. Jij mag ook doen wat je wilt, maar persoonlijk hou ik niet van die branche. Begrijp je?'

Melissa bleef naar de vloer staren.

'Maar het materiaal komt mij toe. Dat moet je aan mij geven en niet aan Stefanovic.'

Melissa bewoog zich niet.

Natalie zei: 'Dus, heb je iets aan Stefanovic gegeven?'

Melissa's stem was nu nog zachter dan daarvoor: 'Nee, nog niet. Maar hij wil het hebben.'

'Aan wie gaat hij het geven?'

'Ik heb geen idee.'

'Ik begrijp het. Maar dan kun je het materiaal nu aan mij geven.'

Melissa wees naar de computer. 'Ik moet de bestanden overzetten op een dvdtje of een USB-stick om het aan jullie te kunnen geven. Dat duurt een uur.'

Natalie was blij met wat ze hoorde. Maar ze wou hier geen uur staan wachten.

'Dan nemen we je computer wel mee. Ik breng hem gauw weer terug.'

Melissa zei: 'Maar jullie weten niet welke bestanden het zijn, het zijn er honderden en sommige zijn wazig.'

Natalie knikte. 'Oké, laten we het volgende afspreken: jij zet het materiaal over en belt me zodra het klaar is.'

Terug in de Stockholmse nacht. Adam en zij liepen langs park Humlegården.

Melissa had niet gebeld. Natalie begon ongeduldig te worden, maar op het moment had ze veel andere dingen te doen.

Tweehonderd meter verderop zag ze de Paddenstoel, het beeld op het Stureplan. De lichten schenen tot aan het park. Half bezopen meiden die luidruchtig op weg waren naar de Sturecompagniet. Partydesperate gasten die naar elkaar schreeuwden. Het geluid van taxi's die langssuisden.

Ze vroeg zich af wat ze met Viktor zou doen.

Toen: een taxi stopte vlak achter Natalie. De remmen piepten.

Het achterportier zwaaide open.

Een man sprong naar buiten.

Ze draaide zich om op het moment dat hij bij haar was. Hij greep haar arm vast.

Ze hoorde Adam iets roepen.

Ze ademde koude lucht in.

Haar enige gedachte: is het nu voorbij?

Wat gebeurde er eigenlijk?

*

AANGIFTE

Politie in de regio Stockholm

Aangifte opgenomen in: regio Stockholm
Zaaknummer: 2010 K30304-10
Eenheid: Arl
Datum aangifte: 2 oktober
Opgenomen door: agent David Carlsson
Ingevoerd door: agent David Carlsson
Wijze van aangifte: politieman in dienst

PLAATS DELICT Gebiedscode: 21A3049034900
Sturegatan, Humlegården, Stockholm

TIJD DELICT
Zaterdag 29 september 23.00-23.10 uur

DELICT/GEBEURTENIS
Zware mishandeling, bedreiging

RESUMÉ
KLAGENDE PARTIJ:
Axel Jolie

GETUIGE:
Saman Kurdo
Fredric Vik

VERDACHTEN:
Onbekend

SIGNALEMENT:
V1: Man van middelbare leeftijd, fors, circa 1,90 m, donkerblond haar met scheiding, zwarte lange jas, donkere spijkerbroek.
V2: Jonge vrouw, circa 1,80 m, lang, donker haar, donkere kleding.

TEKST
De regionale meldkamer ontving een telefoontje van Saman Kurdo. Wagen 2039 en 2048 arriveerden op de plaats in kwestie.

GEBEURTENIS
De man in de bosjes komt bij bewustzijn als agent David Carlsson en agent Emma Skogsgren arriveren. De persoon in kwestie is Axel Jolie.

Hij is beschonken. Hij heeft verwondingen in zijn gezicht en aan zijn hoofd. Hij vertelt dat hij werd overvallen toen hij met een taxi stopte om te praten met een vrouw die hij meende te kennen. De verdachte man (V1) sprong toen tevoorschijn en sleurde Jolie uit de taxi. Vervolgens sloeg V1 Jolie meerdere malen in het gezicht, waardoor hij zijn evenwicht verloor. Daarna haalde V1 iets tevoorschijn wat hij aanzag voor een schietwapen en dwong Jolie het park in te gaan. De vrouw (V2) bevond zich al die tijd naast hen en schreeuwde tegen Jolie. Ze liepen ongeveer tien meter het park in.

V1 duwde Jolie vervolgens een bosje in. Jolie verloor zijn evenwicht opnieuw. V1 trapte hem in zijn buik en meerdere malen tegen het hoofd. Daarna kwam V2 de bosjes in. Ze sloeg Jolie meerdere malen met vlakke hand in het gezicht en schreeuwde. Daarna werd Jolie gedwongen op zijn knieën te gaan zitten en zijn verontschuldigingen aan te bieden. V2 schopte Jolie hierna tegen zijn penis. Dit veroorzaakte vreselijke pijn en Jolie verloor zijn bewustzijn.

VERWONDINGEN
Axel Jolie heeft rode plekken op zijn voorhoofd, ogen en wangen en een bloedende wond bij zijn rechterwenkbrauw. Hij heeft bloedingen aan de binnenkant van zijn wang. Hij heeft een oppervlakkige wond aan zijn linkeroor. Ook heeft hij rode plekken op zijn rechterarm en linkerbovenbeen. Hij verkeert in een shocktoestand. Hij wil zijn penis niet laten zien.

GETUIGENVERKLARINGEN
Taxichauffeur Saman Kurdo deelt mee dat Axel Jolie is ingestapt in de Linnégatan. Hij vroeg hem langzaam te rijden en vervolgens af te slaan naar de Sturegatan ter hoogte van Humlegården. Hij leek iemand te zoeken. Toen ze de vrouw in kwestie bij het park zagen, vroeg hij Kurdo erheen te rijden en snel te stoppen. Jolie sprong daarna uit de auto en probeerde met de vrouw te praten en haar vast te pakken. Kurdo had niet de indruk dat de vrouw Jolie goed kende. Ze was onwillig. Na een paar seconden sprong er een man tevoorschijn en deze sloeg Jolie tegen het hoofd. Jolie belandde op straat. Daarna renden ze allemaal het park in. Kurdo hoorde geschreeuw uit het park. Hij belde de politie en probeerde hulp in te roepen van een man aan de overkant van de straat.

Fredric Vik werd geroepen door Saman Kurdo, die naast zijn taxi in de Sturegatan stond. Hij begreep eerst niet wat er aan de hand was. Hij stak over en vroeg het Kurdo. Kurdo zei toen dat er even het park in iemand werd mishandeld. Vik liep het park in, hij hoorde daar geluiden. Verderop zag hij twee mensen haastig weglopen. Hij zag niet hoe ze eruitzagen. Hij keek om zich heen. Toen zag hij Jolie in het struikgewas liggen, schijnbaar bewusteloos.

OVERIGE INFORMATIE

Jolie wordt overgebracht naar het Karolinskaziekenhuis voor verpleging en documentatie van het letsel.

Jolie wil niet meewerken aan het geven van een preciezer signalement van V1 en V2. Hij zegt dat dat gevaarlijk voor hem kan zijn. Het signalement is derhalve uitsluitend gebaseerd op de inlichtingen van getuige Saman Kurdo.

46

'Vet dope je te zien, brother!'

Peppe in werkkleding. Werkbroek met camouflagepatroon, een zwarte Harley Davidson-pet en een sweater met een tekst op de borst: SUPPORT YOUR LOCAL BANDIDOS. Hetzelfde silhouet als op Babaks vijfentwintigste verjaardag: als van een aap. Megabrede schouders en zulke lange armen dat hij zich zonder te bukken aan zijn eigen hielen zou kunnen krabben.

Ze bonkten op elkaars rug. Jorge kon niet anders dan Peppe diggen. Ze gingen aan het tafeltje zitten: de Mac bij Kungens Kurva.

Jorge at twee Quarter Pounders Cheese. Was blij van dat Thaise eten af te zijn.

Een belangrijke afspraak voor Jorge. Hij wilde gereedschap van Peppe lenen om de rest van de cash op te graven. Met een beetje mazzel: vanavond kon hij al zes ton in handen hebben. Hij had alleen een gulle Peppe en een paar uur op de verstopplaats nodig.

Peppe lulde zoals altijd. Hij werkte als timmerman. Jorge begreep ook wel: vooral een façade, maar daar was niks mis mee – iedereen had een façade nodig.

Peppe vertelde dat hij een kleine zou krijgen. 'Hoewel ik altijd op d'r tieten kom, echt ziek dus, hoe kan daar nou een baby van komen?'

Peppes humor. Jorge feliciteerde hem en grijnsde.

Peppe vroeg naar Babak, Tompa en de anderen. Jorge ontweek het onderwerp zo goed mogelijk. Blijkbaar wist Peppe niet dat Babak naar Zweden was gebracht. Hoewel de kranten het nu al dagen rondbazuinden: VIJFENTWINTIGJARIGE VERDACHTE VAN TOMTEBODA-OVERVAL OPGEPAKT IN THAILAND.

Peppe ouwehoerde verder over al zijn scherpe plannen. De luchtfacturen in de bouwwereld, de nieuwste controlemethodes van de belastingdienst, uitzendbureaus met hardwerkende swa's uit Zuid-Amerika die voor vier euro per uur sneeuw van daken haalden.

'Het is bijna winter, weet je. En elke vereniging van eigenaren in deze stad is doodsbang dat er sneeuw en ijs op iemand zullen vallen. Ze dokken wat je maar vraagt voor een beetje ruimen. We zetten bedrijven op voor de arbeiders, daarna huren we ze voor ons bedrijf, waar we alle spullen hebben. Het arbeidersbedrijfje betaalt de jongens elke euro zwart. Als de belastingdienst gaat piepen pakken ze ons bedrijf nooit.'

Jorge zei: 'Klinkt vet. Dan heb je zeker ook een heleboel spades en zo?'

Het was donker buiten toen Jorge de pick-up parkeerde. Hij had hem van Peppe geleend. Achterin lag profspul. Grote schoppen, een lange steenbeitel, kettingen, spanbanden, handschoenen en een overall.

Hij kon ook een paar dagen in de wagen slapen. Peppe had hem niet meteen nodig.

Misschien zou het toch wel goed komen.

Voorzichtigheid nu zijn hoogste mandamiento. Hij had deze dagen in Zweden rondgetrokken als een dakloze. Had bij Paola, mama, Mahmuds zus en zelfs bij Zwedo-Rolando gelogeerd. Hij checkte het kenteken van elke auto die zich mysterieus gedroeg – sms'te de Dienst Wegverkeer. Burgerservice: ze antwoordden binnen drie minuten met een sms'je. Registreerden de eigenaar van de auto. Je zag het meteen als het een bak van de politie was die in burger probeerde te schaduwen. Hij vermeed zijn eigen buurten, niet alleen 's nachts. Hij gaf niemand zijn telefoonnummer. Hij kocht een zonnebril en legde hiphopstijl in zijn stappen. Vond het ritme. Zwaaide zijn armen. Zijn rechterbeen zwaaide bij elke stap uit. *Nigga with attitude*. Het gevoel alsof hij zich zijn hele leven zo had bewogen. Hopelijk zou dat hem iets minder zichzelf maken.

Alles herinnerde hem aan de tijd nadat hij uit de gevangenis was ontsnapt, hoewel hij het stijltje toen helemaal had doorgevoerd en zich ook met bruin-zonder-zon had ingesmeerd. 'Houdini.' Babak kon zijn moeder gaan neuken. Nu zat híj vast.

Hij stapte uit. Het bos Sätraskogen. Sparren, dennen, loofbomen. Het grind knarste. Honderd meter verderop stond de watertoren als een vette *magic mushroom*. Hij haalde de ketting en spanbanden uit de wagen. Liep vier meter het bos in. Hij deed de mijnlamp aan. Probeerde de omgeving te herkennen.

Hij liet het schijnsel over de bladeren gaan. Het mos. Het gele gras.

De lucht was koud. Vijf graden misschien. Hij huiverde.

Sparrentakken hingen naar beneden en belemmerden het zicht. Hij liep heen en weer. Schopte dennenappels en graspollen opzij.

Hij zocht naar de juiste plaats. De plek waar ze de pegels hadden verstopt die ze de Fin en de andere kills nooit hadden laten zien.

Hij liep terug naar de weg. Keek naar het bos. Links, rechts. Rechts, links. De lichtkegel was een klein stipje in een donkere sparrenmassa.

Toen zag hij ze. Drie keien op een rijtje. Vijf centimeter tussen elke steen. Hij herinnerde zich hoe ze hadden gezwoegd om ze op hun plek te krijgen. Zeker honderdvijftig kilo per steen.

Hij liep erheen. Wist dat het geen zin had te proberen *The World's Strongest Man* te spelen. Hij bukte zich. Wikkelde de spanband twee slagen om de grootste in het midden. Bevestigde de ketting aan de spanband. Bracht de ketting naar de auto, vier meter verderop. Hing hem aan de trekhaak.

Startte de motor. Reed lááángzaam vooruit.

Het was te donker om iets in de achteruitkijkspiegel te zien.

Hij deed het portier open, boog naar buiten, scheen met zijn hoofdlamp. Volgde de ketting in het donker. De steen was verschoven. Dat was genoeg.

Hij sprong eruit. Haalde de steenbeitel en de schop. Trok handschoenen met nopjes aan.

De steen was een halve meter meegesleurd. In het gras en de aarde waar hij had gelegen zag je een ronde, platte afdruk. Hij hakte met de steenbeitel.

Hij dacht nergens aan. Groef en hakte alleen maar. Het enige wat nu van belang was: de floes uit de grond en terug naar Thailand. Hij zou schijt hebben aan de Iraniër. Schijt hebben als die idioot hem erbij lapte. Schijt hebben aan de rijksrecherche als ze hem harder zouden laten opsporen dan een zelfmoordterrorist. Hij had een paspoort dat werkte. Een homie daarginds die uit het ziekenhuis was gekomen.

Het voelde zo simpel.

Zeiknat van het zweet. Klotegevoel in zijn tengels. Hoe konden er in één zomer zoveel wortels zijn gegroeid? Alle kleinere stenen herinnerde hij zich ook niet. Waar kwamen die vandaan? Ontkiemden kleine stenen soms in kuilen vol aarde?

Hij keek. Een hoop aarde naast het gat.

Een meter diep.

Hij had pijn in zijn rug.

Hij groef verder.

Hakte met de metalen staaf om de aarde losser te maken. De wortels kapot te krijgen. De stenen los te peuteren.

Na ongeveer een uur: een plastic zak.

Er had achthonderd in de geldkoffers gezeten, maar hij had tweehonderd aan die Iraanse smeerlap gegeven. Wie bedankte hem daar nu voor? Wat een sukkel was hij geweest. Hij had meteen korte metten met Babak moeten maken.

Hij bukte zich.

Zijn pols: bpm in prestissimo. Het zweet liep in zijn ogen. Hij voelde zijn ouwe onrustige maag weer. Godverdomme, wat was hij die zat.

Hij moest de kuil in. Hij greep de bovenkant van de zak beet. Die moest voorzichtig uitgegraven worden.

In zijn andere hand nam hij een kleinere schep. Probeerde kleine, kleine beetjes weg te graven. Wilde de zak niet beschadigen.

Hij was tien minuten bezig.

Daarna: de zak lag helemaal vrij. Hij haalde hem eruit.

Kon zich niet beheersen.

Hij voelde het gewicht van zes ton in briefjes van vijfhonderd en honderd.

Hij begon de knoop los te maken.

47

Het was donker.

Hägerström dacht terug aan zijn blunder. Zijn mobiel uit zijn zak gehaald en vergeten hem dicht te schuiven. Normaal gesproken had je een viercijferige code nodig om in zijn telefoon te komen. Maar als hij open was, werd hij blijkbaar niet automatisch vergrendeld.

Javier zat ermee in zijn hand. Nieuwsgierig, snuffelig en onnodig geïnteresseerd in Hägerströms leven. Je zag natuurlijk niet van wie die sms kwam, maar zo was het al vreemd genoeg.

'Haal er zo veel mogelijk naar Zweden,' had Torsfjäll geschreven. Dat was een bevel. Hägerström begreep zijn redenering. Het was makkelijker om verdachten in Zweden op te pakken dan je door tonnen bureaucratie heen te moeten werken om een internationaal arrestatiebevel tot stand te brengen en daarna nog eens de dubbele hoeveelheid bureaucratie om de Thaise politie in actie te laten komen.

Hij lachte en pakte de telefoon van Javier af. 'Dat is mijn zus. Ze wil dat ik zo veel mogelijk van die Thaise smaragden mee naar huis neem. Je weet dat ze hier ziek goedkoop zijn, hè?'

Javier staarde hem aan, lang.

Daarna stond hij op. Ook hij was naakt. Pezig gebouwd met tatoeages met duidelijke bendethema's over zijn halve lichaam. ALBY FOREVER op een schouder. Een crucifix en een mini-uzi over zijn hart. En op zijn rug MAMÁ TRATÓ: mama heeft het geprobeerd. Daar was Javier nog het trotst op. Hij hield meer van zijn moeder dan van wat dan ook in Alby. Hij wilde haar geen verwijten maken over wat hij geworden was. Beroepscrimineel, betongangster. Biseksueel.

Javier trok zijn onderbroek aan. Hij zei nog steeds niets. Hägerström bleef staan en pielde met zijn mobieltje. Wiste het sms'je. Dubbelcheckte of hij niet vergeten was andere sms'jes weg te gooien.

Javier zei: 'Waarom heb je nooit iets over die smaragden gezegd?'

'Niet aan gedacht.'

'Maar we lopen toch aan één stuk door te praten? Je hebt toch over je zus verteld. Waarom zei je niks?'

Hägerström zei: 'Je kunt toch niet alles vertellen?'

Javier zweeg weer. Hij trok zijn T-shirt aan.

Ten slotte zei hij: 'Want ik heb een vriend, Tompa, die vet veel van dat soort dingen weet. Hij is veel in Bangkok geweest om te gamen. Wil je dat ik hem bel?'

Hägerström ademde inwendig uit.

Zo dicht was hij nog nooit bij een ontmaskering geweest. Hij moest zijn kop erbij houden.

Reclame voor de nieuwe Android-telefoons van HTC op het filmdoek. Hägerström zat lekker. Er waren maar twee anderen in de zaal.

Als puber was hij dol op reclamefilmpjes in de bios. Soms was het haast alsof hij en zijn vrienden vooral voor de reclame naar de bioscoop wilden. Maar dat was in het oude Zweden, voor de staat televisiereclame had toegestaan. Nu waren ze gewoon vervelend.

Een trailer voor een Zweedse film. *Snel geld 2*. De acteurs waren bij wijze van uitzondering geloofwaardig – normaal gesproken leken Zweedse thrillers niet bepaald verankerd in de werkelijkheid.

Hägerström was weer in Stockholm. En op dit moment zat hij in een bioscoop op Torsfjäll te wachten.

Hij had besloten terug te gaan. Die hele affaire met Javier was verknipt. Torsfjäll had hem bevolen zo veel mogelijk anderen mee naar Zweden te krijgen. Babak was opgepakt en naar Zweden gebracht. Jorge was al thuis, waarschijnlijk om geld voor het café te regelen. Van Mahmud wist Hägerström niks en het zou tijd kosten om zijn vertrouwen te winnen, aangezien ze elkaar nog nooit hadden ontmoet. Er waren ook anderen in Thailand, dat wist hij nu. Tom Lehtimäki en Jimmy, maar hij had ze nooit ontmoet. De enige die hij mee had kunnen krijgen was Javier.

Tien minuten later zeeg Torsfjäll neer op de stoel naast hem. Hägerström bewoog zijn hoofd niet, maar hij vermoedde dat de glimlach van de commissaris er hetzelfde uitzag als anders. Breed, krijtwit en half vals.

Hij boog zich naar hem toe en siste in Hägerströms oor. 'Moet dit nou echt? Hadden we niet zoals anders in een appartement kunnen afspreken?'

Hägerström fluisterde terug: 'Er zit ergens een lek. JW heeft allerlei materiaal bemachtigd, dat hij naar Jorge heeft gestuurd. Dat kan hij alleen gekregen hebben van iemand met veel bevoegdheden binnen de rijksrecherche. Uittreksel uit het Algemeen Opsporingsregister, maar ook een heleboel andere dingen.'

'Dat betekent nog niet dat een van mijn mensen dat heeft gedaan. Je kunt vertrouwen op de mensen die met mij werken.'

Hägerström schudde zacht zijn hoofd. 'Jij bent niet degene die de risico's neemt.'

Torsfjäll glimlachte weer. Hij accepteerde het.

'Heb je JW al ontmoet?'

'Nee, ik ben eergisteren thuisgekomen. Maar we hebben ge-sms't. Binnenkort zien we elkaar weer.'

'Hoe heb je Javier naar Zweden gekregen?'

'Dat was geen probleem. Hij was Thailand al behoorlijk zat en vond dat als Jorge terug kon gaan, hij dat ook mocht. Dus het was niet moeilijk om hem over te halen, vooral niet toen ik het vliegticket voorschoot.'

'Goed, heel goed. Ze hebben nog twee verdachten van de overval geïdentificeerd en opgepakt binnen de EU. Veel makkelijker om die hierheen te krijgen dan uit dat godvergeten spleetogenland. Ene Sergio Salinas Morena, neef van Jorge, uit Spanje. En ene Robert Progat uit Servië. Ze zullen binnen een paar dagen overgebracht worden naar Zweden. Weet Javier dat?'

'Ik geloof het niet. Hij heeft er in elk geval niks over gezegd.'

'Prima. Weet je waar hij nu is?'

Hägerström wachtte met antwoorden. Dacht terug aan de dagen met Javier in Bangkok. Hij miste hem nu al. Er waren nog geen achtenveertig uur verstreken sinds ze afscheid hadden genomen op vliegveld Arlanda.

Hij antwoordde naar waarheid: 'Ik weet niet waar hij is. Maar ik zie hem vanavond.'

Torsfjäll sloeg zijn ene been over het andere.

Ze keken een paar seconden naar de film. De Hollywoodacteur met de hoofdrol was aan het tennissen.

Torsfjäll fluisterde. 'Heb je enig idee waar Jorge uithangt?'

'Nee. Maar hij is zeker in Stockholm. Javier heeft gezegd dat Jorge hier waarschijnlijk ergens geld heeft verstopt.'

'Kun je ervoor zorgen dat Javier je naar Jorge leidt? Misschien vanavond als je hem ziet al? Ik wil Javier niet oppakken zonder Jorge, want dan bestaat het risico dat hij het land verlaat.'

'Ik kan een poging doen. Maar wat hebben ze voor bewijs tegen deze jongens in verband met Tomteboda? Zal ik moeten getuigen, of hebben we zo al genoeg?'

'Ik ben van mening dat je niet zult hoeven getuigen, ik wil immers doorgaan met Operatie Ariel Ultra tegen JW en deze Bladman. Maar ik sta niet aan het hoofd van het onderzoek naar de overval.'

Hägerström zag het scenario voor zich. Een prijs op zijn hoofd. Jorge, Javier, JW, als zijn rol uitkwam, zouden ze hem allemaal dood willen hebben. Misschien kwam die gedachte wat laat bij hem op, maar het idee was al die tijd geweest dat hij informatie zou opduikelen die op zichzelf al voldoende was. En zolang commissaris Torsfjäll de operatie leidde, zou dat geen probleem moeten zijn. Nu was de situatie anders. Het onderzoek naar Tomteboda viel buiten Torsfjälls toezicht. De reis naar Thailand zou de vergissing van zijn leven kunnen zijn.

Hij dacht aan Pravat.

Torsfjäll ging verder, alsof het er niets toe deed: 'De bugs bij Bladman beginnen goede resultaten op te leveren.'

'Wat?'

'Twee dingen. Ten eerste is gebleken dat ze een opslagplaats of kantoor hebben buiten het kantoor van MB Accountant Advies BV, precies zoals ik dacht. Ze noemen het adres niet in heldere bewoordingen, maar het staat buiten kijf dat het ergens is. Heb je de adressen waar je JW heen hebt gereden voor je naar Thailand ging genoteerd?'

Hägerström was nog in gedachten verzonken. In Zweden waren anonieme getuigen niet toegestaan, maar hij kon wellicht wel onder een andere naam getuigen, het hing ervan af hoe goed zijn valse identiteit was. Hij moest een paar seconden nadenken voor hij Torsfjälls vraag beantwoordde. Uiteraard kende hij elk adres waar hij JW heen had gebracht. Torsfjäll zou ze zo snel mogelijk natrekken.

De commissaris ging verzitten. Hij fluisterde: 'Ten tweede is er een oorlog uitgebroken binnen de Joegomaffia. Na de moord op Radovan heeft een van zijn mannen, Stefanovic Rudjman, een deel van de activiteiten overgenomen. Tegelijkertijd lijkt het alsof Radovans dochter, Natalie Kranjic, het imperium ook verder wil leiden. We hebben gehoord dat dit betekent dat JW en Bladman nu moeten beslissen voor wie ze gaan werken. Dat kan interessant worden. Zoals ik altijd zeg: uit chaos komen goede politieoperaties voort.'

Hägerström luisterde. Hij keek niet eens naar de film.

'We moeten de fuik snel sluiten en deze operatie afronden. Ze zijn bezig met grote overboekingen. De accountant van Financiële Delicten ziet een patroon en het gaat inderdaad zoals jij en ik eerder hebben besproken. Op het moment zijn ze grote bedragen aan het verplaatsen. Van landen die het bankgeheim onder druk van Europa en de Verenigde Staten zullen opgeven naar staten die nog steeds op de zwarte lijst staan. Landen waar ze verder kunnen gaan met hun werk. We moeten snel toeslaan, we hebben niet veel tijd meer.'

Torsfjäll vertelde verder. Ze bespraken de operatie. De officier van justitie was ingeschakeld en er was een onderzoeksgroep van vijf rechercheurs die zich uitsluitend bezighielden met de analyse van wie de diensten van JW en Bladman hadden gekocht. Nippe Creutz had een groot netwerk binnen zijn maatschappelijke laag. Bladman had een al even groot netwerk in de zijne. Hansén deed het werk ter plaatse. JW was het brein dat alles leidde.

Een paar minuten later stond Torsfjäll op.

Ze hadden afspraken gemaakt. Zodra Hägerström wist waar Javier en Jorge zich bevonden, zou hij het Torsfjäll laten weten. Als het even kon zou hij bij ze zijn. Alles om een soepele arrestatie te verzekeren.

Torsfjäll zei weer: 'We moeten achterhalen waar ze hun dubbele boekhouding bewaren.'

Hägerström ontmoette Javier die avond al in een kleine eenkamerwoning in Alby die hij van een vriend had geleend. *Scarface*-posters aan de muren en een verzameling replica's van pistolen en revolvers die elke willekeurige wapengeile tiener in extase zou hebben gebracht.

Ze hadden seks in het smalle bed.

In Bangkok waren ze meerdere malen per dag met elkaar naar bed geweest. De rest van de tijd hadden ze gepraat en met elkaar opgetrokken. Weliswaar had Hägerström veel dingen om veiligheidsredenen voor zich gehouden en had Javier waarschijnlijk ook niet alles verteld, maar toch, daarginds waren ze elkaar nabij geweest.

Hier voelde het gestrester. Hägerström had er niets op tegen Javier te nemen of zelf genomen te worden. Maar het contrast met Thailand was vreemd. Misschien was dat ook begrijpelijk. Ze waren nu thuis, openlijk samenzijn was nu niet aan de orde, noch voor Hägerström, noch voor Javier.

Ze lagen in het bed. Javier rookte een peuk. Hägerström voelde zich bedrukt.

Hij zei: 'Weet je waar Jorge is?'

Javier blies rookkringetjes. 'Geen idee. Hij moet zijn ding maar doen en dan teruggaan. Ik ben ook van plan gauw terug te gaan. Ben hier eigenlijk alleen maar voor een break. Wat ga jij doen?'

'Ik ben klaar in Thailand. Ik blijf hier.'

'Maar je kunt toch wel een weekje mee teruggaan?'

'We moeten maar zien. Het is niet gratis. Heb jij Jorges nummer trouwens?'

'Nee. Die gast heeft een veiligheidsobsessie. Ik vraag me af of hij wel een fonna heeft. Waarom wil je nu met hem praten?'

Hägerström was op die vraag voorbereid. Hij zei: 'Ik hoef hem niet te spreken, maar de Thai daarginds lopen te drammen over de caféverkoop. Ze hebben zich al een keer teruggetrokken, maar ik heb ze overgehaald. Nu willen ze er weer mee kappen. Kun je niet wat rondvragen?'

De volgende dag ging Hägerström naar Lidingö. Het eerste wat hij had gedaan nadat hij terug was uit Thailand was de advocaat bellen om hem te vragen te proberen een afspraak te maken om Pravat te zien. Anna was ongewoon inschikkelijk. Misschien was dat haar manier om Hägerström te belonen omdat hij zich meer dan vier weken koest had gehouden. De afgelopen jaren waren boze advocatenbrieven, onderzoeksbijeenkomsten en oproepen voor de rechtbank legio geweest. Om maar te zwijgen over alle chagrijnige sms'jes en mails tussen Hägerström en Anna, elke keer als ze op- en afhaaltijden moesten afspreken.

Hij haalde zijn zoon op bij school. Ze liepen naar Pravats lievelingspark. Het was maar twee graden boven nul. Ze speelden cowboytje en indiaantje. Hägerström zou willen dat ze in Thailand hadden kunnen spelen.

Pravat vertelde over school. Hij las. Hij tekende. Hij schreef letters.

Ze hadden het erover hoe lang slangen konden worden en of Spiderman kon vliegen of dat hij alleen ontzettend goed kon springen.

Na het park gingen ze naar Hägerströms huis. Ze bestelden pizza's en aten voor de televisie. Hägerström probeerde de jongen te leren niet met open mond te kauwen, in de binnenkant van zijn arm te hoesten en niet met zijn ellebogen op tafel te zitten. Hij voelde zich net zijn moeder.

De volgende dag kreeg hij een sms'je van Javier. 'Ik heb beet.'

Hägerström belde. 'Met mij.'

'*My friend*, je wilt niet weten met hoeveel mensen ik heb gepraat.'

'Geweldig.'

'Zijn ma, zijn zussie, die alleen maar pisnijdig op hem was. Ik heb Rolando gebeld, een vriend van vroeger die een ongelofelijke negen-tot-vijf'er geworden is. Ik heb zelfs een oude bajesvriend van J-boy te pakken gekregen, Peppe.'

'En?'

'Ik heb een nummer.'

'Je bent een engel, op meer dan één manier. Kun je hem bellen en zeggen dat ik zo snel mogelijk met hem wil afspreken? De Thai willen zich terugtrekken. We moeten praten.'

Hägerström overwoog het gesprek af te sluiten met 'kus'. Hij bedacht zich onmiddellijk. Niet omdat hij enige aanwijzing had dat Javiers telefoon werd afgeluisterd, maar als het wel zo was, zou het gedoe geven.

De volgende nacht. Taxicafé Koppen aan de Roslagsgatan. Elke dag van de week geopend, elk uur van de dag. Volgens de geruchten waren de erwtensoep en pannenkoeken op donderdag onovertroffen. De inrichting was naar verluidt onveranderd sinds 1962. De Jack Vegas-automaten zouden vermoeide chauffeurs met weinig ritten geluk schenken. Na twaalf uur 's nachts stond het personeel roken toe.

Het was halfeen. De kroeg was half leeg. Twee mannen met chauffeursjasjes zaten ieder op een kruk voor een eenarmige bandiet. Achter de bar stond een dikke man met een haarnetje en halfopen mond. Zijn gezichtsuitdrukking straalde niet direct intelligentie uit.

Misschien was de caféhouder wel een Zuid-Amerikaan. Misschien dat Jorge daarom hier wilde afspreken.

Hägerström bestelde een gewone smeriskoffie en ging aan een tafeltje zitten.

Buiten, om de hoek, in auto's rondom het gebied en in een flat aan de andere kant van de straat, wemelde het van de agenten. De ME was ter plaatse, klaar om twee van de meest gezochte mannen van het land op te pakken. Zodra hij wist waar ze zouden afspreken, had Hägerström Torsfjäll op de hoogte gesteld.

Wat er ook met Operatie Ariel Ultra zou gebeuren, ze zouden in elk geval iets bewerkstelligd hebben. De arrestatie van twee beroepscriminelen die de ergste overval van het jaar hadden gepleegd en een bewaker voor het leven gehandicapt hadden gemaakt. Dat zou duidelijk signalen afgeven aan het gespuis en aan alle kids in de buitenwijken die net zo wilden worden als zij. Misdaad loont niet. Uiteindelijk wint de politie altijd.

Tegelijkertijd had Hägerström een knoop in zijn buik. Zijn verwarring was niet minder geworden sinds hij thuis was. Die was nu zeven keer zo erg. Hij zou ervoor zorgen dat Javier werd opgepakt en naar alle waarschijnlijkheid veroordeeld zou worden tot een lange gevangenisstraf. Hägerström zou er zelf voor zorgen dat hij hem nooit meer zou mogen zien.

Het was ziek.

De deur ging open. Buiten regende het. Javier stapte het café binnen. Zijn haar was nat. Waterdruppels stroomden over zijn gezicht en dunne baardstoppels. Hij keek Hägerström aan en knipoogde.

Hägerström sloot zijn ogen een paar seconden – dit was gewoon te veel.

Toen hij opkeek stond Javier bij de bar te betalen voor een fles Coca-Cola Zero.

Hij draaide zich om. 'H, ben je hier eerder geweest? Je moet Andrés even begroeten. Een landgenoot.'

Hägerström had gelijk. De man achter de bar was Zuid-Amerikaan. Javier leek stoned – hij zou makkelijk te arresteren zijn.

Vijf minuten later kwam Jorge binnen. Hij droeg een zwart windjack, een donkere trainingsbroek en een rugzak op zijn rug. Hij drupte aan alle kanten.

Jorge liep meteen naar het tafeltje van Hägerström en Javier, zonder iets aan de bar te bestellen.

Hägerström hoefde niet door te geven dat Jorge er was. De ME had minstens vijf mannen met verborgen radio's op straathoeken neergezet, die inmiddels gecommuniceerd zouden hebben dat de arend was geland.

Jorge en Hägerström schudden elkaar de hand op de gewone manier. Jorge zwaaide met zijn arm en sloeg met zijn hand tegen die van Javier, op de betonmanier.

Javier grijnsde. 'Wazzup?'

Jorge ging zitten. 'Waarom ben jij verdomme teruggekomen?'

Het leek Javier niks te kunnen schelen. Hij was hartstikke stoned. 'Jij bent toch teruggegaan? Waarom zou ik dan niet terug mogen?'

'Je weet best waarom.'

'Maar Mahmud is ontslagen. Ik hoefde zijn babysit niet meer te zijn. Hij redt zichzelf prima daar. Weet je hoeveel zin hij had in iets anders dan verpleegsters?'

'Luister, je doet wat je wilt. Maar over een paar dagen ga ik weer terug. Ik ben niet meer verantwoordelijk voor je. Als er een arrestatiebevel tegen je is uitgevaardigd en je hier blijft, pakken ze je vroeg of laat op. Begrijp je?'

Hägerström was verbaasd. Zo duidelijk hadden ze hun problemen nooit in zijn bijzijn besproken.

Jorge keek Hägerström aan. 'Cipiertje, je wou me spreken over de deal?'

'De verkopers hebben weer gebeld en ze doen moeilijk. Heb je het geld nu?'

'Ja, dat heb ik geregeld.'

'Super, dan komt alles goed.'

Jorge zei: 'Er is alleen één probleempje, maar dat regelt JW voor me.'

Ze kletsten een paar seconden.

Er klonk geschreeuw vanuit de deuropening.

Hägerström wist ruwweg wat er nu zou gebeuren.

Vier in het zwart geklede ME'ers stormden naar binnen. Balaclava's en helmen op hun hoofd. Het zwaarste model kogelvrije vesten om hun bovenlichaam. MP5's met laservizier schietklaar in hun handen.

Ze schreeuwden: 'Jullie zijn gearresteerd. Ga liggen!'

48

Natalie kreeg bloed op haar broek. Donkere vlekjes op de knieën. Misschien zouden ze eruit gaan in de was. Het kon haar niet schelen, anders gooide ze hem wel weg. Wat gedaan moest worden, moest gedaan worden. Het zouden er zo nog wel meer worden.

Ze ging op een plastic stoel zitten. Sloot haar ogen. Zag de beelden van de afgelopen dag langsrollen.

Op zondag had Melissa nog steeds niet van zich laten horen. Natalie wachtte tot maandag. Ze belde die avond vanaf twee verschillende nummers. Cherkasova's telefoon stond uit, geen voicemail. Ze probeerde dinsdag weer te bellen. Ze vroeg Sascha haar te sms'en. Onveranderd – geen respons.

Toen besloot ze bij haar thuis langs te gaan.

Daarginds: flatgebouwen aan de ene, een grote school aan de andere kant. Solna: geen gettobuitenwijk zoals de zuidelijke territoria of verderop langs de blauwe metrolijn. Geen chique buitenwijk zoals waar Natalie woonde of de andere noordelijke voorsteden. Solna: ergens ertussenin. Vanille-ijs. Halfvolle melk. Zoals Kungsholmen in verhouding tot Östermalm en Söder.

Adam ontmoette haar en Sascha op straat.

Hij had wallen onder zijn ogen. Hij zei: 'Ik heb sinds gistermiddag vijf uur in de auto zitten wachten. Heb haar niet naar binnen of naar buiten zien gaan.'

'We zullen zien,' zei Natalie. Ze kreeg bange vermoedens. Had een soort van klont in haar buik.

Adam kende de code van de portiekdeur. Hij maakte hem open.

Er was geen lift. Ze liepen de trap op.

Natalie belde aan bij haar voordeur. Ze wachtten.

Stilte in de flat.

Ze belde weer aan.

Ze klopten.

Adam drukte zijn oor tegen deur.

'Het is doodstil binnen. Misschien slaapt ze.'

Ze klopten weer.

Er gebeurde niets.

Adam voelde aan de deur.
Die was open.
Dit voelde fout.
Adam als een echte commandosmeris: trok zijn pistool en hield het voor zich.
Dit voelde vet fout.
Ze gingen naar binnen.
Natalie stond in de hal, keek om zich heen. Ze keek de woonkamer in. Bankkussens en dvd's lagen op de grond. Er was een boekenkast omgevallen. De gordijnen waren losgetrokken. Pockets, ingelijste foto's, poppetjes, asbakken en pakjes sigaretten door de hele kamer. Zelfs een pizzadoos was in stukjes gescheurd.
Kut.
Sascha riep vanuit de keuken. 'Hier is iemand flink tekeergegaan. We moeten hier niks aanraken, lijkt me.'
Ze deed een paar stappen richting keuken.
Ze hoorde Adams stem. Die was trillerig.
'Natalie, kom hier.'
Hij was in de slaapkamer. Ze liep erheen. Het dingetje in haar buik groeide tot sinaasappelgrootte.
De gordijnen waren dichtgetrokken. Schemerig licht. Alle bureauladen opengetrokken. Topjes, rokken, sokken en slipjes verspreid over de vloer.
Het rook vreemd. Op het bed lag Melissa met een bloederig dekbed over zich heen. Ze had een lap in haar mond.
De dood had haar in zijn eigen tinten geschilderd – een allesbehalve vleiend beeld. Alle kleur was uit haar gezicht verdwenen. Alle glans was van haar huid verdwenen. Al het lieve was uit haar ogen verdwenen. De eerste keer dat Natalie haar had achtervolgd, had Melissa er bang uitgezien. Maar de angst die nu in haar blik te zien was, was iets anders. Hoe de dood er ook uitzag, voor Melissa Cherkasova had hij er niet goed uitgezien. Honderd procent zeker.
Adam boog zich voorover en trok het dekbed weg.
Melissa's lichaam was gehavend. De lakens en het matras waren bebloed.
Haar handen waren vastgesnoerd met tie wraps.
Ze had brandwonden op haar borsten en aan de binnenkant van haar dijen. Ze had bloedige wonden op haar armen en buik. Haar onderlichaam was bebloed. Ze had twee kogelgaten in haar borst.
Adam hield zijn hand voor zijn mond. Natalie voelde de sinaasappel in haar buik bewegen. Ze vloog naar de wc.

Een halfuur later was Thomas er. Hij parkeerde een bestelwagen vlak voor de buitendeur beneden. Natalie en de jongens wachtten in hun auto.
Ze gingen samen naar binnen.
De geur was nu duidelijker. Misschien doordat Natalie wist wat er daar binnen lag.

Thomas en Adam gingen de slaapkamer in. Natalie wachtte in de hal. Sascha in de auto buiten, zijn mobiel bij de hand voor als de smerissen om de een of andere reden zouden verschijnen.

Thomas kwam de kamer uit. 'Godverdomme, wat een beesten. Hebben jullie iets aangeraakt?'

Natalie zei: 'Ik heb deurkrukken aangeraakt, verder niks. En ik heb overgegeven in de wc.'

Adam zei: 'Ik heb het dekbed opzij getrokken, verder alleen deurkrukken.'

Thomas sloeg zijn armen over elkaar. 'Oké, we moeten onze sporen uitwissen. Ik stel voor dat we daarna voor het lichaam zorgen, voor alle zekerheid.'

Thomas deelde orders uit. Haalde spullen uit een sporttas.

'Gebruik deze vaatdoekjes. Neem handvatten, wasbakjes, de badkamervloer en alle andere oppervlakken waar jullie in de buurt zijn geweest af. Gebruik overdreven veel Cillit Bang. Stop al het beddengoed in een zwarte vuilniszak.'

Ze werkten twintig minuten. Thomas: Mr. Wolf uit *Pulp Fiction for real.*

De grote vraag: hoe zouden ze Cherkasova naar buiten krijgen?

Ze legden het lichaam op een stuk uitgespreid plastic op de vloer. Thomas zette het bed op zijn kop. Het was een eenvoudig model, met een gewoon schuimrubber matras. Hij haalde een decoupeer tevoorschijn, stopte hem in het stopcontact. Zaagde het bed aan de onderkant af. Tilde het lichaam in de bedbak. Het zag eruit als een kist. Ze bedekten het geheel met het matras en meer zwart plastic. Tapeten alles goed dicht met zilveren tape.

Thomas ging het trappenhuis in. Schroefde elke lamp los, tegen nieuwsgierige buren. Ze droegen het bed naar beneden. Melissa als een zwaar luxematras binnenin.

Adam reed weg met de bestelwagen met het lichaam erin.

Thomas zei: 'Ik denk niet dat ze het materiaal gekregen hebben. Ze lijkt veel doorstaan te hebben. Dat zouden ze niet allemaal hebben gedaan als ze de spullen hadden gekregen. En ik geloof niet dat er hier nog iets is. Ze hebben overal gezocht.'

Natalie keek op. Ze zat nog steeds. Voor haar stonden Goran, Bogdan en Sascha. De koelcel in de keuken van restaurant Bistro 66. Deze tent was van een oude kameraad van papa.

Op de schappen: pakken melk, pakken sap, bossen selderie en andere groenten, heel veel limoenen en citroenen. Flinke hoeveelheden drankaccessoires. Grote vrieskisten op de vloer.

Boven op de schappen: plasticfolie. Op de vloer: zeildoek. De hele ruimte was geplastificeerd.

Dat was verstandig, want op de vloer lag Marko.

Natalie stond op. Vier dagen geleden hadden ze Melissa Cherkasova toegetakeld en vermoord aangetroffen in haar flat. Thomas had het materiaal ten slotte gevonden. Een dvd, vastgeplakt achter een afvoerpijp in de algemene waskelder. Alles bij elkaar: zevenentwintig minifilmpjes. Drie mannen, drie hotelkamers. Zeg maar drie soorten perversies. Een van hen was de politicus, Svelander, eentje was onbekend, een was een hooggeplaatste commissaris bij de politie die Thomas wel kende. Svelander leek te kicken op anale seks. De onbekende Zweed wilde gepijpt worden. De laatstgenoemde wilde Melissa aankleden als schoolmeisje, haar vastketenen en daarna drie uur lange sm-sessies houden.

Natalie had Sascha naar Martina Kjellson gestuurd om haar op de hoogte te stellen. Ze zou de helft van wat er gebeurd was te horen krijgen: 'Melissa is verdwenen, wij zitten er niet achter. Probeer geen contact met haar op te nemen, bel niet naar de politie of iemand anders. Wij regelen dit zelf.'

Natalie zag zieke beelden. Melissa's opengesperde ogen. De lap die ze in haar mond hadden gestopt. Haar gehavende onderlichaam.

Marko had een bebloede spijkerbroek aan. Een kapot T-shirt. Een dikke gouden ring om zijn pink.

Natalie liep naar hem toe. Goran had hem net afgeranseld.

Hij kermde: 'Laat me gaan.'

Zij vroeg: 'Waarom?'

Hij spuugde een tand uit. 'Ik weet niets over wat er met je vader is gebeurd.'

'Nou, ik denk van wel.'

'Jezus, nee. Ik zweer het je. Ik heb geen idee. Hij had veel vijanden. Je zou kunnen zeggen dat het zijn eigen schuld was.'

Wat hij net had gezegd: Natalie voelde een storm in zich opkomen.

Ze trapte hem in zijn gezicht. Hij spuugde bloed.

Ze kreeg meer bloed op haar broek.

Ze zei: 'En Cherkasova?'

Marko spoog nog een tand uit. 'Alsjeblieft, ik ben niet degene die haar dood heeft gemaakt.'

'Dat interesseert me niet. Jij bent in elk geval degene die de Fitness Club kort en klein heeft geslagen en met de receptionisten hebt gedaan wat jullie hebben gedaan.'

Ze trapte hem weer.

Er viel nog een tand op de grond.

Goran schreeuwde: 'Je hebt de verkeerde kant gekozen, klootzak.'

Natalie pakte Gorans honkbalknuppel. Sloeg Marko op zijn benen, zijn buik. Ramde de punt met volle kracht in zijn gezicht.

Zijn neus ging aan flarden. Hij schreeuwde.

Er borrelde rode vloeistof uit zijn mond. Bloed. Tanden. Slijm. Lipsubstantie.

Natalie verhief haar stem. 'Bek houden, smeerlap. Wat is er met mijn vader gebeurd?'

De inwendige storm raasde tegen haar voorhoofdsbeen.

'Ik heb geen idee.' Marko's stem klonk wanhopig.

Ze stampte op zijn voorhoofd.

Hij huilde, snotterde, smeekte om genade.

Ze zag beelden van Melissa voorbijflashen. Ze sloeg met de honkbalknuppel tegen zijn pik.

Hij schreeuwde als een waanzinnige.

Ze sloeg hem weer op dezelfde plek.

Hij bleef schreeuwen. Huilen. Hoesten.

Ze haalde uit met beide handen, als met een golfclub.

Hij wist alleen nog maar een piepend geluid uit te brengen.

Hij verstomde.

Natalie wiste het zweet van haar voorhoofd. Kalmeerde. Keek naar Goran. 'Knip zijn pink met de ring eraf en stuur hem naar Stefanovic. Daarna: maak hem af.'

Ze liep de koelcel uit. Sascha in haar kielzog.

Ze douchte niet in de gewone douche bij haar kamer, maar nam die in de kelder. Mama sliep. Sascha was boven. Het was halfeen.

Ze maakte haar haar nat en masseerde de shampoo erin: Redken All Soft. Boog haar hoofd achterover en spoelde het uit. Daarna kneep ze in haar haar, wrong het uit als een vaatdoek. Ze pakte crèmespoeling: hetzelfde merk, Redken All Soft. Liet het een tijdje intrekken. Douchte haar lichaam en armen. Vijlde haar hielen met een eeltrasp waarvan ze vergeten was dat hij hier lag. Daarna hing ze de douchekop op. Ging op de vloer zitten. Liet het warme water over haar hele lichaam stromen. De glazen deur van de douchecabine besloeg. Ze gebruikte extra veel douchegel: Dermalogica Conditioning Body Wash. Waste zich terwijl het water stroomde. Het schuimde op de vloer. Ze realiseerde zich dat ze haar benen al dagen niet had geschoren. Ze schoof de douchedeur opzij. Stapte uit de cabine, het druppelde op de vloer. In het badkamerkastje zocht ze naar een scheermesje. Er lag een ongeopend pakje. Ze stapte weer onder de douche. Liet het water stromen. Schoor haar benen met langzame halen.

Het was lekker om te ontspannen.

Ze dacht niet aan de oorlog met Stefanovic. Ze dacht niet aan Melissa. Ze dacht niet eens aan papa. Ze genoot gewoon van de warmte en de ontspanning door het water.

Ze zag JW's gezicht voor zich.

Ze wist wat hij van haar acties tegen Stefanovic vond, al had hij het er niet meer over gehad.

JW zou met een plan van aanpak van zich laten horen. Toen ze elkaar de tweede keer in restaurant Teatergrillen hadden gezien, had hij beloofd haar te helpen. Gedeeltelijk door Bladman inzage te laten geven in alles wat verband hield met papa's middelen en ervoor te zorgen dat zij en haar advocaat volledige zeggenschap zouden krijgen, gedeeltelijk door haar kant te kiezen: ze accepteerde het niet dat ze zaken voor Stefanovic regelden die eigenlijk van haar waren.

Ze hadden elkaar twee keer telefonisch gesproken. Hij zocht allerhande uitvluchten, zei dat het tijd kostte. Dat het moeilijk was. Natalie wilde hem weer en weer en weer bellen. Niet alleen om hem te laten leveren. Ze wilde zijn stem ook horen. Zijn smoesjes horen. Goran verbood het haar, maar hij begreep natuurlijk niet hoe haar hart elke keer bonsde als ze een onbekend nummer op haar mobiel zag.

Later zat ze in de keuken, nog steeds in ochtendjas. At hüttenkäse met tomaat. Half stoned van de codeïne en valeriaan – ze kon toch niet slapen. Pleegde een paar telefoontjes. Thomas. Goran. Er gebeurde voortdurend van alles. Het nieuws wat ze met Marko hadden gedaan zou over maximaal twee dagen bekend zijn. Ze moesten Stefanovic' reactie afwachten. Hierdoor zou hij van gedachten moeten veranderen.

Ze legde de telefoon neer. Moest nu echt naar bed.

Voor ze was opgestaan ging haar telefoon weer. Afgeschermd nummer. Goran, Bogdan en Thomas deden dat niet. Adam evenmin.

Het was Viktor.

'Waar heb jij in godsnaam uitgehangen?'

Natalie zat niet te wachten op zijn gezeik.

'Thuis, en met de mannen. Niks raars.'

Viktor leek zo in huilen te kunnen uitbarsten. 'Ik heb al een week niks van je gehoord.'

'So?'

'Ik hoor rare dingen over je.'

'Als je rare dingen hoort, dan is het bullshit.'

'Ik hoorde dat je uit bent geweest met Lollo en dat er een gast, Axel Jolle of zoiets, keihard met je zat te flirten en dat jij alleen maar grinnikte. Hij trakteerde je op drankjes, probeerde je de hele avond mee naar huis te krijgen. En jij nam het allemaal maar aan.'

'En heb je ook gehoord wat we later die nacht hebben gedaan? Echt iets interessants.'

'Wat hebben jullie gedaan?'

Natalie nam een hap hüttenkäse. 'Heb je dat niet gehoord?'

'Nee, wat is er gebeurd? Ik zweer het je, als je met hem bent geweest is het uit tussen ons.'

'Oké, maar zorg dan dat je weet wat er is gebeurd voor je belt om te zeiken.'

Ze drukte hem weg. Nu moest hij toch ophouden. Dit was de laatste keer. Als hij nog een keer ging zitten jengelen, was het uit.

Voor ze de telefoon op tafel had gelegd ging hij weer. Deze keer ook een afgeschermd nummer. Was het Viktor die haar boodschap niet begrepen had?

Ze nam niet op.

Er piepte een sms'je: 'U hebt een bericht in uw voicemailbox.' Ze luisterde het af: 'U hebt één bericht. Ontvangen vandaag, om twee uur eenentwintig.'

Ze had het gevoel dat het iets vervelends zou zijn.

'Met Mischa Bladman. Ik spreek voor mezelf en voor JW. Hou op met waar jullie mee bezig zijn. Jullie conflict verscheurt de stad. En nu begint Moskou er genoeg van te krijgen. Ze belden me net om te vragen of ik door wil geven dat ze resultaat willen zien en geen gedoe willen, ongeacht wie het materiaal heeft. Natalie, bel me onmiddellijk.'

*

Toen de veranderingen kwamen, was er voor ons veel te doen. De Russische economie maakte een zware tijd door. Wie vooruit wilde moest zijn kans op het juiste moment grijpen, de juiste contacten hebben en de wil om levens aan zijn voeten te leggen. En dat was het geluk voor mijn branche.

Veel mensen waren afkomstig uit de KGB, GRU, *Stasi, Securitate, en ze waren bereid problemen voor mensen op te lossen. Zelf kwam ik, via een omweg in de Goelag, van de* OMON, *met een opleiding aan het Gorkovskij-instituut.*

We schoolden ons snel om zodat we geschikt waren voor de nieuwe markteconomie. Toen we het handwerk eenmaal vanuit een geprivatiseerd perspectief hadden leren zien, beseften we hoeveel werk er was. Want waar wij ons mee bezighielden was in feite het ultieme marktliberalisme: het overleven van de sterkste, zonder staatsinterventies.

En we waren afkomstig van de staat, dus toen de staat hervormd werd, maakten we al deel uit van die hervorming. Velen dachten dat de staat in Rusland zou ophouden te bestaan. In feite werd hij sterker dan ooit tevoren. Wij, de staat en de markt – de banden waren onverbrekelijk.

Een aantal van de oude vossen zijn tegenwoordig dood. Anderen zijn opgeklommen binnen de organisaties, hebben ervoor gezorgd dat de oligarchen zitten waar ze tegenwoordig zitten. Velen zijn zelf eersterangs avtoritety *geworden: Orechovskaja banda, Ismajlovskaja, Malysjevskaja... het zijn maar een paar voorbeelden van groeperingen die worden geleid door mensen zoals ik.*

Weinigen van hen opereren op zichzelf, weinigen van hen zijn zo actief in mijn branche als ik.

In Italië zijn mensen als wij altijd nodig geweest. De Cosa Nostra, de 'Ndrangheta en de Camorra zetten op zich meestal eigen mannen in, maar soms hebben ze toch mensen van buiten nodig. Voor de fransozen was er werk in Noord-Afrika en les DOM-TOM. *Het trotse Frankrijk heeft altijd de behoefte gehad zijn kolonies en voormalige vazalstaten onder controle te houden. De kracht van olie en het verlangen naar macht zijn groter dan de meeste mensen begrijpen. In Groot-Brittannië en Ierland zijn onze diensten gebruikt bij het oplossen van de problemen van Noord-Ierland. We zijn ook weleens ingeschakeld als The Gangsters of London en*

Manchester hun territorium moesten afbakenen. In Scandinavië en Duitsland hebben de Russen en Balten successen geboekt. Ze bestelden ons als ze hun eigen gelederen moesten zuiveren.

Ik werkte ruim drie jaar bij de OMON *toen ik werd veroordeeld. Maar dat was voldoende. Ik was een meester geworden in wat ik doe. We deden klussen in Nagorno-Karabach en Georgië. Ik deed mee aan de aanval op het Letse parlement. Iedereen die mijn naam hoorde en wist wie ik was, voelde hetzelfde. Angst.*

Uit Moskou kwamen grotere opdrachten. Van vroegere wapenbroeders, van banken die problemen met de overheid hadden, van oligarchen die problemen met elkaar kregen. En later, na een paar jaar, kreeg ik opdrachten vanuit heel Europa. Het ging niet alleen om incasso, terechtwijzingen en persoonsbescherming. In 2001 kreeg ik mijn eerste internationale opdracht: een Turkse pooier in Frankfurt afmaken die de verkeerde straten had willen overnemen.

Ik kon toen doden, maar ik wist nauwelijks iets over de organisatie eromheen. Zou iemand uit mijn branche mijn werkwijze bij de Turk bestuderen, hij zou lachen om mijn fouten. Maar dat is inmiddels geschiedenis, net als de mislukking in de parkeergarage.

Ik kijk niet terug.

In Zweden ging de tijd langzaam. Ze had geleerd van de fouten van haar vader. Ze was voorzichtiger dan een avtoritet die met Poetin in de clinch lag.

Maar dat deed er niet toe. Ik werd betaald om te wachten.

49

J-boy: de koning met vele namen. El Bernadotto, El Bhumibolo, *El fucko the policía*. Hij dacht nog net: noem me wat jullie willen – ik ben niet van plan de bak weer in te draaien.

FTP – *Fuck the Police.*

Vier in het zwart geklede ME-skotoes stormden naar binnen. Helmen, kogelvrije vesten, MP5's gericht op Jorge, Javier en Hägerström. Schreeuwden en brulden zoals alleen smerissen dat doen. Bevalen de taxichauffeurs te verdwijnen. Twee drukten Javier tegen de grond. Twee drukten Martin Hägerström over een cafétafeltje. Twee sprongen door de deur naar binnen. Stortten zich op Jorge.

Hij wierp zich opzij.

Zij: profs.

Zij: schreeuwden dat hij moest gaan liggen.

De rode lichtpuntjes van hun laserviziers dansten over Jorges lichaam.

Zij: nullen.

Jorge sprong op een van hen af. Haalde uit met zijn vuist. Hij was geen vechtersbaas, maar deze keer: mazzel – perfecte hit. Hij voelde zijn knokkels de neus van de juut raken.

Maar die kankeragent bewoog zich nauwelijks. In plaats daarvan greep hij Jorges armen vast. Drukte ze omhoog achter zijn rug. Boog hem voorover. Het kraakte. Het deed gigantisch pijn.

Hij schreeuwde: 'Wat doen jullie, goddomme?'

Javier brulde vanaf de vloer: 'Zijn jullie helemaal ziek in je hoofd of zo?'

Die Hägerström gromde: 'Rustig aan, verdomme.'

De smerissen handelden effectief. Sloegen Javier in de boeien. Klikten handboeien om Hägerströms polsen.

Voor Jorge moesten ze harder werken. Hij was nu echt kwaad. Adrenalineboost: hij veranderde in een combi van de Hulk met de ergste MMA-fighter. Trapte, sloeg, ging tekeer als een gek. Maaide met zijn armen, beet een smeris in zijn vinger, door zijn handschoen. Maakte zich moeilijker dan moeilijk in de handboeien te slaan. Jorge: wild. Gek. GESTOORD.

Toch: ze kregen zijn armen weer op zijn rug. Hij kreeg knieën in zijn rug. Hij dacht dat hij doormidden zou breken. Hij vrat linoleum. Hij hoorde Javier brullen. Hij hoorde het gerinkel van de handboeien die ze om zijn polsen wilden doen.

Het was nu voorbij. De voorbereidingen met zijn vrienden, de afspraken met de Fin, de WTO – de kraak van zijn leven. De tijd in Thailand.

Hij dacht aan Mahmud – zijn cafégabber zou het in elk geval redden. Hij vroeg zich af of Tom en Jimmy daar nog waren.

Ze hielden zijn hand in een of andere houdgreep. Drukten tussen zijn duim en wijsvinger. Begonnen de handboeien om te doen.

Toen gebeurde er iets. Een snelle beweging. Een van de ME'ers viel opzij.

De andere schreeuwde iets. Jorge draaide zijn hoofd om. De druk op zijn rug verminderde. Hij keek op.

Andrés, de gast die in het café werkte, had zich op een ME'er gestort.

Worstelpartij op de vloer naast Jorge. De ene juut probeerde een arm op Jorges rug te houden terwijl hij ondertussen probeerde om Andrés weg te duwen. Een van de agenten die Hägerström in de boeien hadden geslagen mengde zich in het tumult.

Andrés: een grote vent. De smerissen hadden een probleem.

J-boy: de hardloopprof, de gettokat met negen levens, de koning met vele namen – dit was zijn kans.

Hij drukte zich op.

Javier lag met zijn armen op zijn rug. Nog steeds met twee wouten op zich. Onmogelijk zijn brother nu te redden.

Jorge rende naar buiten.

Hij hoorde de smerissen achter zich roepen. Maar Andrés was een held – lag daar met twee smerissen onder zich.

Het regende nog steeds. Ondanks de straatverlichting donker op straat. Vier juten wachtten hem op. Op de achtergrond: dodelijk verschrikte taxichauffeurs die midden in de arrestatie van het jaar waren beland en hun ogen uitkeken.

Hij haalde zijn verrassinkje tevoorschijn.

In de kuil waar de zakken met geld hadden gelegen, had hij ook een Taurus verborgen, 9mm Parabellum, die over was van na de WTO. Die hield hij nu in zijn hand.

Hij vloog op een taxichauffeur af.

Drukte de gun tegen de slaap van die arme kerel.

Hij schreeuwde: 'Als jullie je bewegen gaat zijn kop eraan.'

De vier smerissen bleven staan.

Hij zag twee burgerauto's langzaam door de straat rijden.

Hij fluisterde tegen de chauffeur: 'Nu ren je zo hard je kunt voor me uit, naar je auto.'

De gozer was een jaar of dertig. Donkere stoppels bedekten zijn wangen.

Jorge dreef hem met zijn wapen voor zich uit. Het zag er echt uit, een soft air gun-kopie van het model Parabellum.

De chauffeur begon te lopen.

Jorge zei: 'Sneller.'

De regendruppels sloegen als kleine pistoolschoten tegen zijn gezicht. De chauffeur hijgde. De skotoes stonden een paar seconden als versteend. Daarna riepen ze dat hij moest blijven staan.

Jorge had er schijt aan. Hij schreeuwde terug dat zij moesten blijven staan, anders zou het knallen.

Dertig meter verderop: de taxi.

Hij zei: 'Pak je autosleutels, klik de auto nu al open.'

De taxichauffeur zocht in zijn jaszak terwijl hij rende. Haalde de sleutel eruit. De auto klikte.

Jorge trok het portier aan de chauffeurszijde open, duwde de man naar binnen. Ging zelf achterin zitten. De replica constant in de nek van die arme stakker. Hij zag de agenten een paar meter verderop.

De chauffeur draaide de sleutel om. Hij snikte. 'Ik heb kinderen. Ik heb kinderen.'

'Rij zo snel mogelijk naar het Odenplan.'

Jorge kukelde haast om toen de chauffeur plankgas gaf. De taxi: een Saab 9-5 met zwartleren bekleding. Een *Aftonbladet* stak uit de stoelzak. Een sticker met prijsinformatie op het raam. Zo zagen alle Zweedse taxi's er vanbinnen uit.

De ruitenwissers zwiepten heen en weer.

Hij zag de twee zwarte burgerauto's achter hen aan rijden.

Hij voelde zich rustig. Leunde achterover. Liet zijn gedachten de vrije loop.

Hij vroeg zich af waarom Andrés hem geholpen had. Mishandeling, begunstiging van een verdachte, misschien meer. Andrés veroordeelde zichzelf tot de bajes door Jorge te helpen. Een authentieke gast. Een engel. Jorge zou hem terugbetalen.

Hij zag beelden. De eerste keer dat hij door een agent naar mama thuis was gesleept. Hij was elf. Was al maanden bezig geweest – zijn vrienden en hij gingen elke middag van winkel naar winkel, jatten zoveel ze maar konden dragen. Vaak moesten ze de zooi later in vuilcontainers dumpen. Het was een sport.

Tot hij een keer werd betrapt. Had twee zakjes autowinegums gejat. Sergio en hij moesten in een kantoortje wachten tot de politie kwam. Maar daarvoor kwam de filiaalchef al binnen.

'Wie denken jullie wel niet dat jullie zijn, vuile nikkers.'

Jorge staarde hem aan.

De filiaalchef greep zijn wangen beet. Het deed pijn.

'Ik denk dat ik je eens flink op je lazer ga geven.'

Sergio stond op, zei: 'Hou daarmee op.'

Echt: hij hield nog steeds van Sergio omdat hij hem daar in dat kantoortje had gedekt. Sommige gozers waren van nature helden. Misschien was Andrés zo iemand.

De taxi reed richting het Odenplan. Sloeg scherp rechts af. De Karlbergsvägen door. De banden piepten. De kankeragenten reden nog steeds achter ze. Jorge hield zich vast aan het handvat boven zich.

Hij dacht aan de WTO-cash die hij in het bos had opgegraven. Tuurlijk: het was zes ton. Maar *mierda*: de meeste briefjes waren gekleurd. De gozer van de Fin had niet geholpen die koffers open te maken, hij had het zelf gedaan. En hij had de briefjes ook niet zo goed gecheckt als de andere floes.

Hij belde JW en vroeg of het geld schoongemaakt kon worden, of simpeler nog: de floes hoefde niet sneeuwwit te zijn, hij wilde hem alleen kunnen wisselen en in Thailand gebruiken. Ze spraken af, JW bladerde met zijn rechterhand door de stapels cash. Constateerde: dit kun je schoon krijgen, maar het duurt lang, vanwege het drogen en zo. Ik raad je aan ze te wisselen bij wat wisselkantoren waar ik wat contacten heb. Ze accepteren dit wel, geven alleen een wat slechtere koers. Het duurt een paar dagen.'

Nog een tegenslag. Jorge zou langer in Zweden moeten blijven. Hij had er nu spijt van, meer dan ooit.

De taxi sloeg de Norrbackagatan in. Woningen van vijf verdiepingen aan alle kanten.

Jorge zei: 'Blijf staan. En stap uit.'

De burgerauto's kwamen net de straat inrijden. Van de andere kant hoorde Jorge sirenes.

Hij duwde de chauffeur voor zich uit. Het regende niet meer.

Ze liepen naar een portiekdeur. Jorge trapte het glas in. Stak zijn linkerhand naar binnen. Deed de deur van binnenuit open. Het neppistool constant tegen het hoofd van de chauffeur.

Ze gingen naar binnen. Hij zei tegen de chauffeur te gaan zitten.

Hij zag twee politieauto's parkeren, en de burgerauto's. Agenten die eruit sprongen. Ze vroegen zich vast af wat hij deed.

Hij duwde de deur een stukje open. Hij legde een voet van de chauffeur zo neer dat die in de deuropening lag. Zo bleef de deur openstaan. Jorge liet hem zien dat hij de haan spande. Daarna hing hij het wapen aan de deurkruk.

Hij keek de chauffeur aan. 'Begrijp je? Als je je been wegtrekt, slaat de deur dicht en dan gaat deze blaffer misschien wel af, op jou.'

De gozer knikte. Jorge dacht: als dit voorbij is, moet ik hem bloemen sturen en mijn verontschuldigingen aanbieden.

Hij rende via de trappen omhoog het gebouw in.

Hoorde smerisgeschreeuw door de deur beneden.

50

Hägerström zat aan de verkeerde kant van de tafel. Hij had ontelbare keren aan de andere kant gezeten, waar nu de verhoorder en de zogeheten bijzitter, de andere politieman, zaten. Hij grijnsde inwendig om de situatie. Vandaag was inspecteur Martin Hägerström niet degene die verhoorde, vandaag was hij degene die werd verhoord. Pravat wilde vaak het andersomspel doen. Vandaag zou Hägerström het andersomspel spelen met inspecteur Jenny Flemström en inspecteur Håkan Nilsson.

Dit zou niet meer dan een routineverhoor moeten zijn, daarna zouden ze hem moeten laten gaan. Ze mochten hem niet meer dan zes uur vasthouden, tenzij de officier van justitie anders besloot. En ze konden hem nergens van verdenken. Hij had alleen koffiegedronken met Jorge en Javier. Was alleen op het verkeerde moment op de verkeerde plaats geweest.

Toch was hij teleurgesteld. Eigenlijk niet in zichzelf, want het was niet zijn fout geweest dat er groot tumult was ontstaan. Het arrestatieteam had onprofessioneel gehandeld. Ze hadden mensen in burger in het café moeten hebben en ze hadden de straat moeten afzetten met auto's. Ze hadden Jorge eerst in de boeien moeten slaan, niet pas nadat Hägerström handboeien om had.

Hij vroeg zich af of Jorge was ontsnapt.

Hij vroeg zich af hoe het met Javier was.

Flemström legde de formaliteiten uit. 'Goed, Martin, we gaan je nu dus verhoren. Je hebt bij de politie gewerkt, dus je weet hoe dit gaat. Zo meteen zet ik de bandrecorder aan. Wil je iets drinken voor we beginnen? Koffie, water?'

Hägerström glimlachte inwendig. Ze probeerden hem iets te drinken aan te bieden zodat hij zich beter op zijn gemak zou voelen. Hij schudde zijn hoofd, sloeg het af.

Jenny Flemström zette de dictafoon aan.

'Dit is een verhoor met Martin Hägerström, in aanwezigheid van inspecteur Jenny Flemström en inspecteur Håkan Nilsson. Het is 8 oktober, drie uur 's nachts. We nemen het verhoor op.'

Hägerström keek naar Flemström. Ze hield een pen vast, drukte het knopje in en uit.

'Vertel wat je vanavond in café Koppen deed.'

'Ik was daar alleen om koffie te drinken met een kennis van me, Javier, heet hij.'

'Hoe ken je hem?'

'We hebben elkaar een paar weken geleden leren kennen in Thailand, ik ken hem nog niet zo lang.'

'Zijn jullie goed bevriend?'

'Nee, we kennen elkaar nog maar kort.'

'Hoe lang ben je in Thailand geweest?'

'Een week of drie.'

'Wat deed je daar?'

'Ik was op vakantie. Ik heb vroeger in Bangkok gewerkt, dus ik ken er wat mensen.'

'Hoe heb je Javier leren kennen?'

'We zaten toevallig in hetzelfde hotel in Phuket.'

'Zijn jullie veel met elkaar opgetrokken?'

'Ja, tegen het einde zagen we elkaar bijna elke dag, maar dat was maar een paar dagen.'

'Wat is zijn achternaam?'

'Ik heb geen idee.'

'Hoe is het mogelijk dat je niet weet wat zijn achternaam is? Vind je dat niet een beetje vreemd overkomen?'

'Helemaal niet, zo'n soort relatie hadden we niet. We namen samen een biertje en gingen naar cafés en dergelijke.'

Flemström bleef vragen stellen. Ze maakte aantekeningen. Nilsson maakte op de achtergrond ook aantekeningen. Als dit allemaal voorbij was, zou Hägerström inspecteur Flemström bellen om haar het een en ander over verhoortechnieken te leren. Ze was te snel, wilde te vlug vooruitgang boeken in het verhoor. Ze nam de tijd niet om patronen te ontdekken.

Misschien moest hij zeggen wat er aan de hand was, dat hij undercoveragent was in een belangrijke operatie. Maar daarmee zou het hele onderzoek gevaar kunnen lopen. Ze zaten inmiddels in een precaire situatie. Hij moest simpelweg meespelen. Hij had niets te vrezen: hij was niet meer dan een gewone politieman in een ongewone situatie.

Flemström sneed andere onderwerpen aan.

'Vertel eens iets over je achtergrond?'

'Wat wil je weten?'

'Wat doe je voor werk?'

'Ik ben werkzoekende. Daarvoor heb ik als cipier in penitentiaire inrichting Salberga gewerkt. En wat ik daarvoor deed weten jullie al. Deze lente ben ik ontslagen bij de politie. Ik woon in Stockholm en heb een zoon die met zijn moeder in Lidingö woont.'

'Oké. Wat voor soort werk zoek je?'
'In de bewaking, als cipier, dat soort dingen.'
'Hoe voorzie je dan in je levensonderhoud?'
'Ik woon goedkoop en heb gespaard.'
'Waar woon je?'
'In Östermalm. Een koopwoning, een driekamerappartement aan de Banérgatan.'
Hägerström keek Flemström recht in de ogen. Ze reageerde onmiskenbaar toen hij vertelde waar hij woonde. Diezelfde reactie had hij van veel andere collega's bij de politie gehad. Het wees niet direct op middenklasse. Hoewel Flemström ongetwijfeld dacht: hoe kan een ex-rechercheur en ex-cipier zich een koopwoning in Östermalm veroorloven?
Ze ging verder. Leunde over de tafel naar voren, in de richting van Hägerström.
'En Jorge Salinas Barrio, hoe ken je hem?'
'Ik ken hem niet.'
'Heb je hem eerder ontmoet?'
'Ja, als jullie de vriend van Javier bedoelen, één keer, ook in Thailand.'
'Kent hij Javier goed?'
'Ja, ik geloof het wel. Volgens mij zijn het goede vrienden. Ze kenden elkaar in elk geval al van voor Thailand.'
Rechercheur Flemström leunde achterover. Tevreden over het antwoord. Opnieuw: verhoortechnieken van het simpele soort. Naar voren leunen als je aanvalt, achteroverleunen als je hebt gekregen wat je wilt. Ze ging verder.
'En wat deed hij in café Koppen?'
'Ik heb geen idee, ik wist niet dat hij zou komen. Misschien had Javier gezegd dat hij daar zou zijn.'
Het was koud in de verhoorruimte. Hägerström keek naar de radiator aan de muur. Die was waarschijnlijk morsdood.
Flemström ging verder. 'Babak Behrang, is dat iemand die je kent?'
'Nee.'
'Heb je weleens van hem gehoord?'
'Nee, geen idee.'
'Mahmud al-Askori, ken je die naam?'
'Nee, nooit gehoord, nooit ontmoet.'
'Aha. En Robert Progat?'
'Ook niet.'
'Tom Lehtimäki?'
'Idem dito. Wie zijn dat?'
Flemströms antwoord kwam onmiddellijk: 'Wij stellen hier de vragen.'
Hägerström bedacht weer hoe ontzettend onprofessioneel haar aanpak was. De juiste manier was geweest om te proberen een band met hem te scheppen, te

proberen hem zich op zijn gemak te laten voelen, te laten merken dat hij niets te vrezen had. Hem niet op deze manier af te snauwen. Hij keek naar Håkan Nilsson, probeerde te zien of hij begreep wat Hägerström begreep.

Hij kreeg ongeveer net zoveel respons als van de radiator. Nilssons blik was ijskoud.

Hij dacht weer aan Javier. Hoopte dat de ME'ers hem niet al te erg toegetakeld hadden. Hägerström zou over niet al te lange tijd vrijgelaten worden. Javier zou ongetwijfeld moeten blijven, dat was immers de opzet van de arrestatie. Het voelde vreemd.

Hij dacht na over wat hij had gedaan.

Hoe zou dit aflopen? Hoe zou hij Javier weer kunnen ontmoeten?

*

Van: Lennart Torsfjäll [lennart.torsfjall@polis.se]
Verstuurd: 8 oktober
Aan: Leif Hammarskiöld [leif.hammarskiold@polis.se]
CC:
Onderwerp: Operatie Ariel Ultra; de Bruinwerker

NB: VERWIJDER DIT BERICHT NA LEZEN.

Leif,

Ik mail je op deze vroege ochtend om je niet al te zeer te laten schrikken van de krantenkoppen van deze morgen. Vannacht heeft een arrestatie plaatsgevonden waarbij onze man in het veld, met de interne codenaam Bruinwerker, betrokken was.

Zoals je weet is de voornaamste opdracht van de Bruinwerker te infiltreren en informatie met betrekking tot ernstige financiële delicten te verzamelen. Hij is er daarbij in geslaagd in de buurt van Johan, JW, Westlund te komen, die ervan wordt verdacht een van de hoofdverantwoordelijken te zijn achter de grote witwaspraktijken die de afdeling Financiële Delicten momenteel onderzoekt in het kader van Project Inktvis (zie mijn bijgevoegde memo). De afgelopen weken leek de Bruinwerker een ingang gevonden te hebben tot een groep beroepscriminelen van zogeheten nieuwe Zweden, die verdacht worden van betrokkenheid bij de waardetransportoverval op Tomteboda. Ik heb hem zelf in die richting gestuurd, aangezien ik van mening ben dat we op die manier twee vliegen in één klap kunnen slaan.

Bij de arrestatie ongeveer drie uur geleden is een van de verdachten opgepakt. Een andere verdachte, Jorge Salinas Barrio, wist op spectaculaire wijze te ontkomen en is nog steeds op vrije voeten, hoewel er op het moment van schrijven intensief op hem wordt gejaagd. Vanwege de aard van de overval op Tomteboda en de achtergrond van de Bruinwerker binnen de politie kunnen we ervan uitgaan dat de media veel aandacht aan deze mislukte arrestatie zullen besteden. Daarom wil ik je op de hoogte stellen van de reden waarom de Bruinwerker zich op de plaats van de arrestatie bevond. Ik hoop van harte dat men er als je dit leest in is geslaagd Salinas Barrio in te rekenen, zodat verdere beledigingen van onze geliefde linkse pers ons bespaard blijven.

Ook wil ik je laten weten dat de zogeheten oriëntatie van de Bruinwerker geen invloed heeft gehad op de operatie.

Ik zal je morgenochtend om negen uur bellen. Aarzel niet om op welk moment van de dag dan ook contact met me op te nemen.

Ten slotte stel ik voor dat we deze mails op de afgesproken manier blijven coderen.

Lennart

51

Natalies voeten deden zeer, ze had blauwe plekken van het trappen tegen Marko.

Het was negen uur 's avonds. Het was nog geen vierentwintig uur geleden dat ze dat verradertje had gegeven wat hij verdiende. Er was nog minder tijd verstreken sinds Mischa Bladman had gebeld om te vertellen dat de Russen zich ertegenaan bemoeiden. En toen wist Bladman nog niet wat ze met Marko hadden gedaan.

Toch: hij handelde snel. Toen ze had teruggebeld om te zeggen dat ze JW wilde spreken, regelde hij onmiddellijk een afspraak.

En nu zat ze hier te wachten in een executive suite van Hotel Diplomat. Eigenlijk was Natalie blij dat Bladman had gebeld om over Moskou te zeuren – zo was JW gedwongen haar nog een keer te zien.

De suite lag op een hoek en keek uit op de baai Nybroviken. Hij was duidelijk ontworpen door een speciale architect. Slaapkamer met luxe bed, woonkamer met luxe bank en badkamer met een stoomsauna. Badjassen van Pelle Vävare. Producten van L'Occitane. Lichte kleuren, eenvoudige patronen, gaasgordijnen die het herfstlicht binnenlieten. Een parketvloer die ouderwets kraakte, authentieker dan de onlangs gelegde vloer thuis in Näsbypark. Overal stonden verse bloemen, zelfs in de badkamer.

Adam zat op de bank met zijn telefoon te spelen. Hij zag er rustig uit. Natalie wist dat hij minstens twee wapens bij zich had.

Ze had de balkondeuren opengezet. De vijfde verdieping, dat zou veilig moeten zijn. Adam in de woonkamer, een andere gozer in de lobby beneden – sinds het conflict met Stefanovic serieus was geëscaleerd, voelde ze zich eigenlijk alleen thuis en in hotelkamers veilig.

Toch was de angst constant aanwezig. Als een siddering langs haar ruggengraat, als een gevoel voortdurend geobserveerd te worden. Ze was gestopt met gewone Red Bull en dronk alleen nog Red Bull Energy Shot – niet omdat dat zoveel sterker was, maar omdat je dat sneller naar binnen kreeg. Ze dronk er twee achter elkaar. Ze slikte valeriaan om te kalmeren. Ze zette kamillethee om rustiger te worden. Ze kon niet kiezen. Wilde ze zichzelf in bed stoppen om te slapen of wilde ze vierentwintig uur per dag wakker zijn?

Ze dacht aan de voorlopige resultaten van Ulf Bergström, de technisch rechercheur van Forensic Rapid Research, het privélab dat ze in de arm hadden genomen. Hij had geen bruikbaar DNA gevonden. Maar op twee pistolen bij de Black & White Inn hadden ze vingerafdrukken gevonden die duidelijk genoeg waren om na te zoeken te zijn. Degene die het semtex, het Russische wapen – waarschijnlijk een Stetjkin – en de Glock had gekocht, had ook de pistolen aangeraakt. Natalie overwoog de informatie aan de politie te geven zodat ze in hun registers konden zoeken. Thomas raadde dat af. Hij wilde het zelf proberen – misschien zou hij toegang tot de registers krijgen zonder dat ze de politie er formeel bij hoefden te betrekken. Hij vermoedde over een paar dagen te weten of dat mogelijk was of niet.

De hoteltelefoon ging. Natalie nam op.

'Er is beneden bezoek voor je.'

'Vraag of hij zich legitimeert.'

Het was stil aan de telefoon, daarna zei de receptionist: 'Johan Westlund. Hij zegt dat hij JW wordt genoemd.'

'Oké, laat hem boven komen.'

Toen ze ophing ging haar mobiel. Haar lijfwacht in de lobby meldde dat JW naar boven kwam.

Er werd op de deur geklopt. Adam keek door het spionnetje. Deed open.

Natalie ademde diep in – JW zag er echt fantastisch uit. Zijn haar was minder strak achterovergekamd dan de vorige keer dat ze elkaar zagen. Zijn jas en colbertje leken als een extra huid over het overhemd te zitten, dat van ongelofelijk goed katoen moest zijn – het glansde, hoewel het licht van buiten schaars was. De manchetknopen bevatten elk een groen steentje. Het bijpassende pochetje in zijn borstzakje.

Maar het was vooral zijn blik. JW's ogen straalden. Natalie dacht: hij is gruwelijk lekker. En hij weet dat we vandaag gaan onderhandelen.

Ze omhelsden elkaar. Hij glimlachte niet. Natalie zei hem zijn jas aan te houden en nam hem mee naar het balkon.

Ze gingen zitten. Natalie droeg een lange jas en een sjaal om haar nek.

De situatie was anders vandaag: haar oorlog met Stefanovic was nu echt geescaleerd. JW voelde waarschijnlijk de druk om iets te doen. Zoals de bedoeling was – het was nu afgelopen met steek-je-kop-in-het-zandspelletjes.

Ze begon meteen: 'Je collega zei dat Moskou er genoeg van begint te krijgen. Vertel.'

JW draaide met zijn duimen. 'Ik heb al gezegd dat jullie moeten ophouden.'

'Ben jij mijn baas of zo?'

'Nee, maar ik spreek niet voor mezelf. Moskou is geïrriteerd.'

'Vertel meer, a.u.b.'

Hij zei: 'Al deze spanningen zijn niet goed voor de stad. Moskou vindt bijvoorbeeld dat Stefanovic en jij verstoppertje spelen met informatie die zij nodig hebben. Ik ken geen details, maar zo kan het niet verdergaan.'

Natalie moest rustig blijven. Ze was niet in balans – ze voelde zich opgewonden, ongerust, supercool tegelijk. De onderhandelingssituatie: er stond zoveel op het spel. Tegelijkertijd: ze zag JW voor zich, naakt. Ze zag hem haar zoenen. Zij was Natalie Kranjic, ze leidde het spel. Ze nam wat ze wilde hebben.

Ze zei: 'Kom met me mee naar de slaapkamer.'

Ze zag aan zijn blik dat hij het begreep.

Ze liepen de woonkamer door. Adam keek niet eens op.

Ze deden de deur van de slaapkamer achter zich dicht.

Ze ging vlak bij JW staan. Zijn gezicht een kop boven haar. Ze deed een mierenstapje naar hem toe.

'We moeten dit op kunnen lossen, vind je niet?'

Hij boog zijn hoofd, ze voelde zijn adem, die rook naar spearmint.

Zijn gezicht kwam dicht bij het hare. Zijn kin beroerde haar wang.

Ze legde haar hand in zijn nek. Trok hem naar zich toe. Kuste hem.

Ze lieten zich op het bed vallen. Ze rolde op hem. Hij streelde haar over haar billen, heupen, dijen.

Hij zei: 'Je bent zo verdomde lekker.'

Zij zei: 'Je hoeft niet hard te spelen.'

Hij grinnikte.

Ze trok zijn jasje uit en begon zijn overhemd open te knopen.

Hij zoende haar in haar nek. Daarna zoende hij haar oogleden en voorhoofd.

Het bed was nog lekkerder dan het leek. Natalie leunde naar achteren. JW beet zacht in haar oorlel en lippen.

Hij legde zijn handen als kommetjes over haar borsten.

Ze kreeg zijn overhemd uit. JW was goed getraind. Minder dan Viktor, maar toch met duidelijke borstspieren en een prima buik. Ze likte aan zijn tepels.

Hij kreunde. Ze ritste zijn gulp open en haalde zijn pik eruit, likte aan zijn eikel, stopte hem in haar mond, hield de wortel vast en schoof hem helemaal haar mond in.

Hij kreunde harder.

Ze wilde niet dat hij klaarkwam. Ze liet hem los en kroop naar hem toe. Hij knoopte haar broek open en trok hem uit. Ze had een roze Hanky Panky aan.

Ze bracht zijn hoofd naar haar kruis.

Hij kuste de binnenkant van haar dijen. Op de buitenkant van haar slipje – warme adem erdoorheen.

Hij trok haar slipje uit. Kuste haar kut.

Ze voelde hoe hij haar schaamlippen spreidde met zijn vingers.

Zijn tong zocht zich voorzichtig een weg.

Hij bracht een hand naar haar borst, kneep voorzichtig in een tepel.

Zijn tong bleef beneden rondjes draaien. Ging langzaam naar haar clitoris toe.

Ze voelde hoe hij haar kut met de vingers van zijn andere hand masseerde.

Likte met brede tong, smal tongpuntje, van links naar rechts, van boven naar beneden, afwisselend. Hij maakte rondjes.

Ze spande haar lichaam. Ze kronkelde bijna.

Hij likte steeds sneller.

Het ging als stoten door haar heen.

Zijn tong was overal.

Ze schreeuwde. Stuiptrekkingen door haar lichaam.

Ze kwam klaar.

Ze lagen stil. Haar hartslag was nog steeds hoog.

Een paar minuten later ging ze op hem zitten. Ze was nat. Zijn pik gleed makkelijk naar binnen.

Hij bewoog zijn onderlichaam. Zij bewoog mee in zijn ritme.

Natalie voelde hem in zich.

Ze boog zich voorover. Hij pakte haar kont vast.

In en uit. Hij streelde haar borsten.

Het bed hobbelde in hetzelfde ritme als zij.

Ze zag hoe hij sneller ademde.

Ze voelde zweet op haar rug.

Zag zweet op JW's voorhoofd.

Ze bewogen in hetzelfde tempo.

Zijn lichaam bonkte tegen de lakens.

Ze kwam bijna weer klaar.

Ze voelde de rush door haar lichaam.

Pulserende stoten door haar onderlichaam, haar buik, rug.

Genotsgolven spoelden door haar hart.

Ze schreeuwde.

Het was niet zeker of hij ook klaarkwam.

Ze lagen naast elkaar. Ze hadden nog niet veel gezegd.

Natalie zei: 'Je bent in elk geval op één manier goed.'

'Jij ook.'

'Laten we ons gesprek afmaken.'

Een smile. 'Oké, ik denk dat het beter zal gaan nu het ijs gebroken is.'

Ze zei: 'Wat wil je hebben om aan mijn kant te komen?'

JW staarde naar het plafond. 'Jullie oorlog moet ophouden. Die verstoort de zaken. Ik wil dat je mij in zaken net zo trouw zult zijn als ik jou. En ik heb een voorstel.'

Natalie wachtte.

JW zei: 'Ik wil dat je ervoor zorgt dat een bepaalde kwestie wordt aangepakt.'

'Wat?'

'Daar kom ik nog op. Geduld.'

Hij glimlachte.

Ze praatten, lang. Brainstormden. JW deed voorstellen. Natalie vertelde waar ze hulp bij nodig had – het meeste wist JW al. Natalie wilde precies weten hoe hij werkte. JW was niet bereid dat te vertellen.

Natalie zei dat ze geen deal hadden als zij het niet begreep.

Hij gaf toe, legde zijn systeem aan haar uit – het duurde meer dan een uur.

Hij was didactisch, grondig. Hij leek er haast van te genieten het uit te leggen. Te kunnen laten zien hoe slim, veelzijdig, geavanceerd hij was. Vooral: hoeveel geld er door zijn handen ging.

Om te beginnen: de sleutel tot succes luidde: verplaatsing. Alles hing af van verplaatsingen.

Verplaatsing van het ene economische systeem naar een ander. Verplaatsing van vuile naar schone gebieden. Verplaatsing in een cyclus. Verplaatsing in drie vitale stappen: belegging, versluiering, wassen. Zonder die drie had je geen gesloten cirkel.

Opnieuw de basisprincipes: belegging, lagen aanbrengen en de reïntegratie van het geld in de legale economie.

De eerst stap: belegging. Het vermogen kwam bijna altijd in de vorm van contanten. Ze moesten op de een of andere manier in het economische systeem gebracht worden. Cash was levensgevaarlijk, niets wekte zoveel argwaan als een stapel briefjes.

Stap twee: de versluiering. Het aanbrengen van lagen om afstand tussen het geld en de bron te creëren. Ze gebruikten diverse systemen, diverse transacties. Bedrijven, particulieren, trusts, staten waar het bankgeheim van kracht was. Overboekingen tussen rekeningen over de hele wereld.

De laatste stap: integratie in het legale deel van de economie. De reïntegratie van het geld zodat het zonder risico gebruikt kon worden voor consumptie of investeringen. Zodat alles er schoon en legaal uitzag.

JW en zijn mensen controleerden, ontwierpen een opzet, adviseerden over alle stappen. Hij zei: 'We geven niet alleen advies, we implementeren de hele keten. We voeren uit waar we over praten.'

Maar de regels van de EU en de OECD maakten hun het leven zuur. Antiterreurwetgeving probeerde grensoverschrijdend geritsel te verhinderen. Veel landen hadden hun bankgeheim opgeheven. Zwitserland had de handdoek jaren geleden al in de ring gegooid. Een groot aantal Kanaaleilanden had het vorig jaar opgegeven. Liechtenstein was bezig. En ook de Zweedse banken waren tegenwoordig veel voorzichtiger. Niemand wilde bekendstaan als zwarte bank. Als je een storting wilde doen, moest je vaak vragen beantwoorden en een geldig identificatiebewijs laten zien. Zodra ze een transactie ongewoon vonden, of de achtergrond ervan niet begrepen, begonnen ze te neuzen. Wat was het doel van de transactie, waar kwam het geld vandaan en waar zou het voor gebruikt worden? Ze wilden overeenkomsten, bonnetjes, facturen en andere dingen zien die je beweringen staafden. Ze wilden precies weten wie wat stortte.

Het gebruik van stromannen was ook ingewikkelder geworden. Banken wilden bewijs zien dat je meer dan vijfentwintig procent van een bedrijf bezat, dat jij de bepalende invloed had. Ze wilden weten of jij de werkelijke verantwoordelijke was. Precies wat een crimineel wilde verbergen.

Maar JW had een goede ingang, zei hij. De mannen in het wisselconcern waarmee hij samenwerkte, zorgden ervoor dat de grietjes aan de balies van hun kantoren nooit vragen stelden.

Het voornaamste principe bleef toch om uitsluitend zaken te doen die er normaal uitzagen. Niets wat aandacht trok. Daarmee verkreeg je ook goede relaties met medewerkers van andere banken. Zo creëerde je routines, vertrouwen. Als dat er eenmaal was, konden de bedragen gaandeweg verhoogd worden.

Bladman had drie bedrijven met enigszins echte activiteiten: verkoop van elektronica, financiële consultancy en een cateringbedrijf. Het belangrijkste: de bedrijven hadden echte klanten, ze hadden reële inkomsten, ze dealden met de werkelijkheid. De eigenaars waren stromannen, maar ze konden bankrekeningen, valse aandeelhoudersregisters, door accountants gecontroleerde boekhoudingen laten zien.

Het elektronicabedrijf: had een website, een meisje in een callcenter, zelfs een klein magazijn in Hanninge. Het verkocht jaarlijks voor vijftien miljoen kronen aan laptops. De truc: tachtig procent van de aankopen was fake. De stortingen op de rekening werden gedaan zonder dat er een product was verkocht. Het slimme: in de boeken zag alles er normaal uit. Voor de bank was het niet zo makkelijk te zien dat acht van de tien stortingen afkomstig waren van dezelfde twintig personen.

Het consultancybedrijf: hetzelfde principe. Er was echt kantoorruimte, met een werknemer die kleine ondernemers hielp met de boekhouding, echte telefoon- en internetabonnementen. Bedrijven in heel Zweden betaalden voor *capital consulting*. Het bureau draaide een omzet van meer dan twintig miljoen per jaar. En weer: tachtig procent van de facturen betrof dingen die niet waren gebeurd. Maar de klanten die ze hadden bestonden echt – dat was een kracht.

Het cateringbedrijf: het huurde een keuken in een kelderruimte aan de Ringvägen. Er was een kok in dienst. Ze bezorgden lunches, diners, businessbuffetten voor dertien miljoen per jaar. Een heleboel werknemers, die loon kregen. De grap: de kok was een gokverslaafde, tachtig procent van de maaltijden was verzonnen. De werknemers bestonden alleen in de fantasie.

Ze hadden ook andere bedrijven, waarbij de activiteiten compleet fake waren. Antieke meubels, autoservice, zonnebanken en exportbedrijven – veel papieren producten. Het maakte niet uit – de bedrijven leken miljoenen per jaar om te zetten. Branches waar veel contanten binnenkwamen, perfect. De banken vonden alles er normaal uitzien als ze tienduizend per dag in de nachtkluizen dumpten. Maar het beste was toch het exportbedrijf. Alle betalingen waren afkomstig uit het buitenland: opgeblazen facturen die correspondeerden met niet-bestaande leveranties.

JW controleerde streng: de bedragen mochten niet ineens groeien, ze moesten overeenkomen met wat fakebedrijfjes normaal gesproken op een dag binnenkregen en ze moesten oude, kreukelige biljetten storten.

Alles bij elkaar: ze beschikten over een groot aantal beleggingsgereedschappen. Vele manieren om illegale contanten het systeem in te krijgen.

Maar ze deden niet alles via de bedrijven. Veel werd rechtstreeks gestort door smurfen: daklozen, alcoholisten en kleine crimineeltjes. Geen drugsgebruikers of gokverslaafden, die waren niet te vertrouwen. Stortingen van contanten direct bij Western Union, Moneybooker, Forex en bovendien de wisselkantoren waar JW's partner de leiding had. Ze vermeden de hawalaplekken en Afrikanen – daar was de terreurhysterie te groot. De smurfen deden kleine stortingen van minder dan tienduizend kronen tegelijk, rechtstreeks op de rekeningen van de Zweedse bedrijven of bij bedrijven in het buitenland. Bij elkaar was het toch veel: zo'n kerel kon de stad rondlopen en vijftien stortingen per dag doen.

En last but not least: vaak zetten ze direct muilezels in. Pakten koffers met duizend samengeperste briefjes van vijfhonderd, vulden geheime ruimtes in auto's met eurobiljetten, lieten een arme sloeber met zijn buik vol diamanten op reis gaan. Dat was natuurlijk gevaarlijk – de muilezel kon ontdekt worden of je belazeren. Daarom had JW gevaarlijke vrienden nodig. De juiste organisatie moest hem steunen. De muilezels ervan weerhouden stommiteiten uit te halen.

Summa summarum: JW beweerde dat hij per jaar meer dan honderd miljoen naar veilige plekken kreeg.

De tweede stap was geraffineerder. De versluiering zelf.

Ze hadden bedrijven in Liechtenstein, op de Caymaneilanden, op Man, in Dubai en Panama. Ze hadden zelfs een eigen postbusbank op Antigua gekocht waarvan ze de touwtjes in handen hadden. Northern White Bank Ltd – JW was verrukt van de naam. Als ze te veel aandacht zouden krijgen, konden ze zelf bepalen of ze de hele bank wilden sluiten en de boekhouding verbrandden. Oeps, we hebben net een brand gehad, wat een pech, zeg.

Ze openden rekeningen voor de bedrijven in dezelfde staten of in andere landen waar het bankgeheim nog zekerder was. Ze hadden *walking accounts* in meer dan tien landen, waar ze alle inleg doorheen sluisden. Het idee: de bank had duidelijke instructies om alle inkomende middelen automatisch naar de volgende bank in het volgende land te transfereren. Maar niet te snel, want als een storting onmiddellijk doorgesluisd werd, kregen de fatsoenlijke banken argwaan en trad hun alarmsysteem in werking. De instructie was om de rekeningen in negentig dagen te legen. Beetje bij beetje. Bovendien: nog duidelijker instructies: wanneer een overheidsinstantie navraag naar een bepaalde transactie deed, moest de bank de bank in het andere land informeren, die het geld dan meteen door moest sluizen. Op die manier ontstonden er routes die big brother maar lastig kon volgen. Nog beter: zo ontstond er een *early warning system* voor als er iets mis zou gaan.

De opzet en structuur verschilde, afhankelijk van de klant en de grootte van de bedragen.

Veel bevond zich in Europese landen en in het Caraïbisch gebied. Maar dingen waren nu aan het veranderen, zei JW. Eigenlijk was Panama het beste land, samen met wat emiraten.

Het beste van alles: JW had de perfecte bankier aangeworven. Hij wilde zijn naam niet zeggen, maar de man was directeur en bureauchef geweest van een bankkantoor van de Danske Bank. Een chique man. Een man uit de werkelijke zakenwereld. 'Mijn man aan het front,' zoals JW zei.

Deze vent woonde in Liechtenstein, maar reisde in feite de hele wereld over. Zorgde voor het managementbedrijf, Northern White Asset Management, en de postbusbank, die alles regelde. De man had contacten met offshore-instituten en advocatenkantoren die hielpen met valse facturen, trustconstructies, certificaten en andere documentatie die nodig was om de schijn van legitieme transacties te wekken.

Hij zorgde dat er facturen werden verstuurd, dat de banken creditcards verstrekten. Kortom: die man trok aan alle touwtjes. En de man zorgde voor vertrouwen. Zowel bij de mensen daarginds als bij de klanten in Zweden.

Last but not least: de invoer. De re-integratie van het geld in de legale economie. De laatste stap. De belangrijkste stap. Iedereen wilde vrijelijk over zijn middelen kunnen beschikken, zonder verdacht te zijn.

JW had de hoofdstructuur uitgedacht. Veel klanten hadden speciale oplossingen nodig. Soms leenden buitenlandse bedrijven geld uit aan de klanten. Die leningen vormden de verklaring waarom de klant zoveel geld uit het niets kreeg. Soms kochten buitenlandse bedrijven voor een krankzinnig hoge prijs panden van de klant. De winst was dan volstrekt legaal, hoewel er belasting over betaald moest worden. Soms werden er trusts opgezet die werkelijke investeringen op de beurs deden: de winsten waren zo wit als sneeuw, hoewel er bloed aan het basisgeld kleefde. Soms betaalde het bedrijf in Panama simpelweg de ziektekostenverzekering, de villa of de nieuwe, zeventig voet lange motorboot voor de klant. Hoe zouden Zweedse instanties er ooit achter moeten komen dat de klant een Sunseeker-jacht in de jachthaven van Cannes had liggen?

Maar JW's favoriete opzet kwam nog. Die was magisch mooi en tegelijkertijd griezelig simpel.

Het geld kwam terecht bij het bedrijf van de klant in een goed land. Het bedrijf sloot een overeenkomst via JW's Northern White Asset Management en opende een bankrekening bij een relatief grote, bekende bank. Die bank verstrekte een creditcard aan Northern White Asset Management voor de rekening van het bedrijf van de klant. De creditcard werd opgestuurd naar de klant in Zweden.

Dus: plotseling had de klant de beschikking over een creditcard die gekoppeld was aan al het geld dat hij bij elkaar had geschraapt via bankovervallen, afpersing, drugs, prostitutie of doodgewone belastingontduiking. En op de kaart zelf stond nooit de naam van een persoon. Niemand kon de klant in verband brengen met al het geld dat werd uitgegeven. In plaats daarvan ging alles via Northern White.

Het was zo simpel. Het was zo mooi.

JW grijnsde. 'Ik heb zelf een MasterCard Gold. Uitgegeven door een bank op de Bahama's, Arner Bank & Trust. En Vadertje Staat zal er nooit achter komen dat ik consumeer als een oligarch.'

Natalie luisterde.

JW zei: 'We hebben meer dan tweehonderd klanten in Zweden. Alles van de mensen van je vader tot de financiële elite uit Djursholm. Iedereen wil ontsnappen aan de belastingdienst. En iedereen ontsnapt met behulp van mij, Bladman en mijn luxe mannetje uit Liechtenstein.'

Serieus, Natalie was onder de indruk. Van de omvang, het aantal cliënten en de complexiteit. Het indrukwekkendste vond ze dat het hem was gelukt dit allemaal vanuit de gevangenis te regelen.

'Hoe heb je dit daar allemaal kunnen doen?'

Hij lachte: 'Ik kreeg hulp, laat ik het zo maar noemen.'

JW stond op en kleedde zich aan.

Natalie ging op de rand van het bed zitten. Trok haar slipje aan en haakte haar bh dicht.

Ze zei: 'Dus je wilt dat de oorlog ophoudt, je wilt dat ik met je samenwerk. Maar je had nog een voorstel. Nog iets wat je van me wilde hebben. Wat is dat?'

'Zoals ik al zei: ten eerste wil ik dat je in de toekomst alleen met mij werkt.'

Natalie trok haar broek aan. 'Dat is geen probleem.'

'Ten tweede wil ik volledige protectie van jouw organisatie als er ontlasting aan de knikker komt.'

Ze keek hem vragend aan. Vroeg zich af of dit met Melissa Cherkasova te maken had. Met de politicus Bengt Svelander? Met het project van de Russen in de Oostzee, Nordic Pipe?

Natalie zei: 'Dat heb je al gezegd. Wat wil je nog meer?'

JW keek haar in de ogen. 'Ik wil dat je Stefanovic doodt.'

Een paar tellen lang wist Natalie niet wat ze moest zeggen. Dit was zo direct, zo onverwacht en wreed om afkomstig te zijn van JW. Maar ze hernam zich snel – dit was haar werkelijkheid.

'Ik wil niets liever. Maar zo makkelijk is het niet om die klootzak af te maken, kan ik je vertellen.'

'Dat heb ik begrepen. Maar ik kan je helpen. Hij vertrouwt me. Ik kan je geven wat je nodig hebt. In ruil daarvoor krijg jij wat je wilt hebben.'

JW stond op, deed de deur open en stapte naar buiten.
Adam zat nog steeds op de bank, hij leek geen vin verroerd te hebben.

Natalie keek door het raam naar buiten. De straat op.
Ze zag JW de entree uit komen. Een witte Audi reed naar hem toe. Ze zag een man achter het stuur zitten.
Hij had donkerblond haar. Iets aan hem voelde vreemd. Natalie kon niet zeggen wat. Hij deed haar aan Thomas denken.
Ze staarde naar de Audi.
Ze zag een sticker op de achterruit van de auto zitten: Hertz.
De auto reed weg. De sticker was zichtbaar door de achterruit.
Het was een huurauto. Waarschijnlijk omdat JW zo min mogelijk wilde bezitten dat zichtbaar was in registers.
Daarna dacht ze weer na. Een huurauto.
Auto's konden door iedereen worden gehuurd. Natuurlijk.
Wat was ze stom geweest.
Ze griste de telefoon uit haar zak.

52

Jorges hoofd vol beelden.

Hoe hij de trap op rende. Hij hoorde geschreeuw van beneden. Smerissen, de taxichauffeur. Misschien bewoners.

Deuren met namen op de brievenbussen. Vier per verdieping.

Geen echt plan, dit was zijn wijk niet, maar hij zou het goddomme niet opgeven nu hij zo ver was gekomen. Houdini, dat zou hij vannacht zijn.

De skotoe zou een paar minuten vertraging op moeten lopen: de chauffeur beneden met de nepblaffer op zijn gezicht gericht fungeerde als stopblok.

J-boy hijgde. Zijn hart bonkte sneller dan hij rende.

Hoeveel verdiepingen had dit gebouw eigenlijk?

Het antwoord kwam meteen. Hij stond voor een deur die van triplex leek. Die zat op slot. Einde van de trap, geen appartementen, leek het. Wel dozen op de vloer, een soort generator en een heleboel snoeren. Hij tilde de generator op. Die woog minstens vijftig kilo. Hij brak zijn rug haast.

Hij wankelde. Flikkerde bijna om. Daarna richtte hij zich op. Hield de generatorklomp voor zich, krampachtig. Keilde hem recht tegen de gesloten deur aan.

Het klonk alsof het hele gebouw over hem heen stortte. Stofwolken. Gedonder. Hij slamdunkte de generator er dwars doorheen. Twee-nul voor J-boy.

Hij keek om zich heen. De triplex plaat achter hem hing aan één scharnier. Hij snapte waarom er dozen en een generator buiten hadden gestaan: ze waren bezig deze zolder te verbouwen tot een mega-appartement.

Hoog plafond. Balken. Drie grote gaten met kunststof platen eroverheen, op drie plekken in het dak. Overal onregelmatige pilaren. Schilderskwasten, snoeren en werkhandschoenen in grote bakken op vuilgrijs papier op de vloer. Bouwmachines, ladders en planken tegen witgeschilderde muren.

Jorge had geen tijd om verder rond te kijken, had alleen tijd om te denken terwijl hij een ladder pakte. Zwedo's hielden net zoveel van hun gerenoveerde zolderverdiepingen als zijn homies van hun versleutelde BMW's. Iedereen wou iets om op te pimpen. Iedereen wou iets om mee op te scheppen. Schijt dat er hier geen lift heen ging en je vijf trappen op moest, al dan niet met een kinderwagen. Boeien dat je op de helft van het vloeroppervlak niet rechtop kon staan omdat het dak schuin was. *Who cares* dat de ramen zo diep waren dat je het hele jaar in het halfduister moest wonen. Zweedjes: net zo geil op status als iedereen – ze hielden alleen van vagere dingen.

Hij zette de ladder neer. Klom omhoog naar een gat in het dak. Sloeg met een schroevendraaier die hij in een krat had gevonden tegen de kunststof plaat. Hier wilden ze blijkbaar een dakraam maken.

Hij drukte de schroevendraaier onder de plaat. De ladder zwaaide. Hij wrikte. Duwde tegen de kunststof. Ragde spijkertjes en tape los.

Hij hoorde echoënde kreten vanuit het trappenhuis. Ze waren op weg naar boven.

Hij kreeg nu grip met zijn vingers. De kunststof sneed. Het kon hem niet schelen. Hij gebruikte beide handen. Hij hing eraan. Hij boog nu door naar binnen. Hij ging een sport hoger staan.

Voelde de kou van de nachtlucht in zijn gezicht slaan. Hij drukte met zijn rug.

De ladder wankelde.

Hij verloor de greep haast.

Het lukte hem de plaat ver genoeg weg te krijgen om zich op te richten. Rechtte zijn rug.

Zijn onderarmen waren nu op het dak. Hij stond op zijn tenen op de ladder.

Zijn bovenlichaam kwam buiten. Hij haalde zijn huid open aan een paar spijkertjes.

De plaat schraapte over zijn rug. Hij trapte de ladder weg.

Hij kroop helemaal op het dak. Het was weer gaan regenen.

Het dak was waarschijnlijk zo glad als de pest.

Hij dook in elkaar. Glibberde het dak over. Probeerde de straat op te kijken. Dat was niet nodig: het zwaailicht kleurde de gevels helemaal tot hier blauw.

Die klootzakken beneden konden zoveel mobiliseren als ze wilden – Houdini was los.

Hij kwam bij het einde van het gebouw. Het volgende gebouw: lager. Het dak: vier meter onder hem.

Nog steeds leken ze niet op het dak achter hem te zijn gekomen.

Hij sprong. Vloog.

Alsof hij door de lucht zweefde. IJskoude druppels pikten gaatjes in zijn gezicht. Hij zag alles in slow motion. Hij zag zichzelf vallen. Hij zag zijn voet verkeerd buigen op het gras buiten de muren. Hij zag zichzelf van gevangenis Österåker naar de vrijheid rennen. Pijn in zijn enkel, straalde uit naar zijn been. Verneukte stappen.

Dat mocht niet weer gebeuren. Hij landde.

Ving zichzelf op met armen en voeten. Als een kat.

Als Spiderman.

Hij rende verder. Dit dak was beter, platter, meer cement – minder glad.

Sjezen. Versnellen.

Kletsnatte rug. Zijn rugzak vloog op en neer. Was het regen of zweet? Midden in de jacht een gedachte over zijn zweet. Zijn geur nu: scherp, sterk, stress.

Verder over het volgende dak.

Hij jaagde zichzelf op.

Doorlopen, J-boy – doorlopen. Het leven is aan jou.

Hij zag het einde van het huizenblok verderop. Naar de overkant springen: onmogelijk.

Hij keek om zich heen. Hij schoof naar de rand van het dak. Zijn voeten eerst. Doodsbang om weg te glijden.

Hij zette één voet in de dakgoot. Drukte. Die voelde stevig.

Hij zette zijn andere voet erin. Boog zijn lichaam voorover. Probeerde zich met één hand vast te houden aan het dak.

Boog zijn hoofd. Keek over de rand. Shit – minstens twintig meter. Hij werd vet duizelig.

Toen keek hij weer: recht onder hem, een balkon.

God bestond.

Jorge opende zijn ogen. De beelden verdwenen. Negenentwintig uur geleden dat hij aan de jutenaanval was ontsnapt.

Hij had het raam in de balkondeur voorzichtig geforceerd. Opengemaakt. Was door de flat geslopen. Misschien sliep hier iemand. De buitendeur hoefde hij alleen maar van binnenuit open te maken. Zachtjes liep hij de trappen af. Beneden waren twee buitendeuren. Eentje kwam uit op de binnenplaats. Die nam hij. Hij sprong over een paar hekken naar andere binnenplaatsen. Ging aan de andere kant van het huizenblok naar buiten.

De straat was uitgestorven.

Hij bracht die nacht en de dag erop buitenshuis door. Sjokte heen en weer in winkelcentrum Västermalm. Jatte chocoladewafels bij Ica Supermarket en kocht een prepaid kaart. Vroeg zich af wie hij durfde bellen.

Viel terug op een klassieker van vroeger: kocht voor duizend kronen persoonsgegevens van een junk bij het Fridhemsplan. De daklozenopvang stuurde de rekening naar de sociaal werker van de junk. Die gozer raakte zijn uitkering kwijt, maar wilde liever snel geld voor horse.

Jorge ging onder zijn nieuwe naam slapen bij Charisma Care aan het Fridhemsplan.

En hier lag hij nu. Een slecht matras. Allemaal onrustige mensen om hem heen. Maakte niet uit, hij was ontsnapt.

Hij stond op. Liep naar de gemeenschappelijke ruimte. Houten stoelen en een ranzige bank. Een televisie in de hoek. Een telefoon in een andere hoek. Kerels die eruitzagen als zestig, al waren ze waarschijnlijk niet ouder dan dertig. Een kleine receptie. Een groot prikbord tegenover de balie van de receptie met reclame voor de straatkrant *Situation Stockholm*: de mogelijkheid om verkoper te worden. Cursussen aan de Volkshogeschool: korting voor daklozen. Folders over diverse uitkeringen. Cursussen bikram yoga in Mälarhöjden.

Fuck that shit.

Jorge zette zijn rugzak op de grond. Daarin: een paspoort en twaalfhonderd vijfhonderdjes. Hij moest de biljetten aan JW geven zodat hij ze kon wisselen. Daarna moest hij een ticket naar Thailand regelen.

Hij voelde zich moe.

Hij belde Paola vanaf de telefoon van de opvang. Gaf haar zijn nieuwe nummer. Zei niets over wat er was gebeurd. Bracht dat nu niet op.

Hij belde Mahmud in Thailand. Zijn mattie wist al dat J-boy de zes ton had opgegraven. Vertelde alles wat er afgelopen nacht was gebeurd. Javier gepakt. Zwedo Hägerström misschien ook gepakt. Alles naar de klote.

Mahmud zat te zeiken.

'Babak is toch van plan je erbij te lappen. Mij misschien ook. Wat ga je daar verdomme aan doen?'

'Je kunt Javier niet zomaar laten zitten.'

'Kun je hem niet bevrijden?'

Jorge zonder antwoord. Ze hingen op.

Hij ging weer zitten.

Wat moest hij in foksnaam doen?

Hij leunde achterover.

Een van de gozers in de gemeenschappelijke ruimte zag eruit als Björn, een jongerenwerker van vroeger.

Grijze baard. Kale kop. Witte haartjes aan de zijkant. Aardige ogen.

Jorge: een jaar of acht. Björn: de jongerenwerker die tekende als een god. Alle jochies vroegen hem dingen te tekenen. Onderzeeërs, kamelen, Ferrari's. Björn knipoogde. De rimpeltjes rondom zijn ogen breidden zich uit over zijn gezicht. Hij zag eruit als de Kerstman.

Jorge plus vriendjes sloegen de zwakkere jongens in elkaar. Zeiden meisjes die liepen op te scheppen dat ze hoeren waren. Richtten ravage aan in de kussenkamer: met lijm uit het houtbewerkingslokaal plakten ze kussens vast aan de vloer. Scheten in emmers die ze in de ventilatieschachten zetten zodat het een week lang stonk. Juffen en jeugdwerkers probeerden ze bij te sturen. Gesprekken te voeren. Ze op hun donder te geven. Uit hun duim gezogen contracten over hoe je je hoorde te gedragen te laten ondertekenen.

Niemand trok zich er iets van aan. Het Zwedo-personeel was een stel keffende poedels. Thuis waren alle jongens een veel hardere aanpak gewend. De pogingen van de jeugdwerkers om ze op te voeden waren gewoon suf.

De enige die ze respecteerden was Björn. Bij hem hielden ze zich cool. En als hij ze ergens op aansprak, gehoorzaamden ze onmiddellijk.

Björn: net een wijze, oude man.

Jorge wou dat hij hier nu kon zijn. Iets voor hem zou tekenen.

Een onderzeeër maar.

Dat zou genoeg zijn.

53

Ze hadden Hägerström meteen na het verhoor laten gaan. Natuurlijk. Ze konden niets tegen hem hebben, behalve misschien die keer op het Östermalmstorg toen hij de controle had verloren. Maar ze vroegen niks over die kleine flater.

Misschien zouden ze hem weer oproepen voor verhoor. Misschien zouden ze hem laten schaduwen. Hij moest voorzichtig zijn. Moest met commissaris Torsfjäll praten.

Zodra hij zijn telefoon aanzette, begon die te piepen. Gemiste oproepen. Ingesproken berichten. Sms-symbooltjes popten op op het schermpje.

JW en Torsfjäll probeerden hem te bereiken. Allebei met ongeveer dezelfde vragen: wat was er in godsnaam gebeurd? Hoe had Jorge kunnen ontsnappen?

Hägerström sprak met JW af in Sturehof. Hij liep erheen vanaf zijn huis. Het was koud buiten. Onderweg kocht hij een nieuwe mobiel met een nieuw abonnement – zijn oude zou binnenkort naar alle waarschijnlijkheid worden afgeluisterd. Hij belde Torsfjäll.

De commissaris wilde eerst niet praten. Hägerström zei dat hij met een nieuwe simkaart belde. Torsfjäll draaide honderdtachtig graden om. In plaats van zwijgzaam, schoorvoetend: de commissaris werd half gek.

'Hoe heeft dit godverdomme kunnen gebeuren?'

Hägerström probeerde antwoord te geven.

Torsfjäll schreeuwde: 'Heb je de koppen vandaag gezien? Heb je gezien dat de internetkranten je naam noemen?'

Hägerström probeerde iets te zeggen.

Torsfjäll tierde verder. 'Het is goddomme een geluk dat onze kleine Operatie Ariel Ultra echt UC is, anders zou ik vandaag zijn platgebeld als een politiewoordvoerder. Die godvergeten linkse journalisten, ze denken volstrekt niet aan de gevolgen. Het kan hun geen reet schelen wat ze afbreken.'

Hägerström probeerde de commissaris te kalmeren. Er zaten goede kanten aan de zaak.

Torsfjäll wist niet van ophouden. 'Die hele operatie begint me godsgruwelijk de keel uit te hangen. Ik overweeg goddomme ermee te stoppen. We hebben Javier kunnen pakken. Onze financieel rechercheur krijgt misschien genoeg bij elkaar tegen die godvergeten JW. Ik ben zo ongelofelijk moe vandaag. Wat hebben we eigenlijk voor prutsers van een ME'ers in dit land? Nou? Gedragen zich goddomme als flikkers. Kunnen verdomme niet eens een gewoon café binnen gaan om twee mensen op te pakken. Hoe moeilijk is dat nou eigenlijk? Godvergeten nichtenmaniertjes.'

Drie keer goddomme, twee keer godvergeten en wat homo-onvriendelijke opmerkingen in dertig seconden. Hägerström probeerde weer wat kalmerende zaken op te werpen.

Uiteindelijk bedaarde de commissaris enigszins.

Hägerström zei: 'In zekere zin is het goed dat de kranten schrijven. Zo krijg ik meer geloofwaardigheid in de kringen van Jorge en JW. Zien ze dat ik serieus meedoe. We zullen Jorge te pakken krijgen, dat weet ik zeker. Maak je geen zorgen.'

'Maar die kleine spanjool kan elk moment teruggaan naar Thailand. Hij heeft blijkbaar een paspoort.'

'Ja, maar zijn geld is gekleurd. En daar gaat JW hem mee helpen. Begrijp je? Hij zal contact opnemen met JW. En ik hou JW heel goed in de gaten. We zullen Jorge kunnen oppakken. En JW misschien ook, in elk geval voor pogingen tot het witwassen van geld.'

Torsfjäll klonk al iets tevredener. 'Oké, daar heb je een punt. Maar dat fatje moet niet alleen veroordeeld worden voor een simpel witwasklusje, hem willen we voor zwaardere dingen pakken. Je moet er alleen achter zien te komen waar ze hun materiaal bewaren.'

'Geloof me, dat probeer ik. En er is nog iets. Ik heb vandaag een verrassinkje voor JW. Iets waar hij zelf om heeft zitten zeuren. Iets waardoor hij me misschien nog meer zal gebruiken.'

Twee dagen later. De tweede maandag van oktober. Altijd. Iedereen die meetelde was dan in het bos. De kantoren in het centrum half leeg. De bronsttijd van de elanden was voorbij. Dat betekende elandenjacht.

Hägerströms verrassing: hij had geregeld dat JW bij Carl op Avesjö mee mocht doen aan de elandenjacht met bijbehorend diner.

Een mooie herfstdag. Een lange dag in het bos. Om acht uur 's ochtends verzamelen. Ze waren in totaal met zijn twaalven. Jaagden met honden. Twee ingehuurde hondengeleiders bewogen zich door het revier. De jagers op hun posten eromheen. Drie revieren die dag: drie keer drie uur. Vroege lunch bij het jachthonk. Staande aten ze goulashsoep uit plastic bakken. Een recap tussen elke drie uur. Sommigen rookten een sigaret. De meesten dronken koffie. Ze werden geïnstrueerd door de hondengeleiders, bespraken de beste route naar de volgende plek, brachten hun geweren op orde. Ze ouwehoerden voortdurend over de jacht, gemeenschappelijke kennissen en business.

Aan het einde van de dag hadden ze een jonge stier en twee kalveren geschoten – Hägerström was een van de helden. Hij had de een jaar oude stier geveld.

Voor Hägerström betekende de jacht een andere voltreffer. JW en hij hadden alle drie de keren samen in een jachthut gezeten. JW had een eersteklas jachtgeweer mogen lenen van Hägerströms broer. Een Blaser R93 met luxe vizierkijker: Swarovski Z6.

JW was in de zevende hemel.

Hägerström zag hoezeer hij zijn best deed niet al te geïmponeerd te lijken.

Maar hij was nog uitgelatener dan toen hij uit de bak kwam.

En bovendien: dit was JW's zakelijke jachtterrein.

's Avonds was er een diner op Avesjö. Hägerström, Carl, JW en negen vrienden van Carl. Hägerström kende de meesten al. Carl leefde volgens het principe dat nieuwe vrienden geen vrienden waren. Fredric Adlercreutz was er, uiteraard. Hij gedroeg zich vriendelijk tegen Hägerström. Misschien, dacht Hägerström, is hij ook gay.

Drie gezichten waren nieuw voor Hägerström. Zakenvrienden van Carl, de uitzonderingen op zijn regel.

Het was de eerste keer dat Hägerström een vriend meegebracht. JW was meer dan tien jaar jonger dan hij, maar Carl was een paar jaar jonger dan Hägerström, dus tussen hen was het leeftijdsverschil minder groot.

Ingehuurd personeel bereidde het eten. De hondengeleiders gingen naar huis. Het diner kwam op tafel. Het voorgerecht bestond uit aardappelpannenkoekjes met zure room en kaviaar van de kleine marene.

Alleen nog heren. Carls beste vrienden. Allemaal advocaten, financieel specialisten en handige vastgoedjongens.

Ze hadden allemaal dezelfde keuze in het leven gemaakt: de carrière kwam op de eerste plaats.

Ze hadden allemaal dezelfde achtergrond.

Ze hadden allemaal geërfd geld of hadden vrouwen met nog meer geërfd geld.

Hägerström nam JW op.

De anderen droegen een spijkerbroek met een overhemd, sommigen ook een jasje. Loafers of bruine bootschoenen aan hun voeten. Ze waren allemaal goed gekleed maar toch ontspannen. Tien jaar geleden waren deze mannen überkakkers geweest, ze hoefden zich niet meer tegenover elkaar te bewijzen. Ze waren nu volwassen.

JW echter droeg een rode katoenen broek met messcherpe vouwen, een wit overhemd en een donkerblauwe blazer. Uit Parijs ingevlogen Berluti's. Daarbovenop nog eens gouden manchetknopen van Tre Kronor, drie kroontjes op een rode achtergrond.

Misschien details aan de buitenkant. De basis was immers hetzelfde. Maar Hägerström zag het. En hij wist dat Carl het zag. JW was simpelweg een beetje over de top. Hij vroeg zich af of JW het verschil zelf bemerkte.

De anderen waren goed gecoiffeerd, maar hun kapsels waren een beetje rommelig na een hele dag met een jagerspet op in een jachthut.

JW was echter duidelijk naar de wc geweest om zichzelf te fatsoeneren. Zijn haar zat als een helm om zijn hoofd, strak achterovergekamd.

Ze zaten op opgeknapte rococostoelen met zebraleer. Carls vrouw hield van woninginrichting. Er lag een wit kleed op tafel. Aan de bovenzijde van de borden stonden drie verschillende kristallen glazen van Orrefors die Hägerström herkende. Dat was het bruiloftscadeau van hem en Tin-Tin aan Carl toen hij zes jaar geleden trouwde. Zilveren bestek, borden en servetten die Carls vrouw had geërfd van haar grootmoeder aan moederskant met het wapen van de familie Fogelklou er met krullerige steken op geborduurd. Op de tafel stonden enorme kandelaars met brandende kaarsen. Die herkende Hägerström ook. Ze waren afkomstig van de moeder van zijn moeder, gravin Cronhielm af Hakunge.

JW's ogen waren zo groot als de schoteltjes van het voorgerecht.

Hägerström vond dat de jongen moest leren om zich wat cooler voor te doen.

Carl heette iedereen welkom. 'Dan stel ik voor dat we het glas heffen op een geslaagde jacht. Hoewel het me dit jaar niet is gelukt iets te raken. Haha.'

Iedereen hief zijn glas, nipte aan de wijn van het voorgerecht: Chablis Cuvée Tour du Roy Vielles Vignes.

Hägerström bleef JW bestuderen.

Hij zocht naar het juiste bestek. Keek steels om zich heen om te zien welk bordje bedoeld was voor het brood. Veegde zijn mond te vaak af aan het linnen servet.

De man aan de andere kant van JW, Hugo Murray, hief zijn glas naar Hägerström.

'Op jou, Martin. Je was vandaag verdorie de enige die iets prachtigs heeft weten te vellen.'

Martin hief zijn glas. Keek Hugo in de ogen. Knikte. Glimlachte. Zei: 'En wie heeft de jonge stier van vorig jaar geveld?'

Hugo schoot in de lach. Knikte. Gebaarde met zijn glas naar Hägerström. Keek om zich heen. De anderen proostten ook. Iedereen liet zijn blik langs de tafel gaan. Daarna zetten ze hun glas neer.

Aan de muren hingen schilderijen. Graaf Gustaf Cronhielm af Hakunge, het origineel. Dezelfde kerel als Hägerström thuis aan de muur had hangen. Maar op dit schilderij hield hij twee zelfgeschoten fazanten omhoog. Schilderijen van zijn drie zoons, een van hen was Hägerströms grootvader. De man was overleden toen Hägerström vier jaar oud was. Aan een korte wand hing iets nieuws: een foto van zijn vader in de motorboot met de baai Vretaviken op de achtergrond.

Hägerström dacht aan wat zijn vader zou hebben gezegd als hij Javier en hem hand in hand in Bangkok had gezien.

Ze aten verder. Hägerström spitste zijn oren. Hij hoorde Hugo met JW praten.

'En wat doe jij als je niet samen met Martin in een jachthut verscholen ligt?'

JW zei: 'Ik beheer mijn geld, net als iedereen.'
Beleefdheidslachje van Hugo. Dwanglachje van JW.
'Aha, zit dat zo. En wat doe je als je je geld niet beheert?'
'Ik werk als kapitaalbeheerder.'
Hugo was minder beleefd, oprechter geïnteresseerd: 'Aha, doe je dat alleen?'
'Ja, dat kun je wel zeggen. Ik werk samen met een man in Liechtenstein, Gustaf Hansén, ken je hem?'
'Nee, ik geloof het niet. Hoe oud is hij?'
'Een jaar of vijfenveertig.'
'Heeft hij eerder bij Enskilda gewerkt?'
'Nee, bij de Danske Bank.'
'Oké. Dan is het misschien de oom van Carl-Johan. Ken je Carl-Johan Hansén?'
De serveersters dienden het hoofdgerecht op. Boeuf bourguignon van eland met amandelaardappeltjes. Het vlees was uiteraard afkomstig van Avesjö, van vorig jaar. De wijn: Chambolle-Musigny 2006, direct uit Carls wijnkelder.
JW en Hugo hielden het gesprek gaande.
Hägerström bleef luisteren.
JW zei: 'En wat doe jij?'
'Ik zit bij Investkapital. Doe daar wat dingetjes.'
'Aha. Waar precies?'
'Bij trading.'
JW probeerde hetzelfde terug te doen. 'Ken je Nippe Creutz dan misschien? De vriend van zijn zus zit geloof ik ook bij Invest.'
Hugo zag er vragend uit. 'Van hem heb ik nog nooit gehoord. Maar ik ben de afgelopen tijd ook met ouderschapsverlof geweest.'
'Lekker, toch?'
'Absoluut. Ik deed aan vrijdagmiddagen met vrouw en kinderen. Meer is niet haalbaar, weet je. Maar het was hartstikke lekker. De au pairs moeten ook af en toe een middagje vrij. Haha.'
Hägerström vroeg zich af of JW wist dat Hugo Murray min of meer de eigenaar van Investkapital BV was.
Hij hoorde Hugo het vraagspelletje omkeren. JW uithoren.
'Waar heb jij gestudeerd?'
'Op welke middelbare school heb je gezeten?'
'Waar ligt het buitenhuis van je ouders?'
JW navigeerde behendig.
'Ik heb in het buitenland gewoond.'
'Ik heb op een Amerikaanse high school in België gezeten.'
'Ze hebben een huisje in de Provence.'
Hägerström dacht: het waren niet alleen de kleren, het kapsel en de manchetknopen. Eén waarheid werd duidelijk. Geen enkele buitenstaander kon echt binnenkomen in de wereld waar hijzelf vandaan kwam. Het deed er niet toe

hoeveel geld je verdiende, dat je op het juiste adres woonde, je correct kleedde of overdreven vriendelijk was en honderden namen kon droppen. Of je jaagde, lid was van golfclub Värmdö, een huis kocht in de duurste straat van Torekov of de chicste auto reed.

Het was onmogelijk. Je kwam niet binnen. Je werd nooit echt een van hen. Want ze waren net een grote familie. Je kon mensen niet om de tuin leiden met perfecte tafelmanieren, de juiste conservatief-liberale inslag, lidmaatschap van de oudste herensociëteit van de stad of neerbuigende opmerkingen over het plebs in Farsta. Je werd doorzien – want als we je ouders en je broers en zussen niet kennen of niet op zijn minst over het landgoed van je familie in Södermanland hebben gehoord, ben je niet een van ons. Of je hoort bij ons of je hoort niet bij ons. De enige manier was om in de juiste familie geboren te worden.

Hägerström zelf was agent geweest, daarna cipier. Hoe goed paste dat in de wereld van Carl? Hij kleedde zich anders dan de anderen, leefde anders dan zij. Hij was potdorie homoseksueel. Toch accepteerden ze hem als een broer – want ze wisten waar hij vandaan kwam. Hun ouders kenden zijn ouders. Hun grootouders van vaderszijde kenden zijn grootouders van moederskant. Ze zagen zijn voorvaderen aan de muur hangen. Ze wisten dat ze hem konden vertrouwen.

Het diner werd afgesloten. Ze stonden op. Liepen de rookkamer in. Carl deelde sigaren uit. Aan de muren hingen jachttrofeeën en nog meer schilderijen van Cronhielm af Hakunge.

Ze dronken cognac en calvados. Ze praatten over business en de jacht.

JW weerde zich goed. Ze mochten hem. Hoewel hij niet een van hen was, wilde hij dat wel zijn. Dat was oké.

Hägerström hoorde hem de vijf lege jaren in zijn leven vullen – de jaren waarin hij in werkelijkheid in de bak had gezeten. Hij vertelde over banen bij Amerikaanse banken en contacten met belastingparadijzen. Hij beschreef het strand bij Nassau, de restaurants in Georgetown en de hotels in Panama. JW merkte tussen neus en lippen door op hoe je een beetje slim kon zijn. Misschien wat investeren via iemand daarginds, zodat Bureaucraat-Zweden geen al te groot deel van de taart kreeg.

Hägerström kon de nieuwsgierigheid in de ogen van sommige mannen zien. Hij wilde dat JW zou doorgaan met het jagen op potentiële klanten.

Hij kon niet alles wat JW de rest van de avond zei verstaan. Maar hij hoorde hem met Fredric praten.

'Ik hou erg van Panama. Ze hebben daar zulke *bearer shares*, een soort lopende schuldbrieven, maar dan tien keer beter. Dat betekent namelijk dat de eigenaars van bedrijven volstrekt anoniem kunnen zijn. Je weet wel, degene die het aandeel bezit is eigenaar van het bedrijf, maar zijn naam staat nergens geregistreerd en hoeft evenmin op het aandeel te staan. Zelfs de bank hoeft niet te weten wie de eigenaar is. Zo bezien is het net als in de goeie ouwe tijd, toen er nog Zwitserse rekeningen op nummer bestonden. Er zijn nog maar weinig landen in de wereld waar het zo werkt.'

Fredric zag er niet ongeïnteresseerd uit.

JW vervolgde: 'Je kunt bijvoorbeeld drie zwervers als bestuurslid benoemen, zodat de naam van de feitelijke eigenaar ook in het bestuur niet zichtbaar is. De eigenaar kan ze zelfs benoemen met een volmacht. Je kunt daar een advocatenkantoor inschakelen dat al het papierwerk doet. Overheidsinstanties van de hele wereld kunnen zoveel transacties natrekken als ze maar willen, ze komen er toch nooit achter wie de eigenaar is. Dat is geweldig. Of niet soms?'

Een paar uur later zaten Hägerström en JW in een taxi naar de stad. Het was twee uur 's nachts. Ze zaten op de achterbank.

JW was half beschonken en heel gelukkig.

'Potdorie wat chill, Martin. Potdorie wat tof dat je me mee hebt gevraagd, weet je.'

Zoals verwacht. JW zou bij hem in het krijt staan. JW zou nog dichter bij Hägerström willen komen, want dit was het paradijs voor hem geweest.

Maar bovenal zou JW misschien willen dat Hägerström hem opnieuw met een van de mannen in contact zou brengen.

Hij zei: 'Ik vraag me af wat er met Javier zal gebeuren.'

JW glimlachte. '*Who cares*? Hij zal veroordeeld worden. Eigen domme schuld, vind ik.'

Buiten was het pikdonker. De bossen, akkers en villawijken van Värmdö zagen er koud uit.

Vlak voor ze zouden vertrekken had Carl gevraagd of hij even mee naar boven kon komen.

Hij had Hägerström in de ogen gekeken.

'Martin, wat heb je voor jongen meegesleept?'

'Hoe bedoel je?'

'Ben je soms met hem bevriend geraakt toen je in de gevangenis werkte?'

'Wat is er met je? Hij is toch sympathiek. Iedereen hier mag hem.'

'Dat interesseert me niet. Hugo heeft verteld wie hij is. Weet jij wie hij is?'

'Kom op zeg, Calle. Wat is je probleem?'

'Jouw vriend, JW, die vanavond in mijn huis heeft gegeten en met mijn vrienden is opgetrokken, heeft jaren vastgezeten vanwege drugs. En nu begint hij met Hugo Murray, Fredric en de andere jongens over zwarte zaken met Gustaf Hansén, het openen van bankrekeningen bij offshorebedrijven in Panama en dergelijke te praten.'

'Zo erg is dat toch niet. Fredric wil hem weer spreken.'

Carl zei: 'Dat is dan zijn verantwoordelijkheid. Ik vind het gênant.'

Hägerström voelde dat hij heel dicht bij een doorbraak zat. JW vertrouwde hem niet alleen, hij zorgde er niet alleen voor dat hij klanten kon werven – JW wilde ook vertrouwelijk met hem omgaan. Nu had hij nog maar een klein brokje informatie nodig: waar bevond zich hun geheime boekhouding? Bewijs dat sterk genoeg was. Tastbare documenten die alles waar hij zich mee bezighield bewezen.

Ze reden over de brug naar de Stockholmse buitenwijk Nacka. Het water was donker. De ramen van de villa's zagen er uit de verte uit als kleine kaarsjes. Zo dichtbebouwd was het hier niet geweest in Hägerströms jeugd. Hij herinnerde zich de oude weg naar Värmdö. Toen was het twee uur naar Värmdö. Tegenwoordig duurde het drie kwartier.

JW draaide zich naar hem toe. Focuste zijn blik. Zijn stem was doodernstig. 'Waarom, Martin? Waarom?'

Hägerström vroeg zich af waar dit over ging.

'Waarom?' zei JW weer. 'Waarom heb je als agent en als cipier gewerkt als je dit allemaal hebt?'

'Hoe bedoel je?'

'Je hebt alles waar je van kunt dromen. Geld, vrienden, tradities. Waarom heb je voor dat werk gekozen?'

Hägerström haalde zijn hand door zijn haar. 'Ik heb misschien mijn broer en ik heb misschien tradities, dat weet ik niet. Maar je moet begrijpen dat ik geen geld heb. Ik ben praktisch bankroet. Het enige wat ik heb is mijn woning, en daar zit een flinke hypotheek op. Een paar jaar geleden heb ik iets oerstoms gedaan. Daar wil ik het verder liever niet over hebben, maar het gevolg is dat ik geen bakken met geld heb. Integendeel, ik heb wanhopig cash nodig.'

JW leunde achterover. 'Maar toch, ik zou als ik jou was geen cipier geworden zijn.'

'Nee, maar dat ben ik ook niet meer.'

'Dus je hebt geld nodig.'

Een scheef lachje van Hägerström. 'Meer dan ooit.'

JW zei: 'Dan heb ik misschien een klus voor je. Het is supersimpel. Het enige wat je hoeft te doen is ergens een koffer naartoe brengen. Je krijgt er dertigduizend voor.'

54

Natalie met Sascha in een gehuurde Passat. Onderweg naar Hertz aan de Vasagatan.

Niet om de auto terug te brengen. Niet om ergens over te klagen. Wel: om uit te zoeken of Hertz half april een groene Volvo had verhuurd en zo ja, aan wie.

Het punt: Natalie had de bewakingsfilmpjes nog tien keer bekeken. Het kenteken van de groene Volvo was niet te zien. Maar toen ze vorige week vanaf het balkon van het hotel had gezien dat JW werd opgehaald door een huurauto, viel het kwartje: een sticker van Hertz achter de achterruit. De donkere vlek op de achterruit van de groene Volvo kon zo'n sticker zijn.

Gisteren waren ze bij Avis geweest. Die verhuurden geen groene auto's, zeiden ze. De dag ervoor: Europcar. Daar hadden ze wel Volvo's. Natalie dramde, drong aan, dreigde – we moeten zien of jullie in april een groene Volvo hebben verhuurd. Het duurde uren. Ze doorzochten archieven, bekeken hun databases. Europcar concludeerde: we hadden groene auto's in april, maar die stonden allemaal in onze garage in Noord-Zweden.

Natalie gaf niet op, dus vandaag was Hertz aan de beurt.

En Thomas had vanmorgen gebeld. Hij had het resultaat binnen van de zoekopdrachten in de politieregisters die hij had geregeld. De vingerafdrukken die Rapid Research had gevonden bij de Black & White Inn.

Hij wilde het niet over de telefoon doen. Zodra ze tijd had, zouden ze elkaar zien. Na Hertz.

Sascha parkeerde de auto. Langs het trottoir stonden bordjes: verboden te parkeren. Sascha was toch al failliet verklaard, hij moest de boete maar op zich nemen.

Hij maakte eerst een rondje, inspecteerde de omgeving. Het kantoor van Hertz vijf meter verderop.

Sinds het akkefietje met Marko: de oorlog met Stefanovic bevond zich in een volgende fase. Er was nog niks gebeurd, maar al haar adviseurs waren het erover eens – Stefanovic likte alleen zijn wonden. Hij was absoluut niet van plan het op te geven. Integendeel, de *izdajnik* zou proberen tien keer zo hard terug te slaan.

Natalie wisselde om de dag van auto. Als ze thuis sliep, sliep ze in de schuilkamer die Stefanovic had laten bouwen – de ironie van het lot. Andere nachten verbleef ze in Hotel Diplomat, Strand en verschillende Clarion-vestigingen in de stad. Soms sliep ze bij Thomas in het souterrain. Zijn vrouw, Åsa, was een schat. Hun zoon, Sander, was om op te vreten.

Ze dronk acht Red Bull Shots per dag en zeven koppen koffie. Ze was gestopt met valeriaan 's avonds – knabbelde nu Sonata gemixt met Xanax. Ze waste haar haar maar één keer per week, gebruikte de rest van de week droogshampoo. Ze maakte zich maar een beetje op. Voor het eerst in drie jaar at ze weer witbrood – het LCHF-dieet was voor meisjes. Ze sportte niet, stopte met Facebook, wisselde elke vijf dagen van mobiel.

Eergisteren had ze Viktor gedumpt.

Geen drama. Hij belde om te vragen of ze samen zouden gaan eten. Misschien wilde hij zijn verontschuldigingen aanbieden voor zijn gedrag. Ze zei hoe de zaken ervoor stonden.

'We zijn uit elkaar gegroeid.'

Hij was stil.

Ze gebruikte standaardcliché nummer één. 'Het ligt niet aan jou. Het ligt aan mij.'

Viktor ademde zwaar.

Ze zei: 'Ik ben erg veranderd sinds papa is vermoord. Ik kan op dit moment geen normale relatie hebben. Er gebeuren te veel andere dingen. Het spijt me.'

Viktor wilde iets zeggen, hij ademde in.

Natalie onderbrak hem: 'Het heeft geen zin elkaar af en toe te bellen. Dat voelt alleen maar vreemd. Ik mag je als een vriend, Viktor, echt waar.'

Hij zei: 'Is het die gast van Brasserie Godot?'

'Doe normaal. Heb je niet gedaan wat ik toen zei? Heb je niet uitgezocht wat er met hem is gebeurd?'

'Geef antwoord. Is hij het?'

Natalie dacht aan JW in het hotelbed van Diplomat. Ze hadden elkaar sindsdien nog twee keer gezien, in andere hotels.

Haar stem verhardde. 'Heb je niet gehoord wat ik net zei? Het heeft niks met iemand anders te maken. Het heeft alleen met mij te maken. Ik ben niet dezelfde als een halfjaar geleden. Toen was ik een meisje, nu ben ik volwassen.'

Viktor maakte vreemde geluiden. Misschien snotterde hij.

Natalie hing op.

Ze voelde zich opgelucht. En geïrriteerd.

Ze stapte achter Sascha het kantoor van Hertz binnen.

Twee gasten van een jaar of dertig achter de toonbank. De ene: geschoren kop – bezig met een klant. De ander: lang haar in een paardenstaart – zat achter een computer. Zag er pseudodruk uit – wilde dat Natalie in de rij ging staan.

Ze keek om zich heen. Aan de muren: oude Amerikaanse reclameposters van Hertz uit de jaren vijftig. Mannen met hoeden en vrouwen in lange rokken: SEE

MORE, DO MORE, HAVE MORE FUN... THE HERTZ RENT-A-CAR-WAY! THE HERTZ IDEA HAS BECOME... THE HERTZ HABIT. Verder: affiches met foto's van auto's die je kon huren. De Volvo S80 – ze hadden hem in verschillende uitvoeringen. En kleuren?

Een neplederen bank tegen de muur. De klant bij de balie kletste maar door. Natalie wachtte vijf minuten. De geschoren gozer kwam niet van zijn klant los. Natalie wilde proberen het op de vriendelijke manier te doen.

Toch trok ze het niet om nog langer te wachten. Ze boog over de balie, keek naar de paardenstaart bij de computer. Wit overhemd met korte mouwen en een naambordje op zijn borst.

Ze zei: 'Anton, mag ik je iets vragen?'

De jongen sprong bijna op.

'Absoluut.'

'Ik heb een bijzonder soort hulp nodig. Ik wil wat dingetjes vragen over verschillende auto's die jullie hebben verhuurd.'

'Hoe bedoel je dat precies?'

Natalie keek opzij. De klant en de andere Hertz-gozer waren met elkaar bezig. 'Het zou het beste zijn om dat in jullie kantoortje te bespreken.'

Anton was onwillig. Natalie drong aan. Legde uit dat ze een grote klant van Hertz was – dat was waar, al stond haar naam nooit op de huurovereenkomst.

Ten slotte gaf Anton toe. Natalie en Sascha mochten meelopen naar achteren.

Een kantoortje slash keuken. Een gootsteen in de hoek, plus koffiekopjes, een koffiezetapparaat en een minikoelkast. Een tafeltje met vier stoelen. In de andere helft van de ruimte: een breed bureau met twee bureaustoelen aan elke kant. Telefoons, computers, een heleboel ordners.

Anton bleef midden in het kantoor staan. 'Nou, wat kan ik voor je doen?'

Natalie zei: 'Ik wil graag weten of jullie in de eerste helft van april een groene Volvo S80 hebben verhuurd. En zo ja, aan wie.'

Anton sloeg zijn armen over elkaar. 'We geven helaas geen informatie over andere klanten.'

Natalie wilde geen gezeik. 'Maar Avis geeft die informatie wel.'

'Wij zijn Avis niet. Onze klanten kunnen zich veilig voelen bij Hertz.'

'Maar verhuren jullie überhaupt Volvo S80's?'

'Jazeker.'

'Hadden jullie die auto in april?'

'Ja.'

'Hoeveel zijn er in Stockholm? Dat kun je toch wel nakijken?'

Anton krabde op zijn hoofd. Hij had een ringetje in zijn rechteroor. Hij zag eruit als minister van Financiën Anders Borg.

'Jaaa, dat zou geen probleem moeten zijn. Maar waarom willen jullie dat allemaal weten?'

Natalie draaide hetzelfde riedeltje af als bij Avis en Europcar. 'We zitten achter een doorrijder aan. Een auto-ongeluk in Östermalm op 14 april, waarbij een kind is omgekomen. De politie heeft de auto niet kunnen identificeren, dus nu proberen we het zelf te doen. Ik neem aan dat Hertz zijn medewerking daaraan wil verlenen.'

Anton bleef krabben. 'Ach jee. Maar dan kijk ik het even na.'

Hij ging achter een computer zitten. Typte iets. Klikte met de muis op allerlei velden en iconen.

Aan de muur hingen dezelfde vintage reclameborden als bij de balie.

Natalie dacht aan de afspraak met JW. Hij zei dat hij niet met Stefanovic durfde te breken als niet iemand hem liet verdwijnen. Ze vroeg zich af waar hij haar protectie dan nog voor nodig had. Het antwoord luidde: iets anders. Een grootse coup: JW had plannen om zijn klanten ongelofelijk te besodemieteren. Degenen die hun geld in zijn handen hadden gelegd keihard te bedonderen. Die hem het witwassen van hun poen hadden toevertrouwd. En hij liep niet het risico dat zijn klanten onmiddellijk naar de politie zouden gaan.

Zijn idee was simpel. Geniaal. Gruwelijk gevaarlijk.

Ze moest erover nadenken. Aan de andere kant: ze moest Stefanovic doden. JW was de sleutel.

En ook: ze had hem nodig – ze had het gevoel dat hij een spiegelbeeld van haar was. Alsof hij haar werkelijk begreep, haar doorzag en wist wie ze was. Ze voelde veel voor hem. Misschien te veel.

Als ze bovendien een percentage van zijn oplichterij kon krijgen, zouden al haar problemen de wereld uit zijn. Behalve dat ene: wie had papa vermoord?

Anton schoof zijn stoel naar achteren. 'Alles bij elkaar hadden we in april tweehonderdtwee verhuren van Volvo S80's. Voor 14 april hebben we er vijfentachtig keer een verhuurd. Ik weet het niet zeker, maar volgens mij hadden we toen twee groene in Stockholm. Dat betekent dat we voor 14 april zeven keer een groene Volvo hebben verhuurd.'

Natalie dacht: die gozer is niet dom.

Ze zei: 'Mag ik zien wie de zeven huurders waren?'

'Ik zei toch dat dat niet mag. We hebben geheimhouding.'

Er waren drie manieren om dit aan te pakken. Of ze liet Sascha op hem los – ze zou krijgen wat ze wilde, maar ze liep het risico van aangifte bij de politie en ander gedoe. Alternatief twee was om zelf harder tegen Anton op te treden. Dreigen met Sascha, dreigen dat ze zijn lelijke paardenstaart eraf zou snijden en in zijn strot zou duwen. Ze koos de derde weg.

Natalie legde vier briefjes van vijfhonderd op het bureau.

Anton staarde ernaar.

'Als je me een print geeft van degenen die die zeven auto's hebben gehuurd, kun je vanmiddag iets leuks voor jezelf kopen.'

Sascha en zij zaten nog in de auto op de Vasagatan.

Ze had nooit gedacht dat Anton het zou accepteren. Maar tegelijkertijd leek die jongen naïever dan een Zweedse toerist in Marrakech. Hij smilede, pakte de brief-

jes, ging weer achter de computer zitten, typte iets in en printte zeven A4'tjes.
Natalie kreeg ze mee in een plastic mapje met het logo van Hertz erop.
Ze kon niet wachten. Natalie ging op de achterbank zitten. Legde de wazige foto van de bewakingscamera van de groene Volvo en de bestuurder neer. Haalde de zeven A4'tjes die Anton haar had gegeven tevoorschijn en hield ze in haar hand. Het mooie: Hertz maakte altijd een digitale kopie van het rijbewijs van de klant.
Shit.
Zes mannen en een vrouw.
De pasfoto's waren slecht. Zwart-wit, wazig, lastig te duiden. De vrouw viel onmiddellijk af.
Ze hield ze tegen het licht. Tegen de stoel. Legde de prints, een voor een, naast elkaar.
De foto van de bewakingscamera lag ernaast.
John Johansson, Kurt Sjögren, Kevin Whales, Daniel Wengelin, Tor Jonasson. Hamed Ghasemi.
De uitsluitingsmethode. Hamed viel meteen af. Hij was te donker.
Ze vergeleek weer. Kevin Whales was te jong, uit 1990. De man op de bewakingscamera was ouder, had een breder gezicht. Whales viel af.
Nog vier mannen over.
Kut dat die beelden van de bewakingscamera van zulke slechte kwaliteit waren. Waarom had je die dingen eigenlijk als je een mens niet eens op vijftien meter afstand kon herkennen?
Ze gaf de foto's cijfers. Een tot vijf.
Daniel Wengelin: lichtblond, tenger. Zesendertig jaar. Een één – hij kwam niet in de buurt van de man op de foto.
Tor Jonasson: een twee. De haarkleur klopte, de rest niet.
John Johansson en Kurt Sjögren: allebei een vier.
Beiden zouden kunnen.
Ze zei tegen Sascha haar naar Thomas te brengen.

Ze zagen elkaar bij haar thuis. Thomas was er al. Hij zat in de keuken.
Ze gingen naar de bibliotheek. Dit was op het moment het belangrijkste – dit had bibliotheekstatus tot de tiende macht.
Ze zei: 'Wat hebben ze gevonden?'
'Veel mensen bij de politie haten me. Maar sommigen begrijpen wel waarom ik heb gedaan wat ik heb gedaan. Ze weten dat ik nog fatsoen in mijn lijf heb. Dus heb ik de resultaten van het vingerafdrukkenonderzoek samen met een gratificatie aan een vriend van me gegeven. Hij heeft die resultaten toegevoegd aan een lopend onderzoek waar hij mee bezig is. Daardoor kon hij de informatie vervolgens laten natrekken in de registers van het Scandinavisch Samenwerkingscomité en Interpol. Die hebben toen in hun registers gezocht naar de vingerafdruk uit de Black & White Inn.'

Natalie voelde haar hart bonken in haar slapen.

'Ze hebben drie treffers. Een moord in Berlijn vorig jaar, een poging tot een aanslag op een Russische politicus en een andere moord in Lyon, zeven jaar geleden.'

Natalie ademde niet.

Thomas zei: 'Ze verdenken één persoon.'

Hij pakte een envelop, maakte hem open. Legde een papier op tafel.

Een uittreksel uit het *wanted*-register van Interpol. Eerst een paar regels algemene informatie. Daarna een naam: Semjon Averin. Daarna twee foto's, van voren en van opzij.

Er stond meer, maar ze keek alleen naar de persoon op de foto.

Een scherpe foto: het was dezelfde man als John Johansson.

OIPC – ICPO Interpol
Vertaling: Lena Skogsgren

INTERNATIONALE OPSPORING
[foto]
Legal status
Huidige achternaam: Averin (zoon van Michail)
Huidige voornaam: Semjon
Geslacht: man
Geboortedatum: 4 april 1966
Geboorteplaats: Kurgan, Uralskij
Nationaliteit: Russische
Bekende aliassen: Florencio Primo, Sergej Batista, Wolk ('de Wolf')

Fysieke beschrijving
Lengte: 187 cm
Gewicht: 97 kg
Haarkleur: donker
Ogen: bruin

Delicten
Moord, poging tot moord, wapenbezit, samenzwering

Arrestatiebevelen uitgevaardigd door:
Moskovskij gorodskoj sud, Moskou, Rusland
Tribunal de Police, Parijs, Frankrijk

Tekst
Semjon Averin is geboren in de stad Kurgan in Siberië. Zijn vader Michail Averin werkte als hoge officier bij de Russische luchtmacht.

Zijn moeder Sonja was communistisch activist. Averins ouders zijn gescheiden toen hij kind was. Er is tweemaal melding gemaakt van ernstige mishandeling van de zoon door de vader.

Na de middelbare school nam Averin dienst bij het Russische leger. Na een voltooide tweejarige basisopleiding werd hij aangenomen bij OMON (Otrjad Militsii Osobogo Naznatjenija). De OMON bestaat uit een groot aantal gespecialiseerde eenheden binnen de nationale politie van Rusland. De OMON is opgericht in de voormalige Sovjet-Unie en valt tegenwoordig onder het ministerie van Binnenlandse Zaken (MVD). Elk politiedepartement in Rusland heeft een OMON-eenheid, die wordt ingezet bij gevaarlijke situaties, zoals gijzeldrama's, ontvoeringen, rellen, terroristische dreiging et cetera.

Averin werd na veertien maanden dienst evenwel uit de eenheid ontslagen, om onbekende redenen. Hij keerde terug naar Kurgan en kreeg daar een aanstelling als grafdelver. In 1989 trouwde hij en kreeg hij een kind. Kort daarop is er een aanklacht van verkrachting tegen hem ingediend en is hij veroordeeld tot acht jaar Goelag. Op de dag waarop hij naar de Goelag overgebracht zou worden, werd hem toegestaan zijn vrouw te bezoeken. Averin wist van de derde verdieping van het gebouw waar de ontmoeting plaatsvond te ontsnappen. Na een aantal maanden op de vlucht werd hij 1.200 kilometer ten noorden van Kurgan aangetroffen, opgepakt en daarvandaan naar de Goelag gebracht. Hoewel Averin het recht had om op een speciale afdeling voor voormalig militairen en politiemannen geplaatst te worden, werd hij naar een gewone afdeling gestuurd, waarschijnlijk omdat hij vluchtgevaarlijk was.

Volgens onbevestigde geruchten werd hij door de andere gedetineerden ter dood veroordeeld toen ze zijn achtergrond bij de politie ontdekten. Hij overleefde een aantal pogingen tot moord in het gevangenenkamp en moest herhaaldelijk vechten voor zijn leven. Zijn bijnaam Wolk (de Wolf) kreeg hij van zijn medegedetineerden omdat hij de reputatie had zijn tegenstanders in de nek te bijten als hij werd aangevallen. Na verloop van tijd werd hij met rust gelaten omdat hij als gevaarlijk werd beschouwd.

Averin is in 1992 ontsnapt uit de Goelag. Hij keerde terug naar Kurgan, waar hij zich vermoedelijk heeft aangesloten bij een lokale criminele organisatie. Hij wordt verdacht van betrokkenheid bij de moord op de leider van de rivaliserende organisatie, Dima Romanovitj, in de stad Tjumen. In 1994 is Averin waarschijnlijk naar Moskou verhuisd.

Averin wordt ervan verdacht in de jaren 1994-2002 in opdracht van verschillende organisaties en groeperingen deelgenomen te hebben aan diverse illegale activiteiten. De verdenkingen betreffen pogingen tot moord, afpersing, mishandeling en wapenbezit. Deze delicten zijn echter niet bewezen. Na deze periode zijn er de volgende formele verdenkingen jegens Averin ontstaan:

• Moord op de Algerijnse staatsburger Hassan Saber, Lyon 2003. Er zijn vingerafdrukken aangetroffen op een wapen, een pistool van het model Stetjkin APS, dat is gevonden in een watertank op het dak van het appartementencomplex waar Hassan Saber woonde. Hassan Saber was bij de Franse politie bekend als leidende figuur binnen de prostitutie in Lyon. Hij was driemaal met het betreffende pistool tussen de ogen geschoten.

• Aanslag op de Russische regionale politicus Alexandr Glinka, 2007. In 2006 werd Glinka verkozen tot burgemeester van Novgorod. Zijn voornaamste verkiezingsboodschap was bestrijding van corruptie in de regio. In juni 2007 explodeerde Glinka's dienstwagen voor zijn huis. Glinka zat nog niet in de auto. Zijn chauffeur raakte ernstig, maar niet levensbedreigend, gewond. Uit onderzoek van de Russische politie blijkt dat de lading, die bestond uit een granaat en semtex, om de een of andere reden te vroeg tot ontploffing is gekomen, en dat deze verkeerd bevestigd was. Semjon Averin is door getuigen gezien in een auto in de buurt van de plaats van de aanslag.

• Moord op de Duitse staatsburger Özcan Çetin, 2010. Ten slotte zijn Averins vingerafdrukken aangetroffen op een frisdrankblikje in een appartement in Berlijn waar de Duitse staatsburger Özcan Çetin vermoord en gemarteld is aangetroffen.

De politie heeft geen persoonlijke of andere banden tussen Averin en de slachtoffers Saber, Glinka of Çetin kunnen vinden. Op grond daarvan, en vanwege de werkwijze en het feit dat de delicten in uiteenlopende delen van Europa plaatsvonden, wordt Averin ervan verdacht zogeheten contractmoorden te plegen.

Averin komt niet voor in DNA-registers.

Let wel
Ondanks bovenstaande informatie dient de persoon in kwestie als onschuldig te worden beschouwd tot het tegendeel is bewezen.

55

Weer op Arlanda. Jorge dacht aan de meid met de dreadlocks die hij was tegengekomen toen hij terugkwam uit Thailand. Ziek toevallig dat ze hier tegelijk waren geweest.

Nu: al veel te lang in Zwedo-land. J-boy had geregeld waar hij voor was gekomen. De cash opgegraven. Zestig mille.

Nu: tijd om terug te gaan. Het café daarginds te fiksen. Een rustig leven te gaan leiden. De jaren te laten verstrijken. Chillen met Mahmud.

Het verlies: Javier was gepakt, daar kon Jorge helemaal niks aan doen. Kankerstom van die kill om thuis te komen. Toch vond hij het sneu voor Javier.

De floes had hij aan JW gegeven. Die mattie had beloofd voor de poet te zorgen. In plaats van dat hij het zou wisselen of wassen – hij zou het op een rekening in Liechtenstein zetten, en daarna op een Aziatische bank. Shit, zijn vriend JW was echt oké – vroeg maar vier mille voor de moeite. Jorge zou een creditcard krijgen waarmee hij bij het geld kon.

Na de vlucht over de daken in Vasastan – Jorges paranoia had nieuwe hoogtes bereikt. Hij zag elke minuut Saab 9-5's. Sms'te de Dienst Wegverkeer tien keer per dag.

Elke nacht had hij zieke nachtmerries. In de ene helft van die dromen zag hij Javier in het huis van bewaring – ze bespoten hem met brandslangen. Schreeuwden: 'Waar is Jorge? Vertel op!' In de andere helft zag hij Babak de Fin bellen met een naar binnen gesmokkeld mobieltje: 'Jorge heeft je cash genakt.'

Jorge ging elke dag naar een andere opvang. Hij kocht een muts en trok hem over zijn oren. Hij had een palestinasjaal die hij om zijn kin wikkelde. Ze mochten best denken dat hij een Taimour Abdulwahab met een politieke fixatie was – als niemand hem maar herkende.

Hij had alleen maar op vandaag gewacht: het vliegtuig naar Bangkok zou om vier uur vertrekken.

Jorge: Houdini.

Nog steeds een king?

Nog steeds J. Bernadotte Bhumibol?

Nauwelijks – hij wilde nu alleen maar weg. Alles laten barsten. Babak mocht hem wel verraden – de officier van justitie zou toch geen zin hebben om hem helemaal tot aan Phuket achterna te zitten. Jorgelito en Paola moesten het zelf maar een paar jaar zien te redden. Javier moest maar zo goed mogelijk liegen om niet veroordeeld te worden.

Jorge zou hem nu peren.

Hij zat in de vertrekhal van terminal vijf. Ziek dure croissants en sinaasappelsap. Zijn vliegtuig zou over een uur vertrekken. Thailand – *I am waiting for you.* Ingecheckt, klaar om te gaan. Alleen handbagage, een paspoort dat bewezen had dat het werkte, een motortijdschrift voor in het vliegtuig: vet. Hij was nog niet door de veiligheidscontrole heen. Hoe minder tijd in de terminal, hoe beter – hij voelde zich daar opgesloten.

Hij had zijn moeder nog gebeld ook. Om adios te zeggen. Had uitgelegd dat hij meer van haar, Paola en Jorgito hield dan van wat dan ook. Ze huilde alleen maar. Jorge zag twee woorden aan de binnenkant van zijn oogleden toen hij had opgehangen: MAMÁ TRATÓ – mama, je hebt het geprobeerd.

De croissant kruimelde overal. Hij zat op een plek vanwaar hij een scherm met vluchtinformatie kon zien. Nog vijfenvijftig minuten.

Hij dacht aan wat Mahmud altijd zei: het belangrijkste is om groots te sterven.

En nu: hoe zou Jorge sterven? In een shabby flatje in Phuket? Als een cafékoning in een vette bungalow aan zee? In een Zweedse gevangenis? Hij wist het niet, en op het moment kon het hem ook niet schelen. Als hij maar met dat vliegtuig mee kon.

Weer Javier-gedachten. Hij liet zijn vriend hier achter. Maar de grondregel was dat iedereen zijn eigen shit moest oplossen. Hij kon niet de mama van zijn hermano zijn, kon de bips van zijn latino-mattie niet afvegen.

Daarna dacht hij aan zijn laatste gesprek met Mahmud.

'Ik kom overmorgen terug.'

'Oké, goed. En de doekoe?'

'Gefikst. JW regelt het.'

'*Great.*'

'Wil je dat ik iets speciaals uit Zweden meeneem, bepaald eten, penis?'

'Een penis heb ik al, dus dat zit wel goed. Maar kun je niet van die visjes van Malaco kopen?'

Jorge glimlachte.

Het vliegtuig zou nu over vijftig minuten vertrekken. Hij verlangde naar Mahmud.

Getril in zijn zak. Hij werd gebeld. Het was Paola's nummer.

Haar stem gestrest. Ze fluisterde haast.

'Jorge.'

'Ja, wat is er?'

'Ze zijn hier.'

'Wie?'

'Ze bonken op de deur. Ze zeggen dat ze hem intrappen als je niet hier komt om te betalen.'

'Wie zegt dat?'

Jorge hoorde zijn eigen stem: zwak. Voelde zijn kop: die gloeide.

Paola zei: 'Ze komen van iemand die de Fin heet. Ze zeggen dat je ze genaaid hebt. Ik zei dat je niet in Zweden bent, maar ze geloven me niet.'

In Jorges hoofd: foute beelden. Paola's bange ogen. Jorgito met blauwe plekken in zijn gezicht. Wat moest hij in fokking godesnaam doen?

Hij hoorde kreten op de achtergrond. Hij hoorde Paola roepen: 'Wegwezen. Jorge is hier niet.'

Hij hoorde bonken.

'Jorge, wat moet ik doen?'

'Is Jorgito daar ook?'

'Ja, ik heb hem opgesloten in zijn kamer. Wat moet ik zeggen?'

Jorge keek naar het scherm verderop. Veertig minuten voor vertrek. Veertig minuten tot rust en vrede.

Hij hield zijn paspoort en zijn boardingpass in zijn ene hand. De mobiele telefoon in zijn andere. Het gebrul op de achtergrond. Het bonzen. Hij hoorde niet eens wat Paola probeerde te zeggen.

Mahmuds motto in zijn hoofd: het belangrijkste is dat je groots sterft – hoe groots zou het zijn om zijn zus in de steek te laten?

Jorge riep in de hoorn: 'Niet opendoen. Ik kom eraan.'

De taxi reed honderdveertig. Jorge had de man een extra vijfhonderdje toegestopt. De chauffeur beloofde zo snel te rijden als hij durfde.

Minstens vijfendertig minuten naar Hägersten. Jorge probeerde Paola's deur voor zich te zien. Hoe dik kon die zijn? Wat zou die kunnen hebben? Zouden de buren niet reageren als iemand probeerde hem open te breken? Moest hij de politie bellen?

Die laatste gedachte voelde onwerkelijk: in zijn hele leven had hij de politie nog nooit gebeld.

Hij belde Paola weer. Ze nam op: het lawaai op de achtergrond erger. Haar huilen het ergste.

Hij brulde: 'Paola, je moet de politie bellen. Dat móét. Ik hang nu op, bel me als je de politie hebt gesproken.'

Ze hingen op.

Jorge wachtte.

Weinig verkeer op de snelweg. Hij staarde naar de display van zijn mobiel.

Was er iemand die hij er sneller heen kon sturen? Fok, iedereen die hem zou willen helpen was in het buitenland, zat vast of was veel te fatsoenlijk geworden. Behalve die Hägerström en JW – maar nee, die waren niet van het juiste kaliber.

De display was donker. Waarom belde ze niet terug?

Jorge drukte het laatst gekozen nummer in.

De telefoon ging over.

Haar antwoordapparaat ging aan.

Hij belde weer. Een, twee, drie keer ging de telefoon over.

Nu nam ze op. Geen lawaai. Paola huilde. 'Ze zijn nu binnen, Jorge. Ik heb me samen met Jorgito opgesloten in zijn kamer.'

'Ik ben onderweg. Heb je de politie gebeld?'

Het gesprek werd afgebroken.

Jorge probeerde weer te bellen.

Hoorde: 'Dit is het antwoordapparaat van Paola, je weet wat je na de piep moet doen.'

Hij hield de telefoon stevig vast.

Daarna deed hij iets waarvan hij niet had gedacht dat hij het ooit zou doen.

Jorge belde de skotoe.

Twintig minuten tot Paola's deur.

De taxichauffeur reed minstens drie keer door rood. De ergste minuten van zijn leven.

Hij zag een surveillancewagen op straat staan.

Hij rende de trappen op.

De braaksporen op de buitendeur waren duidelijk zichtbaar. De deur stond op een kier.

Hij hoorde mannenstemmen in de flat.

Hij gluurde naar binnen. Zag daar twee agenten.

Hij hoopte dat ze op tijd waren geweest. Tegelijkertijd: hij kon niet naar binnen gaan als er agenten waren. Hij probeerde weer te luisteren. Paola's stem? Jorgito's stem?

Hij hoorde niks.

Jorge liep de trap af.

Hij belde Paola.

De telefoon ging over.

Een man nam op. 'Wie is daar?'

Jorge hoopte dat het een agent was.

'Paola's broer.'

De stem zei: 'We hebben haar en het jongetje.'

Hij snapte het meteen – hij was te laat geweest.

Hij zei: 'Vuile klootzakken. Laat haar en het kind gaan. Ze hebben niks gedaan.'

De stem zei: 'De Fin wil zijn geld. De Fin weet dat je hem hebt belazerd.'

De stem had een licht accent. Jorge kon niet zeggen uit welke taal.

'Wat bedoelt hij in foksnaam? Ik heb hem niet belazerd.'

'We weten het. Er hebben vogeltjes gezongen in het huis van bewaring. Jullie hebben drie geldkoffers achterovergedrukt. De Fin wil zijn poet hebben.'

Joder. Maricon.

Motherfuckerlul.

Geen woorden die sterk genoeg waren – die Babak-putan moest hebben gekletst. Jorge vroeg zich af hoe de informatie was uitgelekt. De Iraniër had immers restricties.

'Laat mijn zus en haar kind los.'

'We ruilen. Jij neemt de cash die je hebt gejat mee, acht ton. Wij nemen mee wat jij wilt hebben.'

'Wanneer?'

'Wanneer je maar wilt.'

'Waar?'

'Daar bellen we over. Heb je het geld?'

Jorge zag de tweehonderd die hij aan Babak had gegeven voor zich, plus de zeshonderd die hij aan JW had gegeven om te wassen en op buitenlandse rekeningen te storten.

Hij antwoordde: 'Ja.'

56

Nu zou de case waterdicht moeten zijn.

Twee dagen na de elandenjacht in Avesjö belde JW Hägerström.

'Ik wil je bedanken voor de jacht. Het was me een genoegen.'

Hägerström wachtte op meer. Ze spraken vijf minuten over de jacht en het herendiner. Daarna kwam het. JW's order: 'Kom naar het accountantsbureau van Bladman, je weet waar het is. Je hebt me er al vaak afgezet. Neem een sporttas, rugzak of andere kleine tas mee.'

Hägerström reed erheen. Torsfjäll had hem bevolen, voor het eerst, om opnameapparatuur te gebruiken.

JW stond buiten op hem te wachten.

'We gaan hier niet naar binnen.'

Hij liep achter JW aan. Ze liepen om het huizenblok heen en bleven staan voor een gewone portiekdeur. JW toetste een code in. Ze liepen de trap op. Een gewone voordeur, er stond ANDERSSON op de brievenbus. JW draaide de deur van het slot en ging naar binnen.

Het was een klein appartement. Twee kamers. De wanden bedekt met boekenkasten vol ordners. Hägerström probeerde niet te staren. Hij voelde zich opgewekt.

Reuze bingo – dit moest de geheime bergplaats zijn. De dubbele boekhouding waarvan Torsfjäll zo zeker was dat die moest bestaan.

Eindelijk. Operatie Ariel Ultra zou binnenkort ten einde komen.

In een van de kamers stond een bureau. Ze gingen ieder aan een kant zitten.

JW zette een rugzak op tafel. Hägerström herkende hem, die had hij Jorge zien dragen.

JW maakte de rugzak open. Er lag een witte plastic zak in met iets wat leek op een pak melk.

Hij legde de zak op tafel.

'Hier, pak deze en stop hem in je tas.'

Hägerström staarde.

JW grijnsde. 'Maak je geen zorgen. Ik weet eerlijk gezegd niet precies wat het is. Maar het zijn in elk geval geen drugs of chemische wapens of zo.'

Hij legde een envelop op tafel.

'Dit is je ticket. Je vliegtuig vertrekt morgenochtend om negen uur naar Zürich. Je neemt de sneltrein naar Liechtenstein. Daar geef je de zak af. Daarna ga je terug naar Zürich en neem je een vliegtuig terug, vijf uur CET.'

Hägerström stopte de plastic zak in zijn tas. Hij woog minder dan een pak melk. Hij wist negenennegentig procent zeker dat het bankbiljetten waren.

JW zei: 'Je krijgt de helft nu en de rest als je thuiskomt. Het enige wat je hoeft te doen is de douane in Zürich passeren en vervolgens de trein nemen. Op het station stop je de plastic zak in een kluis. Dat is alles.'

Hägerström stopte de envelop in zijn binnenzak. 'Dit klinkt in elk geval makkelijker dan een eland vellen.'

'Het is tien keer zo gemakkelijk. Geloof me, er is niets om je zorgen over te maken.'

's Middags ontmoette hij Torsfjäll in een van de appartementen waar ze voor Thailand vaak hadden afgesproken. Ze maakten de zak samen open, allebei met latex handschoenen aan.

Hägerström zei: 'Hij heeft me gevraagd voor hem te koerieren. Het is opgenomen. En ik weet waar hun materiaal zich bevindt. Nu hebben we hem eindelijk.'

Torsfjäll legde de bankbiljetten op tafel. 'Laten we luisteren en laten we zien.'

Ze luisterden naar de opname. Daarna telden ze de biljetten voorzichtig: zeshonderdduizend kronen. De meeste ervan gekleurd. Torsfjäll nam een paar briefjes van vijfhonderd in zijn hand, keek ernaar door een vergrootglas dat hij uit zijn aktetas haalde. Hij draaide elk biljet meerdere keren om. Inspecteerde de cijfers, de vlekken.

Hij zei: 'Ik weet niet zeker of wat JW zegt veel oplevert. Maar dit is geld van de overval op Tomteboda. Dit is het geld van Jorge, zeker weten.'

'Ja, en het wordt nog beter. Ik neem het geld mee naar Liechtenstein, we zien wie het daar ophaalt. We arresteren die persoon en tegelijkertijd arresteren we JW en doen we een inval in hun geheime appartement.'

'Nee. We moeten wachten. Als we JW nu pakken, verdwijnt Jorge.'

'Maar het kan moeilijk worden hem nu op te sporen.'

'Ja, want het is hem blijkbaar gelukt dit geld zonder dat jij het doorhad aan JW af te leveren. Hij kan er elk moment vandoor gaan, of we JW nu arresteren of niet. Maar als we JW pakken, dan is hij meteen weg. We hebben de gates op Arlanda de afgelopen dagen stevig bewaakt, maar die rotzak is slim.'

Ze praatten nog een paar minuten. Toen wou Torsfjäll het gesprek beëindigen. De commissaris pakte de zak met geld. Hij zou de biljetten prepareren, zoals hij het noemde.

De volgende ochtend zagen ze elkaar weer in hetzelfde appartement. Het was nog geen halfzes. Hägerström dacht aan de tijd dat Pravat klein was en hij elke ochtend rond dit tijdstip wakker werd. Hägerström nam hem dan mee naar de woonkamer, zette hem op de bank en ging zelf languit aan de rand liggen, zodat Pravat niet kon vallen. Dan zat Pravat daar met ballen en blokken te spelen terwijl Hägerström nog een halfuurtje verder dutte.

Torsfjäll haalde de zak uit zijn aktetas en overhandigde hem aan Hägerström. 'Het zijn dezelfde biljetten, maar nu allemaal bespoten met smart DNA. Deze kunnen we tot aan het einde van de wereld volgen. Wie ze aanraakt krijgt spul aan zijn vingers dat minstens drie dagen blijft zitten.'

Hägerström stemde ermee in. Het was listig. Maar hij begreep nog steeds niet waarom ze JW niet meteen zouden arresteren. Jorge was nu naar alle waarschijnlijkheid toch al op weg naar Thailand. Pakten ze JW, dan zou hij gestrester raken, waardoor hij onvoorzichtiger zou worden. En als ze mensen op Arlanda hadden staan, zou dat sowieso wel lukken. Bovendien zou hij voor die tijd zelf contact met Jorge kunnen opnemen via JW.

Er klopte iets niet aan Torsfjälls redenering, maar hij had nu geen tijd om het daar met de commissaris over te hebben. Hägerström moest naar Zürich.

Alles ging goed op Arlanda. Hij droeg een pak zonder stropdas. Stopte de plastic zak met geld in een oude koffer die hij twintig jaar geleden van zijn vader had gekregen. Perfect, want in elk biljet zat een dun metalen draadje. Samen zouden ze de poortjes laten piepen als hij ze meenam als handbagage. Hij vulde de koffer verder met overhemden, broeken en onderbroeken.

Hij had een enkeltje, met een retourticket voor dezelfde dag zou de hoeveelheid bagage verdacht zijn.

In het vliegtuig tolden zijn gedachten.

Hij dacht aan Thailand. Aan zijn broer en diens vrienden. Hij zag JW's geïmponeerde blik voor zich. Hij miste Pravat. Hij vond het vreselijk dat dat gemis normaal begon te voelen.

Hij dacht aan zijn vader. In 1996 was Hägerström net een jaar bij de politie. Hij had een jongen leren kennen, Christopher, na een paar keer bij een club aan de Sveavägen. Ze dansten samen, dronken wodkacocktails, gingen naar Hägerströms huis om te neuken. Tijdens een weekend in november had Hägerström Christopher meegenomen naar Avesjö. Dat was voordat het van Carl werd. 's Winters stond het min of meer leeg. Papa vroeg de opzichter om er één keer per week langs te gaan, dat was alles.

Hägerström haalde Christopher op bij zijn appartement aan de Tulegatan. Hij was slank en had geblondeerd haar. Een ingetogen nichterigheid waar Hägerström van hield.

Ze reden naar Värmdö, Hägerström draaide The Back Street Boys in de auto. Digde de muziek met ironie. Knipoogde naar Christopher. '*When we're alone, girl, I wanna push up/ Can I get it?*'

Hägerström zette het alarm van het landhuis uit. Ze deden het licht aan. Installeerden zich. Kookten Aziatisch. Christopher zei dat hij ABC wilde drinken – *anything but chardonnay*. Hägerström haalde wat flessen sauvignon blanc uit de wijnkelder van zijn vader. Ze kletsten over de manier waarop ze met hun seksualiteit omgingen. Over de eerste keren met mannen. Welke kroegen in Stockholm serieus waren en welke alleen maar *dirty*.

's Avonds gingen ze op het bed in de slaapkamer van Hägerströms ouders liggen. Ze vreeën. Ze rolden rond in het bed van twee meter breed en zoenden. Ze sloten hun ogen en verkenden elkaars lichaam.

Christopher toverde een tube glijmiddel tevoorschijn. Ze bedreven de liefde.

Midden in hun vrijpartij hoorde Hägerström plotseling een geluid van de benedenverdieping.

Hij sprong op uit het bed.

Iemand riep van beneden: 'Hallo?'

Hij riep terug: 'Wie is daar?'

'Göran. Ben jij dat, Martin?'

Hägerström schoot zijn onderbroek aan. Kwam de kamer uit.

Hij riep: 'Ik kom eraan.' Fluisterde tegen Christopher dat hij de slaapkamer uit moest gaan.

Het was te laat. Papa was al op weg naar boven.

Ze zagen elkaar op de overloop van de bovenverdieping.

'Wat doe jij hier?'

Hägerström zei: 'Ik ben hier met een vriend. Ik sliep al. Ik wist niet dat je hier vanavond heen zou gaan.'

Papa keek hem aan. Schudde zijn hoofd. 'Sliep je al? Het is nog maar halfnegen.'

Terug in het vliegtuig. Hägerström miste zijn vader. Hoewel ze geen nauw contact hadden of zelfs maar op elkaar leken, was de liefde van zijn vader onvoorwaardelijk geweest. Niet dat hij ooit zoiets zei. Zijn vader had het niet op die manier over gevoelens. Maar toch voelde het zo – door de manier waarop hij met zijn kinderen sprak, naar ze keek, ze omhelsde als hij ze een tijd niet had gezien.

Hägerström dacht weer aan Javier. De tatoeages op zijn rug, zijn gebruinde armen en rug. Zijn lach. Hij wilde niet aan hem denken, maar hij kon er niet mee ophouden.

Hij had het gevoel dat hij hem nu nodig had.

Het vliegtuig landde op tijd. Hägerström wachtte op zijn koffer. Die zag er onaangeroerd uit, hij had een stukje tape over de opening geplakt, bij wijze van controle. Hij rolde hem zonder problemen langs de douane.

Een kwartier later reed de sneltrein binnen. Het was minder dan een uur naar Schaan-Vaduz.

Hij dommelde in de trein. De stoelen waren heerlijk.

Toen hij aankwam op het station liep hij meteen naar de kluisjes. Hij legde het tasje met geld in kluis nummer 432 en stopte er vier euromunten in. Hij kocht een *Vanity Fair* en nam de trein terug naar het vliegveld van Zürich. Hij ging in een café zitten wachten op het vliegtuig terug. JW had overdag voor hem geboekt.

De vlucht naar huis verliep volgens schema. Hägerström had twaalfhonderd met smart DNA gemerkte bankbiljetten in minder dan twaalf uur bezorgd. Van deur tot deur.

Hij was moe toen hij thuiskwam. Ging voor de televisie zitten. Een danswedstrijd.

Zijn telefoon ging.

Een hijgende stem. Hij hoorde eerst niet wie het was.

'Yo, Hägerström. Ik moet je eigenlijk zien. Ik zit vet in de problemen.'

'Met wie spreek ik?'

'Met Jorge. We moeten meteen afspreken, man.'

Hij vroeg zich af wat er aan de hand was. Jorge klonk alsof hij in huilen uit kon barsten.

Hägerström dacht maar één ding. Nu zou de case helemaal voorbij zijn.

Nu zouden ze Jorge kunnen oppakken. Wat betekende dat er geen redenen meer waren om te wachten met de arrestatie van JW.

Nu was het eindelijk tijd om de netten binnen te halen.

*

Van:	Lennart Torsfjäll [lennart.torsfjall@polis.se]
Verstuurd:	15 oktober
Aan:	Leif Hammarskiöld [leif.hammarskiold@polis.se]
CC:	
Onderwerp:	Operatie Ariel Ultra; de Bruinwerker etc.

NB: VERWIJDER DIT BERICHT NA LEZEN.

Leif,

Het was een prettig gesprek gisteren. De beslissing die we bespraken, wachten met het oppakken van Johan, JW, Westlund, heeft heel gelukkig uitgepakt.

Door het geld aan de Bruinwerker te overhandigen hebben we een sterk bewijs tegen JW verkregen. De officier van justitie zal ongetwijfeld toestemming geven voor huiszoeking in JW's woning en in Bladmans officiële en inofficiële kantoor. Het geld is door de Bruinwerker achtergelaten in een kluis op het treinstation in Vaduz, Liechtenstein.

Daarvoor heb ik het geld echter in beslag genomen en in plaats daarvan valse biljetten ingezet. Het zal waarschijnlijk een aantal dagen duren voordat dat wordt ontdekt, aangezien het Zweedse valuta betreft. De oorspronkelijke biljetten zijn nu beschikbaar voor jou en mij om zoals afgesproken te worden verdeeld.

Mijn eerdere idee was dat we JW en Jorge Salinas Barrio nu zouden kunnen oppakken. De laatstgenoemde heeft de Bruinwerker vanmorgen echter ontmoet om hem te vragen een ontstane situatie op te lossen. De persoon die wordt verdacht van de planning en leiding van de overval op Tomteboda, bij ons uitsluitend bekend als 'de Fin', heeft Salinas Barrio's zus en haar zoon ontvoerd. Er bestaat klaarblijkelijk een agressief soort onenigheid tussen de twee. Dit leidt me tot de conclusie dat we nog een aantal dagen moeten wachten met de arrestatie van JW en Salinas Barrio. Hier doet zich immers de mogelijkheid voor om ook het zogeheten brein achter de overval op Tomteboda te arresteren en voor de rechter te dagen. De Fin steekt waarschijnlijk ook achter een groot aantal andere waardetransportovervallen van de afgelopen jaren (zie bijgevoegd rapport). Ik verwacht grote triomfen voor de politie, en niet op de laatste plaats voor jou. Wat vind jij?

Ik zou het op prijs stellen als je zo spoedig mogelijk van je zou laten horen.

Lennart

57

Goran had een chambre séparée in het casino besproken. Serieus – Natalie wist niet zo zeker meer of Gabriel Hanna's Gaming Club in Västerås wel zo tweederangs was vergeleken met deze tent. Casino Cosmopol – het was groot, in handen van de staat, naar verluidt superlegaal – maar toch maakte dit casino in Stockholm een sjofele indruk.

Misschien dat het toen het zeven jaar geleden openging nieuw en fris was geweest. Nu: de spiegels hadden hun glans verloren, de knoppen van de gokautomaten waren afgesleten en het was onmogelijk de oorspronkelijke kleur van de vaste vloerbedekking te bepalen.

Aan de wanden: reclame voor het kerstbuffet en het nieuwjaarssouper. SCHELPDIERENPLATEAU VOOR TWEE, 799 KRONEN. DE JACKPOT IN HET CASINO OP DIT MOMENT: 32.900.000 KRONEN – BIJ EEN MAXIMALE INLEG VAN 37,50 KRONEN. Tegelijkertijd: informatieborden. HEB JE HET GEVOEL DAT JE TE VEEL SPEELT? – WWW.SPEELMETMATE.SE. De Zweedse standaardhypocrisie in een garnalenschilletje: die arme stakkers hierheen lokken met schelpdieren en een vette jackpot zodat ze gaan gokken en geld voor de staat verdienen, maar ondertussen doen alsof het eigenlijk beter is om hier überhaupt niet te komen.

Het casino werd voor een derde bezet door bedaagde ouwe taarten, voor een derde door Aziaten en voor een derde door kerels met overhemden met korte mouwen. Natalie hoorde Lollo's stem in haar hoofd: prima om vrolijk te zijn en plezier te maken, maar ga niet in een overhemd met korte mouwen naar het casino. Ze was blij dat ze een eigen ruimte hadden.

Ze zaten aan een speeltafel. Een croupier deelde kaarten. Natalie kreeg er geen.

Zij, Goran en Thomas plus nog twee mannen om de tafel.

De ene: papa's oude zakenpartner uit Belgrado, Ivan Hasdic. De ander: zijn lijfwacht.

Buiten de kamer zaten Adam en Sascha en in de entree beneden zat nog een jongen. Alle veiligheidsmaatregelen waren vandaag verdubbeld.

Ivan Hasdic legde zijn kaarten op tafel. Vouwde het hoekje van zijn kaarten om – keek zonder zijn ogen te bewegen.

Natalie nam hem op. Hasdic: de sigarettenkoning, de smokkellegende, de wandelende Serviër. Goran had verteld: Radovan was halverwege de jaren negentig al zaken met Hasdic gaan doen. Ze kenden elkaar uit de oorlog daar. Papa had zijn eerste dertigduizend pakjes sigaretten binnengehaald in een vrachtwagen die aluminium staven vervoerde. Verdiende gemiddeld een kroon per sigaret, nadat de chauffeurs en douanebeambten hun deel hadden gekregen. Dat was aardig wat geld. Hun relatie ontwikkelde zich. Papa begon regelmatig vrachtwagens met sigaretten binnen te krijgen. Een paar jaar later kreeg Hasdic problemen met de overheid in Servië. Papa zorgde dat hij een verblijfsvergunning voor Zweden kreeg, lang genoeg kon ontkomen aan de beschuldiging van aanstichting tot moord om de politie hun beschuldigingen aan zijn adres in te laten trekken. Hasdic trok van de ene naar de andere plek, woonde in Oostenrijk, Engeland, Rusland, Roemenië. Hasdic verscheepte wit naar papa – papa verscheepte gestolen flatscreens naar Hasdic. Hasdic sloeg de handen ineen met een pooierkoning in Roemenië – papa hielp Hasdic met de aankoop van renpaarden, die door de jaren heen meer dan twee miljoen euro prijzengeld in de wacht sleepten. Hasdic stuurde betrouwbare kerels naar Zweden als papa versterking nodig had – papa regelde dat de gemeente Nacka Hasdic' arbeiders inzette toen ze een nieuwe stadsverwarmingscentrale zouden bouwen.

Toen: Ivan Hasdic hield van Radovan Kranjic als van een broer.

Tegenwoordig: Ivan Hasdic was de belangrijkste man in de Servische onderwereld.

Nu: Ivan Hasdic had beloofd Natalie zo goed mogelijk te helpen.

Natalies Servisch was belabberd. 'Kum Ivan,' zei ze, 'veel dank dat je hebt kunnen komen. Ik wil je welkom heten in Zweden. De vorige keer dat we elkaar zagen was onder minder prettige omstandigheden. We hadden toen geen tijd om elkaar te spreken.'

Ivan was aanwezig geweest op papa's begrafenis, maar was diezelfde middag al teruggevlogen.

Natalie stond op. Liep naar hem toe en overhandigde hem een fles Johnnie Walker Blue Label.

Ivan zoende haar wangen: rechts, links, rechts.

Hij bedankte haar voor de fles. Kwam met het bekende je-hebt-zulke-mooie-ogen-geslijm. Zei hoeveel ze hem aan papa deed denken. Vroeg naar haar moeder. Natalie ontweek de vragen over haar moeder – hun relatie was ijskoud.

Ze gingen weer zitten.

Natalie vertelde onomwonden wat er speelde. Om te beginnen legde ze uit wat ze over de moord op haar vader wist. Wat ze over Semjon Averin, alias John Johansson, alias Wolk, de Wolf, te weten was gekomen.

Ze praatte meer dan een uur.

Ivan keek continu naar zijn kaarten. Speelde door met Goran en Thomas. Speelde door met zijn fiches. Pulkte aan het stoffen zakje dat steeds werd bijgevuld. Maar Natalie zag aan hem dat hij luisterde. Soms knikte hij wat. Soms krabde hij aan zijn kin alsof hij zich iets probeerde te herinneren.

Eigenlijk: wat wist ze vandaag voor waardevols dat ze een maand geleden nog niet had geweten? Oké, ze wist dat de dader een ingeschakelde huurmoordenaar was met een bepaalde naam. Toch: ze was geen stap dichter bij het antwoord op de centrale vraag gekomen – wie had Averin de opdracht gegeven? Wie had hem ingeschakeld? Wie stak er echt achter de moord op haar vader?

Misschien waren het de Russen. Misschien een Zweedse bende.

Tegelijkertijd schreeuwde haar hele lichaam: Stefanovic. Het verband met de Black & White Inn, de geplande overname van papa's imperium, de inbreuk op hun financiën die precies samenviel met de moord. En meer: de manier waarop Stefanovic antwoord gaf bij politieverhoren, plus dat niemand behalve Stefanovic, en eventueel mama, had kunnen weten dat papa die nacht in de Skeppargatan zou zijn.

Toen Natalie uitgepraat was, legde Ivan zijn kaarten neer. Hij keek op. Zijn blik kruiste de hare, maar zijn ogen stonden afwezig, alsof hij in de verte door de deur staarde.

Hij droeg een overhemd dat grijzig zag, hoewel het vermoedelijk voor wit moest doorgaan. Zijn handen waren grof en zijn knokkels zagen er versleten uit, als oude leren handschoenen. Zijn haar was grijs. Het was lastig uit te maken hoe oud hij was, zijn hele gezicht zat onder de littekens en rimpels. En Hasdic' gezicht had dezelfde kleur als de rest: grijs.

Maar zijn stem had een bepaald ritme. Een rustige, betrouwbare, zekere toon.

Hij zei: 'Het is niet goed, wat je hier vertelt. Helemaal niet goed.'

Hij pakte zijn kaarten weer op. Speelde een kaart uit. Goran en Thomas zagen eruit alsof ze niet wisten wat ze moesten doen. Ivan gebaarde – doorspelen.

Ze speelden een give. De croupier deelde nieuwe kaarten uit.

Ivan zei: 'De Wolf kan hier nu zijn, in Stockholm.'

Natalie legde haar handen op schoot. Probeerde te ontspannen.

Hij ging verder: 'Ik heb voor onze ontmoeting al informatie van Goran gekregen. Thuis heb ik mensen gesproken en navraag gedaan. Ik kan je vertellen dat de Wolf Averin heel gevaarlijk is. Naast de misdaden waar Interpol hem mee in verband brengt, heeft hij minstens tien van zulke aanslagen uitgevoerd waarover ik via andere wegen heb gehoord. Bovendien heeft hij zeker dingen gedaan waar mijn bronnen niets over weten, maar waarvan elke autoriteit in Rusland op de hoogte is. Hij heeft een goede opleiding gehad, hij heeft in de loop der jaren ervaring opgedaan en hij gebruikt verschillende identiteiten. Ze zeggen dat hij alleen in het *high-end*-segment werkt, zoals dat in het Engels heet, dat wil zeggen, hij neemt geen opdrachten voor minder dan vijftigduizend euro aan. In Rusland noemen ze hem een *super killer*, en ik heb van mijn informanten begrepen dat buiten de Wolf maar vier andere huurmoordenaars ooit die benaming hebben gekregen.'

Hij zweeg even, liet de ernst tot haar doordringen.

'Volgens mijn bronnen is hij een paar weken geleden naar Scandinavië gegaan. We weten dat hij wapens heeft opgehaald in Denemarken en we weten dat hij in een bordeel in een flat in Malmö is geweest. Dus helaas wijst veel erop dat hij weer naar het noorden is gekomen, hierheen. En, moet ik eraan toevoegen, het gevaar is groot dat hij hier is omdat hij jou kwaad wil doen.'

Ivan vertelde verder. Hij vertelde uitgebreider over een aantal misdrijven waar hij informatie over had gekregen. Hij vertelde details over de reputatie van de Wolf in Oost-Europa. Averin was een zogeheten freelancer – hij was geen lid van een organisatie. Hij werd als het nodig was in de arm genomen door *avtoritety* – de Russische maffia – oligarchen en Centraal-Europese misdaadsyndicaten.

'Normaal gesproken zou ik zeggen: we gaan bij zijn vader en moeder langs. We gaan bij zijn broers en zussen langs en snijden hun keel open. Het probleem is dat de Wolf Averin voor zover iedereen weet geen familie heeft, behalve zijn dochter dan. Maar zij heeft een nieuwe identiteit aangenomen. Zijn ex-vrouw en ouders zijn al jaren dood. En als ze hadden geleefd, had het hem toch niets kunnen schelen.'

Natalie voelde zich koud. Ze keek naar haar handen op haar schoot. Ze trilden.

Ze zei: 'Kum Hasdic – wat adviseer jij?'

Ivan antwoordde meteen. 'Als Stefanovic hierachter zit, moet je hem zo snel mogelijk liquideren. De enige manier is om snel en hard toe te slaan. Als de Wolf Averin begrijpt dat hij niet voor zijn opdracht betaald zal worden, zal hij niet meer op je jagen. Dat is het enige advies dat ik je kan geven. En ik beloof je zo goed mogelijk te steunen als er problemen ontstaan.'

Natalie dacht: er ligt maar één weg voor me.

Stefanovic' lot was al bezegeld.

Ze moest alleen nog doorkrijgen hoe JW had gedacht dat dat moest gebeuren.

Ze ontmoette JW de dag erop in een van de hotels waar ze overnachtte. Hij werd daar afgezet door dezelfde man die ze na hun afspraak bij Hotel Diplomat had gezien. Ze kreeg weer dezelfde vibes als bij Thomas, maar dan met een nog sterker smerisgevoel.

JW en zij lagen op het hotelbed. Pas gekust. Pas gelikt. Pas geneukt.

JW legde het plan van aanpak voor zijn financiële truc uit.

In wezen hadden dezelfde factoren alles in gang gezet. Een groot aantal van de jurisdicties die JW gebruikte, hadden hun regels veranderd. De snoeiharde geheimhouding gesloopt, de inspecties van de EU, de VN en de OECD en internationale politie toegelaten. Zwitserland had het lang geleden al opgegeven. De laatste Caraïbische eilanden waren een halfjaar geleden gevallen. De Britse Maagdeneilanden en de Caymaneilanden waren de laatste voorbeelden. Liechtenstein had net een verdrag over openheid van banken ondertekend. En nu begon zelfs het paradijs dat alle anderen overtrof, Panama, te wankelen. De president van het land had een verdrag over openheid met de Verenigde Staten ondertekend. Binnen een paar jaar zou de EU net zoveel inzicht krijgen. Dus moest JW het geld van zijn klanten verplaatsen. Hij had nieuwe bedrijven in betere landen opgericht: Dubai, Macao, Vanuatu, Liberia. JW en zijn mensen hadden hard gewerkt. Contact opgenomen met nieuwe banken, nieuwe creditcards voor hun klanten geregeld. Ze lieten alle verplichtingen en middelen van Northern White Asset Management overnemen door een onlangs opgericht bedrijf in Dubai: Snow Asset Management. Daarna moest het geld overgeboekt worden zonder dat het waarschuwingssysteem van de banken werd geactiveerd.

Natalie snapte maar de helft van wat JW vertelde, maar de basisgedachte begreep ze.

De helft van de cliënten had zijn vermogen verplaatst. Gustaf Hansén had in Dubai als een bezetene gewerkt. Had bankiers, advocaten, managers ontmoet in kantoren met airco. JW en Bladman deden het papierwerk. Vulden formulieren voor banken en advocatenkantoren in. Schreven aanvragen voor nieuwe creditcards. Stelden brieven en facturen op. Controleerden of de overmakingen waren doorgekomen, faxten handtekeningen, beantwoordden zo'n honderd keer per dag vragen van hun cliënten.

Degenen die hun geld al hadden overgeplaatst waren tot nu toe tevreden. JW & Co hadden meer dan acht miljoen euro verplaatst. Dat creëerde een basis om op verder te bouwen. Vertrouwen in waar ze mee bezig waren.

Maar het punt: er was nog eens zo'n bedrag dat nog verplaatst moest worden. De cliënten waren ongeduldig. Ongerust.

En JW was voorbereid.

Hij was dit al meer dan een jaar aan het plannen. Had bedrijven en trusts opgezet, bankrekeningen aan bankrekeningen gekoppeld – maar zonder ze te activeren. Zonder tot op heden ook maar één kroon over te maken.

Binnenkort was het echter zover: JW zou de steen aan het rollen brengen. Op de knop drukken en een keten van overboekingen in gang zetten. In het kort: acht miljoen euro zou van bestaande bankrekeningen over de hele wereld worden overgemaakt naar nieuwe rekeningen – en daarvandaan naar rekeningen in handen van JW. Het geld van de cliënten zou het geld van JW worden.

Hij zou op één dag tachtig miljoen kronen rijker worden. Een megascam. Een superdiefstal. Een überoplichterij die uit een film leek te komen.

Natalie zei: 'Ze zullen je vermoorden. Ook als ik je help, er zullen zo ongelofelijk veel mensen zijn die jouw kop dan willen zien rollen.'

JW rechtte zijn rug. Hij zag er onmiskenbaar voldaan uit.

'Ten eerste: geen van deze mensen kan hiermee naar de politie gaan. Maar ze zullen kwaad zijn, daar heb je gelijk in.'

JW's glimlach was listig en zijn ogen glinsterden.

'Ten tweede staat alles wat ik heb gedaan op naam van Hansén.'

'Oké, maar hij blijft vast niet stilzitten als hij erachter komt.'

'Jawel, hij zal heel stil blijven zitten. In zijn auto. Gustaf Hansén zal met meer dan twee promille in zijn bloed in zijn Ferrari worden aangetroffen op de bodem van de Middellandse Zee. Een tragisch ongeluk. Voor degenen die zijn opgelicht zal het lijken alsof het door een klant is gedaan.'

Natalie wist niet of ze moest staren of grijnzen.

JW zei: 'Maar je hebt wel gelijk. Hoewel ik ervoor heb gezorgd dat alles in Hanséns richting wijst, zullen mensen kwaad op me zijn. Ik ben er toch ook bij betrokken. Daarom heb ik altijd steun nodig van mensen als jullie. Als je in mijn branche werkt, moet je gevaarlijke vrienden hebben. Dus ik zal je hulp nodig hebben, Natalie, echt waar.'

Dertig minuten later. Weer gezoend. Weer gelikt. Weer geneukt.

Na JW's college economie: seks met hem voelde als spelen met een geladen wapen. Hij was haast té glad. Te berekenend. Te slim.

Dit hele plan speelde zich af op een niveau waar ze nog nooit van had gehoord. Oké, ze moest nog steeds veel leren – maar ze hoorde Goran, Bogdan en de anderen wel elke dag met elkaar praten. Ze hadden veel plannen en ideeën besproken – JW's coup overtrof alles waar ze ook maar van had kunnen dromen.

Maar nu moesten ze het over dat andere punt hebben.

Natalie zei: 'Ik heb gedaan wat je hebt gezegd. Heb mijn mannen contact laten opnemen met die politicus, Svelander, met de filmpjes van hem en het hoertje. Hij werd schijtsbenauwd. Smeekte en soebatte. Zei dat we alles konden krijgen wat we maar wilden.'

JW zei: 'Mooi, want dan worden de Russen helemaal gek. Die filmpjes zijn eigenlijk van hen. En ze hebben ze nodig voor hun gasleiding. Ik heb geprobeerd een ontmoeting tussen hen en Stefanovic te regelen. De Russen willen dat jullie kalmeren. Daar gaat het om, ze eisen dat jullie ophouden met jullie oorlog, ze willen het materiaal en ze willen zelf voor Svelander zorgen. Over een paar dagen krijg ik een tijdstip en een plaats.'

'Over een paar dagen.' Natalie zweeg.

Binnenkort was het zover. Dan zou ze Stefanovic ontmoeten. Een gelegenheid die naar de overtuiging van die verrader volledig door neutrale personen was gearrangeerd. Een situatie waarin hij zich veilig zou voelen.

Maar eigenlijk: een bijeenkomst waar Natalie bij aanwezig zou zijn om te doen wat ze moest doen.

Stefanovic moest weg.

Voor papa.

58

Jorge had de vraag bevestigend beantwoord.

'Heb je het geld?'

'Ja.'

Hoe kon hij zeggen dat hij de cash had? *Cómo?*

Hij: een idioot?

Hij: een klootzak? Had ervoor gezorgd dat zijn eigen zus en zijn *sobrino* gekidnapt waren.

Jorge had in zijn leven een heleboel dieptepunten gehad. Toen hij weer terug moest naar de bak. Toen de shovel weg was voor de WTO. Toen hij en zijn matties doorhadden dat ze minder dan tweeënhalf miljoen hadden.

Maar dit: Paola en Jorgito – heiliger dan God. Belangrijker dan wat dan ook.

Weer: hoe kon hij zeggen dat hij de cash had?

Die kutcash lag ergens in Europa. Een koffietent in Thailand: vergeleken daarbij niks waard. Een creditcard voor de floes: vergeleken daarbij nul miljoen waard.

Hij sliep klote. Checkte om vier uur 's ochtends uit bij de nachtopvang. Sjokte rond in de stad. Straalde angst uit. Straalde zelfverachting uit.

Hij ging op een parkbankje in Tantolunden zitten. Hij maakte een rondrit door de stad in een nachtbus. Hij hoorde vogels kwetteren alsof er iets bestond om blij over te zijn.

J-boy, de verliezer.

De gettoloser, de verrader.

Houdini – wat deed dat er nu toe?

Hij zag mensen naar hun werk gaan. Moeders met kinderwagens zeulen. Vaders hun ogen uitwrijven. De stad kwam tot leven.

Jorge wou alleen maar slapen.

Later belde hij JW, voor de zekerheid.

'Kan ik het terugkrijgen? Er is iets gebeurd.'

JW's stem klonk vermoeid. 'Waarom?'

Jorge vertelde snel wat er met zijn zus en Jorgelito was gebeurd.

'Het spijt me echt voor je. Wat een smeerlappen. Maar het kost te veel tijd om het terug te halen. Minstens een paar weken.'

Jorge drukte het gesprek weg.

Steeds dezelfde vraag: hoe kon hij zeggen dat hij die kutcash had?

Toch: de nachtwandelingen door de stad hadden een zwak, klein, lullig ideetje doen ontstaan. Een heel klein plannetje.

Misschien.

In zijn fonna had hij een foto. Een mms die hij vier dagen geleden naar JW had gestuurd. Kloterig licht, de plastic zak eromheen, beroerde scherpte. Het was een foto van het geld. Het was duidelijk genoeg te zien – heel veel stapels doekoe.

Hij zou support nodig hebben. Maar van wie? Mahmud, Jimmy en Tom zaten nog steeds in Thailand. Eddie zat nog in de bak. Elliot woonde nu in Duitsland – hij scheen daar drie kinderen te hebben, met drie verschillende chicks. Rolando kon hij vergeten. En JW? Voor dat soort dingen deinsde hij terug.

Hij kon maar één iemand verzinnen: die Zwedo die naar wout stonk. De man met de Zwederigste burgervoornaam van het land. Martin, de ex-smeris, de excipier, Hägerström.

Dat was niet goed. Maar het moest maar.

Later. Koud als op de *moordpool*. Jorge dacht terug aan de periode na zijn vorige ontsnapping, waarin hij in vakantiehuisjes had gewoond. Dit was erger – hij was nu kouder vanbinnen. Hij drukte de knop in.

Een blikkerige stem: 'De advocaten.'

'Hallo, ik zou advocaat Jörn Burtig graag willen spreken.'

'Hij is op het moment niet aanwezig. Wie kan ik zeggen dat er geweest is?'

'Het gaat over zijn cliënt Babak Behrang. Mag ik binnenkomen om te wachten?'

'Dat heeft geen zin. Hij is naar de rechtbank en komt pas om vijf uur terug.'

Jorge bleef in de stad ronddolen. Had geen plek om naartoe te gaan. Hij trok zijn muts nog dieper over zijn oren. Wikkelde de sjaal verder voor zijn gezicht. Mensen mochten best denken dat hij loco was. Ze mochten denken wat ze wilden. Als ze de skotoe maar niet belden.

Met behulp van de foto van de cash en Hägerström zou Babak het misschien accepteren. Misschien zou het goed komen.

Hij liep naar het water.

Keek uit over de stad. Wat was dit eigenlijk voor plek?

Hij had bijna een jaar een café in de binnenstad gehad. Had hij wist niet hoe vaak wiet gerookt met de negers in de Tomtebogatan. Gefeest op het Stureplan. Als kind gejat in de sportzaken rondom Sergelstorg. Lekkere chickies gebald in eenkamerwoninkjes in Söder. Hij kende de binnenstad. Hier hoorde hij thuis.

Toch: die wilde hem niet hebben. Hij voelde het overal. Mensen keken. Hielden hun handtassen extra stevig vast. Haalden mobieltjes tevoorschijn om voorbereid te zijn. De binnenstad: te wit voor hem. De binnenstad: alsof er een

Israëlische muur tussen hem en de stad zat.

Hij probeerde zich voor te stellen hoe het was om Chillentuna met City te mixen. Hoe zou het er hier uitzien als hij de helft van Sollentuna hierheen haalde? Naar de mooie straten, de oude gebouwen en de hippe kroegen. De helft maar. Hoe zou het voelen als hij het hier aanvulde met latino's, Somaliërs, Koerden? Als hij de helft van de klinische 7-Elevens zou vervangen door van die gezellige tabakszaakjes van de Malmvägen. De helft van de raszuivere labradors weghaalde en een paar vechthonden toevoegde. De kerktorens inruilde voor keldermoskeeën. De elitaire middelbare scholen weghaalde en chaosklassen binnenhaalde waarin de tienjarigen niet eens hadden leren lezen, maar waar de sfeer zinderde van de creativiteit. Een beetje van die beleefde, saaie, mieterige feeling verving door authentieke gevoelens en echte ervaringen.

Hij had het nooit moeten proberen. La dolce vita – niks voor hem. Hij had gewoon koffieman moeten blijven. Nu moest hij afmaken wat hij begonnen was.

Leven *de luxe* – alles weer terugdraaien naar nul. Paola en Jorgito in hun normale levens.

Later: nog kouder in de lucht.

Hij drukte op de knop. Dezelfde blikkerige stem.

Hij werd binnengelaten. Tweede verdieping, een gewoon trappenhuis.

De deur naar het advocatenkantoor klikte.

Hij stapte naar binnen.

Fleurig kantoor – serieus: Jorge was al zeker tien jaar niet meer op een advocatenkantoor geweest. De laatste keren dat hij zijn advocaat had ontmoet, had hij in voorarrest gezeten. Opgesloten in een zweterig kamertje zonder ramen waar hij wachtte tot de rechtszaak begon.

Rode stoelen, witte muren, veel glas. Een lange balie met twee receptionisten. Het vette logo van het bureau achter de receptie.

'Wat kan ik voor je doen?'

Jorge haalde de sjaal voor zijn gezicht weg. 'Ik ben op zoek naar Jörn Burtig. Hij zou hier nu zijn.'

'Hij is hier, maar ik weet niet of hij de mogelijkheid heeft je te ontvangen. Waar gaat het over en wie kan ik zeggen dat er is?'

'Zeg dat het over zijn cliënt Babak Behrang gaat en dat het heel erg belangrijk is.'

Twintig minuten later: Jorge zat in een versleten leren fauteuil. Minder minimalistisch hier binnen. Stapels dossiers, boeken, papieren, computers. Presse-papiers, schilderijen, ingelijste krantenfoto's.

Jörn Burtig aan de andere kant van het bureau. Babak Behrangs advocaat.

Volgens de geruchten in de bajes: een van de besten van de stad.

Ze schudden elkaar de hand. Burtig sloeg zijn benen over elkaar, leunde in de stoel achterover.

Burtig zei: 'Oké, Jorge. Ik heb een beetje haast. Maar ik begreep dat je het over Babak wilt hebben. Wat is er precies?'

De advocaat kwam niet uit Stockholm, dat kon je horen.

Jorge deed zijn muts af. 'Ik ken Babak goed. Mijn achternaam is Salinas Barrio. Weet je wie ik ben?'

De advocaat leunde nog verder achterover.

'Ik weet wie je bent. En omdat ik dat nu weet, moet ik je verzoeken hier te vertrekken. We kunnen hier niet met elkaar zitten praten. Jij bent immers medeverdachte in de zaak van mijn cliënt Babak. Dat betekent dat de politie achter je aan zit. Maar dat is het probleem niet, dat kan ik je verzekeren. Ik heb er geen probleem mee om hier met gezochte personen te praten. Nee, het probleem is dat Babak met restricties in voorarrest zit. Dat betekent dat hij geen enkele informatie die met zijn zaak te maken heeft mag in- of uitvoeren. En ik mag het niet voor hem doen. Dus met alle respect, ik moet je vragen te vertrekken.'

'Geloof me, ik weet wat restricties zijn.'

'Mooi. Dan weet je vast ook dat ik breek met de beroepscode van advocaten als ik iets voor of aan Babak doorgeef, en dan loop ik het risico mijn titel van advocaat te verliezen. Dus ik wil dat je gaat voordat je ook maar iets hebt gezegd.'

'Maar ik kan toch wel zeggen wat ik wil, dan kun je daarna kiezen.'

'Nee, het liefst hoor ik helemaal niets. Dan kom ik in conflict met andere advocatenregels, loyaliteit jegens mijn cliënt en dergelijke. Begrijp je? Dat geeft problemen. Je moet gaan. Nu. Het spijt me.'

Jorge wist niet wat hij moest doen. Die fokking advocaat zat hem keihard af te poeieren. Wat een klootzak.

Hij zei: 'Luister toch.'

De advocaat stond op: 'Nee, dank je.'

Jorge verhief zijn stem. 'Ik weet dat Babak op de een of andere manier allemaal leugens naar buiten heeft gekregen naar een persoon die de Fin heet. Maar laat Babak dit weten: ik wil dat hij terugneemt wat hij ook maar heeft gezegd. Ik wil dat hij ervoor zorgt dat de Fin ophoudt op me te jagen.'

De advocaat hield de deur open.

Jorge ging verder. 'Ik ben bereid Babak te helpen als hij dat doet. Zeg tegen hem dat hij ervoor moet zorgen ziek te worden en in Huddinge terecht te komen. Zeg het alleen maar, ik regel de rest.'

'Nee, dank je. Het is tijd dat je nu gaat.'

De advocaat pakte Jorge bij zijn arm.

Jorge stond op. Onwillig. 'Zeg alleen dat hij naar Huddinge moet komen en dat hij een ton krijgt.'

Jorge hield zijn mobiel omhoog. De foto van het geld voor Burtigs gezicht.

De advocaat dreef Jorge voor zich uit.

Jorge zei: 'Je krijgt zelf vijftigduizend.'

Advocaat Jörn Burtig keek niet eens naar de foto.

59

Ze hadden Jorge gisteren al kunnen oppakken, toen Hägerström met hem had afgesproken. Jorge had uitgelegd wat er aan de hand was. Babak bleek gore roddels over Jorge verspreid te hebben. Vervolgens waren die op de een of andere manier uit het huis van bewaring gelekt. Stront aan de knikker, *big time*. Een gestoorde gek die de Fin werd genoemd had zijn zus en neefje gekidnapt.

Jorge had geprobeerd met Babaks advocaat te praten, maar had nul op het rekest gekregen. Nu was hij de instorting nabij. Hägerström zag het aan zijn ogen, die waren bloeddoorlopen, opengesperd, intens. Wanhoop vermengd met paniek.

Torsfjäll was door het dolle heen. Nu konden ze de Fin immers ook pakken. Dat zou een groot succes voor de politie van Stockholm betekenen. En gegarandeerd een bevordering voor Hägerström. Een enorme overwinning van de samenleving op de criminelen.

Maar Jorge vroeg niet om hulp met de Fin. Hij zei dat hij Javier moest bevrijden.

'Luister, al mijn homies zitten in Thailand. Ik moet Javier eruit krijgen. Daarna hoop ik dat hij me kan helpen met die Fin. En misschien kun jij daar ook bij helpen. Maar eerst moet Javier de bak uit.'

Jorge spetterde Hägerström bijna onder als hij praatte.

'Wil je me helpen? Ik betaal je zodra ik terug ben in Thailand.'

Hägerströms hart sloeg dubbel zo hard. Javier bevrijden: hij zag zichzelf en Javier voor zich, bij hem thuis. Ze lachten, zoenden, omhelsden elkaar.

Anderzijds was het een volslagen krankzinnig idee. Bevrijdingen waren altijd gevaarlijk. Betekenden bedreigingen, wapens, geweld. Hij moest met Torsfjäll praten.

Tegelijkertijd wist hij al wat hij zou antwoorden.

Hij beloofde erover na te denken en belde Torsfjäll meteen.

De commissaris had de arrestatie van Jorge afgeblazen toen hij had begrepen dat de Fin binnen handbereik was. Maar dit, een bevrijdingspoging, was zelfs voor hem een verrassing. Hij vroeg zich af of Hägerström zeker wist dat dat hen naar de Fin zou leiden.

Hägerström kon het niet honderd procent zeker weten, maar toch. Jorges zus en neef werden immers vastgehouden door de Fin. En Jorge had gezegd dat hij Javiers hulp nodig had. Dat moest naar de Fin leiden.

In feite kon het Hägerström geen bal schelen of het ze bij de Fin zou brengen. Hij wilde Javier heel graag nog een keer zien.

Nu zat hij met Jorge in de wachtkamer van een ander advocatenkantoor, Skoglund & Partners. Bert T. Skoglund, Javiers advocaat, zou ze ontvangen.

Eikenhouten lambrisering tegen de wanden. Zware Britse lederen fauteuils op Perzische tapijten. Spotlights aan het plafond verlichtten de oude schilderijen.

Het herinnerde Hägerström aan de wachtkamer van zijn vader.

Drie minuten later zaten ze in de hoekkamer van het chique appartement alias advocatenkantoor. De Kommendörsgatan en de Grevgatan lagen beneden hen. Een adres dat Lotties goedkeuring zou wegdragen.

De kamer was ingericht door een perfectionist. Of advocaat Bert T. Skoglund was een kleurengenie of hij was er gewoon goed in de juiste binnenhuisarchitect in te schakelen. De muren waren olijfgroen. In de boekenkasten stonden juridische werken waarvan alle ruggen verschillende tinten bruin leken te hebben. Voor een aantal planken hingen matglazen deurtjes: daarachter de contouren van meer boeken. Op de vloer lag een oude isfahan. Door zijn versletenheid leek hij juist nog kostbaarder. Achter het bureau hingen twee schilderijen. Die bestonden allebei uit grote, ronde kleurencirkels in verschillende tinten. Het zouden Damien Hirsts kunnen zijn.

Hägerström ging zitten. De mobiel in zijn zak stond aan.

Hij dacht aan zijn broer. Bert T. Skoglund zag er anders uit. Carl droeg altijd een donker pak en stemmige stropdassen. De advocaat die voor Hägerström en Jorge zat, hechtte blijkbaar geen waarde aan de oude uitdrukking 'zijn, niet schijnen'.

Skoglund droeg namelijk een roze overhemd, een gele broek en een groene stropdas. Zijn manchetknopen waren absurd groot en in zijn dasspeld zat een briljant die eruitzag alsof hij afkomstig was uit Tin-Tins verlovingsring. Dat wil zeggen, minstens twee karaat.

Hägerström dacht: die advocaat ziet eruit als Pravats verfdoos.

Jorge zei: 'Weet je wie ik ben?'

Bert T. Skoglund had een moeilijk te plaatsen accent. 'Natuurlijk. Jij bent Jorge Salinas Barrio. Bekend van je laatste vlucht over de daken van Stockholm. Er loopt een arrestatiebevel tegen je. Je bent medeverdachte van mijn cliënt, Javier.'

Jorge knikte mee met de woorden van de advocaat.

'En nu vraag ik me af wat je wilt.'

'Ik wil dat je iets doorgeeft aan Javier. Twee zinnen maar.'

'Je weet dat hij restricties heeft.'

'Ja, dat weet ik. Is dat een probleem?'

De advocaat liet een pen ronddraaien. Die leek van goud te zijn.

'Dat hangt ervan af. Het is een groot risico om informatie door te geven. Ik zet mijn vergunning om advocaat te zijn op het spel.'

'Dat weet ik. Maar ik ben geen man die problemen veroorzaakt. Als jij mij helpt, help ik je cliënt.'

'Dat klinkt goed. Maar ik wil graag weten of het mij ook helpt.'

Jorge legde een envelop op tafel. De advocaat pakte hem op. Maakte hem voorzichtig open, keek erin. Voelde, telde de biljetten die Jorge erin had gestopt.

Hij stopte de envelop in zijn binnenzak.

'Oké, wat wil je doorgeven?'

'Hij moet zorgen dat hij overgeplaatst wordt naar de psychiatrische afdeling voor gedetineerden in Huddinge. En jij moet me laten weten wanneer dat precies gebeurt.'

Hägerström zette grotere oren op dan een langoorkonijn. Zijn afluisterapparatuur voelde warm.

De advocaat trok zijn wenkbrauwen op. 'Dat laatste, over dat ik je het tijdstip moet laten weten, was geen deel van de afspraak.'

Jorge zei: 'Misschien niet. Maar we hebben dit gesprek opgenomen op een mobieltje. Dus nu is het wel een deel van de afspraak.'

60

Ivan Hasdic was naar huis. Zijn laatste woorden: 'Ik wil dat je weet dat je altijd welkom bij ons bent als het hier in Zweden niet loopt zoals je wilt. We zorgen voor je, tot de storm hier is gaan liggen.'

Natalie zoende hem op zijn wangen. In haar hoofd: een ander beeld. Met hoop. Als ze zou hebben gedaan wat gedaan moest worden, zou alles snel tot rust komen. Stefanovic' jongens zouden ermee ophouden. Haar financiën zouden hun normale vorm weer terugkrijgen, of een betere. Haar mannen zouden zich weer op hun gewone werk kunnen concentreren – smokkel, amfetamineverkoop, normale invorderingen.

Vandaag zou JW op zijn knoppen hebben gedrukt, zijn telefoontjes hebben gepleegd, zijn mails hebben verstuurd. De apen hebben gefaxt, zoals hij de mensen noemde die de tegoeden daarginds managedeN. Het zou hem hopelijk zijn gelukt alle acht miljoen euro naar bankrekeningen over te maken die naar andere bankrekeningen gingen die naar andere rekeningen gingen. Enen en nullen die ver voorbij elke controle werden getransfereerd. Het geld zou door zoveel banken, wisselkantoren, trusts en jurisdicties gesluisd worden, dat het moeilijker terug te vinden was dan een contactlens op de vloer van Hell's Kitchen op een zaterdagavond. Bovendien zouden de sporen naar die Gustaf Hansén leiden. Zijn naam stond op talloze aktes die gekoppeld waren aan de eerste rekeningen in de keten. Veel van de volmachten die vandaag per fax waren verstuurd, leken door hem ondertekend. Een groot deel van de muisklikken op internet van vandaag: geverifieerd met TAN-codes die door hem waren opgevraagd. Niet iedereen zou daarin trappen, maar Natalie mocht de rest regelen.

En daarvoor wilde ze tien procent hebben.

Maar het belangrijkste van alles: morgen zouden ze de Russen en Stefanovic ontmoeten.

Het was JW gelukt een afspraak te maken. Natalie was van plan om dan voor de verrader te zorgen. Ze wist hoe.

Die nacht lag ze in de schuilkamer.

Ze kon niet slapen. De kamer was ongeveer tien vierkante meter groot. Er pasten maar net een slaapbank, twee stoelen en een tafeltje in. De slaapbank was uitgeklapt: het matras hard en ongemakkelijk. Ze deed het bedlampje aan, keek om zich heen.

Aan de andere muur hingen vier kleine televisieschermen. Op een ervan zag je wat de camera boven de deur van het huis zag: het grindpad naar het huis, het hek verderop. Op het andere zag je wat de camera boven de keukendeur registreerde: het terras, een deel van de tuin, het verlichte grasveld. Op het derde zag je de trap naar de kelder. Vagelijk zag ze mama's schilderijen van de koning en de messing trapleuning. Op het laatste scherm zag je wat de camera vlak buiten de schuilkamer zag: de kelder met de bank, het filmdoek aan het plafond en de loopband. Voor de ramen bij het plafond zaten tralies. In een fauteuil zat Adam met zijn mobiele telefoon in zijn hand. Hij was wakker.

Naast de televisieschermen hing een telefoon en daarnaast een geplastificeerd papiertje met directe nummers: 112, de politie, Adam, Sascha, Patrik, Goran, Thomas. Stefanovic' naam stond bovenaan, maar die was doorgestreept. Een alarmknop naar G4S en andere knoppen voor het alarmsysteem in het huis. Er hing een extra mobieltje aan een hangertje plus een Maglite-zaklamp. In een hoek stond een brandblusser. Aan een haak hingen twee gasmaskers. Aan een andere haak een elektrisch pistool.

Op de vloer stond een plastic krat. Ze wist wat erin zat: vier petflessen met water, een zakje noten, Wasa-crackers met *cream cheese* en een paar conservenblikjes. Verder een EHBO-doos, een toilettas, een pakje *wipes*, een lader voor een mobiele telefoon en een kaart van Stockholm. Ook zat er een stel schone kleren voor Natalie in.

Het idee was dat je het hier minstens vierentwintig uur moest kunnen redden.

Ze dacht aan wat Thomas had gezegd: 'Als er iets gebeurt, moet je eerst proberen te vluchten. Gebruik de schuilkamer als een allerlaatste uitweg – het is geen plek waar je bomaanvallen overleeft. Hij kan een indringer alleen een tijdje tegenhouden, tot wij of de politie zijn gekomen.'

Natalie probeerde te ontspannen. Stefanovic of de Wolf Averin zouden vannacht vast niks proberen, morgen zouden ze Moskou immers ontmoeten. Oog in oog, alleen zij, Stefanovic, JW en de Russen.

Vannacht zou er niets moeten kunnen gebeuren.

Toch kon ze niet slapen.

Het huis was zo stil. Ze keek weer naar de schermen: Adam nog steeds wakker.

Ergens boven zat nog een lijfwacht, Dani, voor de zekerheid.

Mama was in Duitsland. Natalie had haar tien dagen geleden naar familie gestuurd. Sindsdien hadden ze elkaar niet meer gesproken. Wel zo lekker.

Ze dacht aan Semjon Averin. Op de wazige foto van de bewakingscamera zag hij er zo ontspannen zelfverzekerd uit terwijl hij in de Volvo reed. Op de pasfoto op naam van John Johansson zag hij er nog zelfverzekerder uit. Alsof niets ter wereld hem van slag kon brengen. Averins houding deed haar aan papa denken. Kon zij hetzelfde voelen? Misschien.

Ze dacht aan een keer waarop ze met papa bij de drafbaan Solvalla was geweest. Zij en twee kerels van de bouw- en milieucommissie van de gemeente – papa wilde hun villa uitbreiden.

Er hing een toffe sfeer in de lucht. De omgeving behangen met reclame voor Agria-dierenverzekeringen. Warme worst, bier en bonnetjes in ieders handen. De luidsprekers riepen de volgende koers van de dag om. Natalie was zeventien jaar.

Ze zaten in bar en restaurant Het Congres: à-la-carterestaurant van zeven verdiepingen, pal voor de finishlijn. Het chicste gedeelte van Solvalla: witte tafelkleden, vaste vloerbedekking, zachte muziek op de achtergrond, platte televisies en ongelofelijk veel formulieren op de tafels. Om hen heen zaten overwegend mannen van een jaar of vijftig, zestig – net als de gemeentemannen die tegenover papa en Natalie ganzenlever zaten te verorberen en van champagne nipten.

De luidsprekers bazuinden het speciale evenement van vandaag. Het paard van Björn en Olle Goops zou een overwinningsdefilé voor het publiek houden. Mensen applaudisseerden. Natalie interesseerde het niet. Ze sloeg de mannen om de tafel gade.

Ze hadden het over bouwvergunningen, bestemmingsplannen en god wist wat. Ze luisterde eigenlijk niet, maar ze herinnerde zich dat een van de gemeentemannen zei: 'Het is belangrijk dat Näsbypark leeft, vind ik. Dat we het mensen niet te moeilijk maken om hun huis aan te passen aan hun levenswijze.'

De andere man had zijn glas geheven. 'Daar proost ik op.'

Papa schoof twee enveloppen naar de mannen toe. Hief zijn glas. 'Niemand kan het daar meer mee eens zijn dan ik.'

Die keer was zijn gezicht op die speciale manier ontspannen geweest, zelfverzekerd. Zijn gezicht straalde het volste vertrouwen uit dat hij wist wat hij deed en dat hij het juiste deed. Natalie was toen niet verbaasd geweest. Ze accepteerde gewoon dat papa er zo uitzag als hij zakendeed. Maar vandaag vroeg ze zich af: was het misschien alleen een masker dat hij opzette als het nodig was?

Goran had een uur geleden gebeld.

'Natalie, waar ben je?'

'Ik ben in Näsbypark. Ga vannacht in de schuilkamer slapen.'

'Heel goed. Wie zijn er bij je?'

'Adam en Dani. Adam wordt om drie uur afgelost.'

'Natalie...' Goran ademde zwaar. 'Ik heb gehoord dat je Stefanovic gaat ontmoeten en wilt proberen overeenstemming te bereiken.'

Misschien klonk zijn stem ongerust. Misschien was het irritatie.

Ze zei: 'Ja, dat is zo. Ik denk dat het het beste is om op te houden met de oorlog.'

'Je hebt gelijk. Dat is waarschijnlijk het beste. Maar is JW hier op de een of andere manier bij betrokken?'

'Ja.'

Goran ademde weer zwaar. 'Natalie, luister. Wat je ook doet, mijn steun heb je. Altijd. Maar wees voorzichtig met JW. Ik heb het eerder gezegd, vertrouw hem niet. Er zijn dingen die je niet over hem weet. Dingen die je niet wilt weten.'

'Wat bijvoorbeeld?'

'Ik kan het nu niet uitleggen. Maar *veruj mi*, wees voorzichtig.'

Natalie reikte naar het glas water dat op de vloer stond. Ze pakte een Xanax.

Ze zei: 'Vertel het nu.'

Goran zei: 'Natalie, je moet naar me luisteren. Ik hou van je. Het is niet goed om het nu te vertellen. Maar binnenkort leg ik het je uit. Welterusten.'

Ze hingen op. Natalie stopte het pilletje in haar mond. Sloeg het water achterover.

Legde haar hoofd op het kussen.

Ze knipte het bedlampje uit. Dacht: wat heeft Goran tegen JW?

*

Zweedse bankier omgekomen bij auto-ongeluk in Monte Carlo

Gustaf Hansén, bankier in Liechtenstein en Zwitserland, is zondag jl. omgekomen bij een auto-ongeluk in Monte Carlo.

Gustaf Hansén is vijf jaar geleden na beschuldigingen van onregelmatigheden gestopt als directeur bij de Danske Bank. De belastingdienst heeft een onderzoek naar hem ingesteld, dat twee jaar geleden is geseponeerd. De afgelopen vier jaar was Gustaf Hansén woonachtig in Liechtenstein. Hij stond bekend om zijn grote belangstelling voor auto's.

Ten tijde van het ongeluk reed Gustaf Hansén in een Ferrari California Cabriolet. Hij had alcohol in zijn bloed. Volgens bronnen bij de politie van Monaco zijn er geen verdenkingen van een misdrijf.

Gustaf Hansén is 46 jaar geworden.

Persbureau TT

61

Geen tijd.

Zijn zus en neefje: nu vierenveertig uur gekidnapt.

Geen tijd.

Jorge had schijt – hij was er nu klaar voor. Tijd stond gelijk aan luxe. De WTO-planning gedetailleerd als een boek: wat had dat hun opgeleverd? Nada.

Nu liep de favoriete latino op routine. Nu werkte hij op z'n g-gen. Nu moest hij alleen maar snel handelen.

Geen mandamientos, geen wetten. Er was geen ruimte voor plannen, langetermijnplanning, tighte hombres. Geen tijd. Zijn plan was 's nachts op het matras in de daklozenopvang ontstaan. Zijn langetermijnplanning: een halve dag. En tighte gasten? Hij zou een ex-smeris gebruiken, serieus.

Hij dacht: het gaat zoals het gaat. Ik ben bereid om voor jullie te sterven. Paola en Jorgelito.

Geweld is bijna altijd een oplossing.

Jullie zijn mij, ik ben jullie. Mijn bloed zuivert ons allemaal van zonden.

Jezus – joder: hij was van plan zich op te offeren als het nodig was.

Hij zou Javier vrij krijgen en daarna zou hij afrekenen met de Fin – Paola en Jorgito bevrijden.

Hägerström en hij zagen elkaar bij de hoofdingang van het Huddingeziekenhuis. De temperatuur een graad of nul. Jorges sjaal keer op keer om zijn nek gewikkeld, zag er misschien toch niet zo weird uit.

Hägerström droeg een glimmend gewatteerd jack. Zag er gay uit, vond Jorge.

Jorge met baggy trainingsbroek en een gebreid vest. Hij had een sporttas in zijn hand.

Een nieuw Taurus-pistool in zijn broekzak gestopt. Hetzelfde soort gun dat hem bij zijn ontsnapping in Vasastan had gered. Dat die arme taxichauffeur tegen zijn slaap had gekregen.

Zijn mobiel in zijn andere broekzak. Advocaat Bert T. Skoglund had een halfuur geleden gebeld. Had verteld dat Javier nu overgeplaatst zou worden naar Huddinge. Javier was zich gisteravond al vreemd gaan gedragen. Was de hele nacht wakker gebleven en had op zijn celdeur gebonkt. Had zich gesneden en de hele cel onder gekliederd. Vanmorgen: het personeel had hem besmeurd in zijn eigen uitwerpselen aangetroffen met een touw om zijn nek, gemaakt van kapotgescheurde gevangeniskleding. Javier – onmiskenbaar psychisch labiel. Onmiskenbaar een gevaar voor zichzelf. Het personeel van het huis van bewaring Kronoberg kon niet garanderen dat hij niet probeerde de hand aan zichzelf te slaan – hij moest overgeplaatst worden om verpleegd te worden.

Javier: een homie. Die kill wist hoe je het gevangeniswezen moest manipuleren. De advocaat had het verteld. Hij had een T-shirt stevig om zijn bovenarm gebonden zodat zijn aderen duidelijk zichtbaar waren. Had zich voorzichtig in de holte van zijn elleboog gesneden, er een paar druppels bloed uit geperst. Het bloed vermengd met water en zijn cel onder gesplasht. Daarna scheet hij op wc-papier en legde dat onder zijn bed. Dat stonk. Ten slotte mengde hij koffiedik met brood – zorgde voor de juiste schijtkleur. Kliederde ermee als een peuter.

Jorge en Hägerström liepen de trap af.

Binnen een uur zou er een arrestantenbus bij de achterkant van de psychiatrische afdeling voor gedetineerden van het Huddingeziekenhuis moeten komen aanrijden.

Jorge en Hägerström zouden welkomstcomité spelen.

Maar daarvoor: ze moesten iets regelen.

Ze liepen verder naar beneden. Liepen door de parkeergarage. Aan de andere kant naar buiten. Ze sprongen over een paar betonnen hindernissen. Ze zagen het tien meter verderop, achter een metalen hekwerk.

Jorge zette de sporttas neer. Haalde er een betonschaar uit die hij veertig minuten geleden had gejat in winkelcentrum Flemingsberg.

Begon een gat in het hek te knippen.

De ambulancegarage aan de andere kant. Jorge zag de grote garagedeuren. Een ervan was open. Daar net achter zag hij twee ambulances geparkeerd staan.

Het gat in het hek groot genoeg om het open te kunnen buigen en erdoor te stappen.

Het was rustig buiten de ambulancegarage. Waar hingen alle ambulancechauffeurs uit? Waar waren de bloedende, schreeuwende patiënten?

Hägerström zei: 'De transporten komen hier niet binnen, ze komen boven binnen, bij de spoedeisende hulp.'

Jorge dacht: oké, misschien was het slimmer geweest om boven een ambulance te kapen. Maar daarvoor was het nu te laat.

Ze liepen de garage binnen. Minstens tien ambulances van verschillende modellen. Zelfs eentje die eruitzag als een vrachtwagen.

Jorge dacht: zou iemand me vragen een ambulance te tekenen, dan tekende ik een witte auto met een rood kruis erop – maar geen van de ambulances uit de werkelijkheid was wit. Ze waren allemaal geel met groene vlakken en blauwe symbolen.

Hij zei Hägerström achter een wagen te gaan staan.

Hij trok zijn palestinasjaal voor zijn neus en mond. Posteerde zich bij de grijze metalen deur die de enige ingang tot de garage leek, afgezien dan van de weg die ze zojuist hadden genomen.

Hij wachtte.

De seconden tikten weg.

De minuten verstreken.

Hij hield zijn hand op zijn neppistool.

Een tl-buis aan het plafond knipperde. Langs de muren liepen buizen en leidingen.

Jorge dacht aan het moment waarop Mahmud door het ambulancepersoneel van de straat in Pattaya werd gehaald. Jorge had toen gedacht dat zijn vriend dood was. Maar nu zat Mahmud in Thailand op hem te wachten.

En Javier zat op J-boy te wachten in een arrestantenbus.

Het was net zo'n computerspelletje dat hij als kind had gespeeld. Je schoot op een mannetje in het bovenste gedeelte van het schermpje. Het mannetje viel naar beneden en vernietigde twee andere mannetjes onder hem, gewoon door op ze te vallen.

Kettingreacties. Het hele leven, alles wat je deed, was alsof je computermannetjes afknalde. Alles kon iets anders beïnvloeden. Alles was met elkaar verbonden.

Hij had een angstig gevoel: alles wat hij aan het rollen had gebracht. Alle mensen die op hem zaten te wachten. Stel dat hij andere stappen had genomen in het leven. Stel dat hij Denny Vadúr nooit had gered in het pingpongzaaltje en geen contact had gekregen met de Fin. Iets goeds – iemand redden van een pak slaag. Leidde tot iets anders goeds – een recept voor een WTO. Een praatje met Mahmud op een avond in het café. Leidde tot iets matigs – tweeënhalve ton buit. Een klein besluit – iemand belazeren: had geleid tot het ergste wat hij had meegemaakt. Opnieuw: alles leek samen te hangen. Het was een soort groot, gecompliceerd net van verbanden en mensen. Waar begon het eigenlijk ergens?

Wat als hij had leren tekenen als Björn?

Wat als hij heroïne had geprobeerd toen Ashur het had geprobeerd?

Wat als hij beter naar zijn moeder had geluisterd? Wie zou er dan op hem hebben gewacht?

Misschien zouden dan dezelfde mensen op hem hebben gewacht, ondanks alles. Maar ze zouden op iets goeds hebben gewacht. Niet dat hij binnenkort de eerste de beste persoon die door de deur van een ambulancegarage zou komen, zou overvallen.

62

Hägerström zat gehurkt achter een ambulance.

Hij zag Jorge bij de ingang van de garage staan. Zijn gezicht was verborgen achter de muts en de sjaal, alleen zijn donkere ogen waren zichtbaar. En in die ogen zag Hägerström hetzelfde als toen ze bij de advocaat waren geweest: wanhoop, paniek. Maar nu leek de paniek bijna de overhand te nemen.

Torsfjäll had ingestemd met de opzet. Jorge wilde Javier bevrijden zodat Javier hem kon helpen af te rekenen met de Fin en zijn zus en neef vrij te krijgen. Een bevrijdingspoging was een gevaarlijke operatie, maar Torsfjäll zei: 'Het doel heiligt de middelen in deze branche, het moet maar. Anders zouden we bij de politie nooit ergens komen. Dit leidt ons naar het brein achter de waardetransportoverval.'

De commissaris had gelijk. Binnen vierentwintig uur zouden ze Jorge, Javier, de Fin, Bladman en JW ieder in een politiewagen op weg naar het huis van bewaring moeten hebben zitten. Als Jorge maar niet ging flippen. Er niemand onnodig gewond raakte. En Hägerström dit in de hand kon houden.

Tegelijkertijd verlangde hij naar Javier. Het was alsof hij muggenbulten op zijn hart had, om de minuut jeukte het zo erg dat hij zijn hele concentratie moest mobiliseren om het niet te veel te voelen.

Er verstreken een paar seconden.

De grijze metalen deur ging open. Er kwam een ambulancechauffeur binnen. Groene kleding met gele reflectoren op de schouders. Een portofoon aan het borstzakje bevestigd. Een Bluetooth-oortje bungelde om haar hals.

Hägerström zag Jorge een stap naar voren doen, de Taurus richten. Hij drukte hem tegen het hoofd van de vrouw. Hield zijn hand voor haar mond. Hij boog zich naar haar toe en fluisterde iets in haar oor.

Alles was stil. Hägerström had verwacht dat Jorge zou schreeuwen en brullen. Met zijn wapen zou zwaaien. Dat degene die de deur binnenkwam zou huilen of iets zou roepen.

Tien seconden later stond Jorge bij hem. Een paar sleutels in zijn hand. Ze renden naar de ambulance. Sprongen erin. Hägerström ging op de bestuurdersplaats zitten.

Hij startte de ambulance met de sleutels.

Het raampje naar beneden gedraaid. Jorge hield zijn neppistool continu op de ambulancevrouw gericht, die nog steeds bij de ingang stond. Haar walktietalkie en mobiele telefoon kapotgesmeten op de vloer naast haar.

Een van de twee garagedeuren stond al open. Hägerström trok voorzichtig op. Reed de garage uit.

Tien minuten later. De psychiatrische afdeling voor gedetineerden lag maar vijfhonderd meter bij de ambulancegarage vandaan, in een eigen, omheind gebouw – ze wilden de criminele krankzinnigen niet in hetzelfde gebouw hebben als de gewone gekken, plus natuurlijk: ze mochten niet ontsnappen. Hägerström en Jorge hadden de ambulance tweehonderd meter van het gekkenhuis geparkeerd op een personeelsparkeerplaats.

Nu zaten ze in een andere auto, een oude Opel. Jorge zei dat hij die eerder die dag had genakt. Ze zagen de inrit en de ingang van de psychiatrische afdeling twintig meter verderop.

Zo meteen moest er een arrestantenbus met Javier erin komen.

Jorge rookte een sigaret. Het raampje was naar beneden gedraaid. Toch verdomde hij het om de rook door de opening naar buiten te blazen. Staarde in plaats daarvan recht voor zich uit.

Hägerström zei: 'Alles oké met je?'

Jorge blies rook uit. 'In de sporttas zit een kalasjnikov. Kun je daar wat mee?'

Hägerström knikte. Hij dacht: het is beter dat ik het echte wapen neem dan hij.

Jorge pakte de tas van de achterbank en haalde het machinegeweer eruit.

Hij hield het zo laag dat voorbijgangers niet zouden zien dat hij een echte AK-47 in handen had.

Hägerström kreeg het wapen. Beelden uit het leger fladderden voorbij. Kustjagers werden opgeleid in inlichtingenwerk op het grondgebied van de vijand. Als je een vijandig wapen te pakken kreeg, moest je er net zo goed mee om kunnen gaan als met je eigen wapen.

Hij haalde zijn vinger langs de grendel. Dit was een variant met een verlengde loop. Waarschijnlijk uit een Oost-Europees land. Het magazijn was aangepast zodat je Russische militaire patronen voor een Mosin-Nagant kon gebruiken.

Jorge keek hem aan. Gaf hem het magazijn.

Ze wachtten. Het wapen lag op Hägerströms schoot. Geladen, paraat.

De psychiatrische afdeling voor gedetineerden was gehuisvest in een gelijkvloers betonnen gebouw met een verweerde gevel en betraliede ramen. Waar het grasveld eindigde stond een twee meter hoog hek met prikkeldraad aan de bovenkant. Bewakingscamera's op het hek en op metalen palen op het gras. Hij zag niets bewegen in het gebouw.

De bezoekersingang lag aan de andere kant. Hier bij de hekken waar de transporten binnenkwamen, leek alles zo rustig als in het dodenrijk.

Jorge zei: 'Volgens die griezeladvocaat zou hij nu moeten komen.'

'Ja, maar je kunt advocaten nooit vertrouwen. Hij komt wel. En ik ken de penitentiaire wereld, alles duurt langer dan je denkt. Geloof me.'

Vijf minuten later reed er een Volvo V70 naar het hek. Die was rood, wit en blauw beschilderd. Het logo van de politie op de zijkant.

Het was een transport uit het huis van bewaring. Hopelijk was het hét transport uit het huis van bewaring.

De achterruiten waren donker. Het was niet te zien wie ze vervoerden.

Hägerström zette de motor aan.

Startte de Opel met een schok. De auto schoot vijf meter vooruit.

Hij drukte de auto voor de arrestantenbus. Blokkeerde de inrit door het hek.

Nu zetten ze alles op alles. Gokten erop dat Javier inderdaad achter in die wagen zat.

Jorge vloog naar buiten. Hägerström opende het portier, sprong er ook uit.

Jorge hield de Taurus met beide handen voor zich.

Hägerström aarzelde een milliseconde. Daarna zag hij Javiers gezicht voor zich. Hij hief het machinegeweer.

Jorge drukte zijn pistool tegen het raam van de chauffeur. Schreeuwde: 'Maak de achterdeur goddomme open.'

Hägerström ving een glimp van een doodsbang gezicht op.

Daarna ging een portier aan de passagierszijde open. Hij zag Javier achterin zitten, tussen twee bewakers. Zijn handen waren geboeid en er liep een ketting van de handboeien naar een brede, leren riem.

Jorge wees met zijn wapen. 'Laat hem eruit.'

Hägerström hield de kalasjnikov voortdurend op het personeel op de achterbank gericht.

Javier wrong zich langs de bewaker aan de buitenkant.

Hägerström zag zijn ogen. Ze glinsterden.

Jorge schreeuwde: 'Schiet de banden kapot.'

Hägerström aarzelde.

Jorge herhaalde: 'Schiet de banden kapot, zeg ik.'

Hägerström drukte de trekker zacht in.

Hij loste een schot. Het geluid klonk bekend.

De voorband van de arrestantenbus zakte sissend in elkaar.

Een uur later zaten ze bij Hägerström thuis.

Hägerström zei: 'Jezus, het geluid van de sirenes piept nog steeds in mijn oren.'

Javier lachte: 'Shit, wat super gedaan, zeg. We gingen zeker honderdtachtig.'

Ze vertelden en vertelden opnieuw. Jorge was in de Opel gesprongen. Ze reden tweehonderd meter en stapten toen over in de ambulance die ze hadden gejat. Knalden de sirenes en het zwaailicht aan. Namen de snelweg naar de stad.

Baanden zich een weg door het verkeer als een auto op Pravats racebaan. Bij Årsta stapten ze over in een auto die Hägerström had gehuurd.

Jorge had ze daar achtergelaten. Hij zou Hägerström thuis bellen zodra hij wist wat er zou gebeuren. Hij noemde geen details, maar Hägerström begreep wat hij bedoelde.

Javiers tanden blikkerden wit. Ze zaten op Hägerströms bank. Het was de eerste keer dat Javier bij hem thuis was. Er was geen alternatief geweest. Jorge was dakloos en het had geen zin om Javier naar een familielid van hem te brengen. Daar zou de politie als eerste zoeken. Bovendien: volgens Jorge zouden ze het klusje vanavond opknappen en daarna afnokken naar Thailand. Het ging maar om een paar uur.

Het had vijfendertig minuten gekost om Javiers handboeien los te vijlen, knippen en bonken. Maar nu waren zijn handen vrij. Ze waren alle kleur kwijt. Hägerström vond dat zijn huid er schoon uitzag, als melk.

Javier pakte zijn hand. Grijnsde.

Hägerström kroop op de bank.

Javier legde zijn hoofd op zijn schouder.

Ze lagen in de slaapkamer. De gordijnen waren naar beneden getrokken. Hägerström wist dat het buiten op straat wemelde van de rechercheurs. Het idee was dat ze Javier zouden volgen naar Jorge, die ze naar de Fin zou leiden.

Maar op dit moment waren Javier en hij een eiland in de tijd. Hägerström was van plan deze minuten uit te buiten.

Ze lagen te kletsen. Een halfuur geleden hadden ze seks gehad.

Javier vertelde over de verhoren in het huis van bewaring.

Hägerström vertelde over het verhoor dat ze hem hadden afgenomen.

Het was een vreemd gevoel, hij voelde zich weer eenentwintig. De gesprekken voelden zo belangrijk, zo vol betekenis, zo eerlijk. Ze praatten over de werkelijkheid. Over gebeurtenissen die echt iets betekenden. Maar wat waren het voor gebeurtenissen? Het ging uitsluitend over Hägerströms nepleven in de gangsterwereld. Het was bizar.

Een uur of wat later ging zijn telefoon. Het was Jorge, die Javier wilde spreken.

Javier liep de keuken in. Hägerström probeerde te luisteren. Hoorde alleen gemompel en korte antwoorden.

Javier kwam terug in de slaapkamer.

'We moeten ervandoor. Nu is het *pay-back time* voor mij. Jorge heeft echt hulp nodig.'

Hägerström ging rechtop zitten. 'Hij zei dat er gelazer met zijn zus was. Wat is er aan de hand?'

'Iemand loopt met hem te fokken. We moeten gaan. Ze gaan het regelen. Hij heeft onze hulp nodig.'

Hägerström schudde zijn hoofd. 'Ik kan niet meegaan.'

'Waarom niet?'

'Ik moet vanavond op mijn zoon passen. Dat kan ik niet afzeggen. Sorry, maar ik kan echt niet mee.'

Javier keek hem snel aan, maar leek het niet zo ernstig op te vatten. Hij was nog steeds dolblij dat hij vrij was.

Eigenlijk zou Hägerström over een paar uur naar JW. Zou hem naar een bijeenkomst met de dochter van Radovan Kranjic en wat anderen brengen. Hij wist niet goed met wie. Het enige wat hij wist was dat zodra Jorge, Javier en de Fin waren opgepakt, ook JW opgepakt zou worden. En er zou huiszoeking gehouden worden bij Bladman, in alle kantoren, inclusief het geheime.

Javier kleedde zich aan en vertrok.

Hägerström zag de karavaan van rechercheurs die hem op straat schaduwden voor zich.

*

Van:	Leif Hammarskiöld [leif.hammarskiold@polis.se]
Verstuurd:	17 oktober
Aan:	Lennart Torsfjäll [lennart.torsfjall@polis.se]
CC:	
Prioriteit:	HOOG
Onderwerp: Re:	Operatie Ariel Ultra; de Bruinwerker etc.

Lennart,

Ten eerste: zojuist heb ik het nieuws gekregen van de bevrijding van Javier. Hoe heeft dat in godsnaam kunnen gebeuren? Als een wildeman met een machinegeweer lopen schieten? Heb je de Bruinwerker niet onder controle? Zorg dat Javier, Jorge en indien nodig de Bruinwerker onmiddellijk worden opgepakt. Als de communistische pers ontdekt hoe de vork in de steel zit, villen ze ons levend.

Ten tweede: ik heb net van de financieel rechercheurs vernomen dat ze door een aantal banken gewaarschuwd zijn vanwege transacties die de afgelopen dagen door Gustaf Hansén en/of JW en/of Bladman zijn gedaan. Ze zijn er ook in geslaagd namen van een aantal betrokken bedrijven te achterhalen en in zo'n twaalf gevallen konden deze aan fysieke personen in Zweden worden gekoppeld.

Ook wil ik noemen dat Hansén onlangs dood is aangetroffen. De politie van Monaco bevestigt dat er in de huidige situatie geen verdenkingen van een misdrijf bestaan.

Lennart, deze informatie is zeer gevoelig.

We hebben hierbij namen gezien waarvan wij allebei niet willen dat ze door het slijk worden gehaald. Je mannen moeten extreem voorzichtig en secuur zijn bij de aanstaande arrestatie van JW en/of Bladman. Veel van het materiaal mag onder geen beding naar buiten komen. Ik wil dat je dit allemaal onder strikte controle houdt, en natuurlijk buiten het zicht van de officier van justitie. Bel me hier zo snel mogelijk over!

Verwijder deze mail zoals altijd.

Leif

63

Radisson Blu Arlandia Hotel: twee kilometer van Arlanda. Volgens JW: dat wilden de Russen. Ze zouden maar een paar uur blijven. Het goeie eraan was dat Natalie blijkbaar mensen zou ontmoeten die op hoog niveau besluiten namen. Niet een stel in Zweden geplaatste hooligans. Niet een stel loopjongens zonder beslissingsrecht.

Ze stapte de vergaderruimte binnen.

Er kwam een man naar haar toe die met een metaaldetector haar lichaam afzocht. Het knetterde, maar het piepte niet. Hij ging met zijn hand over haar armen, romp en benen.

De hand van de man was bedekt met zwarte tatoeages.

Op de banken in de lobby buiten de ruimte zaten Goran, Thomas en Adam. Sascha zat in een auto bij de ingang.

Op een ander bankstel had ze Milorad en een paar andere mannen van Stefanovic zien zitten.

Thomas had in de lobby een ex-collega van bij de politie aangewezen. 'Hij is een halfjaar geleden ontslagen, ik weet eerlijk gezegd niet wat hij nu doet.'

Maar Natalie wist wie het was: JW's chauffeur. Die vent die haar slechte vibes gaf. Thomas zei: 'Ik vind het maar vreemd.'

Natalie kon het nu niet afblazen. Als JW die chauffeur vertrouwde, dan moest zij dat ook doen.

De afspraak: alleen zij en Stefanovic – oog in oog met elkaar – in de vergaderruimte. Plus JW en de Russen als bemiddelaars.

Ze keek om zich heen. Een ovale houten tafel met stalen poten. Witte wanden met ingelijste foto's van vliegtuigen. Spotlights aan het plafond. Typische sfeer van een middenklassehotel – Natalie had de afgelopen weken in zoveel verschillende hotels gelogeerd dat ze overgevoelig was geworden voor witte wanden en Scandinavisch design.

Het was donker buiten. De gordijnen waren dichtgetrokken.

Op de tafel stonden vijf glazen en een fles Absolut Vodka.

Aan tafel zaten JW en twee mannen van middelbare leeftijd. De Russen.

Natalie wist haast niets over de mannen die ze zou ontmoeten. Maar Thomas en Goran hadden het weinige dat ze wisten verteld. En JW had ook een paar woorden gezegd.

Solntsevskaja bratva: een van de machtigste syndicaten. Vermoedelijk de grootste maffia van de wereld. Waarschijnlijk: de meest invloedrijke organisatie van Rusland – met mondiale oriëntatie. Waarschijnlijk de gevaarlijkste mensen ter wereld.

Goran had verteld dat haar vader nauw met *avtoritety* had samengewerkt. Maar het was niet zoals Natalie had aangenomen – dat de Russen contact met papa hadden gezocht voor hulp. Het was omgekeerd. Papa had jaren geleden contact met ze opgenomen met zijn boodschap: ik heb belastende informatie over personen in Zweden die interessant voor jullie kan zijn. Ik verkoop die informatie aan jullie wanneer jullie die nodig hebben.

Dat maakte haar trots. Ze voelde zich gelijkwaardig aan deze mannen. Haar vader was niet zomaar een loopjongen voor *avtoritety* geweest. Hij had het initiatief genomen, hun iets aangeboden waarvoor ze wilden betalen.

Ze stelden zich voor als Vladimir Michailov en Sergej Barsykov. Verantwoordelijk voor Scandinavië.

Ze schudden haar de hand. JW's ogen vlamden.

De man die haar had gefouilleerd functioneerde als tolk.

Vladimir Michailov zei: 'Welkom. Ik hoop dat wodka oké is?'

Natalie antwoordde in het Russisch: *'Da. Tak.'*

Ze waren keurig gekleed. Maar anders dan JW of Gabriel Hanna – de pakken van de Russen waren vast net zo duur, maar ze hadden een andere stijl: glanzender stof, bredere schouders, wijdere broeken. Ze dacht aan Semjon de Wolf Averin.

Goran had haar aangeraden sieraden te dragen. Een briljant van twee karaat in een eenvoudige vatting om haar nek, van papa gekregen voor haar twintigste verjaardag. In haar oren oorbellen van Tiffany. Aan haar vinger een wapenring met het Kranjic-embleem erin.

Ze deed haar lange jas uit. Eronder: een zijden blouse met een donker jasje erover.

In haar binnenzak zat de kam. Thomas had hem haar vanmorgen gegeven. Hij was van koolstofvezel en zat in een lederen foedraal. Het slimme: het handvat was geslepen. Natalie had het getest op een papier thuis – het sneed als een warm mes door haargel.

De deur ging open. Stefanovic kwam binnen.

Dezelfde procedure: de tolk zocht zijn lichaam af met de metaaldetector. Ging met zijn handen over zijn lichaam. Hij leek schoon: zelfs geen mobiele telefoon.

Nu bevonden ze zich voorbij tijd en ruimte. Ze waren in het land van de Russen. Misschien.

Vladimir Michailov verwelkomde hem.

Hij schonk wodka in.

De andere Rus zat zwijgend kauwgum te kauwen.

Vladimir hief zijn glas: *'Na zdorovje.'*

Ze sloegen de wodka achterover.

Vladimir zei: 'Op de eerste plaats wil ik de heer J. Westlund bedanken omdat het hem is gelukt deze bijeenkomst te arrangeren.'

JW keek naar Natalie. Daarna keek hij naar Stefanovic.

Vladimir vervolgde. 'Kijk elkaar nu in de ogen. Want jullie willen geen ruzie meer.'

Natalie keek recht over de tafel, ontmoette Stefanovic' blik. Het was alsof ze recht in de ogen van een haai staarde.

Ze zei: 'Er zijn miljoenen mensen die ik op dit moment liever zou willen zien dan hem. Maar ik doe het voor jullie.'

Stefanovic snoof.

In haar ooghoek: ze zag een bliksemsnel glimlachje over het gezicht van Sergej Barsykov schieten, daarna kauwde hij verder op zijn kauwgum.

Vladimir zei: 'Rustig nu. Laten we in plaats daarvan praten. We zijn hier om zaken te doen. We hebben jarenlang goed samengewerkt met je vader. Het was lucratief voor alle partijen. Ik betreur zijn lot oprecht.'

Hij sloeg zijn blik eerbiedig neer. Daarna zei hij: 'Maar het leven gaat verder. En de zaken gaan verder. Onze belangen in de Scandinavische landen groeien elk jaar. De Russische industrie breidt uit. Onze exportbalans groeit. Maar er heersen op de wereld veel vooroordelen over ons. Daarom hebben we vaak hulp nodig om een rechtvaardige zakelijke relatie tot stand te brengen.'

Hij zette een paar minuten lang uiteen hoe het werkte. Vertelde over de Nordic Pipe. Het ging erom de energieaanvoer naar Centraal- en Oost-Europa te vergemakkelijken. Om de steeds terugkerende conflicten met Oekraïne over de gasrekening te vermijden, conflicten die de prijs van elektriciteit voor alle consumenten hoger maakte. Over het leggen van meer dan drieduizend kilometer dubbele leidingen van het Russische Vyborg naar het Duitse Greifswald. Het ging om twaalfhonderd kilometer gasleiding op de bodem van de Oostzee, om er meer dan vijftig miljard kubieke meter natuurgas per jaar doorheen te pompen.

De cijfers zeiden Natalie niets. Maar één zaak was helder: ze hadden het hier over business op hoog niveau.

'We doen ook iets voor dit land, maar dat lijken niet veel mensen te begrijpen. Als we de leiding leggen, ruimen we bijvoorbeeld oude mijnen. We hebben zeker elf mijnen van de bodem van de zee gehaald. Maar daar heeft niemand ons voor bedankt.'

Natalie en Stefanovic knikten gelijktijdig. Ze waren hier niet voor een college natuurgasbeleid.

Vladimir zei: 'Om dat te kunnen doen, hebben we hulp nodig. We hebben al vele hindernissen genomen en moeten er nog meer nemen.'

De tolk somde Zweedse woorden op. Natalie wist niet zeker of hijzelf wel wist wat hij zei. Wetenschappelijke studies, beschrijvingen van gevolgen voor het milieu, officiële hearings. De Esbo-conventie, het provinciebestuur, de Natuurfederatie, onderzoeksinstituten van de landmacht, de Zweedse Scheepvaartraad en de Raad voor Transport.

Maar één ding was duidelijk: het besluitvormingsproces was extreem gecompliceerd. Veel mensen moesten de juiste richting in geholpen worden.

Natalie dacht aan de mensen die ze de afgelopen maanden had ontmoet. De wapenhandelaars Gabriel Hanna en de vrouw van de Black & White Inn. Haar bondgenoten Goran, Thomas, Ivan Hasdic en de anderen. Ze dacht aan de vrouwen Melissa Cherkasova en Martina Kjellsson. En nu de Russen.

Zoveel mensen verwikkeld in een net van zaken. Mensen die haar als een leider zagen. Iemand die stuurde. Iemand die orders gaf.

Maar wie was ze eigenlijk? Ze had er nooit van gedroomd een grote organisatie te leiden. En nu ze erbij stilstond, wist ze zelfs niet waarover ze wel had gedroomd. Alles was blanco – alles was mogelijk geweest. Misschien was ze toch voor dit leidinggevende werk voorbestemd.

Vladimir leek zijn verhaal af te gaan ronden.

'Het kan ons niet schelen met wie we samenwerken, zolang het maar soepel gaat. Jullie conflict van de laatste tijd hindert onze activiteiten. Mensen worden nerveus. Belangrijke personen willen onze diensten of onze cadeaus niet accepteren. Besluiten worden vertraagd, waardoor de Nordic Pipe vertraagt. Jullie conflict kost elke dag veel geld.'

Natalie wierp een blik op Sergej Barsykov. Hij leek zijn kauwgum uitgespuugd te hebben.

Vladimir zei: 'Jullie moeten het op de een of andere manier eens worden. Jij, Kranjic, hebt materiaal dat we nodig hebben, en dat heb jij, Stefanovic, ook.'

Dat laatste was een beetje een verrassing, dat Stefanovic ook materiaal had. Maar anderzijds was het niet zo vreemd – de omkoperij en de afpersing moesten op meerdere fronten tegelijk bezig zijn geweest.

De Russen en JW stonden op. Het idee was dat Natalie en Stefanovic onder vier ogen met elkaar zouden onderhandelen. Hoe ze de markt in Stockholm zouden opdelen was hun business niet. Solntsevskaja bratva liet hen dat zelf uitzoeken.

Volgens Vladimir was er geen alternatief – als ze over twee uur terugkwamen in de vergaderruimte, moesten Stefanovic en zij het eens zijn geworden.

Natalie bleef op haar stoel zitten.

Stefanovic tegenover haar.

Hij zei: 'Oké. Je hoort wat ze willen. Laten we praten.'

Natalie voelde met haar hand in haar binnenzak.

De kam zat goed in het foedraal.

64

Jorge had schijt aan de kou.

De kou bestond niet voor hem. Te veel littekens in zijn geschiedenis. Te veel ontstoken wonden.

Jorge: had heel veel gezien. Neergestoken gozers, vrienden met een bad trip, verkrachte smatjes. De Stockholmse onderwereld: zijn thuis. Zijn school. Zijn peuterspeelzaal.

Maar nu: dit was anders.

Vanavond: hij was bereid te doden.

Vanavond: jullie zijn mij, en ik ben jullie. Mijn bloed zuivert ons allemaal van zonden.

Zijn moeder wist nog niets. Jorge had haar gebeld – had gezegd dat Paola en Jorgito een paar daagjes weg waren.

Nu was het zover.

Javier en hij zaten in een pas gejatte Citroën. De E20 naar het zuiden. Op weg naar Taxinge. Langs Södertälje. Een grindgroeve.

De gozer van de Fin had een uur geleden gemeld waar hij heen moest. 'Neem het geld mee, kom alleen.'

Jorge had gisteren vijftigduizend op de pof gekregen van JW. Het geld lag bovenop in stapeltjes met nepbriefjes van papier die hij zelf had geknipt. Elastiekjes erom. De Fin zou er nooit in trappen – dat hoefde ook niet, het was genoeg als het een paar seconden werkte.

Javier: minder ernstig. Hij zei: 'Wat een bevrijding, man. Zelfs als ze me morgen weer pakken, is het het waard geweest.'

Jorge was nauwelijks in staat te denken aan wat er later zou gebeuren. Nu draaide alles om deze shit met de Fin.

Jorge zei: 'Waarom is Hägerström niet meegekomen?'

Javier trommelde met zijn handen op zijn knieën. 'Hij zei dat hij op zijn zoon moest passen.'

Jorge dacht: Hägerström was vaag. Waarom kon hij wel meedoen aan de bevrijding van Javier, maar niet aan de afrekening met de Fin? Waarom had hij

Jorge niks over kinderen verteld, maar zei hij wel tegen Javier dat hij op zijn zoon moest passen?

'Heeft hij kinderen?'

Javier knikte. 'Ja. In zijn appartement heb ik foto's van zijn zoon zien staan. Hij woont echt ziek luxe.'

Weer: Hägerström was vreemd. Jorge begreep misschien wel waarom hij nu niet mee wou doen – één bevrijding met een kalasjnikov per dag was misschien wel genoeg. En misschien moest die ex-smeris echt op zijn zoon passen. Maar waarom had hij dan nooit eerder verteld dat hij kinderen had? En hoe kon hij zo luxe wonen?

Er jeukte nog iets in Jorges kop. Hägerström had een heleboel geheime politiepapieren die JW hem had gegeven, meegenomen naar Thailand. Jorge zag voor zich hoe hij de envelop had opengemaakt en de papieren had opengevouwen om ze te lezen.

Niks raars aan – normaal gesproken. Maar een paar dagen geleden had Jorge JW gezien om hem de zes ton te geven. Hij kreeg een envelop terug. Hij maakte hem open en keek erin. Een opgevouwen papier, de tekst was zichtbaar: een naam van een bank.

JW had gezegd: 'We doen het professioneel. Je krijgt facturen en informatie van ons. Zoals je ziet vouwen we zelfs de brieven zoals het hoort.'

Jorge vroeg: 'Hoe bedoel je?'

JW liet het hem zien: 'Je vouwt brieven altijd met de tekst naar buiten.'

Jorge had de link niet gelegd. Maar nu wel: Hägerström moest de envelop die JW hem had meegegeven naar Thailand hebben opengemaakt, de inhoud hebben gelezen en de papieren hebben teruggestopt. Maar hij had ze anders gevouwen dan JW.

Aan de andere kant was het misschien niet zo raar. Als iemand Jorge een geheime envelop zou meegeven, zou hij ook alles hebben gedaan om er stiekem in te kijken.

Maar alles bij elkaar?

De ex-skotoe, de ex-cipier die zijn koers had verlegd naar die van een wannabe g? Hoe waarschijnlijk was dat?

Hij keek Javier aan. 'Fok, man, ik vertrouw die Hägerström niet, weet je.'

'Ik wel, die gast heeft me twaalf uur geleden bevrijd. Moet ik nog meer weten?'

'Maar hij is vaag.'

'Wie niet?'

'Hij is smeris geweest, en cipier, verscheen vanuit het niets in Thailand.'

'Relax. Hij heeft me bevrijd, zeg ik toch. Plus, hij was niet alleen voor jou in Thailand. Hij deed zelf ook zaken.'

'Wat voor zaken dan?'

'Hij heeft smaragden en zo gekocht.'

'Hoe weet jij dat?'

'Dat heeft ie verteld. Hij kreeg allemaal sms'jes van zijn zus over wat hij moest kopen. "Haal ze naar Zweden" en zo.'

Ze reden verder. Het duister buiten: zwart als Jorges gedachten.

De onderwereld was zijn wereld niet meer. Paola, Jorgito, die waren zijn wereld.

Hij wilde alleen deze zaak met de Fin nog oplossen, zou daarna teruggaan naar Thailand. Zou weer een caféleven leiden.

Toch: die Hägerström verpestte zijn focus.

Hij pakte zijn mobiel.

Die ging vier keer over. JW's stem.

'Ja, hallo.'

'Yo, met mij.'

'Zeg, ik heb het nogal druk op het moment. Alles goed?'

'Nee. Wat doe je?'

'Ik wacht tot er een belangrijke bijeenkomst is afgelopen. Ik ben in een hotel bij Arlanda.'

'Die maat van je, Hägerström. Er klopt iets niet met die gast.'

'Hoezo niet? Hij is hier nu bij me.'

'Wat zeg je?'

'Ik zei dat hij nu bij me in het hotel is.'

Een kwartier later. Ze zetten de auto neer.

Javier stapte uit. Jorges gesprek met JW was snel voorbij geweest. JW had andere dingen te doen. Jorge had hem alleen kunnen vertellen over de vage sms'jes die Javier in Thailand had gezien.

Maar schijt ook nu. Hij moest zijn ding doen.

JW moest zijn dingen maar doen.

Toch: hij was blij dat Hägerström er niet bij was.

Hij zei tegen Javier: 'Jij neemt de kalash. Je gaat daarginds omhoog. Je zoekt naar de lichten van deze auto of andere auto's. Je gaat op een goeie plek liggen waar je mij en die klote-Fin kunt zien.'

Javier grijnsde niet. Hield het machinegeweer alleen stevig vast. Hij snapte nu: dit was ernst. Jorge voelde zich stijver dan stijf.

Hij startte zijn auto weer. Het kogelvrije vest was zwaar.

Hij reed tussen de zandbergen door.

Om hem heen: de grindgroeve. Hopen met zand, stenen, grind. Alles bedekt met een witte poederlaag van vorst. Of misschien was het een dun laagje sneeuw. Wat was het verschil eigenlijk? Bleke schaduwen. Donkere rotsblokken. Tegenover de auto: een machine, minstens zeven meter hoog. Een soort vergruizer.

Stilte.

Een verlaten plaats.

Een plaats zonder inkijk.
Een goede plaats voor de Fin.
Jorge zette de koplampen van de auto uit.
De duisternis – zijn vriend.
Hij bleef in de auto zitten. Pakte zijn mobiel. Belde Javier.
Fluisterde: 'Heb je een plek gevonden?'

Licht vanaf de weg naar de grindgroeve. Twee auto's.
Jorge deed de koplampen van de Citroën aan.
Ze kwamen binnenrijden. De achterste bleef bij de inrit naar de grindgroeve staan. Blokkeerde de uitweg.
De voorste auto reed in zijn richting. Bleef staan. Hield de lichten aan.
Jorges mobiel ging.
Een stem: 'Doe je licht uit. Stap uit.'
Jorge opende het portier. Stapte uit. De koplampen van de andere auto verblindden hem.
Hij tuurde. Hoorde de portieren van de auto opengaan.
Er kwamen twee mannen uit.
Hij liep vijf meter in hun richting.
Een gast met een leren jack en een zwarte muts.
Een gast met een gewatteerd jack en een pet.
Ze stonden tien meter verderop. Hun gezichten waren in het tegenlicht amper te zien. Hun armen langs hun benen.
De petmans zei: 'Heb je de cash?'
'Ja, jullie hebben mijn mms'je gezien. Hebben jullie mijn zus en haar kind?'
'Jaja, die zitten achter in de andere auto.'
Stilte. De petmans bewoog zijn arm omhoog. Het silhouet van een gun.
Jorge zei: 'Geen van jullie is de Fin, hoor ik.'
'Nee.'
'Is hij hier?'
'Dat gaat je geen flikker aan.'
'Dan hebben we geen deal.'
De petmans zei niks.
Jorge was stil.
Er kwam damp uit hun mond.
Uiteindelijk zei de petmans: 'Oké. De Fin is hier, hij zit ook in de tweede auto.'
Jorge zei: 'Ik wil dat hij eruit komt.'

65

De Joego-elite en de recherche-elite verdrongen elkaar op de banken in de lobby van het Radisson Blu Arlandia Hotel.

Hägerström zat met JW op een bankstel. Ze wachtten tot het overleg tussen Natalie Kranjic en Stefan Stefanovic Rudjman in een vergaderzaaltje op een verdieping boven hen afgelopen zou zijn.

Hägerström had drie andere mannen met JW naar beneden zien komen, ze zagen er Russisch of Oost-Europees uit. Ze waren nu verdwenen. Misschien stonden ze buiten. Misschien zaten ze in een kamer in het hotel. Hij wist niet wie het waren.

Maar hij wist wie de andere mannen hier waren.

Op twee banken bij elkaar zaten de mannen van Stefanovic.

Op twee andere banken zaten Kranjic' mannen. Hägerström kende hun namen: Goran en Adam. En een verrassing: Thomas Andrén, zijn oude vriend en collega. Hägerström had nooit bevroed dat Andrén zo diep zou zijn gezonken.

Hun blikken kruisten elkaar. Thomas liet niets blijken, maar hij moest zich afvragen wat Hägerström hier deed.

Op de rest van de banken, bij de incheckbalie, op de verdieping, buiten bij de entree en in de bar stonden scholen rechercheurs in burger. Torsfjäll had beloofd dat dit de arrestatie van de eeuw zou worden. Zodra ze groen licht kregen van het team bij de grindgroeve, bij Jorge, Javier en de Fin, zouden ze toeslaan.

JW leek ook in een goed humeur. Hij pielde met zijn telefoon. Stuurde sms'jes, mailde, surfte. Hij nam zijn telefoon op, wandelde rond in de lobby en telefoneerde buiten gehoorsafstand van Hägerström. Alle Joegomaffiosi die overal op de banken zaten te wachten, leken hem volkomen koud te laten.

Hägerström dacht aan Javier.

Hij was nu bij Jorge. Hij hoopte dat hij kalm aan zou doen.

JW ging op de bank zitten. 'Je zus is toch makelaar?'

'Yep.'

JW zei: 'Heb je haar nummer? Ik zou haar iets willen vragen. Ik ben druk met een nieuwe woning.'

Hägerström vroeg zich af wat JW Tin-Tin op dit moment wilde vragen. Hij had niet eerder gezegd dat hij bezig was een huis te kopen. En Hägerström wilde zijn familie er niet in mengen. Aan de andere kant had JW al mee gemogen naar de elandenjacht bij Carl.

Hij gaf JW Tin-Tins nummer.

JW toetste het in. Ging een paar meter verderop staan.

Hägerström zag hem telefoneren.

66

Natalie en Stefanovic zaten te praten.

Hij leek in alle ernst bereid de markt in Stockholm onderling te verdelen.

'Natalie, eigenlijk hebben we niks tegen elkaar. Het is alleen fout gelopen toen je vader werd vermoord. Ik vind alleen maar dat de arbeidsinvesteringen die ik heb gedaan lonend moeten zijn.'

Ze luisterde.

Hij zei: 'Jullie krijgen de garderobes. Jullie krijgen de speed. Daar zal ik me niet in mengen. Ik neem de sigaretten en de drank.'

Ze praatten verder. Bespraken de omzet in de respectieve branches. Bespraken welke mannen het geschiktst waren. Waar ze de zekerste inkomsten hadden. Waar de politie op het moment het actiefst was.

'We kunnen allebei van Bladmans diensten gebruikmaken. Hij staat hier helemaal buiten.'

Natalie dacht aan JW – Bladmans kompaan in beduidend grotere zaken dan Stefanovic leek te beseffen. Waarschijnlijk zouden ze geen belangstelling meer hebben voor Stefanovic' zaakjes.

Ze zei: 'En het materiaal dat ik heb, dat de Russen willen hebben – wie van ons mag dat gebruiken?'

Stefanovic zuchtte. 'Je vader en ik hebben daar als bezetenen aan gewerkt, geloof me. We hebben al die tijd volgens twee sporen gewerkt, de wortel en de stok, zoals dat dan heet. Smeergeld en afpersing. We hebben Bladmans diensten gebruikt om miljoenen over te maken aan de juiste mannen. Tegelijkertijd merkten we dat diezelfde mannen op de juiste feesten kwamen, de juiste meiden ontmoetten. Dus zorgden we ervoor dat een paar meiden opnames maakten van wat ze met die mannen deden. We hebben veel met die meiden moeten praten, dat kan ik je wel vertellen.'

Wat hij nu vertelde had Natalie zelf al uitgedokterd.

Stefanovic ging verder. 'Dus die mannen hebben we in de tang. Ze krijgen geld. De Russen kunnen ze laten doen wat de Russen maar willen. En gaan ze tegenspartelen, dan krijgen ze vervelende mailtjes met foto's en filmpjes van hoe ze zeventienjarige Roemeense meisjes hun reet laten likken.'

'En Melissa Cherkasova?'

'Het heeft geen zin om het daar nu over te hebben. Dat lost ons probleem niet op, vind je ook niet? Dan kan ik aankomen met hoe ik me voelde toen je me Marko's vinger opstuurde. We hebben nog een uur om hieruit te komen. Als we het over Cherkasova gaan hebben, krijgen we allebei problemen met de Russen.'

'Oké, dan laten we dat nu zitten. Maar in het vervolg tolereer ik dat soort dingen niet meer.'

'Je staat aan het begin van je carrière. Je zult het nog wel merken. Het is niet allemaal zo eenvoudig als het lijkt.'

Ze lieten het onderwerp voor wat het was. Bespraken andere zaken, markten, te expanderen gebieden. Stefanovic wilde de springschans houden – daar legale conferenties blijven organiseren. Hij dacht goeie contacten in het vaderland te hebben voor de verkoop van in Zweden gestolen elektronica. Hij vond het rechtvaardig als hij door mocht gaan met de meiden – die tak had hij immers opgebouwd.

Natalie dacht: puur economisch gezien kon het goed zijn. Misschien zouden ze het wel eens kunnen worden. Misschien hoefde ze niet te doen waarvoor ze was gekomen.

Natuurlijk: haar leven zou eenvoudiger worden. Ze zouden ongehinderd door elkaar aan de slag kunnen. Oké, hun markten zouden krimpen, maar ze zouden zich kunnen focussen. Zich ontwikkelen. De marges verhogen. Dat zou een belangrijke boodschap zijn voor alle amateurs die probeerden iets in de Stockholmse jungle te worden: Kranjic is hier nog steeds de baas.

Daarna dacht ze: *fuck my ass* – nooit van mijn leven dat ik een deal met deze man sluit. Hij heeft mijn vader vermoord.

Stefanovic praatte door. Het hele punt: ze waren hier met zijn tweeën.

Natalie: tweeëntwintig jaar oud. Slank. Knap. Bovendien: vrouw. In Stefanovic' ogen: allesbehalve bedreigend op zich. Haar mannen waren gevaarlijk. Haar macht kon gevaarlijk zijn. Maar zij op zichzelf – Stefanovic had haar zien opgroeien, hij was haar rijinstructeur geweest. Haar chauffeur. Haar manusje-van-alles. Een oudere broer.

Hij voelde geen angst. Hij voelde zich veilig bij haar.

Natalie stond op. Trok haar jasje uit. Stroopte de mouwen van haar blouse op. Liep om de tafel heen.

Stefanovic keek haar aan.

Ze zei: 'Luister, we zullen het vast wel eens worden. Alleen al vanwege de Russen. Laat me je in de ogen kijken, van dichtbij. Ik wil zien dat je het serieus meent.'

Stefanovic keek naar haar op. Hij glimlachte.

'Natuurlijk meen ik het serieus.'

Natalie pakte de kam die ze eerder al in haar kontzak had gestopt. Hield het bovenste gedeelte vast, de kam zelf.

Stefanovic keek haar aan. Zag dat ze haar mouwen had opgestroopt. Zag misschien dat ze iets smals, donkers van plastic vasthield.

Hij zei: 'Wat wil je?'

Natalie stak hem met het handvat van de kam.

Ze voelde die naar binnen dringen. Stefanovic maaide met zijn armen.

Ze ontweek zijn slagen.

Ze stak hem weer.

67

Het ging maar om zes ton – dat kon geen vette cash voor de Fin zijn.

Voor de poet had die gast hier niet hoeven komen. Toch: die klote-Fin wou niet twee onschuldige levens op zijn geweten hebben. Bovendien: die klote-Fin wou de wouten hiervoor niet in zijn reet hebben. Zwaar delict. Flink wat jaren in de bak.

Jorge had erop gerekend: de vent was bereid hem te ontmoeten, alleen om van deze shit af te zijn.

Risky business. Vuile business. Niemand wou hier langer dan noodzakelijk blijven.

Hij hoorde een portier dichtslaan.

Er kwam iemand uit de achterste auto.

Langzame stappen. Een gast. Lange jas. Donkere broek. Geen muts.

De man kwam dichterbij. Het tegenlicht jeukte in Jorges ogen.

Hij zag eruit als zomaar iemand. Dun, blond haar. Varkensachtige wipneus. Troebele ogen.

Vijfendertig of zo. Tien meter afstand.

Hij deed zijn mond open. 'Loop je niet aan te stellen. Ik haal Paola en de jongen als jij het geld haalt.'

Jorge herkende de stem. Het was de Fin.

'Oké,' zei hij.

Jorge draaide zich om. Liep terug naar de Citroën.

Deed het achterportier open. Checkte zijn telefoon terwijl hij zich voorover-boog om de sporttas met het geld en het nepgeld te pakken. Een sms'je van Javier. 'Ik zie jullie. Wacht tot ik Paola en Jorgelito zie.'

Goed. Jorge pakte de tas. Liep terug.

De mutsmans en petmans stonden er nog.

Hij hoorde een zachte stem verderop. Zag de Fin naar zich toe komen. Paola en Jorgito liepen voor hem.

Het jochie had te weinig kleren aan, alleen een T-shirt en een spijkerbroek. Godvergeten klote-Fin.

Tien meter tussenruimte. Paola doodstil.

Jorge zette de tas neer.
'Hier is het geld.'
De Fin gebaarde met zijn hand.
De petmans liep naar de tas. Bukte voor Jorges voeten.
Maakte de tas open. Jorge wist wat hij zou zien: stapeltjes briefjes van vijfhonderd, in elk geval bovenop.
De petmans bladerde niet in de stapeltjes. Ze hadden Jorges mms met alle biljetten immers al gezien.
De gast riep naar de Fin: 'Het is oké.'
De zachte stem van de Fin: 'Mooi.'
Jorge zag Paola en Jorgito naar hem toe komen lopen.
Acht meter.
Vijf meter.
De petmans stond nog bij de tas. Een meter van Jorge.
Paola en Jorgito twee meter van Jorge.
Hij stak zijn armen uit naar de jongen.
Tilde hem op. Jorgito was koud.
Hij begon te huilen.
De petmans pakte de tas. Liep terug naar de Fin.
Jorge droeg de kleine naar de auto terwijl hij Paola voor zich uit dreef.
De Citroën was duidelijk zichtbaar in het licht van de andere auto.
Nog een paar meter.
Hij hoorde de stem van de Fin. 'Wat is dit godverdomme?'
Hij trok het portier open. Duwde Paola naar binnen.
Probeerde zijn lichaam breed te maken om Jorgelito heen.
De Fin schreeuwde. 'Jij kleine flikker. Dit geld is nep!'
Geluid. Nieuwe lichten.
Geratel van schoten.
Jorge sprong naar de auto.
Het geluid weerkaatste. Overal.
Hij voelde pijn in zijn rug.

68

Ze wachtten nu al anderhalf uur. JW had gezegd dat ze boven binnen twee uur klaar moesten zijn.

Hägerström voelde de sfeer in de lucht. De bankstellen vibreerden van spanning. Strijk een lucifer af en het hotel zou als een atoombom exploderen.

Hij probeerde zich te ontspannen. JW beende telefonerend rond.

Hägerströms gedachten dwaalden af.

De keukenvloer in hun appartement aan de Banérgatan. Pravat een jaar en twee weken oud. Ze hadden hem net opgehaald uit Noord-Thailand.

Hägerström lag op zijn rug. Anna was boodschappen aan het doen.

Hij liet Pravat op zich klimmen. Opstaan met zijn hulp. Zich aan hem vasthouden.

Pravat pruttelde, *da-da-dade*, sprak zijn eigen taaltje. Hij droeg een luierbroekje en een gestreepte trui van Polarn & Pyret. Hägerström voelde zijn handjes en nageltjes op zijn armen. Een van de lekkerste sensaties die hij kende.

Hij schoof voorzichtig opzij. Pravat hield hem vast, maar stond relatief stevig op zijn voeten. Hägerström schoof nog een stukje opzij. Opeens liet Pravat hem los. Stak zijn armen omhoog in de lucht, boog zijn knieën en strekte zijn benen. Hij stond zelfstandig. Helemaal zelfstandig.

Hägerström juichte. Pravat lachte, leek zich haast bewust van het huzarenstukje dat hij uithaalde. Voor het eerst in je leven helemaal zelf staan.

Hägerström keek op, de lobby weer in.

De liftdeuren schoven open.

Natalie Kranjic kwam naar buiten. Ze droeg een donkere, lange jas.

Ze liep naar JW toe.

Hägerström hoorde haar zeggen: 'We zijn klaar.'

Bewegingen op de banken. Allerlei mannen stonden op. Keken naar Natalie en JW.

Wachtten op tekens. Wat ging er nu gebeuren?

Natalie zei niks meer. Ze zwaaide naar Adam.

De grote kerel kwam naar haar toe.

Ze liepen samen naar de uitgang.

Hägerström zag snelle bewegingen bij de mensen in de lobby.

Nu was het zover.

Hij zag de rechercheurs in burger bij de lift diep ademhalen. Hij meende zachte commando's te horen via de oortjes van de ME'ers die buiten stonden te wachten. Hij rook de geur van stress, wist niet of die afkomstig was van de politie of de maffiosi.

Natalie en Adam liepen door de automatische schuifdeuren in de entree naar buiten.

Toen barstte alles los.

69

Natalie was klaar. Adam liep voor haar het hotel uit.

Buiten was het nacht. Veel auto's links, bij de parkeerplaats van het hotel.

Adam wees: 'Daar staat mijn auto.'

Haar handen begonnen te trillen. De krachtsinspanning om rustig door de lobby van het hotel te lopen had zijn weerslag.

Voor ze naar beneden ging had ze zichzelf grondig geïnspecteerd. Haar hand en onderarm waren – niet geheel onverwacht – bebloed geweest. Ze waste zich in het toilet op de gang, minstens vijf minuten. Inspecteerde elke millimeter tot ze honderdtien procent ontdaan was van bloed.

Binnen een paar minuten zou iemand Stefanovic ontdekken. Of de Russen of zijn eigen mannen. Het ging zoals het ging. Ze had papa gewroken.

Ze zag Adams auto: een Audi.

Vanaf de andere kant van de auto kwam er een man naar haar toe.

Natalie staarde hem in zijn ogen.

Een breed gezicht. Grijze ogen. Donkerblond haar.

Een vanzelfsprekende zelfverzekerdheid. Een rustige, ontspannen blik.

Het was Semjon Averin.

Hij hield iets vast. Natalie zag niet goed wat.

Toen: om hen heen brak de hel los.

Ze zag snelle bewegingen in haar ooghoeken.

Hoorde brullen: 'Politie. Ga liggen.'

Ze zag Adam met opengesperde ogen staren.

Ze zag Semjon Averin zijn arm heffen.

70

De pijn was verdwenen. De kou in zijn gezicht verdwenen.
Jorge lag languit op de grond.
Hij wist zoveel dingen.
Hij wist niets.
Hij: geraakt in zijn rug.
Hij: onderweg ergens naartoe.
Hij verdween weer.

Jullie zijn mij, en ik ben jullie. Mijn bloed zuivert ons allemaal van zonden.
Weer een moment in het nu. Hij was te moe om zijn ogen te openen.
Hij hoorde vreemde geluiden. Zwakke, wazige geluiden.
Paola zou het gered moeten hebben, in de auto.
En Jorgito?
Sálvame.
Hij wist het niet.
Trok het niet.
Hij had afscheid moeten nemen van zijn moeder.
Hij had het tegen Javier moeten zeggen.
Een leven.
Zijn leven.
Een leven *de luxe.*
Het gevoel dat hij uit zijn mond bloedde.
Gaf niks.
Hij voelde zich rustig nu.
Ontspannen.

Epiloog

Vier maanden later

Hägerström lag op het bed. Dat was hard. Hij keek naar de muur boven zich.

Twee foto's van Pravat bevestigd met tape. De ene had hij zelf een jaar geleden genomen in Humlegården. Het was een close-up van zijn gezicht met het park op de achtergrond. De andere had Pravat gestuurd. In het midden van de foto stond een grote legoburcht met mannetjes op de muur. Achter de burcht poseerde Pravat – trots op zijn mooie gebouw.

Hägerström keek naar buiten. De binnenplaats van de gevangenis was stenig en kaal.

De rechtszaak tegen hem had vier dagen geduurd en was twee weken geleden afgelopen. Tot die tijd had hij in het huis van bewaring gezeten. Nu zat hij hier, in Kumla. Vergeleek elk detail met Salberga, waar hij had gewerkt. Toen vond hij frisse muren, schone doucheruimtes en een functionerende televisie onzin. Nu verlangde hij naar één enkel oppervlak dat niet smerig aanvoelde.

Hij bestreed de aanklacht niet. Het bewijs was robuust. De bewakers van het transport konden hem aanwijzen en ze hadden kruitdeeltjes op zijn gewatteerde jack gevonden. Toch had zijn advocaat goed werk geleverd. De officier van justitie wilde Hägerström laten veroordelen voor een poging tot moord. Vier schoten met een machinegeweer op de banden van een arrestantenbus op 17 oktober vorig jaar. Het was slechts toeval dat er niemand was omgekomen. Maar Hägerström was kustjager geweest, hij wist hoe je met machinegeweren omging. De advocaat slaagde erin aan te tonen dat de levens van de bewakers nauwelijks in gevaar waren geweest.

Hij werd veroordeeld voor een poging tot zware mishandeling. Drie jaar gevangenisstraf.

Torsfjäll had Hägerström de dag nadat hij in het Radisson Blu Arlandia Hotel was opgepakt al opgezocht.

De commissaris kwam alleen in de cel. Eigenlijk mochten uitsluitend agenten die bij het onderzoek waren betrokken en zijn advocaat hem ontmoeten, maar Torsfjäll had vast zijn methodes.

'Goedemiddag.'

Hägerström begroette hem. 'Hallo. Fijn dat je kon komen.'

Torsfjäll bleef staan. Er stonden geen stoelen in politiecellen. Alleen een simpel matras op de vloer.

De commissaris schudde Hägerström de hand. 'Hebben ze je al verhoord?'

'Alleen oppervlakkig. Maar ik heb niks over Operatie Ariel Ultra gezegd. Ik heb op jou gewacht.'

'Goed zo, want er valt niets te zeggen.'

Hägerström keek de commissaris aan. Zijn tanden zagen er minder wit uit dan anders.

'Hoe heb je het in godsnaam in je hoofd kunnen halen om op een arrestantenbus te schieten?'

Hägerströms gedachten stokten. Torsfjäll sloeg een heel andere toon aan dan anders.

'Dat was een deel van het werk.'

'Het is nooit een deel van het werk om op die manier misdrijven te begaan.'

'Aha. Maar wat bedoel je ermee dat er niets over mijn rol als UC-operator te zeggen valt?'

'Dat ben je nooit geweest. Je bent ontslagen bij de politie. Je bent al die tijd burger geweest.'

'Waar heb je het in godsnaam over?'

'Ik heb het over wat we al die tijd hebben gezegd, dat je was ontslagen bij de politie. Of niet soms?'

'Dat hebben we niet afgesproken. Ik ben formeel ontslagen. Maar informeel ben ik aangebleven.'

Torsfjälls ogen waren dood. Hij probeerde Hägerström niet eens aan te kijken.

'Dat onderscheid bestaat niet binnen de politie.'

Hägerström hoorde zijn eigen ademhaling.

Torsfjäll zei: 'Dat was een deel van de afspraak. Je hebt risico's genomen. Daar ben ik dankbaar voor. Maar je wist waar je aan begon. Je moet eigenlijk verdomde blij zijn dat je niet voor meer dingen veroordeeld wordt. Tel maar na: witwassen, zware mishandeling, begunstiging van een verdachte. Voor alles wat je hebt gedaan zou je veel langer kunnen krijgen.'

Hägerström zei: 'Dat is lulkoek van de bovenste plank.'

De commissaris zette een dictafoon op tafel. Drukte op het knopje.

Een opname. Hägerström hoorde zijn eigen stem midden in een zin. Daarna hoorde hij de stem van Torsfjäll: 'Je bent geen agent meer, je bent een cipier met een opdracht. Je moet zelfstandig opereren, zonder immuniteit.'

De commissaris zette het apparaatje uit. 'Ik heb toch tegen je gezegd dat je geen agent meer was.'

Hägerström staarde hem sprakeloos aan. Hij herinnerde zich dat gesprek nog. Maar toen had hij het heel anders geïnterpreteerd.

Torsfjäll vervolgde: 'En jij begrijpt toch ook wel: als ik zou toegeven dat ik hier order toe heb gegeven, zouden we nooit meer vergelijkbare operaties kunnen doen. Bovendien zou het mijn carrière verwoesten als het uitkwam. Dat zou zonde zijn.'

De commissaris was een doortrapte klootzak.

Hägerström had nog maar één vraag voor hem: 'Wat is er met JW gebeurd?'

Torsfjäll stond op.

Hij zei: 'Prutser.'

Terug in de cel. Hägerström was een rund geweest.

Tegelijkertijd: gegeven het feit dat hij niet in dienst van de politie was geweest, was hij er goed van afgekomen, zoals Torsfjäll al zei.

Hägerström had kunnen proberen de rechercheurs te doen begrijpen dat hij undercoveragent was geweest, dat hij al die tijd in de veronderstelling had verkeerd dat hij in dienst was van de politie en had gehandeld op instructie van commissaris Lennart Torsfjäll. Maar hoe groot was de kans dat ze hem zouden geloven? Het was onmogelijk om te proberen mails of sms'jes van Torsfjäll tevoorschijn te toveren, aangezien zijn computer en telefoon in beslag genomen waren. Torsfjäll zou alle belangrijke zaken allang verwijderd hebben.

Hij had kunnen proberen de rechercheurs te doen begrijpen dat hij in elk geval een burgerinfiltrant was geweest. Maar daar gold hetzelfde: hoe groot was de kans dat ze hem zouden geloven?

En er was een andere, belangrijker reden om er niet aan te beginnen. Als hij de verantwoordelijkheid afschoof op zijn rol als infiltrant, zou hij een ander risico nemen: een enorme prijs op zijn hoofd. JW, Jorge, Javier en anderen zouden er wat dan ook voor betalen om hem weg te werken, koud te maken. Dood.

Zonder Torsfjälls steun om een gedegen geheime identiteit te krijgen zou hij aangeschoten wild zijn.

Het was een helse keuze. Of zich beroepen op zijn rol als infiltrant en misschien een kortere gevangenisstraf krijgen maar de rest van zijn leven bedreigd worden met de dood. Of de rol van crimineel op zich nemen, en de rest van zijn leven met die reputatie leven.

Hij concludeerde dat het beter was om te zwijgen. Te blijven doen alsof. De rol te spelen.

Daarom had hij nooit iets tegen de rechercheurs gezegd.

Hij had nooit uitgelegd hoe zijn register gevuld was met verdenkingen van verzonnen gebeurtenissen.

Hij had nooit verteld dat hij Mrado Slovovic had ontmoet en talloze malen met Torsfjäll in allerlei appartementen had afgesproken.

Hij probeerde niet eens ze te laten begrijpen waarom hij ervoor had gezorgd dat alle mensen op de afdeling van Salberga spoedoverplaatsingen hadden gekregen zodat JW alleen achterbleef.

Hij deed wat Javier zou hebben gedaan. Hij perste zijn lippen op elkaar en ademde door zijn neus. Gaf geen antwoord op de vragen van de politie.

Hij vroeg zich af waarom. Waarom had Torsfjäll hem gebruikt en bedonderd? Hij kon maar één antwoord verzinnen. De rijksrecherche zou de commissaris nooit groen licht hebben gegeven om een politieman te gebruiken, dus de enige manier was om Hägerström burger te maken.

Hij zou nooit meer bij de politie kunnen werken. Evenmin in het gevangeniswezen. De vraag was welke baan hij überhaupt nog zou krijgen. Hij zou ongetwijfeld geen ruimere omgangsregeling met zijn zoon krijgen. Veroordeeld voor een poging tot zware mishandeling, succes.

Hij keek weer omhoog naar de foto's van Pravat. Hij was trots op zijn legokasteel. Dat was nu zo ver weg. Op een dag zou Hägerström vertellen wat er echt was gebeurd.

Hij pakte een krant van tafel.

Sloeg hem open.

Op de middenpagina stond een foto van Javier, op weg naar een rechtszaal. Hij probeerde zijn gezicht te verbergen met een handdoek uit het huis van bewaring.

De kop: LAATSTE DAG IN DE RECHTSZAAK VAN DE TOMTEBODA-OVERVAL.

Hägerström wist niet wat Javier dacht, ze hadden elkaar niet kunnen spreken. Maar hij hoopte dat Javier in dezelfde gevangenis terecht zou komen als hij. Misschien zouden ze een eigen leven krijgen in de bak, op de een of andere manier.

Hägerström was dankbaar voor zijn geërfde geld. Het was echter maar de vraag of hij daar ooit meer van zou krijgen. Lottie was niet blij. Ze zou over twee uur bij hem langskomen, daarna zou hij meer weten.

Op dit moment verstreken de minuten traag als tijdens een lange wacht bij de jacht.

Hij probeerde niet na te denken over wat zijn broer en zus vonden. Hun broer, Martin, ex-politieman, ex-cipier, tegenwoordig veroordeelde crimineel. Rijden in zwaarbeschonken toestand of een financieel delict hadden ze wellicht kunnen accepteren, maar hierna zouden ze nooit meer met hem praten.

Dat Lottie op bezoek zou komen was op zich al een wonder.

Een uur en vijfenveertig minuten later werd er op zijn deur geklopt. Een cipier deed de deur open. Bracht hem naar de bezoekersruimte.

De muren daarbinnen waren wit. Een bank met wijnrode, kunststof bekleding. Een houten tafel en twee houten stoelen. Een dienblad op de tafel. Wat in elkaar gestapelde plastic bekertjes, plastic theelepeltjes, een thermoskan van plastic materiaal met warm water, een plastic bus met Nescafé, een doos theezakjes van Lipton. Niets van metaal. Niets wat iemand anders zou kunnen verwonden, of wat de gedetineerde zelf zou kunnen verwonden. Dat was standaard.

De deur ging open.

Zijn moeder zag er gedesoriënteerd uit.

Lottie leek ouder dan de vorige keer dat hij haar had gezien. Haar haar grijzer, de rimpels rond haar ogen dieper.

Hägerström zei: 'Kom binnen.'

Ze had een beige broek en een kasjmieren vest aan. Om haar nek droeg ze een sjaal. Hägerström herkende het patroon, Hermès, uiteraard.

Ze liep naar hem toe. Geen wangzoenen, geen beleefdheidsfrases, geen wat-een-mooi-vest-opmerkingen. Ze omarmden elkaar alleen. Lang.

Hägerström rook haar geur. Haar parfum. Haar haar beroerde zijn wang.

Hij sloot zijn ogen. Zag Pravat naar haar toe rennen in haar huis. Ze tilde hem op en riep: 'Goudklompje van me.'

Hij zei: 'Het spijt me, mama.'

Ze gingen zitten.

Lottie zei: 'Mij ook.'

Hägerström had zijn besluit genomen. Alles zou op tafel komen. Hij wilde vertellen hoe de zaken ervoor stonden.

Ze hadden een uur de tijd. Hij sprak snel. Hij vertelde hoe Torsfjäll contact met hem had opgenomen. Hoe hij zo veel mogelijk over JW had geleerd. Hoe hij was ontslagen bij de politie vanwege een verzonnen vechtpartij bij een worstenstalletje. De redenen voor zijn ontslag waren fake. Hij legde uit hoe Torsfjäll een aanstelling bij de Salberga-gevangenis voor hem geregeld had. Hoe hij alles had gedaan om te infiltreren, bevriend te raken met JW. Hoe hij hem zelfs had meegenomen naar de elandenjacht bij Carl.

Lottie luisterde.

Hägerström probeerde aan haar te zien of ze hem vertrouwde of niet.

Ze vertrok geen spier.

Toen hij klaar was zei hij: 'Je gelooft me misschien niet, mama. Maar ik wil dat je contact opneemt met een man die Mrado Slovovic heet en hem één ding vraagt: over wie stelde ik hem vragen toen hij met de politie samenwerkte.'

Lottie knikte.

Ze zei een tijdje niets. Daarna zei ze: 'En Pravat?'

Het was net alsof alles wat hij zojuist had verteld niet essentieel was, het enige wat telde was zijn relatie met Pravat. Op een bepaalde manier voelde dat fijn. Het kon haar niet schelen of hij infiltrant was of niet. Zijn wereld was haar hoe dan ook vreemd. Dat hij meer dan vijftien jaar geleden had besloten bij de politie te gaan was op zich al onbegrijpelijk geweest.

Hägerström zei: 'Als ik vrijkom koop ik een huis op Lidingö. In de buurt van Anna. Dat is het enige wat ik nu weet.'

'En verder?'

Hägerström vroeg zich af wat ze bedoelde. Maar er was nog iets wat hij haar nu wilde zeggen. Het werd tijd. Hij had het zichzelf beloofd. Alles zou nu op tafel komen.

'Ik wil je nog iets vertellen, mama.'
Ze frunnikte met haar vingers aan haar sjaal. Sloeg haar blik neer.
Hägerström dacht aan de schilderijen van J.A.G. Acke die bij haar thuis hingen. De drie jonge, naakte mannen op een rots midden in de zee.
'Ik ben homoseksueel.'
Lottie keek op.
'Martin.'
Pauze.
'Dat weet ik al twintig jaar.'

*

De politie had geprobeerd haar helemaal kapot te verhoren.
'Wat deed je in het hotel?'
'Wat deed je in de vergaderzaal?'
'Wie waren daar nog meer?'
'Heb je gezien dat er iets met Stefanovic gebeurde?'
Ze gaf voortdurend ontwijkende antwoorden, insinueerde dat iemand anders hem had vermoord. De smerissen waren niet achterlijk – ze voelden intuïtief dat ze loog, maar ze konden niet weten waarover.
Ze had drie maanden in hechtenis gezeten. Ten slotte waren ze genoodzaakt haar te laten gaan.
Ze was in de vergaderzaal geweest. Maar daar waren JW en drie onbekende Russische mannen ook geweest. Het was niet te bewijzen dat uitgerekend zij Stefanovic had vermoord – er zaten geen DNA-sporen of vingerafdrukken op het wapen, ze had het zorgvuldig schoongeboend. Er zaten geen sporen op haarzelf. Geen van de mannen die in de lobby hadden zitten wachten, zou met de politie praten – dat was een erecode. En bovendien: de Russen waren verdwenen – ze kwamen in aanmerking als dader.

Ze zat in de bibliotheek te wachten tot er een bijeenkomst zou beginnen.
Ze dacht niet meer zoveel aan papa. Ze zag het gezicht van Melissa Cherkasova niet meer zo vaak voor zich als ze ging slapen.
Ze had het enig mogelijke gedaan. Gestraft wie gestraft moest worden.
Stefanovic had er verbaasd uitgezien toen ze hem de eerste keer stak. Daarna raakte hij in paniek.
Het geslepen handvat van de kam drong zo makkelijk in hem door. Ze hoefde hem nog maar één keer te steken om aan de veilige kant te zijn. Ze wachtte een paar minuten nadat hij in elkaar was gezakt. De hele vloer zat onder het bloed.
Niemand buiten leek te hebben gereageerd. Alle mannen zaten immers op de verdieping eronder te wachten.
En daarna, op de parkeerplaats, had ze oog in oog met Semjon Averin gestaan.

Maar haar geluk bij een ongeluk: dat de politieoverval om haar heen was geëxplodeerd.

Natalie was drie maanden opgesloten geweest omdat het hotel zo bomvol met agenten had gezeten. Toch was ze hun dankbaar – als zij er niet waren geweest, was het met haar afgelopen zoals met papa. De Wolf Averin zou haar van minder dan drie meter afstand in haar hoofd hebben geschoten.

Ze pakten JW en zijn chauffeur, Hägerström, op. Ze pakten meer mannen op, zowel van haar als van Stefanovic. Het was hun niet gelukt de Russen en de tolk op te pakken. En ze hadden Averin niet gepakt. Ze moesten ook verrast zijn door zijn verschijning. Of ze hadden hem überhaupt niet opgemerkt.

Ze wist het niet.

Ze leunde achterover in de fauteuil. Op de drinktafel stonden flessen met Johnnie Walker Blue Label, Glenfiddich, wodka, gin, Coca-Cola en tonic.

Ze schonk een glas Blue Label in.

Over tien minuten zouden ze hier moeten zijn.

Ze dacht aan JW.

Er moest ergens een lek hebben gezeten. Waarom waren al die agenten daar anders geweest? Misschien was het die chauffeur, Hägerström. Jorge, JW's vriend, had JW in de lobby gebeld. Begon erover dat die vent niet te vertrouwen was.

JW belde om wat dingetjes te checken, bijvoorbeeld bij Hägerströms zus. Het klopte wat Jorge zei – Hägerström had over vage dingen gelogen. JW: überparanoïde als altijd – nam geen risico. Belde Mischa Bladman direct.

Dat was de juiste reactie. Twintig minuten nadat ze toesloegen in het Radisson Blu Arlandia Hotel deed de politie een inval bij het kantoor van MB Accountant & Advies. Blijkbaar wisten ze ook waar hun geheime kantoor zich bevond.

Meer dan vijftien agenten waren binnengestormd, zetten Bladman met zijn rug tegen de muur. Doorzochten het kantoor en het extra kantoor minutieus.

Maar ze vonden nada.

Bladman een held. Samen met wat assistenten had hij de harddisks in no time gewist, ervoor gezorgd dat de belangrijkste ordners verdwenen en het archief van het kantoor en de boekenkasten in de geheime ruimte leeggehaald. Had al het materiaal met bewijskracht laten verdwijnen.

JW was tegelijk met haar vrijgelaten uit het huis van bewaring. Vrij als een vogel.

Hij had haar gebeld om het te vertellen. De financiële politie had veel materiaal, maar zijn naam, rekening of handtekening was nergens te vinden. De stroman Hansén had degelijk werk geleverd. En Bladman had extreem snel gereageerd.

En nu zat JW ergens in het buitenland. Liet alles bekoelen.

Op dit moment zaten er thuis wat te veel mensen die boos waren.

Tachtig verdwenen miljoenen zorgden voor een lichte frustratie.

Maar hij zou terugkomen, dat had hij Natalie beloofd.

Ze verlangde naar hem.

De deur van de bibliotheek ging open.
Goran kwam binnen.
Ze zoenden elkaar op de wang.
Natalie schonk een whisky voor hem in. Hij ging zitten.
'De anderen kunnen elk moment komen.'
'Mooi.'
Hij zei: 'Die gozer van Ivan Hasdic belde. Morgen sturen ze spullen. Ze zouden er donderdag moeten zijn.'
Natalie nam een slok van haar whisky.
'Mooi,' zei ze weer.
Ze zwegen even.
Goran zei: 'Verder heb ik Darko met je vorige vriendje laten praten, Viktor.'
'En wat zei hij?'
'Darko moest het hem duidelijk uitleggen. Maar nu zijn ze het eens, hij heeft de gevolgen begrepen. Hij zal niets doen wat iemand teleurstelt.'
Natalie leunde achterover. 'Mooi,' zei ze, voor de derde keer. Ze wist dat JW tevreden zou zijn.
De bibliotheek was prachtig geworden. Ze had hem opnieuw laten behangen. Lichtgroen behang in plaats van het oude donkere. Nieuwe boekenkasten tegen de muren – lichter, met vierkante vakken voor de boeken. De schilderijen mochten blijven hangen. Europa en de Balkan. De Donau. De slag bij Kosovo Polje. De portretten van heilige kerels. Kaarten van Servië en Montenegro.
Maar ze had ook een nieuw schilderij opgehangen: een ingelijste gravure van een kaart van Stockholm uit 1803.
De stad was toen veel kleiner. Gamla Stan, de noordelijke delen, Södermalm en sommige stukken van Norrmalm waren bebouwd. De rest was nog moestuin.
Stockholm: dat was haar territorium nu. Haar zakendistrict.
Ze vroeg zich vaak af wie ze was. Was ze een meisje dat te snel volwassen had moeten worden? Was ze een vrouw die de haar toebedeelde rol op zich had genomen? Was ze student of crimineel? Serviër of Zweeds?
Nu wist ze wie ze was – ze was Stockholmer. Honderd procent.
Ze was Natalie Kranjic. De dochter van Radovan Kranjic.
Ze was een nieuwe Kum.
Ze was koningin van Stockholm.

*

Over tien minuten zou het moeten komen. Hij wist hoe het normaal gesproken ging. De rechtbank faxte het vonnis naar het secretariaat van het huis van bewaring. Het secretariaat stuurde iemand naar de afdeling. Iemand op de afdeling gaf het door aan de gedetineerde.
De rechtszaak had vier weken geduurd.

Hij, Javier, Babak, Robert en Sergio. En de Fin. Op een rij naast hun advocaten in de beveiligde rechtszaal van de rechtbank van Stockholm.

De eerste dagen waren de media ter plaatse achter het plexiglas. Toen de lange verhoren waren begonnen, hadden ze hun belangstelling verloren.

De aanklacht was gecompliceerd. Het kwam erop neer dat de officier van justitie ze keihard aan wilde pakken.

Jorge Salinas Barrio, Javier Fernandez, Babak Behrang, Robert Progat en Sergio Salinas Morena hebben samen en in overleg met anderen op 6 juni met geweld en dreiging met geweld die de klagende partij zeer gevaarlijk toescheen, ongeoorloofd en met de opzet tot toeëigening een aantal zogeheten geldkoffers meegenomen die contanten, waardebonnen en loten bevatten, met een totale waarde van 4.213.432 kronen (waarvan 2.560.300 kronen aan contanten), en in verband daarmee de bewaker Suleyman Basak met voorbedachten rade ernstig letsel toegebracht door een springlading in zijn buurt te laten exploderen.

Anders 'de Fin' Olsson heeft bovengenoemde handelingen aangesticht en gestuurd door de overval te bestellen en de daders te instrueren.

Daarna volgden de aanklacht in verband met de taxichauffeur die een nepblaffer tegen zijn slaap gedrukt had gekregen toen Jorge door de stad was gevlucht en de aanklacht voor de bevrijding van Javier. Daar was Hägerström ook bij geweest.

In het slotpleidooi had de officier van justitie acht jaar tegen Javier, Babak en Sergio geëist.

Tegen Jorge eiste ze twaalf.

Echt, het speet Jorge oprecht dat de bewaker blind was geworden en in een rolstoel was beland. Maar dat was goddomme ook niet de bedoeling geweest – dat was de fout van de Fin, van zijn kloterige planning. En de taxichauffeur – die was nooit in gevaar geweest. Het was maar een soft air gun, al had hij dat natuurlijk niet geweten.

De officier van justitie en de advocaten hadden als beesten gevochten.

DNA-bewijs: handpalmvet van Jorge in de Range Rover.

Haartjes van Babak in een flat waar ook een walkietalkie was gevonden.

Huidcellen van Sergio in een bivakmuts.

Vreemde sms'jes in de mobiel van Robert.

Kaarten van de Klarastrandsleden op de harddisk van Javiers pc.

En waarom waren ze de dag na de overval bijna allemaal uit Zweden vertrokken?

Het ontbrak hun aan zogeheten direct bewijs tegen ieder van hen.

Maar het patroon, de verbanden, de slechte verklaringen. Toch had de officier van justitie robuuster bewijs nodig. En het beste dat bestond waren getuigen. Daar had ze helaas een troefkaart – ze hadden die zak van een Viktor opgeroepen. Die gozer had als een beginneling zitten kletsen bij politieverhoren. Zijn woorden konden hun allemaal achter slot en grendel krijgen.

Jorges advocaat zei dat Babak en Sergio het konden schudden. Voor Jorge waren de kansen fiftyfifty.

Veel hing af van wat Viktor in een getuigenverhoor zou zeggen.

En voor de Fin: de officier van justitie kwam aanzetten met een gekleurd bankbiljet dat was gevonden in een van zijn pizzeria's – dat was zwakker dan zwak. Maar die gast zou sowieso veroordeeld worden voor de schoten op Jorge, Jorgito en Paola. Poging tot moord – dat was voldoende om hem minstens acht jaar de bak in te krijgen.

Jorge dacht aan de grindgroeve.

Hij had het overleefd: had zijn ogen opgeslagen op een uitslaapkamer van het Huddingeziekenhuis. Dankte God dat hij een kogelvrij vest aan had gehad. Zijn nieren en lever waren ongeschonden, hoewel er twee kogels zijn rug binnengedrongen waren.

Wat het vonnis ook zou zijn, hoeveel jaar hij ook zou krijgen – hij was een heel mens.

Paola was op tijd de auto in gedoken.

En Jorgito was beschermd geweest door Jorges lichaam.

Ze leefden.

Jorges plan was klaar. Als hij vrijgesproken werd, peerde hij hem. Misschien ergens anders heen dan naar Thailand. De smerissen wisten dat hij daar was geweest. Op de een of andere manier leken ze ook te weten dat hij daar wat wilde kopen. Misschien had die Hägerström lopen kletsen.

Maar waarschijnlijk toch niet.

Want: die kerel bleek zelf drie jaar te hebben gekregen voor de bevrijding van Javier.

Want: als die kerel een verklikker was, zou hij verteld moeten hebben wat Jorge bij de bevrijding van Javier had gedaan. Maar geen woord van Hägerström. Dus raar genoeg: dankzij die ex-cipier zou Jorge op dat punt vrijgesproken worden.

Javier had Jorge een paar dagen geleden in de rechtszaal iets vreemds toegefluisterd. 'Als ik veroordeeld word, ga ik proberen in dezelfde bajes te komen als Martin. En als ik vrijkom, ga ik meteen bij hem op bezoek.'

Het was raar. Jorge keek naar de papieren die voor hem lagen.

Hij had zitten kliederen. Had poppetjes en ouwe tags getekend. Maar nog iets – in de marge had Javier *Martin* geschreven.

Ze waren beter bevriend dan Jorge had begrepen. Veel beter.

Jorge dacht aan het telefoongesprek dat hij zojuist vanaf de telefoon van het huis van bewaring had gevoerd.

Hij herinnerde zich het nummer nog: de dreadlockchick die hij in Phuket en op Arlanda was tegengekomen.

De telefoon klonk anders dan in Zweden.

Daarna hoorde hij haar stem.

'Met Sara.'

'Hoi, Jorge hier, we hebben elkaar een tijdje geleden op Arlanda gezien, als je dat nog weet.'

Om de een of andere reden kriebelde het in zijn buik. Niet op de gewone, slechte manier. Dit was anders.

'Tuurlijk. Ik dacht net aan je. Waar ter wereld ben je ergens?'

'Weet ik nog niet. Waar ben jij?'

'In Indonesië. Kun je niet hierheen komen?'

'Dat zou chill zijn. Ik moet alleen nog ergens op wachten, op iets heel belangrijks wat ik eerst moet weten.'

*

Rechtbank Stockholm
Vonnis zaak nr. 931-11
Afdeling 55

PARTIJEN

Openbaar Ministerie
Hoofdofficier van justitie Birgitta Söderström
Arrondissement Stockholm

Slachtoffers
Suleyman Basak, bewaker
Gröndalsvägen 172
117 69 Stockholm

Peter Lindström, bewaker
Pilbågsvägen 3
184 60 Åkersberga

Johan Carlén, bewaker
Backluravägen 29c
149 43 Nynäshamn

Pablo Gomez, taxichauffeur
Bredängsvägen 200
127 32 Skärholmen

Olof Johansson, agent
Tätorpsvägen 54
128 31 Skarpnäck

Verdachte (totaal aantal verdachten 6)
Jorge Salinas Barrio
Huis van bewaring Kronoberg

Samenvatting van de motivering (selectie)
De officier van justitie heeft in verband met Jorge Salinas Barrio een aantal zogeheten indirecte bewijzen aangevoerd. Op de eerste plaats is Jorge Salinas Barrio goed bevriend met het merendeel van de andere gedaagden, verder heeft hij Zweden na de overval verlaten en is er in zijn woning een bepaald bonnetje aangetroffen. De officier van justitie verwees ook naar een getuigenverhoor met getuige Viktor (geheimhouding).

Om te beginnen stelt de rechtbank vast dat het feit dat Jorge Salinas Barrio goed bevriend is met het merendeel van de andere gedaagden op zich geen sterke bewijskracht heeft voor zijn deelname aan de overval op Tomteboda in een van de rollen die de officier van justitie heeft genoemd.

Dat hij Zweden kort na de overval heeft verlaten kan er daarentegen natuurlijk op wijzen dat hij het land heeft willen ontvluchten omdat hij betrokken was bij de overval. De onomstotelijke conclusie dat dit het geval was, kan echter niet worden getrokken. Ook dit feit heeft daarom geen sterke bewijskracht.

Voor de bewijsvoering zijn vooral van belang een bonnetje van de Ica-supermarkt in Sollentuna van dertig rollen aluminiumfolie dat in Jorge Salinas Barrio's woning is aangetroffen alsmede een DNA-spoor van hem dat is aangetroffen in de uitgebrande auto van het merk Range Rover die is gebruikt om de hekken van Tomteboda te forceren bij de overval. In dezelfde auto zijn afdrukken van Babak Behrang en Sergio Salinas Morena veiliggesteld.

Op de eerste plaats wil de rechtbank wijzen op de eisen aan bewijzen in strafzaken. Om een gedaagde te kunnen veroordelen moet boven elke redelijke twijfel zijn verheven dat een en ander is verlopen zoals de officier van justitie in haar pleidooi beschrijft. De bewijslast ligt geheel bij de officier van justitie.

Het feit dat er een bonnetje van rollen aluminiumfolie in de woning van Jorge Salinas Barrio is aangetroffen, is uitermate belastend voor hem. Hij heeft in de rechtbank verteld dat hij denkt dat het bonnetje bij hem thuis is achtergebleven nadat een vriend, van wie hij de naam niet wil noemen, bij hem thuis is geweest op een feest. Op het bonnetje zijn vingerafdrukken aangetroffen, maar die komen niet overeen met die van Jorge Salinas Barrio. Hieraan wordt toegevoegd dat Jorge Salinas Barrio volgens de officier van justitie ook goed bevriend is met het merendeel van de andere gedaagden. Hoewel Jorge Salinas Barrio's verklaring enigszins de indruk wekt van een reconstructie achteraf, zeker gezien het feit dat hij de naam van de vriend van wie het bonnetje was niet wil noemen, kan de rechtbank niet uitsluiten dat zijn verhaal overeenkomt met de werkelijkheid.

Dezelfde conclusie geldt voor het DNA-spoor dat is aangetroffen in de Range Rover.

Jorge Salinas Barrio heeft verteld dat hij goed bevriend is met onder anderen Babak Behrang en dat hij zijn auto meerdere malen heeft geleend voor vervoer in verband met zijn café. Dit wordt bevestigd door enkele getuigenverklaringen in deze zaak. De rechtbank kan derhalve niet uitsluiten dat zijn verhaal overeenkomt met de werkelijkheid.

De rechtbank gaat nu verder met de beoordeling van de getuige Viktor. De getuige Viktor heeft in de rechtbank een heel ander verhaal verteld dan bij de politieverhoren die de officier van justitie aanhaalt. Tijdens de politieverhoren heeft hij onder meer verteld dat hij in een vroege fase betrokken was bij de planning van de overval en dat Jorge Salinas Barrio hierbij een leidende rol had. De officier van justitie heeft aangevoerd dat de informatie die Viktor bij de politieverhoren heeft gegeven moet prevaleren boven wat hij onder ede bij de rechtbank heeft verteld. De reden daarvoor is dat Viktor moet zijn blootgesteld aan druk van buitenaf, in de vorm van bedreiging of dwang, om zijn verklaringen terug te nemen. De officier van justitie heeft echter niet kunnen aantonen wie Viktor zouden hebben bedreigd of zouden hebben gedwongen zijn verhaal in de rechtbank te veranderen. Een ander bewijs in deze kwestie is evenmin aangevoerd.

Viktors verklaringen, deels afgelegd in politieverhoren, deels in de rechtbank, zijn tegenstrijdig. Daarnaast zijn ze op veel punten niet te controleren. Bij de controleerbare onderdelen blijken beide verklaringen in sommige opzichten echter in tegenspraak te zijn met overig bewijs.

Tegen de achtergrond van bovenstaande, en gezien de strikte eisen die in strafzaken aan bewijzen worden gesteld, is het geheel van feiten in de zaak – hoewel uiterst belastend voor Jorge Salinas Barrio – niet voldoende om de aanklacht buiten alle redelijke twijfel te ondersteunen.

De aanklacht tegen Jorge Salinas Barrio voor het plegen van een gewelddadige overval zal daarom niet-ontvankelijk worden verklaard. Ook de aanklacht van bedreiging met zware mishandeling en poging tot zware mishandeling in verband met de bevrijding van Javier Fernandez wordt niet-ontvankelijk verklaard. Wel wordt Jorge Salinas Barrio voor bedreiging van taxichauffeur Pablo Gomez, geweld tegen de ambtenaar in functie Olof Johansson en vernieling tot een jaar gevangenisstraf veroordeeld. Van die tijd worden de vier maanden die Jorge Salinas Barrio in voorarrest heeft gezeten afgetrokken.

Jorge Salinas Barrio zal daarom, gesteld dat hij na twee derde deel van zijn gevangenisstraf voorwaardelijk wordt vrijgelaten, nog vier maanden gevangenisstraf moeten ondergaan.

Voor het aantekenen van hoger beroep, zie bijlage.

*

Ik zat op de veranda voor mijn bungalow. Een glas ananassap in mijn hand. Een opgevouwen Izvestia *op de tafel naast me.*

De zee was blauwer dan anders. Alsof het water de lucht vandaag kleurde en niet andersom.

Mijn vrouw was weg, ik wist niet precies waarheen. Ze zei dat ze naar haar zus aan de andere kant van het eiland ging. Maar ik had haar een keer geschaduwd nadat ze dat had gezegd. Haar tocht eindigde bij een Britse man die twee kilometer verderop aan het strand woonde.

Ik begon rusteloos te worden. Vier maanden achter elkaar op dit eiland was te lang voor me. Ik zei altijd dat ik van verveling hield, maar misschien was dat alleen maar een excuus om te mogen doen wat ik deed.

Nu was ik echter gedwongen te wachten tot het circus in Zweden tot rust zou komen.

Ik wilde geen contact met iets wat me daarmee in verband kon brengen. Ik wilde er niet aan herinnerd worden.

Toch had mijn opdrachtgever me ongeveer een maand geleden gebeld.

We hadden elkaar nooit eerder gesproken. Hadden alleen via tussenpersonen gecommuniceerd. Het was onheilspellend.

Zijn stem klonk relatief jong. Een duidelijk Zweeds accent.

Hij zei: 'De opdracht is nu voorbij.'

Ik zei: 'Natuurlijk is de opdracht voorbij. Ik wil minstens vijf jaar geen voet meer in Zweden zetten.'

'Ik hoop dat je dat ook niet hoeft.'

Op dit soort telefoontjes zat ik niet te wachten. Mijn opdrachten waren zakelijke transacties. Nooit iets met een persoonlijk tintje.

Toch ging hij verder. 'Voor mij persoonlijk voelt het afgesloten. Ik ken haar nu. Ik weet dat ze op dezelfde manier heeft geleden als ik.'

Ik nam een slok van mijn sap. 'Bel je voor iets in het bijzonder?'

Hij zei: 'Nee, alleen dat het nu niet meer hoeft.'

'Dat heb je al gezegd.'

'Mijn zus is acht jaar geleden vermoord. Met de man die daarachter zat heb je afgerekend bij de explosie. En zijn dochter heeft afgerekend met de andere man die daarachter zat. En zelf zal ze altijd net zo slecht slapen als ik.'

'Je hebt gelijk. Er is genoeg gedood. Nu hoeft er niet meer gedood te worden. Nu hoef je hier nooit meer aan te denken.'

De man aan de andere kant van de lijn leek in gedachten verzonken.

Ik zei: 'Nu is het voorbij. Je kunt nu verdergaan.'

'Misschien.'

'Ik verzeker het je. Het is voorbij.'

Ik hoorde hem diep inademen.

We beëindigden het gesprek.

Ik pakte mijn glas.

Stond op, nam de krant mee en ging de bungalow in.

Het was te heet buiten.